HARRY POTTER
E O CÁLICE DE FOGO

J.K. ROWLING é a autora da eternamente aclamada série Harry Potter.

Depois que a ideia de Harry Potter surgiu em uma demorada viagem de trem em 1990, a autora planejou e começou a escrever os sete livros, cujo primeiro volume, *Harry Potter e a Pedra Filosofal*, foi publicado no Reino Unido em 1997. A série, que levou dez anos para ser escrita, foi concluída em 2007 com a publicação de *Harry Potter e as Relíquias da Morte*. Os livros já venderam mais de 600 milhões de exemplares em 85 idiomas, foram ouvidos em audiolivro ao longo de mais de 80 milhões de horas e transformados em oito filmes campeões de bilheteria.

Para acompanhar a série, a autora escreveu três pequenos livros: *Quadribol através dos séculos*, *Animais fantásticos e onde habitam* (em prol da Comic Relief e da Lumos) e *Os contos de Beedle, o Bardo* (em prol da Lumos). *Animais fantásticos e onde habitam* inspirou uma nova série cinematográfica protagonizada pelo magizoologista Newt Scamander.

A história de Harry Potter quando adulto foi contada na peça teatral *Harry Potter e a Criança Amaldiçoada*, que Rowling escreveu com o dramaturgo Jack Thorne e o diretor John Tiffany, e vem sendo exibida em várias cidades pelo mundo.

Rowling é autora também de uma série policial, sob o pseudônimo de Robert Galbraith, e de dois livros infantis independentes, *O Ickabog* e *Jack e o Porquinho de Natal*.

J.K. Rowling recebeu muitos prêmios e honrarias pelo seu trabalho literário, incluindo a Ordem do Império Britânico (OBE), a Companion of Honour e o distintivo de ouro Blue Peter.

Ela apoia um grande número de causas humanitárias por intermédio de seu fundo filantrópico, Volant, e é a fundadora das organizações sem fins lucrativos Lumos, que trabalha pelo fim da institucionalização infantil, e Beira's Place, um centro de apoio para mulheres vítimas de assédio sexual.

J.K. Rowling mora na Escócia com a família.

Para saber mais sobre J.K. Rowling, visite:
jkrowlingstories.com

J.K. ROWLING

HARRY POTTER
E O CÁLICE DE FOGO

ILUSTRAÇÕES DE MARY GRANDPRÉ

TRADUÇÃO DE LIA WYLER

Rocco

Título original
HARRY POTTER
and the Goblet of Fire

Copyright do texto © 2000 by J.K. Rowling
Direitos de publicação e teatral © J.K. Rowling

Copyright das ilustrações de miolo, de Mary GrandPré © 2000 by Warner Bros.

Copyright ilustração de capa, de Kazu Kibuishi © 2013 by Scholastic Inc.
Reproduzida com autorização.

Todos os personagens e símbolos correlatos
são marcas registradas e © Warner Bros. Entertainment Inc.
Todos os direitos reservados.

Todos os personagens e acontecimentos nesta publicação, com exceção
dos claramente em domínio publico, são fictícios e qualquer semelhança
com pessoas reais, vivas ou não, é mera coincidência.

Nenhuma parte desta obra pode ser reproduzida, armazenada em sistema,
ou transmitida, sob qualquer forma ou meio, sem a autorização prévia, por escrito,
do editor, não podendo, de outro modo, circular em qualquer formato de impressão
ou capa diferente daquela que foi publicada; sem as condições similares, que inclusive,
deverão ser impostas ao comprador subsequente.

Direitos para a língua portuguesa reservados
com exclusividade para o Brasil à
EDITORA ROCCO LTDA.
Rua Evaristo da Veiga, 65 – 11º andar
Passeio Corporate – Torre 1
20031-040 – Rio de Janeiro, RJ
Tel.: (21) 3525-2000 – Fax: (21) 3525-2001
rocco@rocco.com.br / www.rocco.com.br

Printed in Brazil/Impresso no Brasil

Preparação de originais
MÔNICA MARTINS FIGUEIREDO

CIP-Brasil. Catalogação na fonte.
Sindicato Nacional dos Editores de Livros, RJ.

R778h Rowling, J.K. (Joanne K.), 1967-
    Harry Potter e o Cálice de Fogo / J.K. Rowling;
  ilustrações de Mary GrandPré; tradução de Lia Wyler. –
  1ª ed. – Rio de Janeiro: Rocco, 2015.
  il.

  Tradução de: Harry Potter and the Goblet of Fire
  ISBN 978-85-325-2998-5

  1. Literatura infantojuvenil inglesa. I. GrandPré, Mary, 1954-.
  II. Wyler, Lia, 1934-. III. Título.

15-22825   CDD-028.5
                      CDU-087.5

O texto deste livro obedece às normas
do Acordo Ortográfico da Língua Portuguesa

Impressão e Acabamento: GEOGRÁFICA

A PETER ROWLING,
À MEMÓRIA DO SR. RIDLEY
E PARA SUSAN SLADDEN,
QUE AJUDOU HARRY A VIR À LUZ

1

A CASA DOS RIDDLE

Os habitantes de Little Hangleton continuavam a chamá-la "Casa dos Riddle", ainda que já fizesse muitos anos desde que a família Riddle morara ali. A casa ficava em um morro com vista para o povoado, algumas janelas pregadas, telhas faltando e a hera se espalhando livremente pela fachada. Outrora uma bela casa senhorial, e, sem favor algum, a construção maior e mais imponente de toda a redondeza, a Casa dos Riddle agora estava úmida, em ruínas, e desocupada.

As pessoas do local concordavam que a velha casa dava arrepios. Meio século antes uma coisa estranha e terrível acontecera ali, uma coisa que os antigos habitantes do povoado ainda gostavam de discutir quando faltava assunto para fofocas. A história fora requentada tantas vezes e enfeitada em tantos pontos que ninguém mais sabia onde estava a verdade. Todas as versões, porém, começavam no mesmo ponto: cinquenta anos antes, ao amanhecer de uma bela manhã de verão, quando a casa dos Riddle ainda era bem cuidada e imponente, uma empregada entrou na sala de estar e encontrou os três Riddle mortos.

A empregada saiu correndo morro abaixo, aos berros, até o povoado, e acordou o maior número possível de pessoas.

– Caídos na sala com os olhos abertos! Gelados! Ainda com a roupa do jantar!

A polícia foi chamada e Little Hangleton inteiro fervilhou de espanto, curiosidade e mal disfarçada animação. Ninguém gastou fôlego em fingir tristeza com o que acontecera aos Riddle, porque eles eram muito impopulares. Os velhos Sr. e Sra. Riddle tinham sido ricos, esnobes e grosseiros, e seu filho adulto, Tom, era tudo isso em grau maior. A preocupação de todos que moravam em Little Hangleton era a identidade do assassino – pois não havia dúvida de que três pessoas aparentemente saudáveis não poderiam ter morrido, na mesma noite, de causas naturais.

O Enforcado, o bar local, faturou sem parar aquela noite; os habitantes do povoado apareceram em peso para discutir a matança. Foram recompensados por terem deixado o conforto de sua lareira, quando a cozinheira dos Riddle apareceu teatralmente e anunciou para o bar, repentinamente silencioso, que um homem chamado Franco Bryce acabara de ser preso.

— Franco! — exclamaram várias pessoas. — Nunca!

Franco Bryce era o jardineiro dos Riddle. Morava sozinho em uma casa malcuidada na propriedade dos patrões. Voltara da guerra com uma perna dura e uma intensa aversão por ajuntamentos e barulhos, e, desde então, trabalhava para os Riddle.

Houve um corre-corre geral para pagar bebidas para a cozinheira e ouvir maiores detalhes.

— Sempre achei que ele era esquisito — disse a mulher aos ouvintes ansiosos, depois do quarto xerez. — Assim, antipático. Tenho certeza de que não ofereci a ele só uma xícara de chá, ofereci bem umas cem. Nunca quis se misturar, nunca mesmo.

— Ah — disse uma mulher sentada ao balcão —, mas ele passou muito sofrimento na guerra, o Franco, e gosta de uma vida tranquila. Isso não é razão...

— Quem mais tinha a chave da porta dos fundos, então? — vociferou a cozinheira. — Desde que me entendo por gente, sempre teve uma chave de reserva pendurada na casa do jardineiro! Ninguém forçou a porta ontem à noite! Não tem janelas quebradas! O Franco só precisou entrar escondido na casa grande enquanto a gente dormia...

As pessoas trocaram olhares tenebrosos.

— Eu sempre achei que ele tinha um jeito ruim, e não me enganei — resmungou um homem junto ao balcão.

— Foi a guerra que deixou ele esquisito, se querem saber a minha opinião — disse o dono do bar.

— Eu disse que não queria desagradar a Franco, não disse, Dot? — falou uma mulher agitada a um canto.

— Gênio terrível — concordou Dot, acenando a cabeça com vigor. — Me lembro quando ele era criança...

Na manhã seguinte, quase ninguém em Little Hangleton duvidava de que Franco Bryce tivesse matado os Riddle.

Mas na cidadezinha vizinha de Great Hangleton, na delegacia de polícia escura e feia, Franco teimava em repetir sem parar que era inocente e que a única pessoa que ele vira perto da casa, no dia da morte dos Riddle, fora um adolescente estranho, de cabelos pretos e rosto pálido. Ninguém mais no povoado vira o tal garoto e a polícia não teve dúvidas de que Franco o inventara.

Então, quando as coisas estavam ficando muito feias para Franco, chegou o laudo sobre os cadáveres dos Riddle e tudo mudou.

A polícia nunca vira um laudo mais esquisito. Uma equipe de legistas examinara os corpos e concluíra que nenhum dos Riddle fora baleado, envenenado, esfaqueado, estrangulado, sufocado ou, pelo que sabiam, sofrera qualquer violência. Com efeito, continuava o laudo, em tom de inconfundível perplexidade, os Riddle, tirando o fato de que estavam mortos, pareciam gozar de perfeita saúde. Os legistas observaram (como se estivessem decididos a encontrar alguma coisa errada nos cadáveres) que cada membro da família tinha uma expressão de terror no rosto — mas, segundo afirmava a frustrada polícia, quem já ouvira falar de alguém morrer de pavor?

E como não havia a menor prova de que os Riddle tivessem sido assassinados, a polícia foi obrigada a soltar Franco. Os mortos foram enterrados no cemitério da igreja de Little Hangleton e, por algum tempo, suas sepulturas se tornaram alvo da curiosidade geral. Para surpresa de todos, e acompanhado por uma nuvem de desconfiança, Franco Bryce voltou para sua casinha na propriedade dos Riddle.

— Para mim, foi ele quem matou a família e não me interessa o que a polícia disse — comentou Dot no Enforcado. — E se ele tivesse um pingo de decência iria embora daqui, sabendo que a gente sabe que foi ele.

Mas Franco não foi embora. Ficou para cuidar do jardim para a família que veio morar logo depois na Casa dos Riddle, e para a próxima — porque nenhuma das duas se demorou muito. Em parte, talvez tenha sido por causa de Franco que cada proprietário dizia que o lugar dava uma sensação desagradável e, por falta de moradores, acabou se desmantelando.

O ricaço que era o atual dono da Casa dos Riddle nem morava lá nem dava um destino à casa; diziam no povoado que ele a mantinha por "causa dos impostos", embora ninguém entendesse muito bem o que significava isso. E o ricaço continuou a pagar a Franco para cuidar da jardinagem. Ele agora se aproximava do seu septuagésimo sétimo aniversário, muito surdo, a perna mais dura que nunca, mas era visto trabalhando pelos jardins quando fazia bom tempo, embora o mato já começasse a levar a melhor.

O mato não era, no entanto, o único problema que Franco precisava enfrentar. Os garotos do povoado tinham criado o hábito de atirar pedras nas janelas da Casa dos Riddle. Passavam de bicicleta por cima da grama que Franco se empenhava tanto para manter aveludada. Umas duas vezes eles haviam arrombado a velha casa para ganhar apostas. Sabiam que o velho Franco era dedicado à propriedade e achavam graça vê-lo mancando pelo jardim, brandindo a bengala e ralhando, a voz roufenha, com os invasores. Franco, por sua vez, acreditava que os garotos o atormentavam porque, tal qual seus pais e avós, achavam que ele era um assassino. Por isso, quando acordou certa noite de agosto e viu uma coisa muito estranha na casa, ele simplesmente supôs que os garotos estivessem indo um pouco mais longe em suas tentativas de castigá-lo.

Foi a perna dura que o acordou; doía mais do que nunca agora na velhice. Franco se levantou e desceu as escadas até a cozinha pensando em tornar a encher a bolsa de água quente para aliviar a rigidez do joelho. Parado à pia, enchendo a chaleira, ele olhou para a Casa dos Riddle e viu uma luz brilhando nas janelas do primeiro andar. Franco percebeu na mesma hora o que estava acontecendo. Os garotos tinham invadido novamente a casa e, a julgar pelo bruxuleio da luz, haviam acendido a lareira.

Franco não possuía telefone e, de qualquer modo, desconfiava demais da polícia, desde que esta o levara para interrogatório depois das mortes dos Riddle. Na mesma hora, ele pousou a chaleira, correu para cima o mais rápido que a perna dura lhe permitiu e logo voltou à cozinha, completamente vestido, e apanhou uma velha chave enferrujada no gancho junto à porta. Depois, pegou a bengala, que deixara apoiada na parede, e saiu pela noite.

A porta de entrada da Casa dos Riddle não tinha sinais de arrombamento, e o mesmo acontecia com as janelas. Andando com dificuldade, Franco contornou a casa em direção aos fundos até chegar a uma porta semiescondida pela hera, apanhou a velha chave, enfiou-a na porta e abriu-a silenciosamente.

Entrou em uma cozinha cavernosa. Havia muitos anos não entrava ali; ainda assim, mesmo no escuro, ele se lembrou de onde era a porta para o corredor e tateou até encontrá-la, as narinas invadidas pelo cheiro de podridão, os ouvidos atentos a qualquer som de passos ou vozes no primeiro andar. Chegou ao corredor, que estava um pouquinho mais claro, graças às grandes janelas de caixilhos que havia de cada lado da porta de entrada, e começou a subir as escadas, abençoando a poeira grossa que cobria a pedra, porque abafava o som dos seus passos e de sua bengala.

No patamar, Franco virou à direita e viu imediatamente onde se encontravam os intrusos: no finzinho do corredor havia uma porta entreaberta de onde saía uma luz vacilante, que projetava uma longa nesga dourada no chão escuro. Franco foi se aproximando mais, segurando a bengala com firmeza. A alguns passos da entrada, conseguiu entrever uma faixa estreita do quarto adiante.

O fogo estava aceso na lareira. Isto o espantou. Parou e escutou com atenção, porque uma voz masculina falava dentro do quarto; parecia tímida e temerosa.

— Sobrou um pouco na garrafa, milorde, se ainda tiver fome.

— Mais tarde — respondeu uma segunda voz. Esta também pertencia a um homem, mas era estranhamente aguda e fria como uma rajada repentina de vento gélido. Alguma coisa naquela voz fez os poucos cabelos na nuca de Franco ficarem em pé. — Me leve mais para perto do fogo, Rabicho.

Franco virou a orelha direita para a porta, para ouvir melhor. Ouviu o tinido de uma garrafa que alguém pousava sobre uma superfície dura, depois o ruído prolongado e seco de uma cadeira pesada arrastando pelo chão. O jardineiro viu de relance um homenzinho, de costas para a porta, empurrando a cadeira conforme lhe pediram. Usava uma longa capa preta, e tinha uma grande pelada na parte de trás da cabeça. Depois, ele desapareceu de vista.

— Aonde foi Nagini? — perguntou a voz fria.

— N... não sei, milorde — disse a primeira voz, nervosamente. — Saiu para explorar a casa, acho...

— Você vai ordenhá-la antes de nos recolhermos, Rabicho — disse a segunda voz. — Vou precisar me alimentar durante a noite. A viagem me deu uma enorme canseira.

A testa enrugada, Franco inclinou o ouvido para mais perto da porta, e escutou. Houve uma pausa e, em seguida, o homem chamado Rabicho tornou a falar.

— Milorde, posso perguntar quanto tempo vamos ficar aqui?

— Uma semana — disse a voz fria. — Talvez mais. O lugar é razoavelmente confortável, e ainda não podemos dar seguimento ao plano. Seria tolice agir antes do fim da Copa Mundial de Quadribol.

Franco meteu um dedo nodoso no ouvido e girou-o. Com certeza, devido ao acúmulo de cera, ele ouvira a palavra "quadribol", uma palavra que não existia.

— A... a Copa Mundial de Quadribol, milorde? — admirou-se Rabicho. (Franco enfiou o dedo com mais força no ouvido.) — Me perdoe, mas... não compreendo... por que precisamos esperar o fim da Copa Mundial?

— Porque, seu tolo, neste exato momento estão chegando ao país bruxos do mundo inteiro e todos os bisbilhoteiros do Ministério da Magia estarão em campo, à procura de sinais de atividades incomuns, verificando identidades e tornando a verificá-las. Estarão obcecados com a segurança, tentando impedir que os trouxas percebam alguma coisa. Por isso vamos aguardar.

Franco parou de tentar desentupir o ouvido. Ouvira distintamente as palavras "Ministério da Magia", "bruxos" e "trouxas". Era óbvio que cada uma dessas expressões significava alguma coisa secreta, e Franco só conseguia pensar em dois tipos de gente que falava em código — espiões e bandidos. Franco apertou mais a bengala e apurou ainda mais os ouvidos.

— Milorde continua decidido, então? — perguntou Rabicho em voz baixa.

— Claro que estou decidido, Rabicho. — Agora havia um tom de ameaça em sua voz fria.

Seguiu-se uma pausa — e então Rabicho falou, as palavras saíram de sua boca num atropelo, como se ele estivesse se obrigando a falar antes de perder a coragem.

— Poderia ser feito sem o Harry Potter, milorde.

Outra pausa, mais longa, e então...

— Sem o Harry Potter? — sussurrou a segunda voz. — Entendo...

— Milorde, não estou dizendo isso porque me preocupo com o garoto! — explicou Rabicho, a voz subindo esganiçada. — O garoto não significa nada para mim, nadinha! É só porque se usássemos outro bruxo ou bruxa, qualquer um, a coisa poderia ser feita muito mais rapidamente! Se o senhor me permitisse deixá-lo por algum tempo... o senhor sabe que posso me disfarçar com muita eficiência... eu voltaria em apenas dois dias com a pessoa necessária...

— Eu poderia usar outro bruxo — disse a segunda voz, baixinho —, é verdade...

— Milorde, faz sentido — disse Rabicho, parecendo muito mais aliviado —, pôr as mãos em Harry Potter seria tão difícil, ele está tão bem protegido...

— E então você se oferece para ir buscar um substituto? Estranho... talvez a tarefa de cuidar de mim tenha se tornado cansativa para você, Rabicho? A sugestão de abandonar o plano não seria apenas uma tentativa de me abandonar?

— Milorde! N... não tenho nenhum desejo de deixá-lo, absolutamente nenhum...

— Não minta para mim! — sibilou a segunda voz. — Sempre percebo, Rabicho! Você está arrependido de ter voltado para mim. Eu o horrorizo. Vejo você fazer careta quando olha para mim, sinto você estremecer quando me toca...

— Não! Minha devoção a milorde...

— Sua devoção não passa de covardia. Você não estaria aqui se tivesse aonde ir. Como posso sobreviver sem você, quando preciso que alguém me alimente a intervalos regulares? Quem vai ordenhar Nagini?

— Mas o senhor parece tão mais forte, milorde...

— Mentiroso — sussurrou a segunda voz. — Não estou mais forte e uns poucos dias sozinho seriam suficientes para me roubar a pouca saúde que recuperei com os seus cuidados desajeitados. *Silêncio!*

Rabicho, que estivera resmungando incoerentemente, calou-se na mesma hora. Durante alguns segundos, Franco não ouviu nada, exceto o crepitar do fogo. Então o segundo homem recomeçou a falar, num sussurro que era quase um silvo.

— Tenho minhas razões para usar o garoto, como já lhe expliquei, e não vou usar mais ninguém. Esperei treze anos. Mais uns meses não me farão diferença. Quanto à proteção que rodeia o garoto, creio que o meu plano funcionará. É preciso apenas um pouco de coragem de sua parte, Rabicho, e você encontrará coragem, a menos que queira sentir o peso da cólera de Lorde Voldemort...

— Milorde, tenho que falar! — disse Rabicho, agora com pânico na voz. — Durante a nossa viagem repassei mentalmente o plano, milorde; o desaparecimento de Berta Jorkins não passará despercebido por muito tempo, e se dermos seguimento a ele, se eu enfeitiçar...

— *Se?* — murmurou a segunda voz. — *Se?* Se você der seguimento ao plano, Rabicho, o Ministério jamais precisará saber que mais alguém desapareceu. Você fará isso em surdina, sem confusão; eu bem gostaria de fazer isso pessoalmente, mas na minha condição atual... Vamos, Rabicho, mais um obstáculo vencido, e o caminho até Harry Potter estará livre. Não estou pedindo que você aja sozinho. Até lá, o meu fiel servo terá se reunido a nós...

— Eu sou um servo fiel — disse Rabicho, com um levíssimo traço de aborrecimento na voz.

— Rabicho, preciso de alguém com cérebro, alguém que nunca tenha vacilado em sua lealdade, e você, infelizmente, não satisfaz nenhum dos dois requisitos.

— Eu o encontrei — disse Rabicho, e agora decididamente havia irritação em sua voz. — Fui eu que o encontrei. Fui eu que lhe trouxe Berta Jorkins.

— É verdade — disse o segundo homem, parecendo achar graça. — Um lance de genialidade que eu nunca teria achado possível em você, Rabicho, embora, a verdade seja dita, você não fizesse ideia do quanto ela seria útil quando a pegou, não é?

— Eu... eu achei que ela poderia ser útil, milorde...

— Mentiroso — disse novamente a segunda voz, a zombaria cruel mais acentuada do que nunca. — Mas não nego que a informação da mulher foi preciosa. Sem ela, eu nunca poderia ter traçado o nosso plano, e por isso você terá a sua recompensa, Rabicho. Vou deixá-lo realizar uma tarefa essencial para mim, uma que muitos seguidores meus dariam a mão direita para realizar...

— V... verdade, milorde! Qual...? — Rabicho parecia outra vez aterrorizado.

— Ah, Rabicho, você não quer que eu estrague a surpresa! Sua parte virá bem no finzinho... mas prometo que você terá a honra de ser tão útil quanto Berta Jorkins.

— O senhor... o senhor... — a voz de Rabicho saiu repentinamente rouca, como se sua boca tivesse ficado muito seca. — O senhor... vai... me matar, também?

— Rabicho, Rabicho — disse a voz fria suavemente —, por que eu iria matá-lo? Matei Berta porque precisei. Ela não servia para mais nada depois do meu interrogatório, completamente inútil. Em todo o caso, haveria perguntas embaraçosas se ela tivesse voltado ao Ministério com a notícia de que encontrara você nas férias. Seria melhor que bruxos presumivelmente mortos não esbarrassem em bruxas do Ministério da Magia em hotéis à beira de estradas...

Rabicho murmurou alguma coisa tão baixinho que Franco não pôde ouvir, mas fez o segundo homem rir — uma risada sem alegria, fria como a sua fala.

— *Poderíamos ter alterado a memória dela?* Mas os Feitiços da Memória podem ser desfeitos por um bruxo poderoso, como eu provei ao interrogá-la. Teria sido um insulto à *memória* da bruxa não usar as informações que ela me forneceu, Rabicho.

Fora no corredor, Franco de repente percebeu que a mão que segurava a bengala se tornara escorregadia de suor. O homem de voz fria tinha matado uma mulher. E falava disso sem um pingo de remorso — *divertia-se*. Ele era perigoso — um doido. E estava planejando outros assassinatos — esse garoto, Harry Potter, fosse ele quem fosse — corria perigo...

O jardineiro sabia o que devia fazer. Agora, como nunca antes, estava na hora de ir à polícia. Ele sairia silenciosamente da casa e iria direto à cabine telefônica no povoado... mas a voz fria recomeçara a falar e Franco continuou onde estava, paralisado, escutando tudo que podia.

– Mais um feitiço... meu fiel servo em Hogwarts... e Harry Potter será praticamente meu, Rabicho. Está decidido. Não haverá mais discussões. Mas fique quieto... Acho que ouvi Nagini...

E a voz do segundo homem mudou. Começou a emitir ruídos que Franco jamais ouvira na vida; sibilava e bufava sem inspirar. Franco achou que ele devia estar tendo algum tipo de ataque ou acesso.

E então o jardineiro ouviu um movimento às suas costas no corredor escuro. Virou-se para olhar e quedou paralisado de medo.

Alguma coisa deslizava em sua direção pelo chão escuro do corredor, e quando se aproximou da nesga de luz ele percebeu, com um choque de terror, que era uma cobra gigantesca, no mínimo, com três metros de comprimento. Apavorado, pregado no chão, ele viu aquele corpo ondulante abrir uma trilha larga e curva na poeira espessa do chão, sempre mais próximo – que faria? O único meio de fugir era entrar no quarto onde os dois homens estavam sentados planejando matar, mas se ele ficasse onde estava a cobra certamente o mataria...

Mas, antes que se decidisse, a cobra emparelhou com ele e então, incrivelmente, milagrosamente, passou; orientava-se pelos silvos e bufos que a voz fria emitia do outro lado da porta e, em segundos, a ponta do rabo da cobra, malhada de losangos, desapareceu pela abertura.

Havia suor na testa de Franco agora e a mão na bengala tremia. No quarto, a voz fria continuava a silvar, e ocorreu a Franco uma ideia estranha, uma ideia impossível... *Esse homem podia falar com as cobras.*

Franco não entendia o que estava acontecendo. Queria mais do que tudo voltar para a cama com a sua bolsa de água quente. O problema é que suas pernas não pareciam querer se mexer. Enquanto estava parado ali, trêmulo, tentando se controlar, a voz fria voltou de repente a falar em inglês.

– Nagini trouxe notícias interessantes, Rabicho.

– Ver... verdade, milorde? – respondeu Rabicho.

– Verdade. Segundo Nagini, tem um velho trouxa parado do lado de fora do quarto escutando cada palavra que dizemos.

Franco não teve a menor chance de se esconder. Ouviu passos e em seguida a porta do quarto se escancarou.

Um homem baixo de cabelos grisalhos e ralos, um nariz pequeno e pontudo, olhos lacrimosos, parou diante dele com uma mescla de medo e susto no rosto.

— Convide-o a entrar, Rabicho. Onde está a sua educação?

A voz fria vinha de uma velha poltrona diante da lareira, mas Franco não conseguiu ver quem falava. A cobra, por sua vez, se enroscara no tapete podre diante da lareira, em uma medonha imitação de bichinho de estimação.

Rabicho fez sinal para Franco entrar. Embora continuasse profundamente abalado, Franco segurou com firmeza a bengala e, coxeando, cruzou o portal.

O fogo na lareira era a única fonte de luz no quarto; projetava sombras longas e aranhosas nas paredes. Franco fixou o olhar nas costas da poltrona; o homem sentado nela parecia ser ainda menor do que o seu criado, pois Franco não conseguia sequer ver a parte de trás de sua cabeça.

— Você ouviu tudo, trouxa? — perguntou a voz fria.

— Do que foi que o senhor me chamou? — perguntou Franco, desafiando-o, porque agora que estava dentro do quarto, agora que chegara a hora de agir, ele se sentia mais corajoso; sempre fora assim na guerra.

— Chamei-o de trouxa — disse a voz calmamente. — Isso quer dizer que você não é bruxo.

— Eu não sei o que o senhor quer dizer por trouxa — respondeu Franco, com a voz mais firme. — Só sei é que esta noite ouvi o suficiente para despertar o interesse da polícia, ah, isto eu ouvi. O senhor já matou uma vez e está planejando matar mais! E vou-lhe dizer outra coisa — acrescentou, numa súbita inspiração —, minha mulher sabe que estou aqui e se eu não voltar...

— Você não tem mulher — disse a voz fria, muito baixinho. — Ninguém sabe que você está aqui. Você não disse a ninguém que vinha. Não minta para Lorde Voldemort, trouxa, porque ele sabe... ele sempre sabe...

— É mesmo? — retrucou Franco com aspereza. — Lorde é? Ora, não tenho muito respeito pelos seus modos, *milorde*. Vire-se e me encare como homem, por que não faz isso?

— Mas eu não sou homem, trouxa — retrucou a voz fria, quase inaudível devido ao crepitar das chamas. — Sou muito, muito mais do que um homem. Mas... por que não? Vou encará-lo... Rabicho, venha virar minha poltrona.

O servo deu um gemido.

— Você me ouviu, Rabicho.

Lentamente, com o rosto contraído, como se preferisse fazer qualquer coisa a ter que se aproximar do seu senhor e do tapete em que se deitara a cobra, o homenzinho se adiantou e começou a girar a cadeira. A cobra ergueu a feia cabeça triangular e sibilou baixinho quando as pernas da poltrona se prenderam no tapete.

E, então, a poltrona ficou de frente para Franco e ele viu o que havia nela. Sua bengala caiu no chão com estrépito. Ele abriu a boca e soltou um grito. Gritou tão alto que nunca ouviu as palavras que a coisa na poltrona disse ao erguer a varinha. Houve um relâmpago de luz verde, um ruído farfalhante, e Franco Bryce desabou. Morreu antes de bater no chão.

A trezentos quilômetros dali, o garoto chamado Harry Potter acordou assustado.

2

A CICATRIZ

Harry estava deitado de costas, respirando com esforço como se tivesse corrido. Acordara de um sonho vívido, apertando o rosto com as mãos. A antiga cicatriz em sua testa, que tinha a forma de um raio, ardia sob seus dedos como se alguém tivesse comprimido sua pele com um arame em brasa.

Ele se sentou, uma das mãos ainda na cicatriz, a outra estendida no escuro à procura dos óculos que deixara na mesa de cabeceira. Ele os colocou e o quarto entrou em foco, iluminado por uma luz fraca e enevoada vinda de um lampião de rua fora da janela.

Harry tornou a passar os dedos pela cicatriz. Continuava dolorida. Ele acendeu o abajur ao seu lado, saiu da cama, atravessou o quarto, abriu o guarda-roupa e espiou no espelho que havia do lado interno da porta. Um menino magricela de catorze anos olhou para ele, os olhos muito verdes e intrigados sob os cabelos pretos em desalinho. Examinou com mais atenção a cicatriz em sua imagem. Parecia normal, mas continuava ardendo.

Harry tentou se lembrar do que estivera sonhando antes de acordar. Parecera tão real... havia duas pessoas que ele conhecia e uma que não conhecia... ele se concentrou, enrugando a testa, tentando se lembrar...

Veio à sua mente a imagem pouco nítida de um quarto escuro... havia uma cobra em cima de um tapete diante da lareira... um homenzinho chamado Pedro, de apelido Rabicho... e uma voz aguda e fria... a voz de Lorde Voldemort. Só de pensar, Harry teve a sensação de que uma pedra de gelo estava descendo para o seu estômago...

Fechou os olhos com força e tentou se lembrar que aparência tinha Voldemort, mas foi impossível... tudo o que Harry sabia era que, no momento em que a poltrona girara, vira o que estava sentado nela, sentira um espasmo de horror que o acordara... ou fora a dor na cicatriz?

E quem era o velho? Porque sem dúvida havia um velho; Harry o vira cair no chão. Tudo estava ficando confuso; o garoto levou as mãos ao rosto tampando a visão do quarto em que estava, tentando reter a imagem daquele outro mal iluminado, mas era o mesmo que tentar segurar água com as mãos; os detalhes agora desapareciam com a mesma rapidez com que ele tentava retê-los... Voldemort e Rabicho estiveram conversando sobre alguém que haviam matado, embora Harry não conseguisse lembrar o nome... e estiveram planejando matar mais alguém... *ele*...

Harry tirou as mãos do rosto, abriu os olhos e contemplou o quarto a toda a volta como se esperasse ver alguma coisa diferente ali. Como era de esperar, havia uma quantidade extraordinária de coisas diferentes em seu quarto. Havia um malão de madeira aberto ao pé da cama, deixando à mostra um caldeirão, uma vassoura, vestes pretas e vários livros de feitiços. Rolos de pergaminho atulhavam a parte do tampo de sua escrivaninha que não estava levantada por causa de uma enorme gaiola vazia, em que sua coruja muito branca, Edwiges, normalmente se encarapitava. No chão ao lado de sua cama havia um livro aberto; ele o estivera lendo antes de adormecer na véspera. As ilustrações do livro se mexiam. Homens com vestes laranja-vivo voavam em vassouras e entravam e saíam do seu campo de visão, jogando uma bola vermelha.

Harry foi até o livro, apanhou-o e assistiu a um dos bruxos marcar um gol espetacular enfiando a bola por um aro a quinze metros de altura. Então o garoto fechou o livro. Nem mesmo o quadribol – na opinião de Harry, o melhor esporte do mundo – conseguiria distraí-lo naquele momento. Ele repôs o livro *Voando com os Cannons* sobre a mesa de cabeceira, dirigiu-se à janela e afastou as cortinas para olhar a rua lá embaixo.

A rua dos Alfeneiros tinha o aspecto exato que uma rua de subúrbio respeitável deveria ter nas primeiras horas de um sábado. Todas as cortinas estavam fechadas. Até onde Harry pôde ver no escuro, não havia um único ser vivo à vista, nem mesmo um gato.

Contudo... contudo... Harry voltou inquieto para a cama e se sentou, passando mais uma vez um dedo pela cicatriz. Não era a dor que o incomodava; Harry não era estranho à dor e aos ferimentos. Uma vez perdera todos os ossos do braço direito e sentira a dor de recuperá-los em uma noite. O mesmo braço fora perfurado pela presa venenosa de uma cobra, pouco tempo depois. Ainda no ano anterior, ele despencara quinze metros da vassoura em que voava. Estava acostumado com acidentes e ferimentos incomuns; eram inevitáveis quando se frequentava a Escola de Magia e Bruxaria de Hogwarts e se tinha um pendor para atrair confusões.

Não, a coisa que estava incomodando Harry era que da última vez que sua cicatriz doera fora porque Voldemort tinha andado por perto... mas o bruxo não poderia estar ali, naquela hora... a ideia de Voldemort estar rondando a rua dos Alfeneiros era absurda, impossível...

Harry parou para escutar com atenção o silêncio à sua volta. Estaria esperando ouvir o rangido de um degrau, o farfalhar de uma capa? Então teve um leve sobressalto, seu primo Duda acabara de soltar um tremendo ronco no quarto ao lado.

Harry deu em si mesmo uma sacudidela imaginária; estava sendo burro; não havia mais ninguém em casa, exceto o tio Válter, a tia Petúnia e Duda, e era evidente que eles ainda dormiam, embalados por sonhos tranquilos e indolores.

Era quando dormiam que Harry mais gostava dos Dursley; não porque não o ajudassem em nada quando estavam acordados. Tio Válter, tia Petúnia e Duda eram os únicos parentes vivos de Harry. Eram trouxas (não eram bruxos) que odiavam e desprezavam qualquer forma de magia, o que significava que Harry era tão bem-vindo em sua casa quanto uma pelota de mofo. Eles explicaram as longas ausências de Harry nos últimos três anos dizendo a todos que o garoto estudava no Centro St. Brutus para Meninos Irrecuperáveis. Sabiam muito bem que, como bruxo menor de idade, Harry era proibido de usar a magia fora de Hogwarts, mas não perdiam a mania de culpá-lo por tudo que acontecia de errado na casa. Harry nunca pudera fazer confidências a eles, nem contar nada de sua vida no mundo da magia. A simples ideia de procurá-los quando acordassem para falar que sua cicatriz estava doendo e que estava preocupado com Voldemort era ridícula.

No entanto, era por causa de Voldemort que Harry viera morar com os Dursley, para início de conversa. Se não fosse por aquele bruxo, Harry não teria na testa a cicatriz em forma de raio. Se não fosse por Voldemort, o garoto ainda teria pais...

Harry tinha um ano de idade na noite em que Voldemort — há um século o bruxo das trevas mais poderoso do mundo, um bruxo que fora adquirindo poder continuamente durante onze anos — tinha chegado a sua casa e matado seus pais. Depois, Voldemort brandira sua varinha contra Harry; executara o feitiço que havia liquidado muitos bruxos adultos durante sua ascensão ao poder — e, inacreditavelmente, o feitiço não produzira efeito. Em vez de matar o garotinho, o feitiço se voltara contra o bruxo. Harry sobrevivera marcado apenas por um corte em forma de raio na testa, mas Voldemort fora reduzido a uma coisa quase sem vida. Despojado de seus poderes, a vida quase extinta, ele fugira; o terror em que a comunidade secreta de bruxos vivera tanto tempo se dissipou, os seguidores de Voldemort debandaram e Harry Potter se tornou famoso.

Harry tivera um choque de bom tamanho ao descobrir, no seu décimo primeiro aniversário, que era bruxo; fora ainda mais desconcertante descobrir que todos no mundo secreto da magia conheciam seu nome. Harry chegara a Hogwarts e se deparara com cabeças que se viravam e cochichos que o seguiam aonde fosse. Mas agora já se acostumara com isso. No fim deste verão, ele iria começar o seu quarto ano em Hogwarts; e já estava contando os dias para regressar ao castelo.

Mas faltavam ainda quinze dias para as aulas recomeçarem. Harry tornou a examinar o quarto, desanimado, e seus olhos pousaram nos cartões de aniversário que seus dois melhores amigos tinham lhe mandado no fim de julho. Que será que diriam se lhes escrevesse para contar que a cicatriz estava doendo?

Na mesma hora a voz de Hermione Granger penetrou sua cabeça, aguda e cheia de pânico.

Sua cicatriz está doendo? Harry, isso é realmente sério... Escreve ao Prof. Dumbledore! Vou verificar no meu livro Aflições e males comuns na magia... Quem sabe tem alguma coisa lá sobre cicatrizes produzidas por feitiços...

É, este seria o conselho de Hermione: vai procurar o diretor de Hogwarts, e, enquanto isso, vai consultando um livro. Harry contemplou pela janela o céu azul, quase preto. Duvidava muito de que um livro pudesse ajudá-lo. Que ele soubesse, era a única pessoa que tinha sobrevivido a um feitiço como o de Voldemort; portanto, era pouco provável que encontrasse os seus sintomas descritos em *Aflições e males comuns na magia*. Quanto a informar ao diretor, Harry não fazia a menor ideia de onde Dumbledore passava as férias de verão. Só por um momento divertiu-se em imaginar Dumbledore, com suas longas barbas prateadas, vestes compridas de bruxo e chapéu cônico, estirado em uma praia qualquer, passando filtro solar no longo nariz torto. Mas onde quer que Dumbledore estivesse, Harry tinha certeza de que Edwiges seria capaz de encontrá-lo; a coruja de Harry, até aquele dia, jamais deixara de entregar uma carta, mesmo sem endereço. Mas o que iria escrever?

Prezado Prof. Dumbledore. Desculpe-me o incômodo, mas minha cicatriz doeu hoje de manhã. Atenciosamente, Harry Potter.

Mesmo em sua cabeça as palavras pareciam idiotas.

Então ele tentou imaginar a reação do seu outro melhor amigo, Rony Weasley, e, num instante, o rosto sardento, de nariz comprido, do amigo começou a flutuar diante de Harry, com uma expressão de atordoamento.

Sua cicatriz doeu? Mas... mas Você-Sabe-Quem não pode estar por perto agora, pode? Quero dizer... você saberia, não saberia? Ele estaria tentando matar você outra vez, não é? Sei não, Harry, vai ver as cicatrizes produzidas por feitiços sempre doem um pouquinho...Vou perguntar ao meu pai...

O Sr. Weasley era um bruxo diplomado que trabalhava na Seção de Controle do Mau Uso dos Artefatos dos Trouxas, no Ministério da Magia, mas, pelo que Harry soubesse, não tinha qualquer formação específica em feitiços. Em todo o caso, não lhe agradava a ideia de que a família Weasley inteira soubesse que estava assustado por causa de uma dorzinha. A Sra. Weasley se preocuparia mais do que Hermione, e Fred e Jorge, os gêmeos de dezesseis anos, irmãos de Rony, poderiam pensar que Harry estava se acovardando. Os Weasley eram a família de que Harry mais gostava no mundo; e ele tinha esperanças de que o convidassem para passar uns dias na casa deles uma hora dessas (Rony mencionara alguma coisa sobre uma Copa Mundial de Quadribol), e Harry não queria que sua visita fosse pontuada por perguntas ansiosas sobre sua cicatriz.

O garoto massageou a cicatriz com os nós dos dedos. O que ele realmente queria (e se sentiu quase envergonhado de admitir para si mesmo) era alguém como um *pai* ou uma *mãe*: um bruxo adulto a quem pudesse pedir um conselho sem se sentir burro, alguém que gostasse dele, que tivesse tido experiência com artes das trevas...

E então lhe ocorreu a solução. Era tão simples, tão óbvia, que ele nem podia acreditar que tivesse levado tanto tempo para lembrar — Sirius.

Harry saltou da cama, saiu correndo e se sentou à escrivaninha; puxou um pergaminho para perto, molhou a pena de águia no tinteiro, escreveu *Caro Sirius* e em seguida parou, pensando qual seria a melhor maneira de contar o seu problema, ainda admirado com o fato de não ter pensado nele logo de saída. Mas, por outro lado, talvez não merecesse tanta admiração — afinal, ele só descobrira que Sirius era seu padrinho fazia dois meses.

Havia uma razão simples para a absoluta ausência de Sirius da vida de Harry até aquele momento — o bruxo estivera em Azkaban, a assustadora prisão de bruxos, guardada por dementadores, criaturas malignas que não possuíam olhos, sugavam a alma das pessoas, e tinham ido à Hogwarts procurar Sirius quando ele fugira. Porém, o bruxo era inocente — as mortes pelas quais fora condenado tinham sido cometidas por Rabicho, seguidor de Voldemort, que quase todos ainda pensavam estar morto. Harry, Rony e Hermione sabiam que não; tinham encontrado Rabicho cara a cara no ano anterior, embora apenas o Prof. Dumbledore tivesse acreditado na história que eles contaram.

Durante uma gloriosa hora, Harry acreditara que finalmente deixaria a casa dos Dursley, porque Sirius se oferecera para ficar com ele, depois que limpasse o próprio nome. Mas a oportunidade lhe fora roubada – Rabicho escapara antes que pudessem levá-lo ao Ministério da Magia, e Sirius teve de fugir para salvar a vida. Harry o ajudara a escapar montado em um hipogrifo chamado Bicuço, e desde então Sirius estava foragido. A casa que Harry poderia ter tido, se Rabicho não tivesse desaparecido, o atormentara o verão inteiro. Fora duas vezes mais penoso voltar para os Dursley sabendo que quase se livrara deles para sempre.

Ainda assim, Sirius vinha ajudando Harry, mesmo sem poder estar presente. Graças ao padrinho, Harry agora tinha todo o seu material escolar guardado no quarto. Os Dursley nunca haviam permitido isso; o desejo geral de tornar a vida de Harry a mais infeliz possível, somado ao medo dos seus poderes, levara os tios, nos verões anteriores, a trancar o malão de escola do garoto no armário sob a escada. Mas a atitude dos Dursley mudara desde que descobriram que Harry tinha um perigoso condenado como padrinho – Harry, convenientemente, se esquecera de acrescentar que Sirius era inocente.

O garoto recebera duas cartas de Sirius desde que voltara à rua dos Alfeneiros. Ambas tinham sido entregues não por corujas (como era costume entre os bruxos), mas por grandes e coloridos pássaros tropicais. Edwiges não aprovara aqueles intrusos espalhafatosos; relutara muito a permitir que eles usassem o seu bebedouro antes de irem embora. Harry, por outro lado, gostara muito das aves; fizeram-no lembrar palmeiras e praias de areia branca e ele desejara que, onde quer que o padrinho estivesse (Sirius nunca dizia, temendo que as cartas fossem interceptadas), que estivesse se divertindo. Por alguma razão, Harry achava difícil imaginar dementadores que sobrevivessem muito tempo sob o sol forte; talvez por isso é que Sirius tivesse rumado para o sul. As cartas dele, que agora estavam escondidas sob a utilíssima tábua solta do soalho, embaixo da cama de Harry, tinham um tom animado e, nas duas, ele lembrava Harry que o chamasse se um dia precisasse. Bem, ele bem que precisava chamar o padrinho agora...

Sua luz de cabeceira parecia estar enfraquecendo à medida que a luz fria e cinzenta que antecede o nascer do sol penetrava devagarinho no quarto. Finalmente, quando o sol nasceu, quando as paredes do quarto ficaram douradas e quando ele ouviu sons de gente se mexendo no quarto de tio Válter e tia Petúnia, Harry tirou os pedaços amassados de pergaminho de cima da escrivaninha e releu a carta que escrevera.

Caro Sirius,

    Obrigado por sua última carta, a ave era enorme, quase não pôde passar pela minha janela.

    As coisas continuam na mesma por aqui. A dieta de Duda não está dando muito certo. Minha tia o pegou contrabandeando rosquinhas fritas e açucaradas para dentro do quarto, ontem. Meus tios disseram que vão ter de cortar a mesada dele caso ele continue fazendo isso, então Duda ficou com muita raiva e atirou pela janela o PlayStation. Isso é uma espécie de computador com muitos jogos. Foi realmente uma burrice porque agora ele não tem nem um Mega-Mutilation parte três para distrair as ideias.

    Eu vou bem, principalmente porque os Dursley estão apavorados que você possa aparecer e transformar eles em morcegos se eu pedir.

    Mas aconteceu uma coisa estranha, hoje de madrugada. Minha cicatriz doeu outra vez. A última vez que isto aconteceu foi porque Voldemort estava em Hogwarts. Mas acho que ele não pode estar por perto agora, pode? Você sabe se cicatrizes produzidas por um feitiço podem doer até anos depois?

    Vou mandar esta carta quando Edwiges voltar, no momento ela saiu para caçar. Diga olá ao Bicuço por mim.

    Harry

É, pensou Harry, parecia boa. Não fazia sentido incluir o sonho, ele não queria que a carta deixasse transparecer que estava muito preocupado. O garoto enrolou o pergaminho e deixou-o em cima da escrivaninha, pronto para quando Edwiges voltasse. Depois se levantou, se espreguiçou e abriu mais uma vez o guarda-roupa. Sem olhar para a imagem refletida no espelho, começou a se vestir para ir tomar o café da manhã.

3

O CONVITE

Quando Harry finalmente chegou à cozinha, os três Dursley já estavam sentados à mesa. Nenhum deles ergueu a cabeça quando o garoto entrou ou se sentou. A caraça vermelha de tio Válter estava escondida atrás do matutino *Daily Mail*, e tia Petúnia partia um *grapefruit* em quatro, os lábios contraídos por cima dos dentes de cavalo.

Duda parecia furioso e carrancudo, e, por alguma razão, dava a impressão de estar ocupando mais espaço do que de costume. E isso não era pouco, porque ele sempre ocupava sozinho um lado inteiro da mesa quadrada. Quando tia Petúnia pôs um quarto de *grapefruit* no prato do filho com um trêmulo "Tome, Dudinha querido", o garoto lançou-lhe um olhar raivoso. A vida de Duda tomara um rumo muito desagradável desde que ele voltara para passar as férias de verão em casa trazendo o boletim de fim de ano.

Tio Válter e tia Petúnia, como sempre, tinham conseguido arranjar desculpas para as notas baixas dele; tia Petúnia sempre insistia que Duda era um menino muito talentoso, incompreendido pelos professores, enquanto tio Válter sustentava que "ele não queria mesmo um filho cê-dê-efe e educadinho". Eles também passaram por cima das acusações de truculência e intimidação de colegas que havia no boletim. "Ele é um garotinho turbulento, mas não faria mal a uma mosca!", comentou tia Petúnia chorosa.

Contudo, no finalzinho havia uma observação muito bem colocada da enfermeira da escola, que nem mesmo os pais conseguiram justificar. Por mais que tia Petúnia choramingasse que Duda tinha ossos grandes e que seu excesso de peso era na realidade gordura infantil, que ele era um menino em crescimento e precisava de muita comida, o fato era que os fornecedores de uniformes da escola não estocavam calças suficientemente grandes para Duda. A enfermeira da escola vira o que os olhos de tia Petúnia — tão atentos quando se tratava de encontrar marcas de dedos em suas paredes brilhantes e observar as idas e vindas dos vizinhos — simplesmente se recusavam a enxergar: que, longe de precisar de alimentação suplementar, Duda atingira aproximadamente o tamanho e o peso de um filhote de orca.

Então – depois de muitos acessos de raiva, muitas discussões que sacudiram o soalho do quarto de Harry e muitas lágrimas de tia Petúnia – o novo regime começara. A receita da dieta que a enfermeira da Smeltings enviara fora colada na geladeira, já esvaziada de todas as coisas que Duda mais gostava – bebidas gasosas e bolos, barras de chocolate e hambúrgueres – e cheia de frutas, legumes e coisas que tio Válter chamava de "comida de coelho". Para fazer Duda se sentir melhor com a mudança, tia Petúnia insistira que a família inteira seguisse a mesma dieta. Agora ela passava um quarto de *grapefruit* para Harry. O garoto reparou que o dele era bem menor que o de Duda. A tia parecia sentir que a melhor maneira de manter o moral de Duda era providenciar para que ele, no mínimo, recebesse mais comida do que Harry.

Mas tia Petúnia não sabia o que estava escondido sob as tábuas soltas do soalho no andar de cima. Não fazia a menor ideia de que Harry não estava seguindo dieta alguma. No momento em que descobriu que esperavam que ele sobrevivesse durante o verão comendo palitos de cenoura crua, Harry despachara Edwiges à casa dos amigos com pedidos de ajuda, e eles tinham correspondido mais do que à altura. A coruja voltara da casa de Hermione com uma enorme caixa de lanchinhos sem açúcar (os pais de Hermione eram dentistas). Hagrid, o guarda-caça de Hogwarts, comparecera com um saco de bolos que ele mesmo fabricara (Harry ainda não provara; tinha muita experiência com a culinária de Hagrid). A Sra. Weasley, porém, mandara a coruja da família, Errol, com um enorme bolo de frutas e tortinhas variadas. O coitado do Errol, que era velho e fraco, precisara de cinco dias inteiros para se recuperar da viagem. Então, no aniversário de Harry (a que os Dursley sequer deram atenção), ele recebera quatro esplêndidos bolos de aniversário de Rony, Hermione, Hagrid e Sirius. Ainda lhe restavam dois e, sabendo que teria um café da manhã de verdade quando voltasse ao seu quarto, ele começou a comer o *grapefruit* sem reclamar.

Tio Válter pôs de lado o jornal com um profundo suspiro de desaprovação e olhou para o seu quarto de *grapefruit*.

– É só isso? – perguntou em tom de reclamação à tia Petúnia.

A mulher lhe lançou um olhar severo e indicou com a cabeça o filho, que já acabara de comer o seu quarto de fruta e estava cobiçando o de Harry com um olhar azedo nos olhinhos de porco.

Tio Válter soltou um grande suspiro, que arrepiou sua espessa bigodeira, e apanhou a colher ao lado do prato.

A campainha da porta tocou. Ele se levantou penosamente da cadeira e saiu em direção ao hall. Rápido como um raio, enquanto a mãe se ocupava com a chaleira, Duda furtou o resto de *grapefruit* do pai.

Harry ouviu vozes à porta, alguém rindo e a resposta seca do tio. Então a porta se fechou e seguiu-se um ruído de papel rasgado no hall.

Tia Petúnia colocou o bule de chá sobre a mesa e olhou curiosa à volta para ver aonde fora o marido. Não precisou esperar muito para descobrir; passado um minuto, ele estava de volta. Com o rosto lívido.

— Você — vociferou ele para Harry. — Na sala de estar. Agora.

Espantado, perguntando-se o que teria feito desta vez, Harry se levantou e acompanhou o tio para fora da cozinha e rumaram para o aposento vizinho. Válter fechou a porta com força depois que ele e o sobrinho entraram.

— Então — disse o tio, indo até a lareira e se virando para encarar Harry, como se estivesse prestes a lhe dar voz de prisão.

— Então.

Harry teria adorado responder "Qual é?", mas achou que a boa disposição do tio não deveria ser testada assim cedinho, principalmente se já estava sob forte estresse por falta de comida. Então decidiu fazer cara de quem está educadamente intrigado.

— Isto acabou de chegar — disse o tio. E brandiu na cara de Harry a folha de papel de carta roxo. — Uma carta. A seu respeito.

A confusão de Harry aumentou. Quem estaria escrevendo a tio Válter a respeito dele? Quem é que ele conhecia que mandava cartas pelo correio?

Tio Válter olhou aborrecido para Harry, depois baixou os olhos para a carta e começou a ler em voz alta:

Prezados Sr. e Sra. Dursley,

Nunca fomos apresentados, mas tenho certeza de que já ouviram Harry falar muito do meu filho Rony.

Como Harry deve ter-lhes contado, a final da Copa Mundial de Quadribol vai se realizar na próxima segunda-feira à noite, e meu marido, Arthur, conseguiu arranjar ótimos lugares para o jogo por intermédio de conhecidos do Departamento de Jogos e Esportes Mágicos.

Espero que o senhor e sua mulher nos permitam levar Harry ao jogo, pois é realmente uma oportunidade única na vida. A Grã-Bretanha não sedia a Copa há trinta anos e as entradas são muito difíceis de se obter. Ficaríamos muito felizes se Harry pudesse passar o resto das férias de verão conosco, e de acompanhá-lo em segurança até o embarque para a escola.

Seria preferível que ele nos mandasse a resposta, o mais depressa possível, da maneira normal, porque o carteiro trouxa jamais entregou correspondência em nossa casa e não tenho muita certeza de que saiba onde é.

> Esperando ver Harry em breve, subscrevo-me,
> Atenciosamente,
> Molly Weasley
>
> P.S. Espero ter colado selos suficientes na carta.

Tio Válter terminou a leitura, tornou a meter a mão no bolso superior do paletó e tirou mais alguma coisa.

— Olhe só isto — rosnou.

E mostrou o envelope em que chegara a carta da Sra. Weasley, e Harry precisou fazer força para não rir. O envelope estava coberto de selos, exceto por um quadrado de uns três centímetros na face, em que a senhora havia espremido o endereço dos Dursley numa letra miudinha.

— Então ela colou selos suficientes — disse Harry, tentando fazer parecer que o engano da Sra. Weasley era muito comum. Os olhos do tio faiscaram.

— O carteiro reparou — disse ele entre dentes. — Estava muito interessado em saber de onde veio a carta. Foi por isso que tocou a campainha. Parecia estar achando muito *engraçado*.

Harry ficou calado. Outras pessoas talvez não entendessem o porquê da preocupação do tio com tantos selos, mas Harry vivera com os Dursley tempo bastante para saber que se incomodavam muito com qualquer coisa até ligeiramente anormal. O pior receio dos dois era alguém descobrir que estavam ligados (por mais remotamente que fosse) com gente como a Sra. Weasley.

Tio Válter continuou a olhar feio para Harry, que tentava sustentar uma expressão neutra. Se não fizesse nem dissesse nada idiota, talvez pudesse curtir uma oportunidade que só ocorria uma vez na vida. Esperou o tio dizer alguma coisa, mas o homem simplesmente continuou a fitá-lo com raiva. Harry resolveu, então, quebrar o silêncio.

— Então... posso ir? — perguntou.

Um ligeiro espasmo passou pela caraça púrpura do tio. Os bigodes se arrepiaram. Harry achou que sabia o que estava acontecendo por trás daquela bigodeira: uma batalha encarniçada em que dois instintos muito fundamentais de tio Válter se confrontavam. Permitir que Harry fosse seria fazer o garoto feliz, uma coisa que o tio lutava para evitar havia treze anos. Por outro lado, deixar que Harry sumisse para a casa dos Weasley o resto do verão seria livrar-se dele duas semanas mais cedo do que os Dursley poderiam ter sonhado, e tio Válter detestava ter Harry em casa. Aparentemente, para ganhar tempo para pensar, ele baixou os olhos para a carta da Sra. Weasley.

— Quem é essa mulher? — perguntou examinando a assinatura com desagrado.

— O senhor já a viu. É a mãe do meu amigo Rony, estava esperando ele descer do trem de Hog... do trem da escola no fim do ano letivo.

Quase dissera "Hogwarts", e isso certamente irritaria o tio. Ninguém jamais mencionava o nome da escola de Harry em voz alta na casa dos Dursley.

Tio Válter amarrou a cara enorme como se tentasse se lembrar de uma coisa muito desagradável.

— Uma mulher feito uma rolha de poço? — rosnou finalmente. — Uma penca de filhos de cabelos vermelhos?

Harry franziu a testa. Achou que era demais o tio chamar alguém de "rolha de poço", uma vez que seu filho, Duda, finalmente atingira a forma que vinha ameaçando atingir desde os três anos de idade, ter mais largura do que altura.

Tio Válter tornou a examinar a carta.

— Quadribol — resmungou. — *Quadribol*, que droga é isso?

Harry sentiu nova pontada de aborrecimento.

— É um esporte — respondeu secamente. — Joga-se montado numa vass...

— Está bem, está bem! — disse o tio em voz alta. Harry observou, com alguma satisfação, que ele parecia ligeiramente em pânico. Pelo visto, seus nervos não iriam suportar o som da palavra "vassouras" em sua sala de estar. Refugiou-se outra vez no exame da carta. Harry viu os lábios do tio formarem as palavras "nos mandasse a resposta da maneira normal". Tornou a fechar a cara.

— Que é que ela quer *dizer da maneira normal?* — bufou ele.

— Normal para nós — explicou Harry e, antes que o tio pudesse interrompê-lo, acrescentou: — o senhor sabe, por correio-coruja. Isso é que é o normal para os bruxos.

Tio Válter fez uma cara tão indignada como se Harry tivesse dito um palavrão. Trêmulo de raiva, lançou um olhar nervoso para a janela, como se esperasse ver os vizinhos com os ouvidos colados na vidraça.

— Quantas vezes tenho que lhe dizer para não mencionar essa anormalidade sob o meu teto? — sibilou ele, o rosto agora um intenso tom ameixa. —Você fica parado aí, vestindo as roupas com que Petúnia e eu cobrimos suas costas ingratas...

— Só depois que Duda não quer mais elas — disse Harry com frieza, pois na realidade estava vestindo um suéter tão grande que ele precisava fazer cinco dobras nas mangas para poder usar as mãos, e que lhe caía abaixo dos joelhos da calça jeans muito larga.

— Não vou admitir que você fale comigo assim! — disse o tio tremendo de raiva.

Mas Harry não precisava aturar isso. Ia longe o tempo em que era obrigado a aceitar todas as regras idiotas dos Dursley. Não ia seguir a dieta de Duda e não ia deixar o tio impedi-lo de assistir à Copa Mundial de Quadribol, não se dependesse dele.

Harry inspirou profundamente para se acalmar e então disse:

— Muito bem, não posso assistir à Copa Mundial de Quadribol. Posso ir, agora? É que eu tenho uma carta para Sirius que quero terminar. O senhor sabe, o meu padrinho.

Conseguira. Dissera as palavras mágicas. Ficou então observando o tom púrpura no rosto do tio ir clareando desigualmente, fazendo-o parecer um sorvete de groselha mal misturado.

— Você está escrevendo para ele? — indagou tio Válter numa voz falsamente calma, mas Harry vira as pupilas dos olhos dele se contraírem com repentino medo.

— Bem... é — disse Harry em tom casual. — Já faz um tempo que ele não tem notícias minhas e, o senhor sabe, se não receber nada, pode pensar que aconteceu algum problema.

Ele parou para gozar o efeito de suas palavras. Quase pôde até ver as engrenagens girando por baixo dos cabelos do tio, escuros, grossos e caprichosamente repartidos. Se Válter tentasse impedir Harry de escrever para Sirius, este pensaria que o garoto estava sendo maltratado. Se dissesse que o sobrinho não podia ir à Copa Mundial de Quadribol, o garoto iria escrever contando ao padrinho, que *teria certeza* de que Harry estava sendo maltratado. Só havia uma coisa para tio Válter fazer. Harry via a conclusão se formando no cérebro do tio como se sua caraça bigoduda fosse transparente. O garoto tentou não sorrir e manter o rosto o mais inexpressivo possível. E então...

— Bem, está bem, então. Pode ir para a casa dessa rolha... dessa idiota... para essa tal de Copa Mundial. Escreva respondendo a esses... esses *Weasley* para virem apanhá-lo, veja bem. Não tenho tempo para acompanhar você por todo o país. E pode passar o resto do verão lá. E pode dizer ao seu, seu padrinho... diga a ele... diga a ele que você vai.

— OK, então — disse Harry, animado.

O garoto se virou e saiu pela porta da sala de estar, brigando com a vontade de saltar no ar e gritar. Ele ia... ia para a casa dos Weasley, ia assistir à Copa Mundial de Quadribol!

Já no corredor, ele quase colidiu com Duda, que estivera escondido atrás da porta, na esperança de ouvir Harry levar um passa-fora. Ficou chocado ao ver o largo sorriso no rosto do primo.

— Foi um *excelente* café da manhã, não foi? — exclamou Harry. — Estou de barriga cheia, você não?

Rindo da cara de espanto de Duda, Harry subiu a escada, saltando três degraus de cada vez, e correu para dentro de seu quarto.

A primeira coisa que viu foi que Edwiges voltara. Estava na gaiola, espiando Harry com seus enormes olhos cor de âmbar, estalando o bico de um jeito que significava que estava aborrecida com alguma coisa. Exatamente o que a estava aborrecendo tornou-se visível quase na mesma hora.

— AI! — gemeu Harry.

Algo que lembrava uma minúscula bola de tênis, cinzenta e emplumada, acabara de bater do lado da cabeça de Harry. Ele massageou a cabeça furiosamente erguendo os olhos para ver o que o atingira, e viu uma corujinha mínima, pequena o bastante para caber na palma de sua mão, chiando animada pelo quarto como se fosse um busca-pé. O garoto percebeu que a coruja deixara cair uma carta a seus pés. Ele se abaixou, reconheceu a letra de Rony e abriu o envelope. Dentro havia um bilhete apressado.

> Harry — PAPAI CONSEGUIU AS ENTRADAS — Irlanda contra a Bulgária, na noite de segunda. Mamãe escreveu aos trouxas para convidar você. Talvez a carta já tenha chegado, não sei quanto tempo demora o correio dos trouxas. Pensei em lhe mandar este bilhete pela Píchi.

Harry olhou bem para a palavra "Píchi", depois para a minúscula coruja que voava velozmente em volta da luz no teto. Que nome mais esquisito para uma coruja. Talvez ele não tivesse entendido a letra de Rony. Voltou ao bilhete.

> Vamos buscar você, quer os trouxas gostem ou não; você não pode perder a Copa, só que mamãe e papai acham que é melhor a gente primeiro fingir que está pedindo permissão. Se eles disserem sim, mande logo Píchi com a sua resposta, e iremos buscar você às cinco horas no domingo. Se eles disserem não, por favor, mande Píchi de volta depressa e iremos buscá-lo no domingo às cinco horas, assim mesmo.

Hermione está chegando hoje à tarde. Percy começou a trabalhar — Departamento de Cooperação Internacional em Magia. Não fale em ir para o exterior enquanto estiver aqui a não ser que queira que ele lhe arranque as calças pela cabeça.

Até mais — Rony

— Calma aí! — disse Harry, quando a corujinha tirou um rasante da cabeça dele, batendo as asas loucamente. Harry só pôde supor que de orgulho por ter entregado a carta à pessoa certa. — Vem cá, preciso que você leve a minha resposta!

A corujinha voou até o topo da gaiola da coruja de Harry. Edwiges olhou-a friamente, como se a desafiasse a tentar se aproximar mais.

Harry tomou a pena de águia mais uma vez, apanhou um pergaminho limpo e escreveu:

Rony, está tudo certo, os trouxas disseram que eu posso ir. Vejo você amanhã às cinco. Mal posso esperar.

Harry

Depois, dobrou o bilhete muitas vezes e, com imensa dificuldade, prendeu-o na perna da corujinha que pulava no mesmo lugar de tanta animação. No instante em que o bilhete ficou preso, a coruja partiu; disparou pela janela e se perdeu de vista.

Harry se virou para Edwiges.

— Está com disposição para fazer uma longa viagem? — perguntou.

A coruja piou com uma certa dignidade.

— Pode levar isto ao Sirius para mim? — disse ele apanhando a carta. — Espera aí... quero terminar.

Ele tornou a desenrolar o pergaminho e apressadamente acrescentou um *postscriptum*.

Se quiser entrar em contato comigo, estarei na casa do meu amigo Rony Weasley até o fim do verão. O pai dele arranjou entradas para a gente assistir à Copa Mundial de Quadribol!

Terminada a carta, ele a amarrou à perna de Edwiges; ela ficou anormalmente quieta, como se estivesse decidida a mostrar ao dono como é que uma verdadeira coruja-correio devia se comportar.

— Vou estar na casa de Rony quando você voltar, está bem? — Harry a informou.

A coruja deu uma bicadinha carinhosa no dedo do garoto, depois, com um ruído farfalhante, abriu as enormes asas e saiu voando pela janela aberta.

Harry observou-a desaparecer ao longe, depois entrou de quatro embaixo da cama, soltou a tábua do soalho e apanhou um pedação de bolo de aniversário. Sentou-se no chão para comê-lo, saboreando a felicidade que o invadia. Ele comia bolo e Duda só comia *grapefruit*; fazia um belo dia de verão, sua cicatriz estava perfeitamente normal, ele ia deixar a rua dos Alfeneiros no dia seguinte e ia assistir à Copa Mundial de Quadribol. Naquele momento era difícil se preocupar com alguma coisa – até mesmo com Lorde Voldemort.

4

DE VOLTA
À TOCA

Por volta do meio-dia do dia seguinte, o malão de Harry estava pronto com o seu material escolar e seus pertences mais preciosos – a Capa da Invisibilidade que ele herdara do pai, a vassoura que ganhara de Sirius, o mapa encantado de Hogwarts, presente de Fred e Jorge Weasley no ano anterior. Ele retirara toda a comida do esconderijo sob a tábua solta, verificara duas vezes cada cantinho de seu quarto para ver se esquecera livros de feitiços ou penas, baixara da parede o calendário em que fizera a contagem regressiva para o dia primeiro de setembro, riscando cada dia que passava até a volta a Hogwarts.

A atmosfera no nº 4 da rua dos Alfeneiros estava extremamente tensa. A chegada iminente à casa de um grupo variado de bruxos estava deixando os Dursley nervosos e irritadiços. Tio Válter parecera decididamente assustado quando Harry informou-o de que os Weasley chegariam às cinco horas do dia seguinte.

– Espero que você tenha avisado para se vestirem direito, a essas pessoas – rosnou o tio na mesma hora. – Já vi o tipo de coisa que gente da sua laia usa. É melhor terem a decência de vestir roupas normais, é só.

Harry sentiu uma ligeira apreensão. Raramente vira o casal Weasley usar alguma coisa que os Dursley pudessem chamar de "normal". Os filhos até usavam roupas de trouxas durante as férias, mas o Sr. e a Sra. Weasley, em geral, usavam vestes longas e surradas em vários graus. Harry não se incomodava com o que os vizinhos pudessem pensar, mas estava aflito com as grosserias que os Dursley pudessem fazer aos Weasley se eles realmente correspondessem à péssima ideia que os tios faziam dos bruxos.

Tio Válter vestira o melhor terno. Para alguns, isto poderia parecer um gesto de boas-vindas, mas Harry sabia que era porque o tio queria impressionar e intimidar. Duda, por outro lado, parecia ter encolhido. Não era porque a dieta afinal estivesse produzindo efeito, mas por medo. O garoto saíra do último encontro com um bruxo adulto levando um rabo de porco, enroscado, que saía pelo fundilho das calças, e tia Petúnia e tio Válter precisaram pagar um hospital particular em Londres para remover o tal rabo. Portanto, não surpreendia que Duda não parasse de passar a mão, nervosamente, pelo bumbum, e andasse de lado quando ia de um cômodo a outro, para não oferecer o mesmo alvo ao inimigo.

O almoço foi uma refeição quase silenciosa. Duda sequer protestou contra a comida (queijo branco e aipo ralado). Tia Petúnia não comeu nadinha. Manteve os braços cruzados, os lábios contraídos e parecia estar mastigando a língua, como se refreasse o discurso violento e injurioso que queria fazer para Harry.

– Eles virão de carro, naturalmente? – vociferou tio Válter por cima da mesa.

– Hum – fez Harry.

Ele não pensara nisso. Como é que os Weasley viriam apanhá-lo? Não tinham mais carro; o velho Ford Anglia, que outrora possuíam, atualmente andava rodando pela Floresta Proibida de Hogwarts. Mas, no ano anterior, o Sr. Weasley tomara emprestado o carro do Ministério da Magia; será que faria o mesmo hoje?

– Acho que sim – respondeu Harry.

Tio Válter bufou para dentro dos bigodes. Normalmente, ele teria perguntado qual era a marca do carro do Sr. Weasley; tinha uma tendência a julgar outros homens pelo tamanho e o luxo de seus carros. Mas o garoto duvidava de que o tio tivesse simpatizado com o Sr. Weasley mesmo que o bruxo dirigisse uma Ferrari.

Harry passou a maior parte da tarde em seu quarto; não suportava ver tia Petúnia espiar entre as cortinas a todo instante, como se tivesse havido um alerta de que existia um rinoceronte à solta. Finalmente, às quinze para as cinco, Harry voltou ao térreo e entrou na sala de estar.

Tia Petúnia ajeitava compulsivamente as almofadas. Tio Válter fingia ler o jornal, mas seus olhinhos miúdos não se mexiam, e Harry teve certeza de que na realidade ele mantinha os ouvidos muito atentos para a chegada de um carro. Duda se enterrou numa poltrona, sentado em cima das mãos muito gordas, e segurava com firmeza o bumbum. Harry não suportou a tensão: saiu da sala e foi se sentar na escada do hall, os olhos no relógio de pulso e o coração batendo muito forte de tanta emoção e nervosismo.

As cinco horas vieram e se foram. Tio Válter, suando ligeiramente o terno, abriu a porta da frente, espiou para um lado e outro da rua, e recolheu depressa a cabeça.

— Eles estão atrasados! — rosnou para Harry.

— Eu sei — disse Harry. — Talvez... hum... o trânsito esteja ruim, ou outro problema qualquer.

Cinco e dez... depois cinco e quinze... Harry estava começando a ficar ansioso também. Às cinco e meia, ele ouviu os tios conversarem em murmúrios tensos na sala de estar.

— Não têm a menor consideração.

— Poderíamos ter outro compromisso.

— Talvez eles pensem que serão convidados para o jantar se chegarem tarde.

— Certamente que não serão — respondeu tio Válter, e Harry o ouviu se levantar e começar a andar pela sala. — Vão pegar o garoto e ir embora, não vão se demorar. Isto é, se é que vão aparecer. Provavelmente se enganaram no dia. Eu diria que gente da *laia deles* não liga muito para pontualidade. Ou isso ou estão dirigindo uma lata velha que parou de... AAAAAAAARRRRREEE!

Harry deu um pulo. Do outro lado da porta da sala ele ouviu os três Dursley correrem precipitadamente, cheios de pânico. No momento seguinte, Duda entrou voando pelo hall, aterrorizado.

— Que aconteceu? — perguntou Harry. — Que foi que houve?

Mas Duda parecia incapaz de responder. As mãos ainda agarradas às nádegas, saiu desengonçado, e o mais depressa que pôde, em direção à cozinha. Harry correu para a sala de estar.

Ouviam-se fortes batidas e arranhões por trás das tábuas que vedavam a lareira dos Dursley, diante da qual estava ligada uma imitação de fogo a carvão.

— Que é isso? — exclamou tia Petúnia, que recuara de costas para a parede, arregalando os olhos para a lareira, aterrorizada. — Que é isso, Válter?

Mas eles não precisaram gastar nem um segundo pensando. Ouviram-se vozes no interior da lareira fechada.

— Ai! Fred, não... volte, volte, houve algum engano... diga ao Jorge para não... AI! Jorge, não, não há espaço, volte depressa e diga ao Rony...

— Talvez Harry possa ouvir a gente, papai... talvez possa abrir para a gente passar...

Ouviram-se murros contra as tábuas.

— Harry? Harry, você está ouvindo a gente?

Os Dursley investiram contra Harry como um casal de carcajus furiosos.

— Que é isso? — vociferou tio Válter. — Que é que está acontecendo?

— Eles... eles tentaram chegar aqui usando Pó de Flu – disse Harry, reprimindo uma vontade louca de rir. – Eles podem viajar entre lareiras, só que vocês tamparam a entrada, esperem um pouco...

Harry se aproximou da lareira e chamou.

— Sr. Weasley? O senhor está me ouvindo?

As pancadas pararam. Alguém do outro lado fez "psiu".

— Sr. Weasley, é o Harry... a lareira está bloqueada. O senhor não vai conseguir passar por aí.

— Droga! – exclamou a voz do Sr. Weasley. – Para que foi que eles inventaram de bloquear a lareira?

— Eles têm um fogo elétrico – explicou Harry.

— Verdade? – ouviu-se a voz animada do Sr. Weasley. – Eclético, você disse? Com uma *tomada*? Nossa, eu preciso ver isso... vamos pensar... ai, Rony!

A voz de Rony agora se juntava a dos outros.

— Que é que estamos fazendo aqui? Deu alguma coisa errada?

— Não, Rony – ouviu-se a voz de Fred, muito sarcástica. – Era exatamente aqui que queríamos chegar.

— É, e estamos nos divertindo de montão – acrescentou Jorge, cuja voz parecia abafada, como se ele estivesse esmagado contra a parede.

— Meninos, meninos... – disse o Sr. Weasley vagamente. – Estou tentando pensar no que fazer... é... é o jeito... afaste-se, Harry.

Harry recuou até o sofá. Tio Válter, porém, avançou para a lareira.

— Espere aí! – berrou para a peça. – Que é que você vai fazer exatamente...?

BAM!

O fogo elétrico foi arremessado pela sala, ao mesmo tempo que as tábuas saltavam da lareira, expulsando o Sr. Weasley, Fred, Jorge e Rony em meio a uma nuvem de caliça e fragmentos de madeira. Tia Petúnia berrou e caiu de costas por cima da mesinha de centro; tio Válter agarrou-a antes que ela batesse no chão e encarou os Weasley, boquiaberto, incapaz de falar, todos de cabelos ruivos, inclusive Fred e Jorge, gêmeos idênticos até a última sarda.

— Agora melhorou – ofegou o Sr. Weasley, espanando a poeira das longas vestes verdes e endireitando os óculos. – Ah... vocês devem ser a tia e o tio de Harry!

Alto, magro e meio careca, o bruxo caminhou em direção ao tio Válter, a mão estendida, mas o homem recuou vários passos, arrastando tia Petúnia. As palavras lhe fugiram totalmente. Seu melhor terno estava coberto de pó branco, que assentara em seus cabelos e bigodes e dava a impressão de que ele acabara de envelhecer trinta anos.

— Hum... ah... sinto muito — disse o Sr. Weasley, baixando a mão e olhando por cima do ombro para a lareira destruída. — Foi minha culpa, mas não me ocorreu que não poderíamos sair por aqui. Mandei ligar a sua lareira à rede do Flu, entende, só por uma tarde, sabe, para podermos apanhar Harry. Rigorosamente falando, as lareiras dos trouxas não podem ser ligadas, mas tenho um contato útil na Comissão de Regulamentação do Flu e ele deu um jeitinho. Mas posso consertar tudo em um segundo, não se preocupe. Vou acender um fogo para mandar os garotos de volta, depois posso refazer sua lareira antes de desaparatar.

Harry podia apostar que os Dursley não tinham entendido uma única palavra. Continuavam a boquiabrir-se para o Sr. Weasley, aparvalhados. Tia Petúnia levantou-se com dificuldade e se escondeu atrás do marido.

— Olá, Harry! — cumprimentou o Sr. Weasley animado. — A mala está pronta?

— Está lá em cima — respondeu o garoto, retribuindo o sorriso.

— Vamos buscar — disse Fred na mesma hora. Piscando para Harry, ele e Jorge saíram da sala. Sabiam onde era o quarto de Harry, porque tinham salvado o garoto uma vez no meio da noite. Harry suspeitou que Fred e Jorge estavam querendo dar uma espiada em Duda; tinham ouvido Harry falar muito do primo.

— Bom — disse o Sr. Weasley, agitando levemente os braços, enquanto tentava encontrar palavras para quebrar o silêncio mais que desagradável. — Uma bela... hum... bela casa vocês têm.

Como a sala habitualmente impecável estava agora coberta de poeira e caliça, o comentário não foi muito bem recebido pelos Dursley. O rosto do tio Válter ficou, mais uma vez, púrpura, e tia Petúnia recomeçou a mastigar a língua. Porém eles pareciam demasiado apavorados para conseguir falar alguma coisa.

O Sr. Weasley olhou para todos os lados. Adorava tudo que dizia respeito aos trouxas. Harry via que ele estava doido de vontade de examinar a televisão e o videocassete.

— Eles funcionam com ecleticidade, não é? — disse, mostrando-se bem informado. — Ah, é, estou vendo as tomadas. Eu coleciono tomadas — acrescentou para o tio Válter. — E baterias. Tenho uma enorme coleção de baterias. Minha mulher acha que eu sou maluco, mas o que fazer?

Era visível que tio Válter também o achava maluco. Ele avançou um tantinho para a direita, escondendo tia Petúnia, como se achasse que o bruxo poderia de repente avançar e atacá-los.

Duda, de repente, reapareceu na sala. Harry ouviu o ruído metálico do malão descendo pelas escadas, e concluiu que o barulho havia afugentado Duda da cozinha. O garoto vinha costeando a parede, olhando para o Sr. Weasley com terror nos olhos e, depois, tentou se esconder atrás da mãe e do pai. Infelizmente, o corpanzil do tio Válter, embora suficiente para esconder a ossuda tia Petúnia, não era bastante grande para esconder também o filho.

— Ah, e esse é o seu primo, não é, Harry? — perguntou o Sr. Weasley fazendo outra corajosa tentativa de iniciar uma conversa.

— É — confirmou Harry —, é o Duda.

Ele e Rony se entreolharam e desviaram depressa os olhos para longe; a tentação de cair na gargalhada era forte demais. Duda ainda segurava o bumbum como se tivesse medo de que ele se soltasse. O Sr. Weasley, porém, parecia sinceramente preocupado com o comportamento estranho do garoto. De fato, pelo tom de voz com que falou a seguir, Harry teve a certeza de que o Sr. Weasley achava que Duda era tão maluco quanto os Dursley achavam que ele era, só que o Sr. Weasley sentia piedade em vez de medo.

— Está gostando das férias, Duda? — perguntou bondosamente.

Duda choramingou. Harry viu as mãos do primo apertarem com mais força o bumbum maciço.

Fred e Jorge voltaram à sala trazendo o malão escolar de Harry. Eles olharam para os lados ao entrar e viram Duda. Seus rostos se abriram em sorrisos malvados idênticos.

— Ah, certo — disse o Sr. Weasley. — Melhor irmos andando, então.

Ele arregaçou as mangas das vestes e puxou a varinha. Harry viu os Dursley recuarem contra a parede, como se fossem uma pessoa só.

— *Incendio!* — disse o bruxo, apontando a varinha para o buraco na parede.

As chamas irromperam na mesma hora na lareira, crepitando alegremente como se já estivessem acesas há horas. O Sr. Weasley tirou do bolso um saquinho fechado com cordões, desamarrou-o, tirou uma pitada do pó e jogou-o nas chamas, que viraram verde-esmeralda e rugiram com mais força do que antes.

— Pode ir, Fred — disse o Sr. Weasley.

— Estou indo — respondeu Fred. — Ah, não... espera aí...

Um saquinho de balas caiu do bolso de Fred e o conteúdo se espalhou em todas as direções — grandes caramelos em embalagens muito coloridas.

Fred saiu catando os caramelos, guardando-os de volta no bolso, depois deu um adeusinho animado aos Dursley, adiantou-se e entrou direto nas chamas, dizendo "A Toca!". Tia Petúnia soltou uma exclamação trêmula. Ouviu-se um barulho de deslocamento de ar e Fred desapareceu.

— Agora você, Jorge — disse o Sr. Weasley. — Leve a mala.

Harry ajudou Jorge a carregar a mala até as chamas da lareira e virou-a de ponta para o gêmeo poder segurá-la melhor. Depois, com um segundo deslocamento de ar, Jorge gritara "A Toca!" e desaparecera também.

— Rony, você é o próximo — disse o Sr. Weasley.

— Até outro dia — disse Rony animado para os Dursley. Deu um grande sorriso para Harry, entrou no fogo e gritou "A Toca!" e desapareceu.

Agora só faltavam Harry e o Sr. Weasley.

— Bom... tchau então — disse Harry aos Dursley.

Os tios não disseram uma palavra. Harry adiantou-se para o fogo, mas na hora em que pisou na lareira o Sr. Weasley esticou a mão e segurou-o. Encarou os Dursley, surpreso.

— Harry disse tchau para vocês — falou ele. — Vocês não ouviram?

— Não faz mal — murmurou Harry para o Sr. Weasley. — Francamente, eu não me importo.

O Sr. Weasley não tirou a mão do ombro de Harry.

— Vocês não vão ver seu sobrinho até o próximo verão — disse ele a tio Válter, ligeiramente indignado. — Com certeza, vocês vão se despedir?

O rosto de tio Válter se contraiu furiosamente. A ideia de aprender a ter consideração com um homem que acabara de explodir metade da sua sala de estar parecia lhe causar intenso sofrimento.

Mas o Sr. Weasley ainda empunhava a varinha e o olhar do tio Válter correu até ela antes de dizer, muito ressentido:

— Então, tchau.

— Até outro dia — disse Harry enfiando um pé nas chamas que, aos seus sentidos, pareceram um hálito morno. Naquele momento, porém, um horrível ruído de alguém se engasgando ocorreu às costas dele e tia Petúnia começou a gritar.

Harry se virou. Duda não estava mais escondido atrás dos pais. Estava ajoelhado ao lado da mesinha de centro, e tossia e cuspia uma coisa de uns trinta centímetros, roxa e viscosa que saía de sua boca. Passado um segundo de aturdimento, Harry se deu conta de que aquela coisa de trinta centímetros era a língua de Duda — e que havia um papel de caramelo, vivamente colorido, caído no chão ao lado dele.

Tia Petúnia atirou-se ao chão ao lado do filho, agarrou a ponta da língua inchada e tentou arrancá-la da boca do garoto; como era de se esperar, Duda berrou e cuspiu pior do que antes, tentando resistir à mãe. Tio Válter urrava e agitava os braços, e o Sr. Weasley precisou gritar para ser ouvido.

— Não se preocupem, posso dar um jeito nisso! — gritou ele, avançando para Duda com a varinha estendida, mas tia Petúnia berrou mais do que antes e se atirou em cima de Duda, protegendo-o do Sr. Weasley.

— Não, estou falando sério! — disse o Sr. Weasley, desesperado. — É um processo simples, foi o caramelo, meu filho Fred... gosta de pregar peças, mas é apenas um Feitiço de Ingurgitamento, pelo menos, acho que é, por favor, posso consertar tudo...

Mas longe de se tranquilizar os Dursley foram tomados de um pânico ainda maior; tia Petúnia, soluçando histericamente, puxava a língua de Duda como se estivesse decidida a arrancá-la; o garoto parecia estar sufocando sob a pressão da língua e da mãe somadas e tio Válter, que se descontrolara completamente, agarrou uma estatueta de porcelana de cima do bufê e atirou-a contra o Sr. Weasley, que se abaixou, deixando o enfeite se espatifar na lareira escancarada.

— Ora, francamente! — exclamou o Sr. Weasley, zangado, brandindo a varinha. — Estou tentando *ajudar*!

Urrando feito um hipopótamo ferido, tio Válter agarrou outro enfeite.

— Harry, vá! Vá logo! — gritou o Sr. Weasley, a varinha apontada para tio Válter. — Eu resolvo isso!

Harry não queria perder o espetáculo, mas o segundo enfeite atirado pelo tio errou por pouco a sua orelha esquerda e, pensando bem, ele achou preferível deixar o Sr. Weasley resolver a situação. Entrou nas chamas, espiando por cima do ombro e disse "A Toca!"; seu último vislumbre da sala de estar foi o Sr. Weasley arrancando com a varinha um terceiro enfeite da mão do tio, tia Petúnia gritando agachada por cima de Duda e a língua do primo pendurada para fora como uma grande e viscosa jiboia. Mas no momento seguinte Harry começou a rodopiar em grande velocidade e a sala de estar dos Dursley desapareceu de vista numa erupção de chamas verde-esmeralda.

5

AS "GEMIALIDADES" WEASLEY

Harry rodopiou cada vez mais veloz, apertando os cotovelos junto ao corpo, lareiras difusas passaram como relâmpagos por ele, até que começou a se sentir nauseado e fechou os olhos. Depois, ao sentir finalmente que estava desacelerando, esticou as mãos para a frente e fez força para parar em tempo de evitar cair de cara na lareira da cozinha da casa dos Weasley.

— Ele comeu? — perguntou Fred, animado, estendendo a mão para ajudar Harry a se levantar.

— Comeu — disse Harry se endireitando. — O que era?

— Caramelo Incha-Língua — informou-lhe Fred, animado. — Foi Jorge e eu que inventamos, passamos o verão todo procurando alguém para experimentar...

A pequena cozinha explodiu de risadas; Harry olhou para os lados e viu que Rony e Jorge estavam sentados à mesa da cozinha com dois rapazes ruivos que ele nunca vira antes, embora soubesse na hora quem deviam ser: Gui e Carlinhos, os dois irmãos Weasley mais velhos.

— Como vai, Harry? — disse o que estava mais próximo, sorrindo para ele e estendendo a mão enorme, que Harry apertou sentindo calos e bolhas sob os dedos. Tinha que ser Carlinhos, que trabalhava com dragões na Romênia. O rapaz tinha o mesmo físico dos gêmeos, mais baixo e mais forte do que Percy e Rony, que eram compridos e magros. Seu rosto era largo e bem-humorado, castigado pelo sol e tão sardento que quase parecia bronzeado; os braços eram musculosos; e em um deles havia uma grande e reluzente queimadura.

Gui se levantou, sorrindo, e também apertou a mão de Harry. O rapaz foi uma surpresa. Harry sabia que ele trabalhava para o banco dos bruxos, o Gringotes, e que fora monitor-chefe em Hogwarts, e sempre imaginara que Gui fosse uma versão mais velha de Percy; preocupado com as infrações dos regulamentos e chegado a mandar em todo mundo. No entanto, Gui era

— não havia outra palavra — *descolado*. Alto, os cabelos compridos presos em um rabo de cavalo. Usava um brinco de argola com um berloque pendurado que parecia um dente canino. Suas roupas não estariam deslocadas em um concerto de rock, exceto pelo detalhe de que as botas não eram feitas de couro de boi, mas de couro de dragão.

Antes que alguém pudesse dizer alguma coisa, ouviu-se um leve estalo e o Sr. Weasley apareceu de repente junto ao ombro de Jorge. Parecia mais zangado do que Harry jamais o vira.

— *Não teve graça* alguma, Fred! — gritou ele. — Que diabo foi que você deu àquele garoto trouxa?

— Eu não dei nada a ele — disse Fred, com outro sorriso malvado. — Só deixei *cair* um caramelo... foi culpa dele se o apanhou e comeu, não o mandei fazer isso.

— Você deixou cair de propósito! — berrou o Sr. Weasley. — Sabia que ele ia comer, sabia que ele estava fazendo regime...

— De que tamanho ficou a língua dele? — perguntou Jorge, ansioso.

— Já estava com mais de um metro quando os pais me deixaram encolhê-la! Harry e os Weasley caíram na gargalhada outra vez.

— *Não tem graça!* — gritou o Sr. Weasley. — Esse tipo de comportamento desestabiliza seriamente as relações bruxos-trouxas! Passo metade da vida fazendo campanha contra os maus-tratos aos trouxas e os meus próprios filhos...

— Não demos o caramelo a ele porque é trouxa! — disse Fred.

— Não, demos porque ele é um filho da mãe implicante — disse Jorge. — Não é verdade, Harry?

— É, é sim, Sr. Weasley — confirmou Harry com sinceridade.

— Isto não vem ao caso! — vociferou o Sr. Weasley. — Espere até eu contar à sua mãe...

— Contar o quê? — perguntou uma voz às costas dele.

A Sra. Weasley acabara de entrar na cozinha. Era uma mulher baixa e gorducha, de rosto bondoso, embora, no momento, seus olhos estivessem apertados numa expressão de desconfiança.

— Ah, olá, Harry, querido — disse ela, sorrindo, ao vê-lo. Então seus olhos se voltaram para o marido. — Contar o quê, Arthur?

O Sr. Weasley hesitou. Harry percebeu que, por mais zangado que estivesse com Fred e Jorge, ele não pretendera realmente contar à Sra. Weasley o que tinha acontecido. Fez-se silêncio, enquanto o Sr. Weasley encarava a esposa, nervoso. Então duas meninas apareceram à porta da cozinha atrás da Sra. Weasley. Uma, de cabelos castanhos muito fofos e os dentes da frente um tanto grandes, era a amiga de Harry e Rony, Hermione Granger. A outra, pequena e ruiva, era a irmã mais nova de Rony, Gina. As duas sorriram para Harry, que retribuiu o sorriso, fazendo Gina ficar escarlate — tinha um xodó por Harry desde a primeira visita dele à Toca.

— Contar o *quê*, Arthur? — repetiu a Sra. Weasley, num tom de voz perigoso.

— Não é nada, Molly — resmungou o marido. — Fred e Jorge... mas eu já tive uma conversa com eles...

— Que foi que eles fizeram desta vez? — perguntou a Sra. Weasley. — Se foi alguma coisa relacionada com as "Gemialidades" Weasley...

— Por que você não mostra ao Harry aonde ele vai dormir, Rony? — sugeriu Hermione da porta.

— Ele já sabe aonde vai dormir — respondeu Rony. — No meu quarto, foi lá que dormiu da última...

— Então todos podemos ir — disse Hermione, sublinhando as palavras.

— Ah — fez Rony, entendendo. — Certo.

— É, nós também vamos — disse Jorge.

— *Vocês ficam onde estão!* — vociferou a Sra. Weasley.

Harry e Rony saíram de fininho da cozinha e seguiram com as meninas pelo corredor estreito, subiram a escada desconjuntada e saíram ziguezagueando pela casa até os últimos andares.

— Que são "Gemialidades" Weasley? — perguntou Harry quando subiam.

Rony e Gina riram, embora Hermione continuasse séria.

— Mamãe encontrou uma pilha de formulários de pedidos quando estava limpando o quarto de Fred e Jorge — disse Rony em voz baixa. — Listas enormes de preços de coisas que eles inventaram. Artigos para logros e brincadeiras, sabe. Varinhas de imitação, doces-surpresas, um monte de coisas. Genial. Eu não sabia que eles estavam inventando tanta coisa...

— Há muito tempo que ouvíamos explosões no quarto deles, mas nunca pensamos que estavam *fabricando* coisas — explicou Gina —; achamos que era só vontade de fazer barulho.

— Só que a maior parte das coisas, bom, na realidade, tudo... era meio perigoso — disse Rony — e, sabe, eles estavam planejando vender os artigos em Hogwarts para ganhar dinheiro, e mamãe ficou uma fera. Disse que eles estavam proibidos de fabricar aquelas coisas e queimou todos os formulários... já estava furiosa mesmo porque eles não conseguiram tantos N.O.M.s quanto ela esperava.

Os N.O.M.s eram Níveis Ordinários em Magia, os exames que os alunos de Hogwarts faziam aos quinze anos.

— Depois houve uma briga danada — disse Gina —, porque mamãe queria que eles entrassem para o Ministério da Magia como papai, e os dois responderam que o que eles querem é abrir uma loja de logros e brincadeiras.

Nessa hora, uma porta se abriu no segundo patamar e um rosto com óculos de aros de tartaruga e expressão mal-humorada espiou pra fora.

— Oi, Percy — cumprimentou Harry.

— Ah, olá, Harry. Eu estava imaginando quem é que estava fazendo essa barulheira. Estou tentando trabalhar aqui dentro, sabe, tenho um relatório do escritório para terminar, e é difícil me concentrar se as pessoas não param de subir e descer fazendo as escadas reboarem.

— Não estamos fazendo as escadas *reboarem* — retrucou Rony irritado. — Estamos andando. Desculpe se perturbamos o trabalho secreto do Ministério da Magia.

— No que é que você está trabalhando? — perguntou Harry.

— Num relatório para o Departamento de Cooperação Internacional em Magia — disse Percy cheio de si. — Estamos tentando padronizar a espessura dos caldeirões. Há muitas peças importadas que são um pouco finas, os furos têm aumentado à razão de três por cento ao ano...

— Vai mudar o mundo esse relatório, ah, vai — comentou Rony. — Primeira página do *Profeta Diário*, espero, Caldeirões Vazam.

Percy corou de leve.

— Você pode caçoar, Rony — disse o irmão com veemência —, mas, a não ser que se baixe uma lei internacional, o mercado vai acabar inundado de produtos com paredes e fundos finos que ameaçam seriamente...

— Sei, sei, tudo bem — interrompeu-o Rony e recomeçou a subir as escadas. Percy bateu a porta do quarto. Quando Harry, Hermione e Gina iam começar a acompanhar Rony na subida de mais três lances de escada, ouviram os ecos dos gritos na cozinha. Pelo jeito, o Sr. Weasley contara à Sra. Weasley sobre os caramelos.

O quarto em que Rony dormia, no último andar da casa, conservava a mesma aparência da última vez que Harry viera passar dias com o amigo; os mesmos pôsteres do time favorito de quadribol de Rony, os Chudley Cannons, em que os jogadores acenavam das paredes e do teto inclinado, o aquário no peitoril da janela que anteriormente abrigara ovas de rã agora continha um enorme sapo. O velho rato de Rony, Perebas, não morava mais ali, em seu lugar havia a coruja minúscula que entregara a carta de Rony na rua dos Alfeneiros. Saltitava numa gaiolinha, piando feito louca.

— Cala a boca, Píchi — disse Rony, manobrando para passar entre duas das quatro camas que haviam sido espremidas no quarto. — Fred e Jorge estão aqui conosco, porque Gui e Carlinhos ficaram com o quarto dos dois — disse Rony a Harry. — Percy conseguiu ficar com o quarto só para ele porque tem que *trabalhar*.

— Hum... por que é que você chama essa coruja de Píchi? — perguntou Harry a Rony.

— Porque Rony está sendo idiota — disse Gina. — O nome todo é Pichitinho.

— É, e isso não é um nome nem um pouco idiota — comentou Rony sarcasticamente. — Foi Gina que o batizou — explicou a Harry. — Ela acha que é um nome bonitinho. Tentei mudar, mas já era tarde demais, ele não responde a nenhum outro. Então ficou Píchi. Tenho que trancar ele aqui porque vive chateando o Errol e o Hermes. Pensando bem, chateia a mim também.

Pichitinho voava alegremente pela gaiola, piando em tom agudo. Harry conhecia Rony muito bem para levá-lo a sério. Tinha reclamado o tempo todo do seu velho rato Perebas, mas ficara aborrecidíssimo quando pareceu que o gato de Hermione, Bichento, o comera.

— Por onde anda o Bichento? — perguntou Harry a Hermione nessa hora.

— No jardim, espero. Ele gosta de caçar gnomos, nunca tinha visto nenhum.

— Então o Percy está gostando do trabalho? — perguntou Harry se sentando em uma das camas e se pondo a observar os Chudley Cannons entrando e saindo velozes dos pôsteres no teto.

— Gostando? — disse Rony misterioso. — Acho que nem voltaria para casa se papai não obrigasse. Está obcecado. E nem puxe conversa sobre o chefe dele. *O Sr. Crouch diz... como eu ia dizendo ao Sr. Crouch... O Sr. Crouch é de opinião... O Sr. Crouch esteve me dizendo...* Qualquer dia desses vão anunciar o noivado dos dois.

— Como foi o seu verão, Harry, bom? — perguntou Hermione. — Recebeu os pacotes de comida que mandamos e tudo o mais?

— Recebi, muito obrigado. Salvaram minha vida, aqueles bolos.

— E você teve notícias de...? — Rony começou, mas a um olhar de Hermione calou a boca. Harry sabia que Rony ia perguntar por Sirius. Rony e Hermione tinham participado tão intensamente da fuga de Sirius do Ministério da Magia que estavam quase tão preocupados com o padrinho de Harry quanto o garoto. Porém, falar dele na frente de Gina não era uma boa ideia.

Ninguém a não ser eles e o Prof. Dumbledore sabiam como o padrinho de Harry havia fugido ou acreditavam em sua inocência.

— Acho que eles pararam de discutir — disse Hermione, para disfarçar o momento de constrangimento, porque Gina olhava com curiosidade de Rony para Harry. — Vamos descer e ajudar sua mãe com o jantar?

— Tudo bem — disse Rony. Os quatro tornaram a descer e encontraram a Sra. Weasley sozinha na cozinha, parecendo extremamente mal-humorada.

— Vamos comer no jardim — disse ela quando os garotos entraram. — Não há lugar para onze pessoas aqui dentro. Podem levar os pratos para fora, meninas? Gui e Carlinhos estão armando as mesas. Facas e garfos, por favor, vocês dois — disse ela a Rony e Harry, e apontou a varinha com um pouco mais de força do que pretendera para um monte de batatas na pia, que saíram da casca demasiado depressa e acabaram ricocheteando nas paredes e nos tetos.

"Ah, pelo *amor* de Deus!", exclamou ela, agora apontando a varinha para uma pá, que saltou de lado e começou a patinar pelo piso, recolhendo as batatas. "Aqueles dois!", explodiu ela furiosa, agora tirando tachos e panelas de um armário, e Harry entendeu que ela estava se referindo a Fred e Jorge. "Não sei o que vai ser deles, realmente não sei. Não têm ambição, a não ser que se leve em conta toda confusão que são capazes de aprontar..."

Ela bateu com uma grande caçarola de cobre na mesa da cozinha e começou a agitar a mão para os lados. Um molho cremoso foi escorrendo da ponta da varinha à medida que ela mexia.

— Não é que não tenham inteligência — continuou ela, irritada, levando a caçarola para o fogão e acendendo-o com um toque da varinha —, mas estão desperdiçando a que têm e, a não ser que tomem jeito depressa, vão se meter em apuros. Já recebi mais corujas de Hogwarts a respeito dos dois do que de todos os outros juntos. Se continuarem assim, vão terminar tendo que comparecer à Seção de Controle do Uso Indevido da Magia.

A Sra. Weasley apontou a varinha para a gaveta de talheres, que se abriu com violência. Harry e Rony saltaram para o lado ao ver várias facas saírem voando, atravessarem a cozinha e começarem a cortar as batatas que tinham acabado de ser devolvidas à pia pela pá.

— Não sei onde foi que erramos com os gêmeos — disse a Sra. Weasley, descansando a varinha e recomeçando a tirar mais caçarolas do armário. — Tem sido sempre assim há anos, uma coisa atrás da outra, e eles não dão ouvidos... AH, *OUTRA VEZ, NÃO!*

Ela apanhara a varinha da mesa, e a coisa emitira um guincho alto e se transformara em um enorme camundongo de borracha.

— Mais uma varinha falsa fabricada por eles! — gritou ela. — Quantas vezes já disse aos dois para não deixarem essas coisas largadas por aí?

Ela agarrou a própria varinha, e quando se virou descobriu que o molho no fogão estava soltando fumaça.

— Vamos — disse Rony depressa a Harry, enfiando a mão na gaveta e tirando uma mão cheia de talheres —, vamos ajudar o Gui e o Carlinhos.

Eles deixaram a Sra. Weasley e saíram pela porta dos fundos em direção ao quintal.

Tinham dado apenas alguns passos quando o gato de Hermione, de pelo amarelo e pernas arqueadas, saiu saltando do jardim, o rabo de escova de limpar garrafas esticado no ar, caçando alguma coisa que parecia uma batata com pernas, suja de terra. Harry reconheceu-a instantaneamente, era um gnomo. Mal chegava aos vinte e cinco centímetros de altura, os pezinhos cascudos batendo céleres no chão ao atravessar o quintal e mergulhar de cabeça em uma das botas espalhadas à porta da casa. Harry ouviu o gnomo se acabar de rir quando Bichento enfiou a pata na bota, tentando alcançá-lo. Entrementes, ouvia-se um estrépito de coisas que batiam do outro lado da casa. A origem do barulho surgiu quando eles entraram no jardim e viram Gui e Carlinhos, de varinhas em punho, fazendo duas mesas velhas voarem alto pelo gramado e colidirem, cada qual tentando derrubar a outra no chão. Fred e Jorge aplaudiam; Gina ria e Hermione estava parada junto à sebe, pelo jeito dividida entre o riso e a aflição.

A mesa de Gui bateu na de Carlinhos com estrondo e perdeu uma das pernas. Eles ouviram um barulho no alto, todos ergueram os olhos e viram a cabeça de Percy aparecer à janela do segundo andar.

— Dá para vocês maneirarem? — berrou ele.

— Desculpe, Percy — disse Gui rindo. — Como é que vão os fundos dos caldeirões?

— Muito mal — disse Percy irritado e tornou a fechar a janela com uma pancada. Rindo, Gui e Carlinhos devolveram as mesas em segurança ao chão, juntaram-nas pelas extremidades e, então, com um golpe de varinha, Gui colou de volta a perna da mesa e conjurou toalhas do nada.

Às sete horas, as duas mesas rangiam sob o peso de travessas e mais travessas da excelente comida da Sra. Weasley, e os nove Weasley, Harry e Hermione se sentaram para jantar sob um céu azul-escuro e limpo. Para alguém que andara sobrevivendo com refeições de bolos cada vez mais secos o verão inteiro, aquilo era o paraíso e, no primeiro momento, Harry escutou mais do que falou, se servindo de empadão de galinha e presunto, batatas cozidas e salada.

Na ponta da mesa, Percy contava ao pai todos os detalhes do seu relatório sobre os fundos dos caldeirões.

– Eu prometi ao Sr. Crouch que aprontaria o relatório até terça-feira – dizia Percy pomposo. – É um pouco mais cedo do que ele pediu, mas gosto de estar um passo à frente. Acho que ele ficará agradecido por eu ter terminado em menos tempo. Quero dizer, há muito trabalho em nosso departamento neste momento, com todas as providências para a Copa Mundial. Não estamos recebendo a colaboração necessária do Departamento de Jogos e Esportes Mágicos. Ludo Bagman...

– Eu gosto do Ludo – disse o Sr. Weasley em tom ameno. – Foi ele que nos arranjou aqueles excelentes lugares para a Copa. Fiz um favorzinho a ele: o irmão, Otto, se meteu em uma pequena confusão, um cortador de grama com poderes fora do comum, eu acertei o problema.

– Ah, Bagman é uma pessoa *agradável*, é claro – disse Percy, fugindo à questão –, mas como conseguiu ser chefe do departamento... quando o comparo ao Sr. Crouch! Não posso imaginar o Sr. Crouch perdendo um funcionário do departamento sem tentar descobrir o que aconteceu com ele. O senhor já se deu conta de que a Berta Jorkins está desaparecida há mais de um mês? Saiu de férias para a Albânia e nunca mais voltou?

– Verdade, indaguei ao Ludo sobre isso – respondeu o Sr. Weasley enrugando a testa. – Ele me disse que Berta já se perdeu uma porção de vezes antes, embora eu deva dizer que, se fosse alguém no meu departamento, eu ficaria preocupado...

– Ah, a Berta não toma jeito, é verdade – falou Percy. – Ouvi dizer que ela é empurrada de departamento para departamento há anos, dá mais trabalho do que trabalha... mas, mesmo assim, Bagman devia estar tentando encontrá-la. O Sr. Crouch tem se interessado pessoalmente pelo caso, ela trabalhou no nosso departamento uma época, sabe, e acho que o Sr. Crouch gostava bastante dela, mas Bagman fica rindo e dizendo que ela provavelmente leu mal o mapa e, em vez da Albânia, acabou na Austrália. Contudo – Percy deixou escapar um imponente suspiro e tomou um bom gole do vinho de flor de sabugueiro –, já temos muito com o que nos preocupar no Departamento de Cooperação Internacional em Magia sem ficar tentando achar funcionários de outros departamentos. Como o senhor sabe, já temos outro grande evento para organizar logo depois da Copa.

Ele pigarreou cheio de importância e olhou para a ponta da mesa em que Harry, Rony e Hermione estavam sentados.

– O *senhor* sabe do que estou falando, papai. – E alteou ligeiramente a voz. – O evento secreto.

Rony girou os olhos para o alto e murmurou para Harry e Hermione:

— Ele está tentando fazer a gente perguntar que evento é esse desde que começou a trabalhar. Provavelmente uma exposição de caldeirões com fundo grosso.

No centro da mesa, a Sra. Weasley discutia com Gui por causa do brinco, que aparentemente era uma aquisição recente.

— ... com um canino horroroso pendurado, francamente Gui, que é que eles dizem lá no banco?

— Mamãe, ninguém lá no banco liga a mínima para a roupa que eu uso desde que eu traga muito ouro para eles — disse Gui pacientemente.

— E seus cabelos estão sem corte, querido — disse a Sra. Weasley passando os dedos, carinhosamente, pelos cabelos do filho. — Gostaria que você me deixasse aparar...

— Eu gosto deles assim — disse Gina, que estava sentada ao lado de Gui. — Você é tão antiquada, mamãe. Mesmo desse tamanho, eles não chegam nem perto do comprimento dos cabelos do Prof. Dumbledore...

Ao lado da Sra. Weasley, Fred, Jorge e Carlinhos discutiam animadamente a Copa Mundial.

— Vai ser da Irlanda — disse Carlinhos com a voz engrolada por causa das batatas que lhe enchiam a boca. — Eles acabaram com o Peru nas semifinais.

— Mas a Bulgária tem o Vítor Krum — comentou Fred.

— O Krum é apenas um jogador decente, a Irlanda tem sete — cortou Carlinhos. — Mas eu gostaria que a Inglaterra tivesse passado para as finais. Foi um vexame, ah, foi.

— Que aconteceu? — perguntou Harry pressuroso, lamentando mais do que nunca o seu alheamento do mundo mágico quando ficava atolado na rua dos Alfeneiros. Harry era apaixonado por quadribol. Jogava como apanhador no time da Grifinória desde o primeiro ano em Hogwarts e era dono de uma Firebolt, uma das melhores vassouras de corrida do mundo.

— Perdeu para a Transilvânia, por trezentos e noventa a dez — disse Carlinhos sombriamente. — Um desempenho sinistro. E Gales perdeu para Uganda, e a Escócia foi massacrada por Luxemburgo.

O Sr. Weasley conjurou velas para clarear o jardim antes de comerem a sobremesa (sorvete de morangos feito em casa), e na altura em que o jantar terminou as mariposas voavam baixo sobre a mesa e o ar morno estava perfumado com o aroma de relva e madressilvas. Harry se sentia muitíssimo bem alimentado e em paz com o mundo, e observava vários gnomos saltarem por dentro das roseiras, rindo desbragadamente, perseguidos de perto por Bichento.

Rony correu os olhos, cauteloso, pela mesa, verificando se o resto da família estava entretida conversando, depois perguntou baixinho a Harry:

— Então... *tem* tido notícias de Sirius ultimamente?

Hermione olhou para os lados, apurando os ouvidos.

— Tenho — disse Harry, baixinho —, duas vezes. Dá a impressão de que está bem. Escrevi para ele anteontem. Talvez receba resposta enquanto estou aqui.

De repente ele se lembrou do motivo por que escrevera a Sirius e, por um instante, esteve prestes a contar aos dois amigos que a cicatriz voltara a doer e que um sonho o acordara... mas na realidade não queria preocupá-los naquele momento, não quando ele próprio estava se sentindo tão feliz e tranquilo.

— Gente, olhe as horas! — exclamou subitamente a Sra. Weasley, consultando o relógio de pulso. — Vocês deviam estar na cama, todos vocês, vão ter que acordar quase de madrugada para ir à Copa. Harry, se você deixar a sua lista de material escolar, eu compro tudo para você amanhã, no Beco Diagonal. Vou comprar o dos meus meninos. Talvez não haja tempo depois da Copa Mundial, da última vez o jogo durou cinco dias.

— Uau... espero que aconteça o mesmo desta vez! — exclamou Harry entusiasmado.

— Eu espero que não — disse Percy, virtuosamente. — *Estremeço* só de pensar no estado da minha caixa de entrada se eu me ausentar cinco dias do trabalho.

— É, alguém poderia deixar bosta de dragão nela outra vez, hein, Percy? — comentou Fred.

— Aquilo foi uma amostra de fertilizante da Noruega! — protestou Percy, corando. — Não foi nada *pessoal*!

— Foi — cochichou Fred para Harry, quando eles se levantavam da mesa. — Fomos nós que mandamos.

6

A CHAVE DE PORTAL

Harry teve a sensação de que acabara de se deitar para dormir no quarto de Rony quando foi acordado pela Sra. Weasley.

— Hora de levantar, Harry, querido — sussurrou ela, se afastando para acordar Rony.

Harry tateou à procura dos óculos, colocou-os e se sentou. Ainda estava escuro lá fora. Rony resmungou alguma coisa quando a mãe o acordou. Aos pés do seu colchão, Harry viu duas formas grandes e desgrenhadas emergindo de um emaranhado de cobertas.

— Já está na hora? — exclamou Fred, tonto de sono.

Os garotos se vestiram em silêncio, demasiados sonolentos para falar, depois, bocejando e se espreguiçando, os quatro desceram as escadas rumo à cozinha.

A Sra. Weasley estava mexendo o conteúdo de um grande tacho em cima do fogão, enquanto o Sr. Weasley, sentado à mesa, verificava um maço de grandes bilhetes de entrada em pergaminho. Ergueu os olhos quando os garotos chegaram e abriu os braços para eles poderem ver melhor suas roupas. Vestia algo que parecia um suéter de golfe e jeans muito velhos, ligeiramente grandes para ele, seguros por um grosso cinto de couro.

— Que é que vocês acham? — perguntou ansioso. — Temos que ir incógnitos: estou parecendo um trouxa, Harry?

— Está — aprovou Harry sorrindo — muito bom.

— Onde estão Gui, Carlinhos e Per-Per-Percy? — perguntou Jorge, incapaz de reprimir um enorme bocejo.

— Ora, eles vão aparatar, certo? — disse a Sra. Weasley, carregando um panelão para cima da mesa e começando a servir o mingau de aveia nos pratos fundos. — Logo, eles podem dormir mais um pouco.

Harry sabia que aparatar era muito difícil; significava desaparecer de um lugar e reaparecer quase instantaneamente em outro.

— Então eles ainda estão na cama? — concluiu Fred, mal-humorado, puxando um prato de mingau para perto. — Por que não podemos aparatar também?

— Porque ainda são menores e ainda não prestaram o exame — respondeu a Sra. Weasley. — E onde foi que se meteram essas meninas?

Ela saiu apressada da cozinha e todos a ouviram subir as escadas.

— A pessoa tem que prestar um exame para poder aparatar? — perguntou Harry.

— Ah, tem — respondeu o Sr. Weasley, guardando as entradas cuidadosamente no bolso traseiro do jeans. — O Departamento de Transportes Mágicos teve que multar umas pessoas, ainda outro dia, por aparatarem sem licença. Não é fácil aparatar e quando não se faz corretamente pode acarretar complicações desagradáveis. Esses dois de que estou falando se racharam ao meio.

Todos ao redor da mesa fizeram uma careta, menos Harry.

— Hum... *racharam?* — admirou-se Harry.

— Deixaram metade do corpo para trás — explicou o Sr. Weasley, agora acrescentando várias colheradas de caramelo ao mingau. — E, é claro, ficaram entalados. Não conseguiram avançar nem retroceder. Tiveram que esperar pelo Esquadrão de Reversão de Feitiços Acidentais para resolver o problema. E vou dizer mais, foi preciso preencher uma enorme papelada, por causa dos trouxas que encontraram as partes do corpo que eles deixaram para trás...

Harry teve uma súbita visão de um par de pernas e um olho abandonados na calçada da rua dos Alfeneiros.

— E eles ficaram O.K.? — perguntou o garoto, assustado.

— Ah, claro — respondeu o Sr. Weasley factualmente. — Mas receberam uma multa pesada e acho que não vão tentar fazer isso outra vez quando estiverem com pressa. Não se brinca com aparatação. Há muitos bruxos adultos que nem experimentam. Preferem vassouras, mais lentas, porém mais seguras.

— Mas Gui, Carlinhos e Percy, todos sabem aparatar?

— Carlinhos teve que prestar exame duas vezes — disse Fred sorrindo. — Levou bomba na primeira vez, aparatou a oitenta quilômetros do ponto que queria, bem em cima de uma pobre velhinha que estava fazendo compras, lembram?

— Foi, mas ele passou da segunda vez — disse a Sra. Weasley, voltando à cozinha em meio a gostosas risadas.

— Percy só passou há duas semanas — disse Jorge. — Desde esse dia tem aparatado todas as manhãs aqui embaixo, para provar que sabe.

Ouviram-se passos no corredor, e Hermione e Gina entraram na cozinha, as duas pálidas e cheias de preguiça.

— Por que temos que levantar tão cedo? — perguntou Gina, esfregando os olhos e se sentando à mesa.

— Temos que andar um bom pedaço — respondeu o Sr. Weasley.

— Andar? — espantou-se Harry. — O quê, vamos a pé para a Copa Mundial?

— Não, não, a Copa vai ser a quilômetros daqui — disse o Sr. Weasley, sorrindo. — Só precisamos andar um pedacinho. É que é muito difícil um grande número de bruxos se reunir sem chamar a atenção dos trouxas. Temos que tomar muito cuidado com o modo de viajar até em tempos normais e numa ocasião grandiosa como a Copa Mundial de Quadribol...

— Jorge! — chamou a Sra. Weasley rispidamente e todos se assustaram.

— Quê? — perguntou Jorge, num tom de inocência que não enganou ninguém.

— Que é isso no seu bolso?

— Nada!

— Não minta para mim!

A Sra. Weasley apontou a varinha para o bolso de Jorge e disse:

— *Accio!*

Vários objetos pequenos e vivamente coloridos dispararam para fora do bolso de Jorge; o garoto tentou segurá-los, mas não conseguiu, e eles foram parar direto na mão estendida da Sra. Weasley.

— Mandamos vocês destruírem isso! — disse ela furiosa mostrando indiscutíveis Caramelos Incha-Língua. — Mandamos vocês se desfazerem de todos. Esvaziem os bolsos, vamos, os dois!

Foi uma cena desagradável; os gêmeos evidentemente tinham tentado contrabandear o maior número possível de caramelos para fora da casa e somente usando um Feitiço Convocatório a Sra. Weasley conseguiu encontrar todos.

— *Accio! Accio! Accio!* — gritava ela, e os caramelos voavam dos lugares mais improváveis, inclusive do forro da jaqueta de Jorge e das barras do jeans de Fred.

— Gastamos seis meses para inventar esses caramelos — gritou Fred para a mãe, quando ela os jogou no lixo.

— Que bela maneira de gastar seis meses! — guinchou a mãe. — Não admira que não tivessem obtido mais N.O.M.s!

No todo, o clima não estava muito simpático quando eles partiram. A Sra. Weasley continuava enfurecida quando beijou o rosto do marido, mas não tanto quanto os gêmeos, que tinham posto as mochilas às costas e saído sem dizer uma palavra à mãe.

— Bom, divirtam-se — desejou a Sra. Weasley — e *se comportem* — gritou para os gêmeos que se afastavam, mas eles não se viraram nem responderam. — Vou mandar Gui, Carlinhos e Percy por volta do meio-dia — avisou a Sra. Weasley ao marido quando ele, Harry, Rony, Hermione e Gina começaram a atravessar o gramado escuro atrás de Fred e Jorge.

Fazia frio e a lua ainda estava no céu. Apenas um esverdeado-claro no horizonte, à direita deles, denunciava que em breve amanheceria. Harry, que andara pensando nos milhares de bruxos que rumavam apressados para a Copa Mundial de Quadribol, acelerou o passo para caminhar com o Sr. Weasley.

— Então como é que todo mundo *chega* lá sem os trouxas repararem? — perguntou ele.

— Foi um enorme problema de organização — suspirou o Sr. Weasley. — O caso é que vêm uns cem mil bruxos para a Copa Mundial e, é claro, não temos nenhum local mágico grande bastante para acomodar todos. Há lugares em que os trouxas não conseguem penetrar, mas imagine tentar acomodar cem mil bruxos no Beco Diagonal ou na plataforma 9¾. Então tivemos que encontrar uma charneca deserta que servisse e instalar o máximo de precauções antitrouxas possível. O ministério inteiro vem trabalhando nisso há meses. Primeiro, é claro, tivemos que escalonar as chegadas. Quem comprou entradas mais baratas teve que chegar duas semanas antes. Um número limitado tem usado os transportes dos trouxas, mas não podemos ter gente demais entupindo os ônibus e trens deles; lembre que temos bruxos chegando de todo o mundo. Alguns aparatam, naturalmente, mas temos que escolher pontos seguros para eles aparecerem, bem longe dos trouxas. Acho que há uma floresta próxima que eles estão usando para aparatar. Para os que não querem aparatar, ou não podem, usamos os portais. São objetos para o transporte de bruxos de um lugar para outro em horas certas. Pode-se atender a grandes grupos de cada vez se for preciso. Foram instalados duzentos portais em pontos estratégicos da Grã-Bretanha, e o mais próximo da nossa casa é no alto do morro Stoatshead, por isso é que estamos indo para lá.

O Sr. Weasley apontou para uma grande massa escura que se erguia à frente, para além do povoado de Ottery St. Catchpole.

– Que tipo de objetos são esses portais? – perguntou Harry, curioso.

– Podem ser qualquer coisa – respondeu o Sr. Weasley. – Coisas discretas, obviamente, para os trouxas não as pegarem e saírem brincando com elas... coisas que eles simplesmente considerem lixo...

O grupo caminhava pela vereda escura e úmida que levava ao povoado, o silêncio quebrado apenas pelo eco de seus passos. O céu foi clareando muito devagarinho quando eles atravessaram o povoado, o azul-tinta se dissolvendo em azul-escuro. As mãos e os pés de Harry estavam congelados. O Sr. Weasley não parava de consultar o relógio.

Eles já estavam sem fôlego para conversar quando começaram a subir o morro Stoatshead, tropeçavam ocasionalmente em tocas de coelho escondidas, escorregavam em grossos tufos de grama escura. Cada vez que Harry inspirava, sentia o peito arder e suas pernas já começavam a se recusar a andar quando finalmente seus pés pisaram em terreno nivelado.

– Ufa! – ofegou o Sr. Weasley, tirando os óculos e secando-os no suéter. – Bom, fizemos um bom tempo, ainda temos dez minutos...

Hermione foi a última a aparecer na crista do morro, apertando uma cãibra do lado do corpo.

– Agora só precisamos da Chave de Portal – disse o Sr. Weasley repondo os óculos e apurando a vista para esquadrinhar o terreno. – Não deve ser grande... vamos...

Eles se espalharam para procurá-la. E estavam nisso havia poucos minutos, quando um grito cortou o ar parado.

– Aqui, Arthur! Aqui, filho, achamos!

Dois vultos altos surgiram recortados contra o céu estrelado, do outro lado do cume do morro.

– Amos! – exclamou o Sr. Weasley, encaminhando-se sorridente para o homem que gritara. Os garotos o acompanharam.

O Sr. Weasley apertou as mãos de um bruxo de rosto corado, com uma barba castanha e curta, que segurava em uma das mãos uma bota velha de aparência mofada.

– Este é Amos Diggory, pessoal – apresentou-o o Sr. Weasley. – Trabalha no Departamento para Regulamentação e Controle das Criaturas Mágicas. E acho que vocês conhecem o filho dele, Cedrico?

Cedrico Diggory era um rapaz muito bonito de uns dezessete anos. Era capitão e apanhador do time de quadribol da Lufa-Lufa, em Hogwarts.

– Oi – disse Cedrico olhando para os garotos.

Todos retribuíram o "Oi", exceto Fred e Jorge, que apenas acenaram com a cabeça. Eles nunca haviam perdoado Cedrico por derrotar o time da Grifinória no primeiro jogo de quadribol do ano anterior.

– Uma longa caminhada, Arthur? – perguntou o pai de Cedrico.

– Não foi tão ruim assim – respondeu o Sr. Weasley. – Moramos logo ali do outro lado do povoado. E você?

– Tivemos que nos levantar às duas, não foi, Ced? Confesso que vou ficar satisfeito quando ele passar no exame de aparatação. Mas... não estou me queixando... a Copa Mundial de Quadribol, eu não a perderia nem por um saco de galeões, e é mais ou menos quanto custam as entradas. Mas, pelo visto, parece que me saiu barato... – Amos Diggory mirou bem-humorado os três garotos Weasley, Harry, Hermione e Gina. – São todos seus, Arthur?

– Ah, não, só os ruivos – esclareceu o Sr. Weasley apontando os filhos. – Esta é Hermione, amiga de Rony, e Harry, outro amigo...

– Pelas barbas de Merlim! – exclamou Amos Diggory arregalando os olhos. – Harry? Harry Potter?

– Hum... é – respondeu o garoto.

Harry estava habituado às pessoas o olharem curiosas quando o conheciam, habituado à corrida instantânea do olhar delas à cicatriz em forma de raio em sua testa, mas isto sempre o constrangia.

– Ced nos falou de você, naturalmente – disse Amos Diggory. – Nos contou tudo sobre a partida que jogaram com vocês no ano passado... Eu disse a ele: Ced, isto vai ser uma história para contar aos seus netos, ah, vai... *você derrotou Harry Potter!*

Harry não conseguiu pensar em nenhuma resposta a esse comentário, por isso ficou calado. Fred e Jorge amarraram a cara outra vez. Cedrico pareceu ligeiramente encabulado.

– Harry caiu da vassoura, papai – murmurou ele. – Contei a você... foi um acidente...

– É, mas *você* não caiu, não é mesmo? – rugiu Amos jovialmente, dando uma palmada nas costas do filho. – Sempre modesto, o nosso Ced, sempre cavalheiro... mas venceu o melhor, tenho certeza de que Harry diria o mesmo, não é? Um cai da vassoura, um continua montado, não é preciso ser gênio para saber quem voa melhor!

– Deve estar quase na hora – disse o Sr. Weasley depressa, puxando o relógio do bolso mais uma vez. – Você sabe se temos que esperar mais alguém, Amos?

— Não, os Lovegood já estão lá há uma semana e os Fawcett não conseguiram entradas — disse o Sr. Diggory. — Não tem mais gente nossa na área, tem?

— Não que eu saiba. É, falta um minuto... é melhor nos prepararmos...

Ele olhou para Harry e Hermione.

— Vocês só precisam tocar na Chave de Portal, só isso, basta um dedo...

Com dificuldade, por causa das volumosas mochilas, os nove se agruparam em torno da velha bota que Amos Diggory segurava.

Todos ficaram parados ali, num círculo fechado, sentindo a brisa gélida que varria o cume do morro. Ninguém falava. De repente ocorreu a Harry como pareceria estranho se um trouxa subisse até ali naquele momento... nove pessoas, dois adultos, segurando uma bota velha de pano, ao amanhecer, esperando...

— Três... — murmurou o Sr. Weasley, com o olho ainda no relógio — dois... um...

Aconteceu instantaneamente. Harry teve a sensação de que um gancho dentro do seu umbigo fora irresistivelmente puxado para a frente. Seus pés deixaram o chão; ele sentiu Rony e Hermione de cada lado, os ombros se tocando; todos avançavam vertiginosamente em meio ao uivo do vento e ao rodopio de cores; seu dedo indicador estava grudado na bota como se esta o atraísse magneticamente para a frente, e então...

Seus pés bateram no chão; Rony deu um encontrão nele e caiu; a Chave de Portal despencou no chão do lado da cabeça dele com um baque forte.

Harry ergueu os olhos. O Sr. Weasley, o Sr. Diggory e Cedrico continuavam parados, embora com a aparência de terem sido varridos pelo vento; os demais estavam caídos no chão.

— O sete e cinco chegando do morro Stoatshead — anunciou uma voz.

7

BAGMAN E CROUCH

Harry se desvencilhou de Rony e se levantou. Tinham chegado, pelo que parecia, a um trecho deserto de uma charneca imersa em névoa. Diante deles havia dois bruxos cansados, com cara de rabugentos, um dos quais segurava um grande relógio de ouro, e o outro, um grosso rolo de pergaminho e uma pena. Ambos estavam vestidos como trouxas, embora sem muita habilidade; o homem do relógio usava um terno de tweed com botas de borracha até as coxas; o colega, um saiote escocês e um poncho.

– Bom-dia, Basílio – cumprimentou o Sr. Weasley, apanhando a bota que os transportara e entregando-a ao bruxo de saiote, que a atirou em uma grande caixa de chaves de portal usadas, a um lado; Harry viu, entre elas, um jornal velho, latas de bebidas vazias e uma bola de futebol furada.

– Olá, Arthur – disse Basílio em tom entediado. – Não está de serviço, não é? Tem gente que se dá bem... estivemos aqui a noite toda... é melhor você desimpedir o caminho, temos um grupo grande chegando da Floresta Negra às cinco e quinze. Espere um pouco, me deixe ver onde é que você vai ficar... Weasley... Weasley... – Ele consultou a lista no pergaminho. – A uns quatrocentos metros para aquele lado, primeiro acampamento que você encontrar. O gerente é o Sr. Roberts. Diggory... segundo acampamento... pergunte pelo Sr. Payne.

– Obrigado, Basílio – disse o Sr. Weasley e fez sinal para todos o acompanharem.

Eles saíram pela charneca deserta, incapazes de distinguir muita coisa através da névoa. Passados uns vinte minutos, avistaram uma casinha de pedra ao lado de um portão. Mais além, Harry pôde distinguir mal e mal as formas fantasmagóricas de centenas de barracas, montadas na ondulação suave de um grande campo, no rumo de uma floresta escura no horizonte. Eles se despediram dos Diggory e se aproximaram da casa.

Havia um homem parado à porta, contemplando as barracas. Harry soube só de olhar que aquele era o único trouxa legítimo numa área de muitos hectares. Quando o trouxa ouviu os passos do grupo, virou a cabeça para olhá-los.

— 'dia! — cumprimentou o Sr. Weasley, animado.

— 'dia — disse o trouxa.

— O senhor seria o Sr. Roberts?

— É, seria — respondeu o Sr. Roberts. — E quem é o senhor?

— Weasley, duas barracas reservadas há uns dois dias?

— Certo — confirmou o Sr. Roberts, consultando uma lista pregada à porta. — O lugar é lá perto da floresta. Só uma noite?

— Isso — respondeu o Sr. Weasley.

— O senhor vai pagar agora, então? — perguntou o Sr. Roberts.

— Ah... certo... é claro. — O Sr. Weasley se afastou um pouco da casa e fez sinal a Harry para acompanhá-lo. — Me ajude, Harry — murmurou, puxando do bolso um rolinho de dinheiro de trouxa e começando a separar as notas. — Esta aqui é de... de... de dez? Ah é, vejo agora que tem um numerozinho... então esta é de cinco?

— De vinte — corrigiu-o Harry falando baixo, incomodamente consciente de que o Sr. Roberts estava tentando ouvir cada palavra que diziam.

— Ah é, é mesmo... Não sei, esses pedacinhos de papel...

— É estrangeiro? — perguntou o Sr. Roberts, quando o Sr. Weasley voltou com o dinheiro certo.

— Estrangeiro? — repetiu o bruxo, intrigado.

— O senhor não é o primeiro que se atrapalha com o dinheiro — disse o gerente, observando o Sr. Weasley atentamente. — Tive dois querendo me pagar com grandes moedas de ouro do tamanho de calotas de automóvel faz uns dez minutos.

— Sério? — disse o Sr. Weasley, nervoso.

O Sr. Roberts vasculhou uma lata à procura de troco.

— Nunca esteve tão cheio — disse ele de repente, voltando outra vez o olhar para o campo enevoado. — Centenas de reservas. As pessoas em geral aparecem sem aviso...

— Verdade? — exclamou o Sr. Weasley, a mão estendida à espera do troco, mas o Sr. Roberts não lhe deu nenhum.

— É — disse pensativo. — Gente de toda parte. Montes de estrangeiros. E não são só estrangeiros. Gente esquisita, sabe? Tem um sujeito andando por aí de saiote e poncho.

— E não devia? — perguntou o Sr. Weasley, ansioso.

— Parece que é uma espécie de... sei lá... uma espécie de convenção – comentou o Sr. Roberts. – Parece que todos se conhecem. Como numa grande festa.

Naquele momento, um bruxo de bermudão largo materializou-se do nada ao lado da porta da casa do Sr. Roberts.

— *Obliviate!* – disse ele bruscamente, apontando a varinha para o Sr. Roberts.

Instantaneamente os olhos do Sr. Roberts saíram de foco, suas sobrancelhas se desfranziram e um olhar de vaga despreocupação cobriu o seu rosto. Harry reconheceu os sintomas de alguém que acabara de ter a memória alterada.

— Um mapa do acampamento para o senhor – disse o homem, placidamente, ao Sr. Weasley. – E o seu troco.

— Muito obrigado.

O bruxo de bermudão acompanhou o grupo em direção ao portão do acampamento. Parecia exausto; a barba por fazer azulava seu queixo e havia olheiras roxas sob seus olhos. Uma vez longe do raio de audição do gerente, ele murmurou para o Sr. Weasley:

— Estou tendo um bocado de problemas com ele. Precisa de um Feitiço da Memória dez vezes por dia para ficar feliz. E Ludo Bagman não está ajudando. Anda por aí falando em balaços e goles a plenos pulmões, sem a menor preocupação com a segurança antitrouxa. Pombas, vou gostar quando isso terminar. Vejo você mais tarde, Arthur.

E desaparatou.

— Pensei que o Sr. Bagman fosse chefe de Jogos e Esportes Mágicos – disse Gina, parecendo surpresa. – Devia ter mais juízo e parar de falar de balaços perto de trouxas, não devia?

— Devia – concordou o Sr. Weasley, sorrindo e passando com os garotos pelo portão do acampamento –, mas Ludo sempre foi um pouco... bem... *displicente* com a segurança. Mas não se poderia desejar um chefe mais entusiasta para o Departamento de Esportes. Ele jogou quadribol pela Inglaterra, sabem. E foi o melhor batedor do Wimbourne Wasps que o time já teve.

O grupo avançou lentamente pelo campo entre longas fileiras de barracas. A maioria parecia quase normal; os donos tinham visivelmente tentado o possível para fazê-las parecer equipamento de trouxas, embora tivessem cometido alguns deslizes ao acrescentarem chaminés ou cordões de sinetas ou cata-ventos. Porém, aqui e ali, havia uma barraca tão obviamente mágica que Harry não se surpreendia que o Sr. Roberts estivesse desconfiado. Lá para o meio do campo, havia uma extravagante produção de seda listrada como um palácio em miniatura, com vários pavões vivos amarrados à entrada. Um pouco adiante, eles passaram por uma barraca que tinha três andares e várias torrinhas; e, mais além, havia uma outra com um jardim anexo, completo, com banho para passarinhos, relógio de sol e fonte.

– Sempre os mesmos – comentou o Sr. Weasley, sorrindo –, não conseguimos deixar de nos exibir quando nos reunimos. Ah, lá está, olhem, aquela é a nossa.

Tinham alcançado a orla da floresta no alto do campo, e ali havia uma área livre com um pequeno letreiro enfiado no chão em que se lia "Weezly".

– Não podíamos ter ganhado um lugar melhor! – exclamou o Sr. Weasley, feliz. – O campo preparado para as partidas é logo do outro lado da floresta; estamos o mais perto que poderíamos estar. – Ele descarregou a mochila dos ombros. – Certo – disse, animado –, rigorosamente falando, nada de magias, não quando estamos no mundo dos trouxas em tão grande número. Vamos armar estas barracas à mão! Não deve ser muito difícil... Os trouxas fazem isso o tempo todo... tome, Harry, por onde você acha que devo começar?

Harry nunca acampara na vida; os Dursley nunca o haviam levado em férias, preferindo deixá-lo com a Sra. Figg, uma velha vizinha. No entanto, ele e Hermione descobriram como distribuir os paus e as estacas, e, embora o Sr. Weasley atrapalhasse mais do que ajudasse, porque ficara animadíssimo quando precisaram usar o martelo, eles finalmente conseguiram erguer duas barracas modestas para duas pessoas cada.

Todos se afastaram para admirar a habilidade manual deles. Ninguém que visse aquelas barracas teria adivinhado que pertenciam a bruxos, pensou Harry, mas o problema era que quando Gui, Carlinhos e Percy chegassem eles formariam um grupo de dez pessoas. Hermione parecia ter identificado esse problema, também; lançou a Harry um olhar cômico quando o Sr. Weasley ficou de quatro e entrou na primeira barraca.

– Vamos ficar meio apertados – comentou ele –, mas acho que vai dar para nos espremermos. Venham dar uma olhada.

Harry se abaixou, passou por baixo da aba de entrada e sentiu o queixo cair. Entrara em uma barraca que parecia um apartamento antigo de três quartos, completo, com banheiro e cozinha. E o que era curioso, estava mobiliado no mesmíssimo estilo que o da Sra. Figg; havia capas de crochê nas poltronas sem par e um forte cheiro de gatos.

— Bom, não é para muito tempo — disse o Sr. Weasley, secando a careca com um lenço e espiando as quatro camas-beliches que havia no quarto.
— Pedi a barraca emprestada ao Perkins, lá do escritório. Ele não acampa muito atualmente, coitado, está com lumbago.

O Sr. Weasley apanhou uma chaleira empoeirada e espiou dentro.
— Vamos precisar de água...
— Tem uma torneira assinalada no mapa que o trouxa nos deu — disse Rony, que seguira Harry para dentro da barraca e parecia completamente indiferente a essas extraordinárias proporções internas. — Fica do outro lado do campo.

— Bom, então por que você, Harry e Hermione não vão apanhar um pouco de água... — o bruxo entregou aos garotos a chaleira e duas caçarolas — ... e nós vamos apanhar lenha para fazer uma fogueira?
— Mas temos um forno — lembrou Rony —, por que não podemos...?
— Rony, segurança antitrouxa! — disse o Sr. Weasley, o rosto brilhando de expectativa. — Quando os trouxas de verdade acampam, eles cozinham em fogueiras ao ar livre, já os vi fazendo isso!

Depois de uma rápida visita à barraca das garotas, que era ligeiramente menor do que a deles, embora sem o cheiro de gato, Harry, Rony e Hermione atravessaram o acampamento levando as vasilhas.

Agora, com o sol de fora e a névoa se dissipando, eles puderam ver a cidade de lona que se estendia para todas as direções. Caminharam lentamente entre as fileiras de barracas, espiando tudo com interesse. Harry estava começando a se indagar quantos bruxos e bruxas devia haver no mundo; ele nunca pensara realmente nos bruxos de outros países.

Seus companheiros de acampamento iam acordando aos poucos. Os primeiros a dar sinal de vida foram as famílias com crianças pequenas; Harry nunca vira bruxos tão pequenos antes. Um pirralhinho, que não tinha mais de dois anos, estava agachado do lado de fora de uma barraca em forma de pirâmide, empunhando uma varinha com a qual cutucava, feliz, um caramujo na grama, que ia ganhando lentamente o tamanho de um salame. Quando se emparelharam com ele, a mãe saiu correndo da barraca.

— *Quantas vezes, Kevin? Não pode... mexer... na... varinha... do papai,* putz!

Ela pisou no enorme caramujo, estourando-o. A bronca acompanhou os garotos pelo ar parado, se misturando aos gritos do garotinho:

— Você acabou, caramujo! Você acabou, caramujo!

Um pouco mais adiante, eles viram duas bruxinhas, pouco mais velhas do que Kevin, cavalgando vassouras de brinquedo que se elevavam o suficiente para os dedos dos pés das meninas rasparem a grama orvalhada. Um bruxo do Ministério já as vira; quando passou correndo por Harry, Rony e Hermione, murmurava agitado:

— Em plena luz do dia! Os pais devem estar cochilando, suponho...

Aqui e ali bruxos e bruxas adultos saíam das barracas e começavam a preparar o café da manhã. Alguns, lançando olhares furtivos para os lados, conjuravam fogueiras com as varinhas; outros acendiam fósforos com ar de dúvida, como se tivessem certeza de que aquilo não ia funcionar. Três bruxos africanos conversavam sentados, trajando longas vestes brancas, enquanto assavam uma carne que parecia coelho sobre uma fogueira púrpura berrante; um grupo de bruxas americanas de meia-idade fofocava alegremente sob a bandeira estrelada que elas haviam estendido entre as barracas, na qual se lia *Instituto das Bruxas de Salém*. Harry captava fragmentos de conversas em línguas estranhas que saíam das barracas pelas quais passavam e, embora não conseguisse entender uma única palavra, o tom das vozes era de animação.

— Hum... são os meus olhos ou tudo ficou verde? — perguntou Rony.

Não eram os olhos de Rony. Os garotos tinham entrado em uma área em que as barracas estavam cobertas por uma camada de trevos, dando a impressão de que morrotes de formas estranhas haviam brotado da terra. Viam-se rostos sorridentes nas barracas com a aba da entrada erguida. Então, às costas, os garotos ouviram alguém gritar seus nomes.

— Harry! Rony! Hermione!

Era Simas Finnigan, um colega quartanista da Grifinória. Estava sentado diante de uma barraca coberta de trevos, em companhia de uma mulher de cabelos louro-claros que só podia ser sua mãe e com Dino Thomas, também da Grifinória.

— Gostaram da decoração? — perguntou Simas sorrindo, quando Harry, Rony e Hermione se aproximaram para cumprimentá-los. — O Ministério não está nada feliz.

— E por que não deveríamos mostrar nossas cores? — perguntou a Sra. Finnigan. — Vocês deviam ver o que os búlgaros penduraram nas barracas *deles*. Vocês vão torcer pela Irlanda, naturalmente? — acrescentou ela fixando Harry, Rony e Hermione com insistência.

Depois de terem tranquilizado a senhora de que realmente iam torcer pela Irlanda, os garotos seguiram caminho, embora Rony tivesse comentado:

— Como se a gente fosse dizer que não ia, com aquela turma em volta da gente.

— Que será que os búlgaros penduraram nas barracas? — indagou Hermione.

— Vamos dar uma olhada — disse Harry, apontando para uma grande área de barracas mais adiante, onde a bandeira da Bulgária, vermelha, verde e branca, tremulava à brisa.

As barracas não estavam enfeitadas com plantas, mas cada uma exibia o mesmo pôster, um pôster com um rosto muito carrancudo com grossas sobrancelhas pretas. A foto, é claro, se mexia, mas apenas para piscar os olhos e franzir a testa.

— Krum — disse Rony em voz baixa.

— Quê? — perguntou Hermione.

— Krum! — repetiu Rony. — Vítor Krum, o apanhador búlgaro!

— Ele parece bem rabugento — comentou Hermione, olhando para os muitos Krums que piscavam e franziam a testa para eles.

— *Bem rabugento?* — Rony olhou para o céu. — Quem se importa com a cara dele? Ele é incrível! E é bem moço, também. Tem uns dezoito anos, por aí. É um *gênio*, espere até ver hoje à noite.

Já havia uma pequena fila à torneira no canto do acampamento. Harry e Rony entraram logo atrás de dois homens que discutiam acaloradamente. Um deles era um bruxo muito velho que usava uma longa camisola florida. O outro era visivelmente um bruxo do Ministério; este segurava calças listradas e quase chorava de exasperação.

— Vista as calças, Arquibaldo, seja bonzinho, você não pode andar por aí vestido assim, o trouxa no portão já está ficando desconfiado...

— Comprei isso numa loja de trouxas — defendeu-se o velho bruxo, teimando. — Os trouxas usam isso.

— *Mulheres* trouxas usam isso, Arqui, não os homens, eles usam *isto* aqui — disse o bruxo do Ministério mostrando as calças listradas.

— Não vou vestir isso — retrucou o velho bruxo, indignado. — Gosto de sentir uma brisa saudável nas minhas partes, obrigado.

Hermione foi tomada por um tal acesso de riso, nessa hora, que precisou sair da fila e só voltou depois que Arquibaldo tinha se abastecido de água e fora embora.

Caminhando mais devagar agora, por causa do peso da água, os garotos tornaram a atravessar o acampamento. Aqui e ali, eles viam rostos mais familiares: outros alunos de Hogwarts com as famílias. Olívio Wood, o ex-capitão de quadribol do time de Harry, que terminara os estudos em Hogwarts, arrastou o garoto até a barraca dos pais para apresentá-lo e lhe contou, cheio de animação, que acabara de entrar para o time de reserva do Puddlemere United. Depois os garotos foram saudados por Ernesto Macmillan, um quartanista da Lufa-Lufa, e, mais adiante, viram Cho Chang, uma garota muito bonita que jogava como apanhadora no time da Corvinal. Ela acenou e sorriu para Harry, que derramou um bocado de água na roupa ao retribuir o aceno. Mais para impedir Rony de caçoar do que por outro motivo, Harry apontou depressa para um enorme grupo de adolescentes que ele nunca vira antes.

— De onde você acha que eles são? — perguntou Harry. — Eles não frequentam Hogwarts, frequentam?

— Devem frequentar alguma escola estrangeira — sugeriu Rony. — Sei que há outras, mas nunca encontrei ninguém que estudasse nelas. Gui teve uma correspondente em uma escola no Brasil... isto foi há anos... e ele quis ir para lá numa viagem de intercâmbio, mas mamãe e papai não tiveram dinheiro para bancar a viagem. A moça ficou toda ofendida quando ele disse que não ia e mandou para ele um chapéu enfeitiçado. As orelhas dele murcharam.

Harry riu, mas não manifestou a surpresa que era saber que havia outras escolas de magia. Supôs, agora que via representantes de tantas nacionalidades no acampamento, que fora muito burro por jamais ter imaginado que Hogwarts não poderia ser a única. Ele olhou para Hermione, que não demonstrara a menor surpresa com a informação. Sem dúvida, ela devia ter visto referências a outras escolas de magia em algum livro.

— Vocês demoraram uma eternidade — comentou Jorge, quando eles finalmente chegaram às barracas dos Weasley.

— Encontramos alguns conhecidos — disse Rony, pousando as vasilhas de água. — Você ainda não acendeu a fogueira?

— Papai está se divertindo com os fósforos — disse Fred.

O Sr. Weasley não estava tendo o menor sucesso em acender a fogueira, mas não era por falta de tentativas. Fósforos partidos coalhavam o chão ao seu redor, mas ele parecia estar se divertindo como nunca.

— Opa! — exclamou ele, ao conseguir acender um fósforo, mas largou-o na mesma hora no chão, surpreso.

— Chegue aqui, Sr. Weasley — disse Hermione bondosamente, tirando a caixa das mãos dele e começando a mostrar como fazer fogo direito.

Finalmente, eles acenderam a fogueira, embora levasse no mínimo mais uma hora até ela esquentar o suficiente para cozinhar alguma coisa. Mas havia muito que ver enquanto esperavam. A barraca deles estava armada ao longo de uma espécie de rua de acesso ao campo de quadribol, por onde funcionários do Ministério corriam para cima e para baixo, cumprimentando cordialmente o Sr. Weasley ao passar. O Sr. Weasley fazia comentários contínuos, principalmente para benefício de Harry e Hermione; seus próprios filhos já conheciam bastante o Ministério para se interessar.

— Aquele era Cutberto Mockridge, chefe da Seção de Ligação com os Duendes... lá vem Gilberto Wimple, ele trabalha na Comissão de Feitiços Experimentais, já usa aqueles chifres há algum tempo... Alô, Arnaldinho... Arnaldo Peasegood, ele é um obliviador, trabalha no Esquadrão de Reversão de Feitiços Acidentais, sabe... e aqueles outros são Bode e Croaker... são dois inomináveis...

— São o quê?

— Do Departamento de Mistérios, ultrassecretos, não tenho a menor ideia do que fazem...

Finalmente, a fogueira ficou pronta e eles já haviam começado a preparar salsichas com ovos quando Gui, Carlinhos e Percy saíram caminhando da floresta para se reunirem à família.

— Acabei de aparatar, papai — disse Percy em voz alta. — Ah, que excelente almoço!

Já haviam comido metade das salsichas com ovos quando o Sr. Weasley se levantou de um salto, acenando e sorrindo para um homem que vinha em sua direção.

— Ah-ah! — exclamou ele. — O homem do momento! Ludo!

Ludo Bagman era, sem favor algum, o homem mais chamativo que Harry já vira na vida, até mesmo incluindo nessa conta o velho Arquibaldo com sua camisola florida. Usava longas vestes de quadribol com grandes listras horizontais amarelas e pretas. Uma enorme estampa de uma vespa tomava todo o seu peito. Tinha a aparência de um homem corpulento que parara de se exercitar; suas vestes estavam muito esticadas por cima da enorme barriga, que certamente não existia na época em que ele jogava quadribol pela Inglaterra. Seu nariz era achatado (provavelmente quebrado por algum balaço errante, pensou Harry), mas os redondos olhos azuis, os cabelos louros curtos e a pele rosada o faziam parecer um menino de escola que crescera demais.

— Olá, pessoal! — exclamou Bagman alegremente. Andava como se tivesse molas nas solas dos pés; era visível que estava num estado de extrema alegria.

"Arthur, meu velho", ofegou ele, ao chegar à fogueira, "que dia, hein? Será que podíamos ter desejado um tempo mais perfeito? Uma noite sem nuvens... e quase nenhum problema na programação... quase nada para eu fazer!"

Por trás dele, um grupo de bruxos do Ministério, de cara exausta, passou apressado, apontando para a evidência distante de algum tipo de fogueira mágica que disparava faíscas violeta a seis metros de altura.

Percy adiantou-se rapidamente com a mão estendida. Pelo jeito, o fato de desaprovar o modo de Ludo Bagman dirigir o departamento não o impedia de querer causar boa impressão.

— Ah... sim — disse o Sr. Weasley, sorrindo —, este é o meu filho, Percy, começou a trabalhar no Ministério agora, e este é Fred, não, Jorge, desculpe, *esse* é o Fred... Gui, Carlinhos, Rony... minha filha, Gina... e os amigos de Rony, Hermione Granger e Harry Potter.

De maneira discretíssima, Bagman olhou uma segunda vez ao ouvir o nome de Harry, e seus olhos deram a conhecida espiada na cicatriz na testa do garoto.

— Pessoal — continuou o Sr. Weasley —, este é Ludo Bagman, vocês sabem quem ele é, e é graças a ele que temos entradas tão boas...

Bagman abriu um sorriso de lado a lado do rosto e fez um gesto com a mão significando que não fora nada.

— Quer arriscar uma apostinha no jogo, Arthur? — perguntou ele, ansioso, sacudindo, ao que parecia, um bocado de ouro nos bolsos das vestes amarelas e pretas. — Já aceitei a aposta de Roddy Pontner de que a Bulgária vai marcar primeiro, ofereci a ele uma boa vantagem, levando em conta que os três jogadores avançados da Irlanda são os mais fortes que já vi em anos, e a pequena Ágata Timms apostou meia cota da fazenda de enguias de que a partida vai durar uma semana.

— Ah... vá lá, então — disse o Sr. Weasley. — Vejamos... um galeão na vitória da Irlanda?

— Um galeão? — Ludo Bagman pareceu ligeiramente desapontado, mas se recuperou: — Muito bem, muito bem... mais alguma aposta?

— Eles são um pouco jovens demais para andar jogando — disse o Sr. Weasley. — Molly não gostaria...

— Nós apostamos trinta e sete galeões, quinze sicles e três nuques — disse Fred, ao mesmo tempo que ele e Jorge juntavam rapidamente todo o dinheiro que tinham — que a Irlanda ganha, mas Vítor Krum captura o pomo. Ah, e damos uma varinha falsa de lambujem.

— Vocês não vão querer mostrar ao Sr. Bagman esse lixo — sibilou Percy, mas o bruxo não pareceu achar que a varinha era lixo; muito ao contrário, seu rosto de colegial iluminou-se de animação ao recebê-la das mãos de Fred e, quando a varinha deu um cacarejo e se transformou em uma galinha de borracha, Bagman caiu na gargalhada.

— Excelente! Não vejo uma varinha tão convincente há anos! Eu pagaria cinco galeões por uma dessas!

Percy ficou paralisado, numa atitude de indignada desaprovação.

— Meninos — disse o Sr. Weasley entre dentes —, não quero vocês jogando... isto é tudo que economizaram... sua mãe...

— Não seja estraga prazeres, Arthur! — trovejou Ludo Bagman, animado, sacudindo as moedas nos bolsos. — Eles já são bem grandinhos para saber o que querem! Vocês acham que a Irlanda vai vencer, mas Krum vai capturar o pomo? Nem por milagre, moleques, nem por milagre... Vou dar uma excelente vantagem nessa... e acrescentar mais cinco galeões por essa varinha marota, concordam...

O Sr. Weasley ficou olhando sem ação enquanto Ludo Bagman puxava um caderninho e uma pena e começava a anotar os nomes dos gêmeos.

— Tchau — disse Jorge, apanhando o pedaço de pergaminho que Bagman lhe estendia e guardando-o no peito das vestes.

Bagman virou-se animadíssimo para o Sr. Weasley.

— Daria para me fazer um chá, suponho? Estou de olho para ver se localizo Crouch. O meu contraparte búlgaro está criando dificuldades e não consigo entender uma palavra do que ele diz. Bartô poderia resolver o problema, fala umas cento e cinquenta línguas.

— O Sr. Crouch? — disse Percy, abandonando subitamente o seu ar de impassível desaprovação e quase se contorcendo de óbvia animação. — Ele fala mais de duzentas! Serêiaco, grugulês, trasgueano...

— Qualquer um sabe falar trasgueano — disse Fred, fazendo pouco —, é só a gente apontar e grunhir.

Percy lançou a Fred um olhar feiíssimo e atiçou os gravetos da fogueira vigorosamente para fazer a chaleira ferver.

— Já teve notícias de Berta Jorkins, Ludo? — perguntou o Sr. Weasley quando Bagman se sentou na grama ao lado deles.

— Nem um pio — disse Bagman à vontade. — Mas ela vai aparecer. Coitada da velha Berta... tem a memória de um caldeirão furado e nenhum senso de direção. Perdida, se quiserem me acreditar. Vai aparecer na seção lá para outubro, pensando que ainda é julho.

— Você não acha que já estava na hora de mandar alguém procurá-la? — sugeriu, hesitante, o Sr. Weasley, quando Percy estendeu a Bagman o chá pedido.

— É o que o Bartô Crouch não para de dizer — respondeu Bagman, arregalando inocentemente seus olhos redondos —, mas o fato é que não podemos destacar ninguém no momento. Ah... é falar no demônio! Bartô!

Um bruxo acabara de aparatar junto à fogueira, e não poderia oferecer um contraste maior a Ludo Bagman, estirado na grama com as vestes velhas do Wasp. Bartô era um homem mais velho, formal, empertigado, vestido com um terno e uma gravata impecáveis. A risca nos seus cabelos grisalhos e curtos era quase absurdamente reta e o bigode fino de escovinha parecia ter sido aparado com uma régua. Seus sapatos eram exageradamente lustrosos. Harry percebeu na hora por que Percy o idolatrava. Percy acreditava piamente em obedecer às regras sem fazer concessões, e o Sr. Crouch obedecera à regra de se vestir como trouxa tão rigorosamente que poderia ter passado por gerente de banco. Harry duvidava de que seu tio Válter pudesse ter descoberto quem ele realmente era.

— Estrague um pouco a grama, Bartô — disse Ludo animadamente, batendo no chão.

— Não, muito obrigado — respondeu Crouch, e havia um vestígio de impaciência em sua voz. — Estive procurando-o por toda parte. Os búlgaros insistem que coloquemos mais doze cadeiras no camarote de honra.

— Ah, é *isso* que eles querem? — exclamou Bagman. — Achei que o sujeito estava pedindo uma pinça emprestada. Sotaque forte o dele.

— Mr. Crouch! — disse Percy sem fôlego, curvando-se numa espécie de meia reverência que o fez parecer corcunda. — O senhor aceita uma xícara de chá?

— Ah — exclamou o bruxo, olhando surpreso para Percy. — Claro... obrigado, Weatherby.

Fred e Jorge se engasgaram dentro das xícaras em que bebiam. Percy, as orelhas muito rosadas, ocupou-se com a chaleira.

— Ah, e tenho querido dar uma palavra com você, também, Arthur — disse o Sr. Crouch, seu olhar penetrante recaindo sobre o Sr. Weasley. — Ali Bashir está em pé de guerra. Quer falar com você sobre o embargo dos tapetes voadores.

O Sr. Weasley soltou um profundo suspiro.

— Mandei-lhe uma coruja sobre isso ainda na semana passada. Já devo ter dito a Bashir umas cem vezes: tapetes são classificados como artefatos mágicos pelo Registro de Objetos Enfeitiçáveis Proscritos, mas e ele quer me escutar?

— Duvido — respondeu o Sr. Crouch, aceitando a xícara de Percy. — Ele está desesperado para exportar para cá.

— Bom, eles nunca vão substituir as vassouras na Grã-Bretanha, vão? — disse Bagman.

— Ali acha que há um nicho no mercado para um veículo familiar — explicou o Sr. Crouch. — Eu me lembro de que o meu avô tinha um Axminster que levava doze pessoas, mas isso foi antes dos tapetes serem banidos, naturalmente.

Ele falou como se não quisesse deixar a menor dúvida de que todos os seus antepassados cumpriam rigorosamente a lei.

— Então, muito ocupado, Bartô? — perguntou Bagman despreocupadamente.

— Bastante — respondeu o outro, seco. — Organizar chaves de portal em cinco continentes não é uma tarefa qualquer, Ludo.

— Imagino que os dois vão ficar contentes quando o evento acabar — comentou o Sr. Weasley.

Ludo Bagman pareceu chocado.

— Contente! Não me lembro de ter me divertido tanto... ainda assim, não é que não haja mais trabalho pela frente, hein, Bartô? Hein? Muita coisa ainda para organizar, hein?

O Sr. Crouch ergueu as sobrancelhas para Bagman.

— Combinamos não anunciar nada até todos os detalhes...

— Ah, os detalhes! — exclamou Bagman, afastando a palavra como se fosse uma nuvem de mosquitos. — Eles já assinaram, então? Concordaram? Aposto o que você quiser como esses garotos vão saber logo. Quero dizer, vai acontecer em Hogwarts...

— Ludo, precisamos receber os búlgaros, sabe — disse o Sr. Crouch bruscamente, cortando os comentários de Bagman. — Obrigado pelo chá, Weatherby.

Ele devolveu a Percy a xícara de chá intocada e esperou Ludo se levantar; Bagman se pôs em pé com dificuldade, virando o restinho de chá, o ouro em seus bolsos tilintando alegremente.

— Vejo vocês todos mais tarde! — disse ele. — Vão ficar no camarote de honra comigo, vou comentar o jogo! — Ele acenou, Bartô Crouch fez um movimento rápido com a cabeça e os dois desaparataram.

— Que é que vai acontecer em Hogwarts, papai? — perguntou Fred na mesma hora. — Do que é que eles estavam falando?

— Você vai descobrir logo — disse o Sr. Weasley sorrindo.

— É informação privilegiada, até o Ministério achar conveniente comunicá-la — disse Percy, empertigado. — O Sr. Crouch estava certo em não querer revelar nada.

— Ah, cala a boca, Weatherby — disse Fred.

A atmosfera foi se adensando como uma nuvem palpável sobre o acampamento, à medida que a tarde avançava. À hora do crepúsculo, o próprio ar parado de verão parecia estar vibrando de animação, e quando a noite se estendeu como um toldo sobre os milhares de bruxos que aguardavam os últimos vestígios de fingimento desapareceram: o Ministério pareceu se curvar ao inevitável e parou de combater os indisfarçáveis sinais de magia que agora irrompiam por toda parte.

Ambulantes aparatavam a cada metro, trazendo bandejas e empurrando carrinhos cheios de extraordinárias mercadorias. Havia rosetas luminosas – verdes para a Irlanda, vermelhas para a Bulgária – que gritavam os nomes dos jogadores, chapéus verdes cônicos enfeitados com trevos dançantes, echarpes búlgaras adornadas com leões que rugiam de verdade, bandeiras dos dois países que tocavam os hinos nacionais quando eram agitadas; havia miniaturas de Firebolts, que realmente voavam, e figurinhas colecionáveis dos jogadores famosos, que andavam se exibindo nas palmas das mãos.

– Guardei o meu dinheiro o verão todo para o dia de hoje – disse Rony a Harry, quando os três saíram caminhando entre os vendedores comprando lembranças. Embora Rony já tivesse comprado um chapéu com trevos dançantes e uma grande roseta verde, comprou também uma figurinha de Vítor Krum, o apanhador búlgaro. O brinquedo andava para a frente e para trás na mão do garoto, amarrando a cara para a roseta verde acima.

– Uau, olha só para isso! – exclamou Harry, correndo até um carrinho atulhado de coisas que pareciam binóculos de latão, só que eram cheios de botões estranhos.

– Onióculos – disse o vendedor pressuroso. – Você pode rever o lance... passar ele em câmara lenta... e ver uma retrospectiva lance a lance, se precisar. Pechincha: dez galeões um.

– Eu queria não ter comprado isso – disse Rony, indicando o chapéu com os trevos dançantes e olhando, de olho comprido, para os onióculos.

– Três – disse Harry, com firmeza, ao bruxo.

– Não... não precisa – disse Rony, ficando vermelho. Sempre se melindrava com o fato de que Harry, que herdara uma pequena fortuna dos pais, tivesse muito mais dinheiro do que ele.

– Não vou te dar nada no Natal – disse Harry, empurrando os onióculos nas mãos do amigo e de Hermione. – Por uns dez anos, não se esqueça.

– É justo – disse Rony rindo.

– Aaah, obrigada, Harry – disse Hermione. – E eu compro os programas para nós, olha...

As bolsas de dinheiro bem mais leves, os três voltaram às barracas. Gui, Carlinhos e Gina também estavam usando rosetas verdes, e o Sr. Weasley carregava uma bandeira da Irlanda. Fred e Jorge não compraram suvenires porque tinham entregado todo o dinheiro a Bagman.

Então, eles ouviram um gongo, grave e ensurdecedor, bater em algum lugar além da floresta e, na mesma hora, lanternas verdes e vermelhas se acenderam entre as árvores, iluminando o caminho até o campo.

— Está na hora! — exclamou o Sr. Weasley, parecendo tão animado quanto os garotos. — Andem logo, vamos!

8

A COPA MUNDIAL DE QUADRIBOL

Agarrados às compras, o Sr. Weasley à frente, todos correram para a floresta seguindo o caminho iluminado pelas lanternas. Ouviam a algazarra de milhares de pessoas que se movimentavam à volta deles, gritos, gargalhadas e trechos de canções. A atmosfera de animação febril era extremamente contagiosa; Harry não conseguia parar de sorrir. Caminharam pela floresta durante vinte minutos, conversando e brincando em voz alta até que finalmente emergiram do outro lado e se viram à sombra de um gigantesco estádio. Embora Harry só pudesse ver partes das imensas paredes douradas que cercavam o campo, ele podia afirmar que caberiam dentro dele, com folga, umas dez catedrais.

— Tem capacidade para cem mil pessoas — disse o Sr. Weasley, vendo o ar de assombro no rosto do garoto. — Uma força-tarefa do Ministério, com quinhentas pessoas, trabalhou o ano inteiro. Há Feitiços Antitrouxas em cada centímetro. Todas as vezes que, neste ano, os trouxas se aproximavam da área, eles de repente se lembravam de compromissos urgentes e precisavam sair correndo... Deus os abençoe — acrescentou ele carinhosamente, se encaminhando para o portão mais próximo, que já estava cercado por um enxame de bruxos e bruxas aos gritos.

— Lugares de primeira! — exclamou a bruxa do Ministério ao portão, quando verificou as entradas deles. — Camarote de honra! Suba direto, Arthur, o mais alto possível.

As escadas de acesso ao estádio estavam forradas com carpetes púrpura berrante. Eles subiram com o resto da multidão, que aos poucos foi se dispersando pelas portas à direita e à esquerda que levavam às arquibancadas. O grupo do Sr. Weasley continuou subindo e finalmente chegou ao alto da escada, onde havia um pequeno camarote, armado no ponto mais alto do estádio e situado exatamente entre as duas balizas de ouro. Umas vinte cadeiras douradas e púrpura tinham sido distribuídas em duas filas, e Harry, ao entrar na primeira com os Weasley, deparou com uma cena que ele jamais imaginara ver.

Cem mil bruxos e bruxas iam ocupando os lugares que se erguiam em vários níveis em torno do longo campo oval. Tudo estava banhado por uma misteriosa claridade dourada que parecia se irradiar do próprio estádio. Ali do alto, o campo parecia feito de veludo. De cada lado havia três aros de gol, a quinze metros de altura; do lado oposto ao que estavam, quase ao nível dos olhos de Harry, havia um gigantesco quadro-negro. Palavras douradas corriam pelo quadro sem parar como se uma gigantesca mão invisível as escrevesse e em seguida as apagasse; observando melhor, Harry viu que o quadro projetava anúncios no campo.

> Bluebottle: uma vassoura para toda a família – segura, confiável, equipada com alarme antirroubo... Removedor Mágico Multiuso da Sra. Skower: sem dor nem cor!... Trapobelo Moda Mágica – Londres, Paris, Hogsmeade...

Harry desgrudou os olhos do quadro e espiou por cima do ombro a ver quem mais dividia o camarote com eles. Por ora estava vazio, exceto por uma criaturinha sentada na antepenúltima cadeira na fila logo atrás. A criatura, cujas pernas eram tão curtas que ficavam esticadas para a frente sem poder dobrar, usava uma toalha de chá drapejada, presa como uma toga, e tinha o rosto escondido nas mãos. Contudo, aquelas compridas orelhas de morcego eram estranhamente familiares...

– Dobby? – perguntou Harry, incrédulo.

A criaturinha levantou a cabeça e entreabriu os dedos, deixando aparecer enormes olhos castanhos e um nariz do tamanho exato de um tomate. Não era Dobby – mas era, sem a menor dúvida, um elfo doméstico, como fora o amigo de Harry, Dobby. O garoto o libertara dos antigos donos, a família Malfoy.

– O senhor me chamou de Dobby? – guinchou o elfo cheio de curiosidade por entre os dedos. Sua voz era ainda mais aguda que a de Dobby, um fiapinho trêmulo de guincho, e Harry suspeitou, embora isso fosse muito difícil dizer no caso de elfos domésticos, de que este talvez fosse do sexo feminino. Rony e Hermione se viraram nas cadeiras para olhar. Embora tivessem ouvido Harry falar muito de Dobby, nunca haviam chegado a conhecê-lo. Até o Sr. Weasley se virou para trás, interessado.

– Desculpe – disse Harry ao elfo –, achei que você era alguém que eu conhecia.

— Mas eu também conheço Dobby, meu senhor! — guinchou o elfo. Escondia o rosto como se a luz o cegasse, embora o camarote de honra não fosse muito bem iluminado. — Meu nome é Winky, meu senhor, e o senhor... — seus grandes olhos castanho-escuros se arregalaram tanto que pareceram pratinhos de pão ao pousarem na cicatriz de Harry — o senhor com certeza é Harry Potter!

— É, sou.

— Ora, Dobby fala do senhor o tempo todo, meu senhor — disse ela baixando um tantinho as mãos e parecendo assombrada.

— Como vai ele? — perguntou Harry. — Está gostando da liberdade?

— Ah, meu senhor — disse Winky, sacudindo a cabeça —, ah, meu senhor, sem querer lhe faltar ao respeito, meu senhor, mas não tenho muita certeza se o senhor fez um favor a Dobby, meu senhor, quando deu a liberdade a ele.

— Por quê? — perguntou Harry, espantado. — Que é que ele tem?

— A liberdade está subindo à cabeça dele — disse Winky, tristemente. — Ideias acima da condição social dele, meu senhor. Não consegue outro emprego, meu senhor.

— Por que não?

Winky baixou a voz uma oitava e sussurrou:

— *Ele está exigindo pagamento pelo trabalho que faz, meu senhor.*

— Pagamento? — exclamou Harry, sem entender. — Ora... por que ele não deveria receber pagamento?

Winky pareceu horrorizada com a ideia e fechou os dedos um tantinho, de modo que seu rosto tornou a ficar invisível.

— Elfos domésticos não recebem pagamento, meu senhor! — disse ela num guincho abafado. — Não, não, não. Eu digo ao Dobby, eu digo, procure uma boa família e tome juízo, Dobby. Ele anda fazendo todo tipo de feitiço avançado, meu senhor, o que não fica bem para um elfo doméstico. Você fica aprontando por aí, Dobby, eu digo, e daqui a pouco eu vou saber que você teve que comparecer no Departamento para Regulamentação e Controle das Criaturas Mágicas, como um duende desclassificado.

— Bem, já estava na hora de ele se divertir um pouco — falou Harry.

— Elfos domésticos não nasceram para se divertir, Harry Potter — disse Winky com firmeza, por trás das mãos. — Elfos domésticos fazem o que são mandados fazer. Eu não estou gostando nem um pouco da altura, Harry Potter... — ela olhou para a borda do camarote e engoliu em seco — ... mas meu dono me mandou para o camarote de honra e eu obedeço, meu senhor.

— Por que é que ele mandou você aqui, se sabe que você não gosta de alturas? – perguntou Harry franzindo a testa.

— Meu dono... meu dono quer que eu guarde um lugar para ele, Harry Potter, ele está muito ocupado – disse Winky, inclinando a cabeça para a cadeira vazia ao lado. – Winky está querendo voltar para a barraca do dono, Harry Potter, mas Winky é bem mandada, Winky é um bom elfo doméstico.

Ela lançou outro olhar assustado à borda do camarote e tornou a esconder completamente os olhos. Harry se virou para os outros.

— Então isso é um elfo doméstico? – murmurou Rony. – Esquisitos, não são?

— Dobby era ainda mais esquisito – disse Harry, com veemência.

Rony tirou o onióculo e começou a testá-lo, observando a multidão embaixo, do lado oposto do estádio.

— Irado! – disse ele, girando o botão lateral para fazer a imagem voltar. – Consigo ver aquele velhote lá embaixo meter o dedo no nariz outra vez... mais uma vez... e mais outra...

Entrementes, Hermione estava lendo superficialmente o programa que tinha borla e capa de veludo.

— Vai haver um desfile com os mascotes dos times antes da partida – leu ela em voz alta.

— Ah, a isso sempre vale a pena assistir – disse o Sr. Weasley. – Os times nacionais trazem criaturas da terra natal, sabem, para fazer farol.

O camarote foi-se enchendo gradualmente em volta deles durante a meia hora seguinte. O Sr. Weasley não parava de apertar a mão de bruxos, obviamente muito importantes. Percy levantou-se de um salto tantas vezes que até parecia que estava tentando sentar em cima de um porco-espinho. Quando Cornélio Fudge, o Ministro da Magia, chegou, Percy fez uma reverência tão exagerada que seus óculos caíram e se partiram. Muito encabulado, ele os consertou com a varinha e dali em diante permaneceu sentado, lançando olhares invejosos a Harry, a quem o ministro cumprimentara como um velho amigo. Os dois já se conheciam e Fudge apertou a mão de Harry paternalmente, perguntou como ele estava e apresentou-o aos bruxos de um lado e de outro.

— Harry Potter, sabe – disse ele em voz alta ao ministro búlgaro, que usava esplêndidas vestes de veludo preto, enfeitadas com ouro, e aparentemente não entendia uma única palavra de inglês. – *Harry Potter*... ah, vamos, o senhor sabe quem é... o menino que sobreviveu ao ataque de Você-Sabe-Quem... tenho certeza de que o senhor sabe quem é...

O bruxo búlgaro, de repente, viu a cicatriz de Harry e começou a algaraviar em voz alta e animada, apontando para a marca.

— Sabia que íamos acabar chegando lá — disse Fudge, esgotado, a Harry. — Não sou grande coisa para línguas, preciso de Bartô Crouch nesses encontros. Ah, vejo que o elfo doméstico está guardando o lugar dele... bem pensado, esses búlgaros danados têm tentado arrancar da gente os melhores lugares... ah, aí vem Lúcio!

Harry, Rony e Hermione se viraram depressa. Avançando vagarosamente pela segunda fila, em direção a três lugares ainda vazios, bem atrás do Sr. Weasley, vinham ninguém menos que os antigos donos de Dobby — Lúcio Malfoy, seu filho Draco e uma mulher que Harry supôs que fosse a mãe do garoto.

Harry Potter e Draco Malfoy eram inimigos desde a primeira viagem de trem para Hogwarts. Um garoto de rosto fino e cabelos muito louros, Draco se parecia muito com o pai. A mãe também era loura; alta e magra, e até seria bonita se não carregasse no rosto uma expressão que sugeria que estava sentindo um mau cheiro bem debaixo do nariz.

— Ah, Fudge — disse o Sr. Malfoy, estendendo a mão para o ministro da Magia, ao chegar mais próximo. — Como vai? Acho que você não conhece minha mulher, Narcisa? Nem o nosso filho, Draco?

— Como estão, como estão? — disse Fudge, sorrindo e se curvando para a Sra. Malfoy. — E me permitam apresentar a vocês o Sr. Oblansk ("Obalonsk, senhor"), bem, o ministro da Magia da Bulgária, e de qualquer modo ele não consegue entender nenhuma palavra do que estou dizendo, portanto não faz diferença. E vejamos quem mais, você conhece Arthur Weasley, imagino?

Foi um momento tenso. O Sr. Weasley e o Sr. Malfoy se entreolharam e Harry se lembrou nitidamente da última vez que haviam se encontrado; fora na livraria Floreios e Borrões, e os dois tinham partido para uma briga. Os olhos do Sr. Malfoy, frios e cinzentos, examinaram o Sr. Weasley e depois a fila em que ele estava.

— Meu Deus, Arthur — disse ele, baixinho. — Que foi que você precisou vender para comprar lugares no camarote de honra? Com certeza sua casa não teria rendido tudo isso, não?

Fudge, que não estava prestando atenção, comentou:

— Lúcio acabou de fazer uma generosa contribuição para o Hospital St. Mungus para Doenças e Acidentes Mágicos. Está aqui como meu convidado.

— Que... que bom — disse o Sr. Weasley com um sorriso muito forçado.

Os olhos do Sr. Malfoy se voltaram para Hermione, que corou de leve, mas retribuiu o seu olhar com determinação. Harry sabia exatamente o que estava fazendo os lábios do Sr. Malfoy se crisparem. Os Malfoy se orgulhavam de ter o sangue puro; em outras palavras, consideravam qualquer pessoa que descendesse de trouxas, como Hermione, gente de segunda classe. No entanto, sob o olhar do ministro da Magia, o Sr. Malfoy não se atrevia a dizer nada. Acenou a cabeça com desdém para o Sr. Weasley e continuou a avançar em direção aos lugares vazios. Draco lançou a Harry, Rony e Hermione um olhar de desprezo, depois se sentou entre a mãe e o pai.

— Babacas nojentos — murmurou Rony, quando ele, Harry e Hermione tornaram a se virar para o campo. No momento, seguinte, Ludo Bagman adentrou o camarote de honra.

—Todos prontos? — perguntou ele, o rosto redondo e animado brilhando como um queijo holandês. — Ministro, podemos começar?

— Quando você quiser, Ludo — disse Fudge, descontraído.

Ludo puxou a varinha, apontou-a para a própria garganta, disse "*Sonorus!*" e então, sobrepondo-se à zoeira que agora enchia o estádio lotado, falou; sua voz reboou, ecoando em cada canto das arquibancadas:

"Senhoras e senhores... bem-vindos! Bem-vindos à final da quadricentésima vigésima segunda Copa Mundial de Quadribol!"

Os espectadores gritaram e bateram palmas. Milhares de bandeiras se agitaram, somando seus desafinados hinos nacionais à barulheira geral. O grande quadro-negro defronte apagou a última mensagem (*Feijõezinhos de todos os sabores Beto Botts — um risco a cada dentada!*) e passou a informar BULGÁRIA: ZERO, IRLANDA: ZERO.

"E agora, sem mais demora, vamos apresentar... os mascotes do time búlgaro!"

O lado direito das arquibancadas, que era uma massa compacta e vermelha, berrou manifestando sua aprovação.

— Que será que eles trouxeram? — comentou o Sr. Weasley, curvando-se para a frente na cadeira. — Ah-ha! — Ele de repente tirou os óculos e limpou-os depressa nas vestes. — Veelas!

— Que são veel...?

Mas cem veelas deslizaram pelo campo e a pergunta de Harry ficou respondida. Veelas eram mulheres... as mulheres mais belas que Harry já vira... só que não eram — não podiam ser — humanas. Isto deixou Harry intrigado por alguns momentos, tentando adivinhar o que poderiam ser exatamente; que é que faria a pele delas refulgir como o luar ou os cabelos louro-prateados se abrirem em leque para trás sem haver vento... mas então a música começou a tocar e Harry parou de se preocupar se elas seriam ou não humanas – na realidade, parou de se preocupar com tudo.

As veelas começaram a dançar e a cabeça de Harry ficou completa e bem-aventuradamente vazia. Tudo que importava no mundo era continuar a assistir às veelas, porque se elas parassem de dançar coisas terríveis iriam acontecer...

E, enquanto as veelas dançavam cada vez mais rapidamente, pensamentos incompletos e delirantes começaram a se formar na mente atordoada de Harry. Ele queria fazer uma coisa bem impressionante naquele momento. Atirar-se do camarote para o estádio lhe pareceu uma boa ideia... mas seria suficiente?

– Harry, que é que você está fazendo? – ele ouviu lá longe a voz de Hermione.

A música parou. Harry piscou os olhos. Ele estava em pé e tinha uma das pernas passada por cima da borda do camarote. Ao lado dele, Rony estava paralisado numa posição que dava a impressão de que ia saltar de um trampolim.

Gritos indignados começaram a encher o estádio. A multidão não queria que as veelas se retirassem. Harry concordava; ele iria, é claro, torcer pela Bulgária e se perguntou meio vagamente por que estava usando um grande trevo verde preso ao peito. Entrementes, Rony, distraidamente, despetalava os trevos do chapéu. O Sr. Weasley, sorrindo, curvou-se para Rony e tirou o chapéu das mãos do filho.

– Você vai querer isso depois – disse ele –, depois que a Irlanda disser a que veio.

– Hum? – exclamou Rony, fixando, boquiaberto, as veelas, que agora estavam enfileiradas a um lado do campo.

Hermione deu um muxoxo alto. Esticou o braço e puxou Harry de volta à cadeira dele.

– *Francamente!* – exclamou.

"E agora", trovejou Ludo Bagman, "por favor, levantem as varinhas bem alto... para receber os mascotes do time nacional da Irlanda!"

No instante seguinte, algo que lembrava um imenso cometa verde e ouro entrou velozmente no estádio. Deu uma volta completa, depois se subdividiu em dois cometas menores, que se projetaram em direção às balizas. De repente, um arco-íris atravessou o céu do campo unindo as duas esferas luminosas. A multidão fazia "aaaaah" e "ooooh", como se presenciasse um espetáculo de fogos de artifício. Depois o arco-íris foi-se dissolvendo e as esferas se aproximaram e se fundiram; tinham formado um grande trevo refulgente, que subiu em direção ao céu e ficou pairando sobre as arquibancadas. Parecia estar deixando cair uma espécie de chuva dourada...

— Excelente! — berrou Rony, quando o trevo sobrevoou o camarote, fazendo chover pesadas moedas de ouro, que ricocheteavam nas cabeças e cadeiras. Apertando os olhos para ver melhor o trevo, Harry percebeu que na realidade ele era composto de milhares de homenzinhos barbudos de colete vermelho, cada qual carregando uma minúscula luz ouro e verde.

— *Leprechauns!* — exclamou o Sr. Weasley, fazendo-se ouvir em meio ao tumultuoso aplauso dos espectadores, muitos dos quais continuavam a disputar o ouro e a procurá-lo por todo o lado em volta e embaixo das cadeiras.

— Toma aqui, Harry — gritou Rony, feliz, metendo um punhado de moedas de ouro na mão do amigo. — Pelo onióculo! Agora você vai ter que me comprar um presente de Natal, ha!

O maior dos trevos se dissolveu e os *leprechauns*, que são duendes irlandeses, foram descendo no lado do campo oposto ao das veelas e se sentaram de pernas cruzadas para assistir à partida.

"E agora, senhoras e senhores, vamos dar as boas-vindas... ao time nacional de quadribol da Bulgária! Apresentando, por ordem de entrada... Dimitrov!"

Um vulto vermelho montado em uma vassoura, que voava tão veloz que parecia um borrão, disparou pelo campo, vindo de uma entrada lá embaixo, sob o aplauso frenético dos torcedores da Bulgária.

"Ivanova!"

Um segundo jogador de vermelho passou zunindo.

"Zograf! Levski! Vulchanov! Volkov! Eeeeeeeee... Krum!"

— É ele, é ele! — berrou Rony, acompanhando Krum com o onióculo; Harry focalizou rapidamente o dele.

Vítor Krum era magro, moreno, de pele macilenta, com um narigão adunco e sobrancelhas muito espessas e pretas. Lembrava uma ave de rapina grande demais. Era difícil acreditar que tivesse apenas dezoito anos.

"E agora vamos saudar... o time nacional de quadribol da Irlanda!", berrou Bagman. "Apresentando... Connolly! Ryan! Troy! Mullet! Moran! Quigley! Eeeeeee... Lynch!"

Sete borrões entraram velozes no campo; Harry girou um pequeno botão lateral no onióculo e reduziu a velocidade da imagem o suficiente para ler "Firebolt" em cada uma das vassouras, e ver os nomes, bordados em prata, nas costas dos jogadores.

"E conosco, das terras distantes do Egito, o nosso juiz, o famoso bruxo-presidente da Associação Internacional de Quadribol, Hassan Mostafa!"

Um bruxo miúdo e magro, completamente careca, mas com uma bigodeira que rivalizava com a do tio Válter, entrou em campo trajando vestes de ouro puro para combinar com o estádio. Um apito de prata saía por baixo dos bigodes e ele sobraçava de um lado uma grande caixa de madeira e, do outro, sua vassoura. Harry girou o botão de velocidade do seu onióculo para a posição normal e observou com atenção Mostafa montar a vassoura e abrir a caixa com um pontapé — quatro bolas se projetaram no ar; a goles vermelha, os dois balaços pretos e (Harry o viu por um brevíssimo instante antes que ele desaparecesse de vista) o minúsculo pomo alado de ouro. Com um silvo forte e curto do apito, Mostafa saiu pelos ares acompanhando as bolas.

"COOOOOOOOOOOMEÇOU a partida!", berrou Bagman. "É Mullet! Troy! Moran! Dimitrov! De volta a Mullet! Troy! Levski! Moran!"

Era quadribol como Harry nunca vira ninguém jogar antes. Ele apertava o onióculo com tanta força contra os olhos que seus óculos estavam começando a cortar a ponte do nariz. A velocidade dos jogadores era incrível — os artilheiros jogavam a bola um para o outro tão depressa que Bagman só tinha tempo de identificá-los. Harry tornou a girar o botão do lado direito do onióculo para reduzir a velocidade da imagem, apertou o botão "lance a lance" e na mesma hora estava assistindo ao jogo em câmara lenta, enquanto letras púrpuras passavam brilhando pelas lentes do instrumento, e o rugido da multidão martelava seus tímpanos!

Formação de ataque de Hawkshead — leu ele enquanto assistia a três artilheiros irlandeses voarem juntos, Troy no meio, um pouco à frente de Mullet e Moran, e investirem contra os búlgaros. *Manobra de Ploy*, leu ele em seguida, quando Troy fingiu que ia subir com a goles, atraindo a artilheira búlgara Ivanova, e deixou cair a bola para Moran. Um dos batedores búlgaros, Volkov, rebateu violentamente, com o seu pequeno bastão, um balaço que passava, derrubando-o no caminho de Moran; Moran se abaixou para evitar o balaço e soltou a goles; e Levski, que voava mais abaixo, apanhou-a...

"GOL DE TROY!", berrou Bagman, e o estádio estremeceu com o rugido dos aplausos e vivas. "Dez a zero para a Irlanda?"

— Quê? — berrou Harry, nervoso, observando o campo com o onióculo. — Mas Levski é que está com a goles!

— Harry, se você não observar em velocidade normal, vai perder todos os lances! — gritou Hermione, que dançava aos pulos, agitando os braços no ar, enquanto Troy dava uma volta no campo para comemorar o gol. Harry espiou depressa por cima do onióculo e viu que os *leprechauns*, que assistiam ao jogo na extremidade do campo, tinham novamente levantado voo e formavam o grande trevo refulgente. Na outra extremidade, as veelas assistiram a essa exibição em silêncio.

Furioso consigo mesmo, Harry girou o botão de volta à velocidade normal quando o jogo recomeçou.

Harry entendia o suficiente de quadribol para saber que os artilheiros irlandeses eram fantásticos. Deslocavam-se em harmonia, parecendo ler o que ia nas mentes uns dos outros, pela maneira como se posicionavam, e a roseta no peito de Harry não parava de guinchar o nome deles: "*Troy – Mullet – Moran!*" Em dez minutos a Irlanda marcou mais duas vezes, elevando sua vantagem para trinta a zero e provocando uma onda de gritos e aplausos dos torcedores de verde.

A partida se tornou ainda mais rápida, porém mais brutal. Volkov e Vulchanov, os batedores búlgaros, atiravam os balaços com bastonadas fortíssimas nos artilheiros irlandeses e estavam começando a impedi-los de executar alguns dos seus melhores movimentos; duas vezes eles foram obrigados a dispersar e então, finalmente, Ivanova conseguiu passar por eles, driblar o goleiro Ryan e marcar o primeiro gol da Bulgária.

– Dedos nos ouvidos! – berrou o Sr. Weasley, quando as veelas começaram a dançar comemorando o lance. Harry apertou os olhos, também; queria manter a atenção no jogo. Passados alguns segundos, arriscou uma espiada no campo. As veelas haviam parado de dançar e a Bulgária recuperara a posse da goles.

"Dimitrov! Levski! Dimitrov! Ivanova... ah, essa não!", berrou Bagman.

Cem mil bruxos e bruxas prenderam a respiração quando os dois apanhadores, Krum e Lynch, mergulharam no meio dos artilheiros, tão velozes que pareciam ter pulado sem paraquedas de um avião. Harry acompanhou a descida deles com o onióculo, apurando a vista para procurar o pomo...

– Eles vão colidir! – berrou Hermione ao lado de Harry.

Hermione estava parcialmente certa – no último segundo, Vítor Krum se recuperou do mergulho e se afastou em círculos. Lynch, no entanto, bateu no chão com um baque surdo que pôde ser ouvido em todo o estádio. Um enorme gemido subiu dos lugares ocupados pelos irlandeses.

– Idiota! – lamentou o Sr. Weasley. – Era uma finta de Krum!

"Tempo!", berrou Bagman. "Os medibruxos vão entrar em campo para examinar Aidan Lynch!"

— Ele está bem, só levou um encontrão! — disse Carlinhos, tranquilizando Gina, que estava pendurada por cima da lateral do camarote, horrorizada. — E isso era, naturalmente, o que Krum pretendera...

Harry apertou depressa os botões de "repetição" e de "lance por lance" no onióculo, girou o botão de velocidade e tornou a levar o onióculo aos olhos.

Ele assistiu a Krum e Lynch mergulharem outra vez em câmara lenta. *Finta de Wronski — uma manobra perigosa dos apanhadores*, leu Harry na legenda púrpura que passou pelas lentes. O garoto viu o rosto de Krum se contorcer, concentrando-se, quando o apanhador se recuperou do mergulho no último instante, ao mesmo tempo que Lynch se estatelava e compreendeu — Krum não vira pomo algum, estava só obrigando Lynch a imitá-lo. O garoto jamais vira alguém voar daquele jeito; Krum nem parecia estar usando uma vassoura; deslocava-se com tanta facilidade pelos ares que parecia solto, sem peso. Harry tornou a ajustar o onióculo na posição normal e focalizou Krum. O jogador voava em círculos bem acima de Lynch, que agora estava sendo reanimado pelos medibruxos com xícaras de poção. Harry focalizou o rosto de Krum ainda mais de perto e viu seus olhos pretos correndo para cá e para lá por todo o campo, trinta metros abaixo. Usava o tempo em que Lynch era reanimado para procurar o pomo sem interferência.

Lynch se levantou finalmente, sob ruidosos vivas dos torcedores de verde, montou a Firebolt e deu impulso para o alto. Sua reanimação parecia ter dado à Irlanda novas esperanças. Quando Mostafa tornou a soar o apito, os artilheiros entraram em ação com uma destreza que não se comparava a nada que Harry tivesse visto até então.

Decorridos quinze minutos de velocidade e fúria, a Irlanda acumulara uma vantagem de mais dez gols. Agora liderava por cento e trinta pontos a dez e a partida estava começando a ficar mais desleal.

Quando Mullet disparou em direção às balizas mais uma vez, segurando firmemente a goles embaixo do braço, o goleiro búlgaro, Zograf, correu ao encontro da jogadora. O que aconteceu foi tão rápido que Harry não percebeu, mas subiu um grito de raiva da torcida irlandesa, e o silvo longo e agudo do apito de Mostafa informou que alguém cometera uma falta.

"E Mostafa repreende o goleiro búlgaro pelo jogo bruto... usou os cotovelos!", informa Bagman aos espectadores que berram. "E... confirmando, é pênalti a favor da Irlanda."

Os *leprechauns*, que haviam levantado voo, furiosos, como um enxame de marimbondos reluzentes, quando Mullet fora atingida, agora corriam a se juntar formando as palavras "HA! HA! HA!". As veelas, do lado oposto do campo, levantaram-se de um salto, sacudiram os cabelos com raiva e recomeçaram a dançar.

Como se fossem um, os garotos Weasley e Harry enfiaram os dedos nos ouvidos, mas Hermione, que não se dera a esse trabalho, logo em seguida puxou Harry pelo braço. O garoto se virou para olhá-la, e ela puxou impacientemente os dedos que ele enfiara nos ouvidos.

– Olha o juiz! – disse a garota, rindo.

Harry olhou para o campo. Hassan Mostafa aterrissara bem diante das veelas dançantes, e estava agindo de modo realmente estranho. Flexionava os músculos e alisava o bigode, muito agitado.

"Ora, isso não é admissível!", disse Ludo Bagman, embora seu tom de voz fosse o de quem estava achando muita graça. "Alguém aí dê um tapa nesse juiz!"

Um medibruxo entrou correndo em campo, os dedos enfiados nos ouvidos, e deu um baita chute nas canelas de Mostafa. O juiz pareceu voltar a si; Harry, que observava outra vez o jogo com o onióculo, viu que Mostafa parecia extremamente constrangido e gritava com as veelas, que tinham parado de dançar e pareciam estar se rebelando.

"E, a não ser que eu muito me engane, Mostafa está de fato tentando despachar as mascotes do time da Bulgária!", comentou Bagman. "Aí está uma coisa que nunca vimos antes... ah, isso é capaz de dar confusão..."

E deu: os batedores búlgaros, Volkov e Vulchanov, pousaram ao lado de Mostafa e começaram a discutir furiosamente com o juiz, gesticulando em direção aos *leprechauns*, que agora formavam alegremente as palavras "HI! HI HI!". Mostafa, porém, não se deixou impressionar com a argumentação dos búlgaros; espetou o dedo indicador no ar, dizendo claramente a eles que voltassem ao ar, e quando os jogadores se recusaram ele puxou dois silvos breves no apito.

"Dois pênaltis a favor da Irlanda!", gritou Bagman, ao que a torcida búlgara ululou de raiva. "E é melhor Volkov e Vulchanov voltarem a montar as vassouras... é isso aí... e lá vão eles... e Troy toma a goles..."

A partida agora atingira um nível de ferocidade que ultrapassava tudo o que os garotos já tinham visto. Os batedores dos dois lados jogavam sem piedade: principalmente Volkov e Vulchanov pareciam nem ligar se os seus bastões estavam fazendo contato com balaços ou com gente, quando os giravam violentamente no ar. Dimitrov disparou um balaço em cima de Moran, que segurava a goles, e quase a derrubou da vassoura.

— *Falta!* — urraram os torcedores irlandeses em uníssono, todos de pé como uma enorme onda verde.

"Falta!", ecoou a voz de Ludo Bagman, magicamente ampliada. "Dimitrov esfola Moran... o jogador saiu com intenção de dar um encontrão... e tem que ser outro pênalti... e aí vem o apito!"

Os *leprechauns* subiram ao ar mais uma vez e agora formaram uma gigantesca mão que fazia um gesto muito grosseiro para as veelas. Ao verem isso, elas se descontrolaram. Precipitaram-se pelo campo e começaram a atirar algo com o aspecto de bolas de fogo contra os duendes irlandeses. Observando com o onióculo, Harry viu que elas agora não estavam nem remotamente belas. Muito ao contrário, seus rostos começaram a se alongar para formar cabeças de aves com bicos afiados e cruéis e irromperam asas longas e escamosas dos seus ombros...

— E aí está, rapazes — berrou o Sr. Weasley, se sobrepondo ao tumulto da multidão embaixo —, está aí a razão por que vocês não devem se deixar levar só pelas aparências!

Bruxos do Ministério invadiam o campo para separar as veelas e os *leprechauns*, mas sem muito sucesso; entrementes, a batalha no campo não era nada comparada a que estava ocorrendo no ar. Harry se virava para cá e para lá, espiando pelo onióculo, pois a goles trocava de mãos com a velocidade de uma bala...

"Levski — Dimitrov — Moran —Troy — Mullet — Ivanova — Moran de novo — Moran — É GOL DE MORAN!"

Mas a gritaria da torcida irlandesa mal conseguia abafar os gritos agudos das veelas, os estampidos que agora vinham das varinhas dos funcionários do Ministério e os berros furiosos dos búlgaros. A partida recomeçou imediatamente; agora Levski estava com a posse da goles, agora Dimitrov...

O batedor irlandês Quigley levantou com violência o bastão contra um balaço que passava e arremessou-o com toda a força contra Krum, que não se abaixou com suficiente rapidez. O balaço atingiu-o em cheio no rosto.

Ouviu-se um lamento ensurdecedor da multidão; o nariz de Krum parecia quebrado, saía sangue para todo lado, mas Hassan Mostafa não apitou. Distraíra-se e Harry não podia culpá-lo; uma das veelas atirara uma mão cheia de fogo e incendiara a cauda da vassoura do juiz.

Harry queria que alguém percebesse que Krum estava ferido; embora estivesse torcendo pela Irlanda, Krum era o jogador mais fascinante em campo. Rony obviamente sentia o mesmo.

—Tempo! Ah, anda, ele não pode jogar assim, olha só para ele...

— Olha o Lynch! — berrou Harry.

O apanhador irlandês repentinamente mergulhara e Harry teve certeza de que aquilo não era uma Finta de Wronski; era para valer...

— Ele viu o pomo! — berrou Harry. — Ele viu! Olha lá ele correndo!

Metade da multidão parecia ter compreendido o que estava acontecendo, a torcida irlandesa se levantou como uma grande onda verde, animando o apanhador... mas Krum voava na esteira dele. Como conseguia enxergar aonde ia, Harry não fazia ideia; gotas de sangue voavam pelo ar à sua passagem, mas ele emparelhava com Lynch agora e os dois disparavam em direção ao chão...

— Eles vão bater! — esganiçou-se Hermione.

— Não vão! — berrou Rony.

— O Lynch vai! — gritou Harry.

E tinha razão — pela segunda vez, Lynch bateu no chão com um tremendo impacto e foi imediatamente pisoteado por uma horda de veelas raivosas.

— O pomo, onde é que está o pomo? — berrou Carlinhos, mais adiante na fila.

— Ele pegou, Krum pegou, terminou o jogo! — gritou Harry.

Krum, as vestes vermelhas tintas com o sangue que escorrera do seu nariz, tornava a levantar voo suavemente, o punho erguido lá no alto, um brilho de ouro na mão.

O placar piscou por cima da multidão BULGÁRIA: CENTO E SESSENTA; IRLANDA: CENTO E SETENTA, mas os torcedores não pareciam ter percebido o que acontecera. Então, lentamente, como se um grande jumbo começasse a aquecer as turbinas, o rugido da torcida da Irlanda foi se avolumando e explodiu em urros de alegria.

"VENCE A IRLANDA!", gritou Bagman, que, como os irlandeses, parecia estar espantado com o inesperado desfecho da partida. "KRUM CAPTURA O POMO... MAS VENCE A IRLANDA... Deus do céu, acho que nenhum de nós esperava uma coisa dessas!"

— Para que foi que ele agarrou o pomo? — berrou Rony, ao mesmo tempo que continuava a pular, aplaudindo com as mãos no alto. — Ele encerrou a partida quando a Irlanda estava cento e sessenta pontos à frente, o idiota!

— Ele sabia que o time não ia conseguir se recuperar — respondeu Harry aos gritos, tentando se sobrepor à zoeira geral e aplaudindo com estrépito —, os artilheiros irlandeses eram bons demais... ele queria encerrar a partida nos termos dele, foi só...

— Ele foi valente, não foi? — comentou Hermione esticando-se à frente para ver Krum pousar e um enxame de medibruxos abrir caminho à força entre os briguentos *leprechauns* e as veelas que brigavam para chegar ao apanhador. — Ele está pavoroso...

Harry tornou a levar o onióculo aos olhos. Era difícil ver o que estava acontecendo lá embaixo, porque os *leprechauns* sobrevoavam o campo felizes e em grande velocidade, mas ele conseguiu divisar Krum, rodeado por medibruxos. Parecia mais carrancudo que nunca e se recusava a deixar que o limpassem. Seus colegas de time o rodeavam, sacudindo a cabeça, arrasados; um pouco adiante, os jogadores irlandeses dançavam felizes sob a chuva de ouro que seus mascotes faziam cair. Bandeiras se agitavam pelo estádio, o hino nacional irlandês tocava altíssimo por todo lado; as veelas revertiam à beleza de sempre, mas pareciam desanimadas e infelizes.

— Pom, *prrigamos falentemente* — disse uma voz triste atrás de Harry. Ele se virou para olhar; era o ministro da Magia búlgaro.

— O senhor fala a nossa língua! — exclamou Fudge, indignado. — E vem me obrigando a falar por mímica o dia inteiro!

— Pom, foi muito *engrraçado* — disse o ministro búlgaro, encolhendo os ombros.

"E enquanto o time irlandês dá a volta olímpica, ladeado pelos mascotes, a Copa Mundial de Quadribol está sendo levada para o camarote de honra!", berrou Bagman.

A visão de Harry foi repentinamente ofuscada por uma luz branca, o camarote de honra foi magicamente iluminado para que todos os espectadores nas arquibancadas pudessem ver o seu interior. Apertando os olhos na direção da porta, ele viu dois bruxos ofegantes entrarem no camarote com uma imensa taça de ouro, que foi entregue a Cornélio Fudge, ainda muito aborrecido por ter passado o dia falando com as mãos à toa.

"Vamos aplaudir com vontade os galantes perdedores... Bulgária!", gritou Bagman.

E pelas escadas entraram os sete jogadores derrotados. A multidão aplaudiu manifestando o seu apreço; Harry viu milhares e milhares de lentes de onióculo faiscarem e lampejarem em sua direção.

Um a um, os búlgaros se acomodaram nas filas de cadeiras do camarote e Bagman chamou-os, nome por nome, para apertarem a mão do seu ministro e depois a de Fudge. Krum, que foi o último da fila, estava com uma aparência medonha. Seus olhos pretos se destacavam espetacularmente no rosto ensanguentado. Continuava a segurar o pomo. Harry reparou que ele parecia muito menos coordenado em terra. Andava com os pés meio para fora e seus ombros eram visivelmente caídos. Mas, quando o nome de Krum foi anunciado, o estádio inteiro lhe deu uma ovação de rachar os tímpanos.

Depois foi a vez do time irlandês. Aidan Lynch veio amparado por Moran e Connolly; a segunda colisão parecia tê-lo atordoado e seus olhos pareciam estranhamente fora de foco. Mas ele sorriu com alegria quando Troy e Quigley ergueram a Copa no ar e a multidão embaixo fez ouvir sua aprovação. As mãos de Harry estavam insensíveis de tanto aplaudir.

Finalmente, quando o time irlandês deixou o camarote para dar mais uma volta olímpica montado nas vassouras (Aidan Lynch na garupa de Connolly, agarrado à sua cintura e ainda sorrindo abobalhado), Bagman apontou a varinha para a própria garganta e murmurou Quietus.

— Eles vão comentar isso durante anos — disse ele, rouco —, uma reviravolta realmente inesperada, essa... pena que não pudesse ter durado mais... ah, sim... sim, devo a vocês... quanto?

Pois Fred e Jorge tinham acabado de saltar por cima de suas cadeiras e estavam parados diante de Ludo Bagman com enormes sorrisos no rosto, as mãos estendidas.

9

A MARCA NEGRA

— Não conte à sua mãe que andou apostando — implorou o Sr. Weasley a Fred e Jorge, quando juntos desciam, lentamente, as escadas forradas com carpete púrpura.

— Não se preocupe, papai — disse Fred, feliz —, temos grandes planos para esse dinheiro, não queremos que ele seja confiscado.

Por um instante, pareceu que o Sr. Weasley ia perguntar que grandes planos eram aqueles, mas em seguida, pensando melhor, decidiu que não queria saber.

Logo eles foram engolfados pela multidão que saía do estádio e regressava aos acampamentos. O ar da noite trazia aos seus ouvidos cantorias desafinadas quando retomavam o caminho iluminado por lanternas, os *leprechauns* continuavam a sobrevoar a área em alta velocidade, rindo, tagarelando, sacudindo as lanternas. Quando os garotos chegaram finalmente às barracas, ninguém estava com vontade de dormir e, dado o nível da barulheira, a toda volta, o Sr. Weasley concordou que podiam tomar, juntos, uma última xícara de chocolate, antes de se deitar. Logo estavam discutindo prazerosamente a partida; o Sr. Weasley se deixou envolver por Carlinhos em uma polêmica sobre jogo bruto, e somente quando Gina caiu no sono em cima da mesinha e derramou chocolate quente pelo chão que o pai deu um basta nas retrospectivas verbais e insistiu que todos fossem se deitar. Hermione e Gina se transferiram para a barraca vizinha e Harry e os Weasley vestiram os pijamas e subiram nos beliches. Do outro lado do acampamento eles ainda ouviam muita cantoria e uma batida que ecoava estranhamente.

— Ah, fico feliz de não estar de serviço — murmurou o Sr. Weasley, cheio de sono. — Eu não iria gostar nem um pouco de ter que dizer aos irlandeses que eles precisam parar de comemorar.

Harry, que ocupava a cama superior do beliche de Rony, ficou olhando para o teto de lona da barraca, observando o brilho ocasional das lanternas dos *leprechauns* que sobrevoavam o acampamento e visualizando alguns dos lances mais espetaculares de Krum. Estava doido para tornar a montar sua Firebolt e experimentar a Finta de Wronski... por alguma razão, Olívio Wood jamais conseguira transmitir como era aquele lance com os seus diagramas complicados... Harry se viu usando vestes com seu nome nas costas e imaginou a sensação de ouvir uma multidão de cem mil pessoas berrando, enquanto a voz de Ludo Bagman ecoava pelo estádio "Com vocês ... *Potter!*".

Harry jamais chegou a saber se adormecera ou não – seus devaneios de voar como Krum talvez tivessem se transformado em sonhos de verdade –, só sabia que, de repente, ouviu o Sr. Weasley gritar.

– Levantem! Rony, Harry, vamos logo, levantem, é urgente!

Harry se sentou depressa e seu cocuruto bateu na lona do teto.

– Que foi? – perguntou.

Vagamente ele percebeu que alguma coisa não estava bem. O barulho no acampamento tinha mudado. A cantoria parara. Ele ouvia gritos e um tropel de gente correndo.

Harry desceu do beliche e apanhou suas roupas, mas o Sr. Weasley, que vestira o jeans por cima do pijama, falou:

– Não temos tempo, Harry, apanhe uma jaqueta e saia, depressa!

Harry obedeceu e saiu correndo da barraca, com Rony nos seus calcanhares.

À luz das poucas fogueiras que ainda ardiam, viu gente correndo para a floresta, fugindo de alguma coisa que avançava pelo acampamento em sua direção, alguma coisa que emitia estranhos lampejos e ruídos que lembravam tiros. Caçoadas em voz alta, risadas e berros de bêbedos se aproximavam; depois uma forte explosão de luz verde, que iluminou a cena.

Um grupo compacto de bruxos, que se moviam ao mesmo tempo e apontavam as varinhas para o alto, vinha marchando pelo acampamento. Harry apertou os olhos para enxergá-los... não pareciam ter rostos... então ele percebeu que tinham as cabeças encapuzadas e os rostos mascarados. No alto, pairando sobre eles no ar, quatro figuras se debatiam, forçadas a assumir formas grotescas. Era como se os bruxos mascarados no chão fossem titereiros, e as pessoas no alto, marionetes movidas por cordões invisíveis que subiam das varinhas erguidas. Duas das figuras eram muito pequenas.

Mais bruxos foram se reunindo ao grupo que marchava, riam e apontavam para os corpos no ar. Barracas se fechavam e desabavam à medida que a multidão engrossava. Uma ou duas vezes Harry viu um bruxo explodir uma barraca com a varinha para desimpedir o caminho. Outras tantas pegaram fogo. A gritaria foi se avolumando.

As pessoas no ar foram repentinamente iluminadas ao passarem sobre uma barraca em chamas, e Harry reconheceu uma delas – o Sr. Roberts, o gerente do acampamento. As outras três, pelo jeito, deviam ser sua mulher e seus filhos. Um dos arruaceiros virou a Sra. Roberts de cabeça para baixo com a varinha; a camisola dela caiu, deixando à mostra suas enormes calças; ela tentava se cobrir enquanto a multidão embaixo dava guinchos e vaias de alegria.

– Que coisa doentia – murmurou Rony, observando a menor das crianças trouxas, que começara a rodopiar feito um pião, quase vinte metros acima do chão, a cabeça sacudindo molemente de um lado para outro. – Que coisa realmente doentia...

Hermione e Gina vieram correndo ao encontro dos garotos, vestindo casacos por cima das camisolas, seguidas de perto pelo Sr. Weasley. No mesmo momento, Gui, Carlinhos e Percy saíram da barraca dos garotos inteiramente vestidos, com as mangas enroladas e as varinhas em punho.

– Vamos ajudar o pessoal do Ministério – gritou o Sr. Weasley para ser ouvido com aquele barulho, enrolando as próprias mangas. – Vocês... vão para a floresta e *fiquem juntos*. Irei apanhá-los quando resolvermos este problema aqui!

Gui, Carlinhos e Percy já estavam correndo em direção aos baderneiros que se aproximavam; o Sr. Weasley saiu depressa atrás dos filhos. Bruxos do Ministério convergiam de todas as direções para o foco do problema. A multidão sob a família Roberts se aproximava sempre mais.

– Anda – disse Fred, agarrando a mão de Gina e começando a puxá-la para a floresta. Harry, Rony, Hermione e Jorge os acompanharam.

Todos olharam para trás ao alcançarem as árvores. Os manifestantes sob a família Roberts eram mais numerosos que nunca; os garotos viram os bruxos do Ministério tentando chegar aos bruxos encapuzados no centro, mas encontravam grande dificuldade. Aparentemente estavam com medo de executar algum feitiço que pudesse fazer a família Roberts despencar.

As lanternas coloridas que antes iluminavam o caminho para o estádio tinham sido apagadas. Vultos escuros andavam perdidos entre as árvores; crianças choravam; ecoavam gritos ansiosos e vozes cheias de pânico por todo o lado no ar frio da noite. Harry se sentiu empurrado para cá e para lá por pessoas cujos rostos ele não conseguia distinguir. Eles ouviram Rony dar um berro de dor.

– Que aconteceu? – perguntou Hermione, ansiosa, parando tão abruptamente que Harry quase deu um encontrão nela. – Rony, onde é que você está? Ah, mas que burrice... *Lumus!*

Ela iluminou a varinha e apontou o fino feixe de luz para o caminho. Rony estava esparramado no chão.

– Tropecei numa raiz de árvore – disse ele, aborrecido, pondo-se de pé.

– Ora, com pés desse tamanho, é difícil não tropeçar – disse uma voz arrastada às costas deles.

Harry, Rony e Hermione se viraram rapidamente. Draco Malfoy estava parado sozinho perto deles, encostado a uma árvore, numa atitude de total descontração. Os braços cruzados, parecia ter estado a contemplar a cena no acampamento por uma abertura entre as árvores.

Rony disse a Malfoy que fosse fazer uma coisa que Harry sabia que o amigo jamais teria se atrevido a dizer na frente da Sra. Weasley.

– Olha a boca suja, Weasley – disse Malfoy, seus olhos claros reluzindo. – Não é melhor você se apressar agora? Não quer que descubram *sua amiga*, não é?

Ele indicou Hermione com a cabeça e, neste instante, ouviu-se no acampamento uma explosão como a de uma bomba, e um relâmpago verde iluminou momentaneamente as árvores à volta deles.

– Que é que você quer dizer com isso? – perguntou Hermione em tom de desafio.

– Granger, eles estão caçando *trouxas* – disse Malfoy. – Você vai querer mostrar suas calcinhas no ar? Porque, se quiser, fique por aqui mesmo... eles estão vindo nessa direção, e todos vamos dar boas gargalhadas.

– Hermione é bruxa – rosnou Harry.

– Faça como quiser, Potter – disse Malfoy, sorrindo maliciosamente. – Se você acha que eles não são capazes de identificar um sangue ruim, fique onde está.

– Você é que devia olhar sua boca suja! – gritou Rony. Todos os presentes sabiam que "sangue ruim" era uma palavra muito ofensiva a uma bruxa ou bruxo de pais trouxas.

– Deixa para lá, Rony – disse Hermione depressa, agarrando o amigo pelo braço para contê-lo, quando ele fez menção de avançar em Malfoy.

Ouviu-se um estampido do outro lado das árvores mais alto do que qualquer dos anteriores. Várias pessoas que estavam próximas gritaram.

Malfoy deu um risinho abafado.

– Eles se assustam à toa, não é? – disse com a fala mole. – Imagino que papai disse a vocês para se esconderem? Que é que ele está fazendo, tentando salvar os trouxas?

– Onde estão os *seus* pais? – perguntou Harry, a raiva crescendo. – Lá no acampamento usando máscaras, é isso?

Malfoy virou o rosto para Harry, ainda sorrindo.

— Ora... se eles estivessem, eu não iria dizer a você, não é mesmo, Potter?

— Ah, anda gente — disse Hermione, com um olhar de repugnância para Malfoy —, vamos procurar os outros.

— Fica com essa cabeçorra lanzuda abaixada, Granger — caçoou Malfoy.

— *Anda* gente — repetiu Hermione, e puxou Harry e Rony de volta ao caminho.

— Aposto qualquer coisa como o pai dele *é* um dos mascarados! — disse Rony, indignado.

— Bem, com um pouco de sorte, o Ministério vai agarrá-lo! — disse Hermione com veemência. — Ah, não dá para acreditar, onde foi que os outros se meteram?

Fred, Jorge e Gina não estavam em nenhum lugar à vista, embora o caminho estivesse apinhado de pessoas, todas espiando nervosamente a confusão no acampamento, por cima dos ombros.

Um grupo de adolescentes de pijamas discutia em altos brados um pouco adiante no caminho. Quando viram Harry, Rony e Hermione, uma garota de cabelos espessos e crespos se virou e disse depressa:

— *Où est Madame Maxime? Nous l'avons perdue...*

— Hum... quê? — perguntou Rony.

— Ah... — A menina que falara deu as costas para ele, e quando os garotos continuaram andando ouviram-na dizer claramente: — *Ogwarts.*

— Beauxbatons — murmurou Hermione.

— Como disse? — falou Harry.

— Devem estudar na Beauxbatons — esclareceu Hermione. — Você sabe... Academia de Magia Beauxbatons... Li sobre ela em *Uma avaliação da educação em magia na Europa.*

— Ah... sei... certo — disse Harry.

— Fred e Jorge não podem ter ido tão longe assim — comentou Rony puxando a varinha do bolso, acendendo-a como fizera Hermione e esquadrinhando o caminho. Harry enfiou as mãos nos bolsos da jaqueta à procura da própria varinha, mas não estava lá. A única coisa que encontrou foi o seu onióculo.

— Ah, não, eu não acredito... Perdi a minha varinha!

— 'tá brincando!

Rony e Hermione ergueram bem as varinhas para projetar seus finos raios de luz mais à frente no caminho; Harry olhou para todo lado, mas a varinha não estava visível em lugar algum.

— Talvez tenha ficado na barraca — disse Rony.

— Talvez tenha caído do seu bolso quando você estava correndo? — sugeriu Hermione, ansiosa.

— É — falou Harry —, talvez...

Em geral ele a carregava o tempo todo quando estava no mundo dos bruxos, e vendo-se sem a varinha no meio de uma confusão daquelas sentiu-se extremamente vulnerável.

Um rumorejar fez os três se sobressaltarem. Winky, a elfo doméstica, estava tentando sair de uma moita de arbustos ali perto. Movia-se de um jeito esquisitíssimo, com visível dificuldade; era como se alguém invisível estivesse tentando segurá-la.

— Tem bruxos malvados aqui! — guinchou ela, nervosa, ao se curvar para a frente e se esforçar para correr. — Gente voando... lá no alto! Winky está saindo do caminho!

E desapareceu entre as árvores do outro lado da via, ofegando e guinchando enquanto lutava com a força que a retinha.

— Que é que há com ela? — perguntou Rony, acompanhando-a com o olhar, curioso. — Por que ela não consegue correr direito?

— Aposto como não pediu permissão para se esconder — disse Harry. Estava se lembrando de Dobby: todas as vezes que tentava fazer alguma coisa que os Malfoy não gostariam, era forçado a bater em si mesmo.

— Sabem, os elfos domésticos têm uma vida *duríssima*! — disse Hermione, indignada. — É escravidão, isso é que é! Aquele Sr. Crouch fez Winky subir até o topo do estádio, e ela estava aterrorizada, e enfeitiçou ela dessa maneira para que nem possa correr quando eles começam a pisotear barracas! Por que ninguém *faz* nada para acabar com uma situação dessas?

— Ué, os elfos são felizes, não são? — admirou-se Rony. — Você ouviu a Winky durante a partida... "Elfos domésticos não devem se divertir"... é disso que ela gosta, que mandem nela...

— É gente como *você*, Rony — começou Hermione com veemência —, que sustenta sistemas podres e injustos, só porque são preguiçosos demais para...

Um novo estrondo ecoou na orla da floresta.

— Vamos continuar andando, vamos? — disse Rony, e Harry o viu olhar irritado para Hermione. Talvez fosse verdade o que Malfoy dissera; talvez Hermione *estivesse* em maior perigo do que eles. Recomeçaram a andar, Harry ainda revistando os bolsos, embora soubesse que a varinha não estava ali.

Os garotos seguiram o caminho que se aprofundava na floresta, atentos para avistarem Fred, Jorge e Gina. Passaram por um grupo de duendes que davam gargalhadas à vista de um saco de ouro que, sem dúvida, deviam ter ganhado apostando na partida e que pareciam imperturbáveis diante da confusão no acampamento. Mais adiante, depararam com um trecho iluminado por uma luz prateada e, quando espiaram entre as árvores, viram três veelas altas e belas paradas em uma clareira e cercadas por um bando de jovens bruxos barulhentos, todos falando em altos brados.

— Ganho uns cem sacos de galeões por ano — gritava um. — Mato dragões para a Comissão para Eliminação de Criaturas Perigosas.

— Mata nada — berrou seu amigo —, você lava pratos no Caldeirão Furado... mas eu sou caçador de vampiros, já matei uns noventa até agora...

Um terceiro bruxo, cujas espinhas eram visíveis até a luz fraca e prateada das veelas, entrou nesse instante na conversa:

— Eu estou às vésperas de me tornar o ministro da Magia mais novo de todos os tempos.

Harry deu risadinhas abafadas. Reconheceu o bruxo espinhento; o nome dele era Stanislau Shunpike, e era, na realidade, condutor do Nôitibus Andante.

Ele se virou para dizer isso a Rony, mas o rosto do amigo se afrouxara estranhamente e no segundo seguinte Rony estava gritando:

— Eu já disse a vocês que inventei uma vassoura que pode chegar a Júpiter?

— *Francamente!* — tornou a exclamar Hermione, e ela e Harry agarraram Rony pelos braços com firmeza, viraram-no e saíram andando com ele. Quando a algazarra das veelas com seus admiradores se tornou completamente inaudível, os três já estavam no coração da floresta. Pareciam estar sozinhos agora; tudo estava muito mais quieto.

Harry espiou para os lados.

— Acho que podemos esperar aqui, sabe, dá para ouvir uma pessoa chegando a mais de um quilômetro.

Nem bem ele dissera essas palavras, Ludo Bagman saiu de trás de uma árvore um pouco adiante.

Mesmo à luz fraca das duas varinhas, Harry viu que uma grande mudança se operara em Bagman. Ele já não parecia displicente e rosado; não havia mais elasticidade em seu andar. Parecia muito pálido e cansado.

— Quem está aí? — perguntou o bruxo, piscando os olhos, tentando distinguir os rostos dos garotos. — Que é que vocês estão fazendo aqui sozinhos?

Eles se entreolharam, surpresos.

– Bem... está acontecendo um tumulto – disse Rony.
Bagman arregalou os olhos para ele.
– Quê?
– No acampamento... umas pessoas agarraram uma família de trouxas...
Bagman praguejou em voz alta.
– Desgraçados! – Ele pareceu ficar muito perturbado e, sem dizer mais nada, desaparatou com um pequeno estalo.
– Não anda muito bem informado o Sr. Bagman, não é? – comentou Hermione, franzindo a testa.
– Mas ele foi um grande batedor – disse Rony e, adiantando-se aos amigos, rumou para uma pequena clareira e se sentou em um trecho de grama seca ao pé de uma árvore. – Os Wimbourne Wasps foram campeões três vezes seguidas quando ele fazia parte do time.

Tirou, então, a pequena estátua de Krum do bolso, colocou-a no chão e ficou por instantes observando-a andar. Igualzinho ao Krum verdadeiro, o modelo andava com os pés para fora e tinha os ombros caídos, bem menos impressionante andando feito pato do que montado na vassoura. Harry escutou com atenção se vinha algum barulho do acampamento. Tudo parecia silencioso; talvez o tumulto tivesse acabado.

– Espero que os outros estejam bem – disse Hermione depois de algum tempo.

– Estão – disse Rony.

– Imagine se o seu pai apanhar o Lúcio Malfoy – disse Harry, sentando-se ao lado de Rony para observar a estatueta de Krum andando por cima das folhas secas. – Ele vive dizendo que gostaria de ter alguma coisa contra o Malfoy.

– Isso ia apagar aquele risinho na cara do nosso amigo Draco, ah, ia – disse Rony.

– Mas, e os coitados daqueles trouxas – lamentou Hermione, nervosa. – E se não conseguirem trazer eles de volta ao chão?

– Vão conseguir – Rony tranquilizou a amiga –, vão arranjar um jeito.

– Mas é uma loucura fazer uma coisa daquelas com o Ministério da Magia em peso aqui hoje! Quero dizer, como é que eles esperam se safar? Vocês acham que eles andaram bebendo ou só...

Mas Hermione parou de falar abruptamente e espiou por cima do ombro. Harry e Rony também se viraram depressa. Parecia que alguém estava cambaleando em direção à clareira em que se encontravam. Eles esperaram, prestando atenção ao ruído dos passos desiguais por trás das árvores escuras. Mas os passos pararam repentinamente.

— Alôô? — chamou Harry.

Silêncio. Harry se levantou e espiou atrás da árvore. Estava escuro para ver muito longe, mas ele sentia que havia alguém logo além do seu campo de visão.

— Quem está aí? — perguntou.

E então, sem aviso, o silêncio foi rompido por uma voz diferente de todas que tinham ouvido antes; e ela não soltou um grito, mas algo que lembrava um feitiço.

— MORSMORDRE!

E uma coisa enorme, verde e brilhante, irrompeu do lugar escuro que os olhos de Harry se esforçaram para penetrar: e voou para o topo das árvores e para o céu.

— Que m...? — exclamou Rony, ficando em pé de um salto e arregalando os olhos para a coisa que aparecera.

Por uma fração de segundo, Harry pensou que fosse outra formação de duendes irlandeses. Depois percebeu que era um crânio colossal, aparentemente composto por estrelas de esmeralda e uma cobra saindo da boca como uma língua. Enquanto olhavam, o crânio foi subindo cada vez mais alto, envolto em uma névoa de fumaça esverdeada, recortando-se contra o céu noturno como uma nova constelação.

De repente, toda a floresta ao redor deles explodiu em gritos. Harry não entendeu o motivo, mas o único possível era a súbita aparição do crânio, que agora estava alto o suficiente para iluminar toda a floresta, como um letreiro macabro de néon. Ele esquadrinhou a escuridão à procura da pessoa que conjurara o crânio, mas não conseguiu ver ninguém.

— Quem está aí? — chamou ele mais uma vez.

— Harry, vamos, *anda*! — Hermione agarrou-o pelas costas da jaqueta e o puxou para trás.

— Que foi? — perguntou Harry, espantado de ver a cara da amiga tão branca e aterrorizada.

— É a Marca Negra, Harry! — gemeu Hermione, puxando-o com toda a força que podia. — O sinal do Você-Sabe-Quem!

— Do Voldemort...?

— Harry, anda *logo*!

Harry se virou — Rony estava recolhendo depressa a miniatura de Krum —, os três começaram a atravessar a clareira — mas antes que conseguissem dar mais de cem passos uma série de estalos anunciaram a chegada de vinte bruxos, saídos do nada, a toda volta.

Harry se virou e numa fração de segundo registrou um fato: cada um dos bruxos puxara a varinha, e cada varinha estava apontada para ele, Rony e Hermione. Sem parar para pensar, berrou:

— ABAIXA! — Ele agarrou os dois amigos e puxou-os para o chão.

— ESTUPEFAÇA! — berraram vinte vozes desencadeando uma série de lampejos, e Harry sentiu seus cabelos ondularem como se um vento poderoso tivesse varrido a clareira. Ao erguer a cabeça um centimetrozinho, ele viu jorros de luz flamejante saírem das varinhas dos bruxos e sobrevoarem seus corpos, entrecruzando-se, ricocheteando nos troncos das árvores, saltando para a escuridão...

— Parem! — berrou uma voz que ele reconheceu. — PAREM! É o meu filho!

Os cabelos de Harry pararam de voar para todos os lados. Ele levantou a cabeça mais um pouquinho. O bruxo diante dele baixara a varinha O garoto rolou o corpo e viu o Sr. Weasley vindo em direção ao ajuntamento, com uma expressão aterrorizada no rosto.

— Rony, Harry... — sua voz tremia — ... Hermione, vocês estão bem?

— Saia do caminho, Arthur — disse uma voz fria e ríspida.

Era o Sr. Crouch. Ele e os outros bruxos do Ministério fechavam o cerco em torno dos garotos. Harry levantou-se para encará-los. O rosto do Sr. Crouch estava tenso de cólera.

— Qual de vocês fez aquilo? — perguntou aborrecido, seus olhos penetrantes indo de um garoto para o outro. — Qual de vocês conjurou a Marca Negra?

— Nós não conjuramos aquilo! — respondeu Harry apontando o crânio.

— Nós não conjuramos nada! — disse Rony, que esfregava o cotovelo e olhava cheio de indignação para o pai. — Por que vocês quiseram nos atacar?

— Não minta, senhor! — gritou o Sr. Crouch. Sua varinha continuava apontada diretamente para Rony, e seus olhos saltavam das órbitas, parecia um tantinho maluco. — Vocês foram encontrados na cena do crime!

— Bartô — murmurou uma bruxa trajando um longo penhoar de lã —, eles são meninos, Bartô, nunca teriam capacidade para...

— De onde saiu a marca? Respondam vocês três — mandou o Sr. Weasley depressa.

— Dali — respondeu Hermione, trêmula, apontando para o ponto em que tinham ouvido a voz —, havia alguém atrás das árvores... gritou umas palavras, uma fórmula mágica...

— Ah, havia gente parada ali, é mesmo? — disse o Sr. Crouch, virando seus olhos saltados para Hermione, a incredulidade estampada por todo o rosto. — Disseram uma fórmula mágica, não foi? A senhorita parece muito bem informada sobre as palavras que conjuram a Marca, senhorita...

Mas nenhum dos bruxos do Ministério, exceto o Sr. Crouch, achou nem remotamente provável que Harry, Rony e Hermione tivessem conjurado o crânio; muito ao contrário, ao ouvirem as palavras de Hermione, voltaram a erguer e apontar as varinhas na direção que ela indicara, procurando ver entre as árvores escuras.

— Tarde demais — disse a bruxa de penhoar de lã, sacudindo a cabeça. — Já devem ter desaparatado.

— Acho que não — disse um bruxo com uma barba curta e castanha. Era Amos Diggory, o pai de Cedrico. — Os nossos raios passaram direto por aquelas árvores... há uma boa chance de os termos atingido...

— Amos, cuidado! — disseram alguns bruxos em tom de alerta, quando o Sr. Diggory aprumou os ombros, ergueu a varinha, atravessou a clareira e desapareceu na escuridão. Hermione observou-o sumir, levando as mãos à boca.

Alguns segundos depois, eles ouviram o Sr. Diggory gritar:

— Acertamos, sim! Tem alguém aqui! Inconsciente! É... mas... caramba...

— Você pegou alguém? — gritou o Sr. Crouch, parecendo muitíssimo incrédulo. — Quem? Quem é?

Eles ouviram gravetos se partirem, folhas farfalharem e, por fim, passos quando o Sr. Diggory reapareceu por trás das árvores. Trazia uma figura minúscula e inerte nos braços. Harry reconheceu a toalha de chá na mesma hora. Era Winky.

O Sr. Crouch não se mexeu nem falou enquanto o Sr. Diggory depositava o elfo do Sr. Crouch no chão aos seus pés. Todos os bruxos do Ministério se viraram para o Sr. Crouch. Durante alguns segundos o bruxo permaneceu paralisado, os olhos ardendo no rosto branco, olhando para Winky. Então, ela pareceu voltar à vida.

— Isto... não pode... ser — disse ele aos arrancos. — Não...

Contornou rápido o Sr. Diggory e saiu em direção ao lugar em que o bruxo encontrara Winky.

— Não adianta, Sr. Crouch — gritou Diggory para ele. — Não há mais ninguém aí.

Mas o Sr. Crouch não parecia disposto a aceitar sua palavra. Eles o ouviram andar por todo o lado, as folhas rumorejarem ao serem afastadas para os lados, na busca.

— Meio embaraçoso — disse o Sr. Diggory sombriamente, contemplando o corpo inconsciente de Winky. — O elfo doméstico de Bartô Crouch... quero dizer...

— Pode parar, Amos — disse o Sr. Weasley, baixinho. — Você não acredita seriamente que foi o elfo? A Marca Negra é um sinal de bruxo. Exige uma varinha.

— É — disse o Sr. Diggory —, e havia uma varinha.

— Quê? — exclamou o Sr. Weasley.

— Olhe aqui. — O Sr. Diggory ergueu uma varinha e mostrou-a ao Sr. Weasley. — Estava na mão dela. Então, para começar, violação da Cláusula 3 do Código para o Uso de Varinhas. *Nenhuma criatura não humana tem permissão para portar ou usar uma varinha.*

Nesse instante ouviu-se mais um estalo e Ludo Bagman aparatou bem ao lado do Sr. Weasley. Parecendo sem fôlego e desorientado, ele girou no mesmo lugar, com os olhos cravados no crânio verde-esmeralda no céu.

— A Marca Negra! — ofegou ele, quase pisoteando Winky ao se virar, intrigado, para os colegas. — Quem fez isso? Vocês apanharam quem fez? Bartô! Que é que está acontecendo?

O Sr. Crouch voltara de mãos vazias. Seu rosto continuava branco como o de um fantasma e torcia tanto o bigode em escovinha quanto as mãos.

— Onde é que você andou, Bartô? — perguntou Bagman. — Por que é que você não assistiu à partida? E o seu elfo ficou guardando uma cadeira para você... Gárgulas vorazes! — Bagman acabara de notar Winky caída aos seus pés. — Que foi que aconteceu com ela?

— Estive ocupado, Ludo — disse o Sr. Crouch, ainda falando aos arrancos como antes, e mal movendo os lábios. — E o meu elfo foi estuporado.

— Estuporado? Por gente nossa você quer dizer? Mas por quê...?

De repente o rosto redondo e reluzente de Bagman revelou ter compreendido; ele ergueu os olhos para o crânio, baixou-os para Winky e, em seguida, ergueu-os para o Sr. Crouch.

— Não! — exclamou ele. — Winky? Conjurou a Marca Negra? Ela não saberia fazer isso! Para começar, precisaria de uma varinha!

— E tinha uma — disse o Sr. Diggory. — Encontrei-a segurando uma, Ludo. Se o senhor não se opõe, Sr. Crouch, acho que devíamos ouvir o que ela tem a dizer em sua defesa.

Crouch não deu sinal de ter ouvido o Sr. Diggory, mas este pareceu tomar o silêncio do outro por concordância. Ergueu a varinha e apontando-a para Winky disse:

— Enervate!

Winky mexeu-se fracamente. Seus grandes olhos castanhos se abriram e ela piscou várias vezes de um jeito meio abobado. Observada pelos bruxos em silêncio, ergueu o tronco aos poucos e se sentou. Avistou, então, os pés do Sr. Diggory e lentamente, tremulamente, ergueu os olhos para fixar seu rosto; então, mais lentamente ainda, olhou para o céu. Harry viu o crânio flutuante refletir-se duas vezes em seus enormes olhos vidrados. Ela soltou uma exclamação, olhou a clareira em volta, agitada, e irrompeu em soluços aterrorizados.

— Elfo! — disse o Sr. Diggory severamente. — Você sabe quem eu sou? Sou do Departamento para Regulamentação e Controle das Criaturas Mágicas!

Winky começou a se balançar no chão para a frente e para trás, a respiração saindo em fortes arquejos. Harry teve que se lembrar de Dobby em seus momentos de aterrorizada desobediência.

— Como você está vendo, elfo, a Marca Negra foi conjurada aqui há alguns instantes — disse o bruxo. — E você foi descoberta, pouco depois, logo embaixo dela! Sua explicação, por favor!

— Eu... eu... eu não estou fazendo isso, meu senhor! — Winky ofegou. — Eu não estou sabendo, meu senhor!

— Você foi encontrada com uma varinha na mão! — vociferou o Sr. Diggory, brandindo a varinha diante dela. E quando a varinha refletiu a luz verde, vinda do crânio no alto, que inundava a clareira, Harry a reconheceu.

— Ei... é minha! — disse.

Todos na clareira olharam para o garoto.

— Perdão? — disse o Sr. Diggory, incrédulo.

— É a minha varinha! — repetiu Harry. — Deixei-a cair!

— Deixou-a cair? — repetiu o bruxo, incrédulo. — Isto é uma confissão? Você se desfez dela depois de conjurar a Marca?

— Amos, lembre-se de com quem está falando! — disse o Sr. Weasley, muito zangado. — Acha provável que *Harry Potter* conjure a Marca Negra?

— Hum... claro que não — murmurou o Sr. Diggory. — Desculpem... me empolguei...

— Em todo o caso, não a deixei cair lá — disse Harry, indicando com o polegar as árvores debaixo do crânio. — Dei por falta dela logo depois que entramos na floresta.

— Então — disse o Sr. Diggory, seu olhar endurecendo ao se virar novamente para Winky que se encolhia aos seus pés — você encontrou a varinha, não foi, elfo? E você a apanhou e pensou em se divertir com ela, é isso?

— Eu não estava fazendo mágica com ela, meu senhor! — guinchou Winky, as lágrimas correndo pelos lados do nariz achatado e grande. — Eu estava... eu estava... eu estava só apanhando ela, meu senhor! Eu não estava fazendo a Marca Negra, meu senhor, eu não sei fazer!

— Não foi ela! — afirmou Hermione. Ela parecia muito nervosa, dizendo o que pensava diante de todos aqueles bruxos do Ministério, mas, ainda assim, decidida. — Winky tem uma vozinha esganiçada e a voz que ouvimos dizer a fórmula era muito mais grave! — Ela olhou para os lados à procura de Harry e Rony, à procura de apoio. — Não parecia nada com a voz da Winky, parecia?

— Não — confirmou Harry, sacudindo a cabeça. — Decididamente não parecia voz de elfo.

— É, era uma voz humana — disse Rony.

— Bem, logo veremos — rosnou o Sr. Diggory, sem parecer se impressionar. — Há uma maneira simples de descobrir o último feitiço que a varinha realizou, você sabia, elfo?

Winky estremeceu e sacudiu a cabeça freneticamente, as orelhas abanando, quando o Sr. Diggory ergueu a própria varinha e encostou-a, ponta com ponta, na de Harry.

— *Prior Incantato!* — rugiu o Sr. Diggory.

Harry ouviu Hermione prender a respiração horrorizada, quando um crânio com uma enorme língua de cobra surgiu no ponto em que as duas varinhas se tocavam, mas era uma mera sombra do crânio verde no alto, parecia até feito de uma espessa fumaça cinzenta: o fantasma de um feitiço.

— *Deletrius!* — bradou o Sr. Diggory, e o crânio difuso desapareceu transformado em um fiapo de fumaça.

"Então", disse o Sr. Diggory com um tom de furioso triunfo, fixando Winky, que continuava a tremer convulsivamente.

— Eu não estava fazendo isso! — guinchou o elfo, seus olhos revirando aterrorizados. — Eu não estava, eu não estava, eu não sei fazer!

— *Você foi apanhada com a mão na botija, elfo!* — rugiu o Sr. Diggory. — *Apanhada com a mão na varinha culpada!*

— Amos — disse o Sr. Weasley em voz alta —, pense um pouco... pouquíssimos bruxos sabem fazer esse feitiço... onde ela o teria aprendido?

— Talvez Amos esteja insinuando — disse o Sr. Crouch, a fúria reprimida em cada sílaba — que eu rotineiramente ensino meus criados a conjurarem a Marca Negra?

Seguiu-se um silêncio profundamente desagradável.

Amos Diggory pareceu horrorizado.

— Sr. Crouch... de... de jeito nenhum...

— Você agora já chegou quase a denunciar as duas pessoas nesta clareira que menos provavelmente conjurariam aquela Marca! — vociferou o Sr. Crouch. — Harry Potter... e eu! Suponho que você conheça a história do garoto, Amos?

— Claro, todos conhecem... — murmurou o Sr. Diggory, parecendo extremamente sem graça.

— E espero que se lembre das muitas provas que tenho dado, durante a minha longa carreira, de que desprezo e detesto as Artes das Trevas e aqueles que a praticam — gritou o Sr. Crouch, os olhos saltando das órbitas outra vez.

— Sr. Crouch, eu... eu nunca insinuei que o senhor tenha alguma coisa a ver com isso! — murmurou Amos Diggory, agora corando por baixo da barba castanha e curta.

— Se você acusa o meu elfo, você acusa a mim, Diggory! Onde mais ela teria aprendido a conjurar a Marca?

— Ela... ela poderia ter aprendido em qualquer lugar...

— Precisamente, Amos — disse o Sr. Weasley. — *Ela poderia ter aprendido em qualquer lugar*... Winky? — disse ele bondosamente, virando-se para o elfo, que se encolheu como se este bruxo também estivesse gritando com ela. — Onde foi exatamente que você encontrou a varinha de Harry?

Winky estava torcendo a barra da toalha de chá com tanta violência que o pano se esfiapava entre seus dedos.

— Eu... eu estava encontrando... encontrando ela lá, meu senhor... — murmurou ela — lá... no meio das árvores...

— Está vendo, Amos? — disse o Sr. Weasley. — Quem quer que tenha conjurado a Marca poderia ter desaparatado logo em seguida, deixando a varinha de Harry para trás. Uma ideia inteligente, não ter usado a própria varinha, que poderia tê-lo denunciado. E Winky aqui teve a infelicidade de encontrar a varinha momentos depois e de apanhá-la.

— Mas, então, ela deve ter estado a poucos passos do verdadeiro responsável! — disse o Sr. Diggory com impaciência. — Elfo? Você viu alguém?

Winky começou a tremer mais que nunca. Seus olhos imensos piscaram indo do Sr. Diggory para Ludo Bagman e dele para o Sr. Crouch.

Então ela engoliu em seco e disse:

— Eu não estava vendo ninguém... ninguém...

— Amos — disse o Sr. Crouch secamente —, estou muito consciente de que normalmente você iria querer levar Winky para interrogatório no seu departamento. Mas vou-lhe pedir que me deixe cuidar dela.

O Sr. Diggory fez cara de quem não achava a sugestão muito boa, mas ficou claro para Harry que o Sr. Crouch era um funcionário tão importante no Ministério que o outro não se atreveria a recusar o pedido.

— Pode ficar tranquilo que ela será castigada — acrescentou o Sr. Crouch friamente.

— M-m-meu senhor... — gaguejou Winky, olhando para o Sr. Crouch, seus olhos rasos de lágrimas. — M-m-meu senhor, p-p-por favor...

O Sr. Crouch encarou o elfo, seu rosto ainda mais agressivo, cada ruga nele profundamente marcada. Não havia piedade em seu olhar.

— Esta noite Winky se portou de uma forma que eu não teria imaginado possível — disse ele lentamente. — Eu a mandei permanecer na barraca. Mandei-a permanecer ali enquanto eu ia resolver o problema. E descubro que ela me desobedeceu. *Isto significa roupas.*

— Não! — berrou Winky, prostrando-se aos pés do Sr. Crouch. — Não, meu senhor! Roupas não, roupas não!

Harry sabia que a única maneira de libertar um elfo doméstico era presenteá-lo com roupas decentes. Era penoso ver como Winky se agarrava à sua toalha de chá enquanto soluçava sobre os sapatos do Sr. Crouch.

— Mas ela estava assustada! — explodiu Hermione, aborrecida, encarando o Sr. Crouch. — O seu elfo tem pavor de alturas, e aqueles bruxos estavam fazendo as pessoas levitarem! O senhor não pode culpá-la por ter querido sair de perto!

O Sr. Crouch deu um passo atrás, desvencilhando-se do contato com o elfo, a quem ele examinava como se fosse algo imundo e podre que contaminava seus sapatos muito bem engraxados.

— Não preciso de um elfo doméstico que me desobedeça — disse ele friamente, erguendo os olhos para Hermione. — Não preciso de uma criada que esquece o que deve ao seu senhor e à reputação do seu senhor.

Winky chorava tanto que seus soluços ecoavam pela clareira.

Seguiu-se um silêncio desagradável, que foi interrompido pelo Sr. Weasley, ao dizer baixinho:

— Bom, acho que vou levar o meu pessoal de volta à barraca, se ninguém tiver objeções a fazer. Amos, a varinha já nos informou tudo que pôde, se Harry puder levá-la, por favor...

O Sr. Diggory entregou a varinha a Harry e ele a embolsou.

— Vamos, vocês três — disse o Sr. Weasley em voz baixa. Mas Hermione não parecia querer arredar pé; seus olhos ainda miravam o elfo soluçante.
— Hermione! — chamou o Sr. Weasley com mais urgência. Ela se virou e acompanhou Harry e Rony para fora da clareira, embrenhando-se entre as árvores.

— Que é que vai acontecer com Winky? — perguntou ela no instante em que deixaram a clareira.

— Não sei — respondeu o Sr. Weasley.

— O jeito como a trataram! — disse Hermione, furiosa. — O Sr. Diggory chamando-a de "elfo" o tempo todo... e o Sr. Crouch! Ele sabe que não foi ela e ainda assim vai despedir Winky! Não se importou que ela tivesse sentido medo nem que estivesse perturbada, era como se ela nem fosse humana!

— E ela não é — disse Rony.

Hermione se voltou contra ele.

— Isso não significa que não tenha sentimentos, Rony, é repugnante o jeito...

— Hermione, eu concordo com você — disse o Sr. Weasley depressa, fazendo sinal para a garota continuar andando —, mas agora não é hora de discutir os direitos dos elfos. Quero voltar à barraca o mais depressa que pudermos. Que aconteceu aos outros?

— Nós os perdemos no escuro — disse Rony. — Papai, por que todo mundo estava tão nervoso com aquele crânio?

— Eu explico tudo quando estivermos na barraca — prometeu ele, tenso.

Mas quando alcançaram a orla da floresta, depararam com um obstáculo. Havia ali uma aglomeração de bruxas e bruxos assustados, e, quando viram o Sr. Weasley caminhando em sua direção, muitos foram ao seu encontro.

— Que é que está acontecendo na floresta?

— Quem conjurou aquilo?

— Arthur, não é... *ele*?

— Claro que não é ele — disse o Sr. Weasley, impaciente. — Não sabemos quem foi, parece que desaparatou. Agora, me deem licença, por favor, quero ir me deitar.

Ele passou com Harry, Rony e Hermione pela aglomeração e voltou ao acampamento. Tudo estava silencioso agora; não havia sinal de bruxos mascarados, embora várias barracas destruídas ainda fumegassem.

Carlinhos meteu a cabeça pela abertura da barraca dos garotos.

— Papai, que é que está acontecendo? — perguntou ele no escuro. — Fred, Jorge e Gina já voltaram, mas os outros...

— Estão aqui comigo — respondeu o Sr. Weasley, se abaixando pra entrar na barraca. Harry, Rony e Hermione entraram atrás dele.

Gui estava sentado à pequena mesa da cozinha, apertando um braço com um lençol, que sangrava profusamente. Carlinhos tinha um rasgão na camisa e Percy ostentava um nariz ensanguentado. Fred, Jorge e Gina pareciam ilesos, embora abalados.

— Pegou ele, papai? — perguntou Gui bruscamente. — A pessoa que conjurou a Marca?

— Não. Encontramos o elfo de Bartô Crouch segurando a varinha de Harry, mas não ficamos sabendo quem realmente conjurou a Marca.

— Quê? — exclamaram Gui, Carlinhos e Percy, juntos.

— A varinha de Harry? — disse Fred.

— O elfo do Sr. Crouch? — disse Percy, parecendo estupefato.

Com alguma ajuda de Harry, Rony e Hermione, o Sr. Weasley explicou o que acontecera na floresta. Quando terminaram a história, Percy encheu-se de indignação.

— Ora, o Sr. Crouch tem toda razão em querer se livrar de um elfo desses! — exclamou ele. — Fugir desse jeito depois que ele o mandou expressamente fazer o contrário... envergonhando o dono diante de todo o Ministério... que iria parecer se ele tivesse que comparecer no Departamento para Regulamentação e Controle...

— Ela não fez nada, só estava no lugar errado na hora errada! — disse bruscamente Hermione a Percy, que ficou muito espantado. Hermione sempre se dera muito bem com ele, melhor até que qualquer dos outros.

— Hermione, um bruxo na posição do Sr. Crouch não pode se dar ao luxo de ter um elfo doméstico que endoida com uma varinha na mão! — disse Percy, pomposamente, recuperando-se do espanto.

— Ela não ficou maluca! — gritou Hermione. — Ela só apanhou a varinha no chão!

— Olha aqui, será que alguém pode explicar o que significava aquele crânio? — perguntou Rony, impaciente. — Não estava fazendo mal a ninguém... por que esse escândalo todo?

— Eu já lhe disse, é o símbolo do Você-Sabe-Quem, Rony — disse Hermione, antes que mais alguém pudesse responder. — Li sobre ele em *Ascensão e queda das artes das trevas*.

— E não é visto há treze anos — acrescentou o Sr. Weasley em voz baixa. — É claro que as pessoas entraram em pânico... foi quase o mesmo que rever Você-Sabe-Quem.

— Não estou entendendo — disse Rony, franzindo a testa. — Quero dizer... é apenas uma forma no céu...

— Rony, Você-Sabe-Quem e seus seguidores projetavam a Marca Negra no céu sempre que matavam alguém — disse o Sr. Weasley. — O terror que isso inspirava... você não faz ideia, era muito criança. Mas imagine a pessoa chegar em casa e encontrar a Marca Negra pairando sobre ela, sabendo o que vai encontrar lá dentro... — O Sr. Weasley fez uma careta. — O que todos temem mais... temem mais do que tudo...

Houve um silêncio momentâneo.

Então Gui, levantando o lençol do braço para verificar o corte, disse:

— Bem, não fez nenhum bem à gente esta noite, quem quer que tenha conjurado aquilo. A Marca Negra afugentou os Comensais da Morte no momento em que a viram. Todos desaparataram antes que chegássemos bastante próximos para arrancar a máscara deles. Aliás, seguramos os Roberts antes que atingissem o chão. A memória deles está sendo alterada.

— Comensais da Morte? — perguntou Harry. — Que são Comensais da Morte?

— É o nome que os seguidores de Você-Sabe-Quem davam a si mesmos. Acho que vimos o que restou deles hoje à noite, pelo menos os que conseguiram ficar fora de Azkaban.

— Não podemos provar que eram eles, Gui — disse o Sr. Weasley. — Embora provavelmente tenham sido — acrescentou, desanimado.

— É, aposto que eram! — disse Rony repentinamente. — Papai, encontramos Draco Malfoy na floresta, e ele praticamente nos disse que o pai dele era um dos idiotas mascarados! E todos sabemos que os Malfoy eram íntimos de Você-Sabe-Quem!

— Mas o que é que os seguidores de Voldemort... — começou Harry. Todos se encolheram, como a maioria das pessoas no mundo dos bruxos, os Weasley sempre evitavam dizer o nome de Voldemort. — Desculpem — disse Harry depressa. — Mas o que é que os seguidores de Você-Sabe-Quem pretendiam fazendo aqueles trouxas levitarem? Quero dizer, qual era o objetivo?

— O objetivo? — disse o Sr. Weasley com uma risada desanimada. — Harry, essa é a ideia que fazem de uma brincadeira. Metade das mortes de trouxas quando Você-Sabe-Quem estava no poder foi feita de brincadeira. Imagino que eles tenham tomado uns drinques esta noite e não puderam resistir ao impulso de nos lembrar que um grande número deles continua em liberdade. Uma reuniãozinha simpática — terminou ele, desgostoso.

— Mas, se eles *eram* realmente os Comensais da Morte, por que desaparataram quando viram a Marca Negra? – perguntou Rony. – Deveriam ter ficado felizes de ver a Marca, não?

— Usa os miolos, Rony – disse Gui. – Se eles eram realmente os Comensais da Morte, se viraram de todo o jeito para não serem mandados para Azkaban quando Você-Sabe-Quem perdeu o poder, e contaram um monte de mentiras de que ele os forçara a matar e torturar gente. Aposto como sentiriam ainda mais medo do que nós ao ver que ele estava voltando. Negaram que estivessem metidos com Você-Sabe-Quem quando ele perdeu o poder e voltaram às suas vidinhas de sempre... acho que o Lorde não ficaria muito satisfeito de ver essa gente, não é mesmo?

— Então... quem conjurou a Marca Negra... – disse Hermione lentamente – estava fazendo isso para manifestar apoio ou amedrontar os Comensais da Morte?

— O seu palpite vale tanto quanto o meu, Hermione – disse o Sr. Weasley –, mas vou-lhe dizer uma coisa... somente os Comensais eram capazes de conjurar a Marca. Eu ficaria muito surpreso se a pessoa que a conjurou não tivesse sido um dia Comensal da Morte, mesmo que não o seja agora... Olhem, é muito tarde, e se sua mãe ouvir falar do que aconteceu vai morrer de preocupação. Vamos dormir mais um pouco e depois tentar pegar um portal bem cedo para sair daqui.

Harry voltou ao seu beliche com a cabeça zunindo. Sabia que devia estar se sentindo exausto; eram quase três horas da manhã, mas estava completamente acordado – completamente acordado e preocupado.

Há três dias – parecia muito mais, mas só tinham sido três dias – acordara com a cicatriz ardendo. E esta noite, pela primeira vez em treze anos, a Marca de Lorde Voldemort tinha aparecido no céu. Que significavam essas coisas?

Ele pensou na carta que escrevera a Sirius antes de deixar a rua dos Alfeneiros. Será que o padrinho já a recebera? Quando iria mandar resposta? Harry ficou contemplando a lona, mas não lhe ocorreu nenhum devaneio em que voasse para ajudá-lo a adormecer e somente muito tempo depois, quando os roncos de Carlinhos encheram a barraca, foi que o garoto finalmente adormeceu.

10

CAOS NO MINISTÉRIO

O Sr. Weasley acordou os garotos após algumas horas de sono. Usou magia para fechar e dobrar as barracas, e o grupo deixou o acampamento o mais depressa que pôde, passando pelo Sr. Roberts à porta da casa. O homem tinha um estranho olhar vidrado e acenou se despedindo com um vago "Feliz Natal".

— Ele vai ficar bom — disse o Sr. Weasley, baixinho, quando começaram a atravessar a charneca. — Às vezes, quando a memória de uma pessoa é alterada, ela fica um pouco desorientada durante algum tempo... e precisaram fazê-lo esquecer muita coisa.

Eles ouviram vozes ansiosas quando se aproximaram do lugar onde estava a Chave de Portal e, ao chegarem, encontraram numerosos bruxos e bruxas reunidos em torno de Basílio, o guardador das Chaves de Portais, todos exigindo, em altos brados, partir do acampamento o mais rápido possível. O Sr. Weasley teve uma discussão com Basílio; eles entraram na fila e conseguiram tomar um velho pneu de volta ao monte Stoatshead antes do sol realmente nascer. Voltaram caminhando por dentro de Ottery St. Catchpole, em direção à Toca, à claridade da alvorada, falando muito pouco porque estavam demasiado exaustos e ansiosos pelo café da manhã que iriam tomar. Ao virarem para a estrada de casa e avistarem A Toca, um grito ecoou pela estrada úmida.

— Ah, graças a Deus, graças a Deus!

A Sra. Weasley, que evidentemente estivera à espera diante da casa, veio correndo ao encontro deles, ainda usando chinelos, o rosto pálido e tenso, um exemplar amassado do *Profeta Diário* amarrotado na mão.

— Arthur... eu estava tão preocupada... *tão preocupada...*

Ela se atirou ao pescoço do marido e o *Profeta Diário* caiu de sua mão frouxa no chão. Baixando os olhos, Harry leu a manchete: CENAS DE TERROR NA COPA MUNDIAL DE QUADRIBOL, completa com uma foto em preto e branco da Marca Negra cintilando sobre as copas das árvores.

— Vocês estão bem — murmurou a Sra. Weasley, distraída, largando o marido e olhando para os garotos com os olhos vermelhos —, vocês estão vivos... ah, *meninos*...

E, para surpresa de todos, agarrou Fred e Jorge e puxou os dois para um abraço tão apertado que as cabeças dos garotos se chocaram.

— *Ai*! Mamãe, você está estrangulando a gente...

— Gritei com vocês antes de irem embora! — disse a mãe, começando a soluçar. — É só nisso que estive pensando! E se Você-Sabe-Quem tivesse pegado vocês, e a última coisa que disse aos dois foi que não obtiveram suficientes N.O.M.s? Ah, Fred... Jorge...

— Ora vamos, Molly, estamos todos perfeitamente bem — disse o Sr. Weasley acalmando-a, desvencilhando-a dos gêmeos e levando-a em direção a casa. — Gui — murmurou ele em voz mais baixa —, apanhe esse jornal, quero ver o que diz...

Quando já estavam todos apertados na pequena cozinha e Hermione preparara uma xícara de chá forte para a Sra. Weasley, no qual o marido insistira em acrescentar uma dose de uísque, Gui entregou o jornal ao pai. O Sr. Weasley examinou a primeira página enquanto Percy espiava por cima do seu ombro.

— Eu sabia — disse o Sr. Weasley, deprimido. — *Ministério erra... responsáveis livres... segurança ineficaz... bruxos das trevas correm desenfreados... desgraça nacional...* Quem escreveu isso? Ah... só podia ser... Rita Skeeter.

— Essa mulher vive implicando com o Ministério da Magia! — reclamou Percy, furioso. — Semana passada ela disse que estávamos perdendo tempo discutindo a espessura dos caldeirões, quando devíamos estar acabando com os vampiros! Como se isso não estivesse *explícito* no parágrafo doze das *Diretrizes para o Tratamento dos Semi-Humanos Não Bruxos*...

— Faz um favor à gente, Percy — disse Gui, bocejando —, cala a boca.

— Falaram de mim — disse o Sr. Weasley, arregalando os olhos por trás dos óculos ao chegar ao fim do artigo no *Profeta Diário*.

— Onde? — perguntou num atropelo a Sra. Weasley, engasgando-se com o chá batizado com uísque. — Se eu tivesse visto isso, saberia que você estava vivo!

— Não dizem o meu nome — explicou o Sr. Weasley. — Escute só isso:

Se os bruxos e as bruxas aterrorizados que prendiam a respiração à espera de notícias na orla da floresta queriam ouvir do Ministério da Magia uma palavra que os tranquilizasse, foram lamentavelmente desapontados. Um funcionário do Ministério saiu da floresta uns minutos depois do aparecimento da Marca Negra, dizendo que não havia ninguém ferido, mas recusando-se a dar maiores informações. Resta ver se tal declaração será suficiente para abafar os boatos de que vários corpos foram retirados da floresta uma hora mais tarde.

"Ah, francamente", disse o Sr. Weasley, exasperado, entregando o jornal a Percy. "Ninguém ficou ferido mesmo, que é que eu deveria dizer? *Boatos de que vários corpos foram retirados da floresta...* Ora, agora é que vai haver boatos depois de ela publicar isso."

Ele soltou um profundo suspiro.

— Molly, vou ter que ir ao escritório, isso vai dar um certo trabalho para consertar.

— Eu vou com você, pai — disse Percy, cheio de importância. — O Sr. Crouch vai precisar de toda a tripulação a bordo. E aproveito para entregar a ele o meu relatório sobre os caldeirões, pessoalmente.

O rapaz saiu apressado da cozinha.

A Sra. Weasley pareceu muito aborrecida.

— Arthur, você está de férias! Isso não tem nada a ver com o seu trabalho, com certeza eles podem resolver o caso sem você, não?

— Tenho que ir, Molly — disse o Sr. Weasley. — Piorei as coisas com a minha declaração. Vou trocar de roupa um instante e vou...

— Sra. Weasley — disse Harry de repente, incapaz de se conter —, Edwiges não chegou com uma carta para mim?

— Edwiges, querido? — disse a Sra. Weasley distraída. — Não... não, não chegou nenhum correio.

Rony e Hermione olharam, curiosos, para Harry.

Com um olhar expressivo para ambos ele disse:

— Tudo bem se eu for deixar minhas coisas no seu quarto, Rony?

— Claro... acho que eu também vou — respondeu Rony na mesma hora. — Mione?

— Vou — disse ela depressa, e os três saíram decididos da cozinha e subiram as escadas.

— Que é que está acontecendo, Harry? — perguntou Rony, depois de fecharem a porta do sótão atrás deles.

— Tem uma coisa que não contei a vocês — disse Harry. — No domingo de manhã, acordei com a minha cicatriz doendo outra vez.

As reações de Rony e Hermione foram quase exatamente as que Harry imaginara em seu quarto na rua dos Alfeneiros. Hermione prendeu a respiração e começou a dar sugestões na mesma hora, mencionando vários livros de referência e diversas pessoas desde Alvo Dumbledore a Madame Pomfrey, a enfermeira de Hogwarts.

Rony simplesmente fez cara de espanto.

— Mas ele não estava lá, estava? Você-Sabe-Quem? Quero dizer, da última vez que sua cicatriz ficou doendo, ele esteve em Hogwarts, não foi?

— Tenho certeza de que ele não estava na rua dos Alfeneiros — falou Harry.

— Mas sonhei com ele... com ele e Pedro, sabe, Rabicho. Não me lembro do sonho todo agora, mas eles estavam planejando... matar alguém.

Hesitara por um momento quase dizendo "me matar", mas não teve coragem de fazer Hermione ficar mais horrorizada do que já estava.

— Foi só um sonho — disse Rony, tranquilizando o amigo. — Só um pesadelo.

— É, mas será que foi mesmo? — disse Harry, virando-se para espiar, pela janela, o céu que clareava. — É esquisito, não é... minha cicatriz dói e três dias depois os Comensais da Morte se manifestam e o sinal de Voldemort volta a aparecer no céu.

— Não... diz... o nome... dele! — sibilou Rony entre dentes.

— E lembra o que foi que a Profª Trelawney disse? — continuou Harry, sem dar atenção a Rony. — No fim do ano passado?

A Profª Trelawney era a professora de Adivinhação dos garotos em Hogwarts.

A expressão aterrorizada de Hermione desapareceu substituída por uma risadinha de desdém.

— Ah, Harry, você não vai prestar atenção ao que aquela velha charlatã diz, vai?

— Você não estava lá — respondeu Harry. — Dessa vez foi diferente. Eu contei a você, ela entrou em transe, de verdade. E disse que o Lorde das Trevas se reergueria... *maior e mais terrível que nunca*... e que teria sucesso porque seu servo ia voltar para ele... e naquela noite Rabicho fugiu.

Seguiu-se um silêncio, em que Rony ficou brincando distraidamente com um furo em sua colcha dos Chudley Cannons.

— Por que você estava perguntando se Edwiges tinha chegado, Harry? — perguntou Hermione. — Você está esperando uma carta?

— Contei ao Sirius sobre a minha cicatriz — disse Harry, encolhendo os ombros. — Estou esperando a resposta.

— Bem pensado! — exclamou Rony, desanuviando a expressão. — Aposto que Sirius sabe o que fazer!

— Eu esperava que ele me respondesse logo — disse Harry.

— Mas nós não sabemos onde Sirius está... talvez esteja na África ou em outro continente, não é? — ponderou Hermione. — Edwiges não poderia fazer uma viagem *dessas* em poucos dias.

— É, eu sei — disse Harry, mas teve uma sensação de peso no estômago ao olhar o céu sem nem sinal de Edwiges.

— Vamos jogar uma partida de quadribol no pomar, Harry — sugeriu Rony. — Vamos, uma melhor de três, Gui, Carlinhos, Fred e Jorge jogarão... você pode experimentar a Finta de Wronski...

— Rony — disse Hermione, num tom de quem diz eu não acho que você esteja sendo muito sensível —, Harry não quer jogar quadribol agora... está preocupado e cansado... nós todos precisamos dormir...

— Ah, quero jogar quadribol — disse Harry, subitamente. — *Guenta* aí, vou pegar a minha Firebolt.

Hermione saiu do quarto resmungando alguma coisa com o som de "*Meninos*".

Nem o Sr. Weasley nem Percy pararam muito em casa na semana seguinte. Os dois saíam toda manhã antes do resto da família se levantar e só voltavam bem depois do jantar.

— Tem sido um absoluto tumulto — contou Percy a todos, cheio de importância, no domingo à noite, véspera dos garotos regressarem a Hogwarts. — Estive apagando incêndios a semana inteira. As pessoas não param de mandar berradores e, é claro, se a gente não abre um berrador na mesma hora ele explode. Tem marcas de queimadura por toda a minha mesa e a minha melhor pena ficou reduzida a cinzas.

— Por que é que estão mandando berradores? — perguntou Gina, que se ocupava em remendar com fita adesiva o seu exemplar de Mil *ervas e fungos mágicos*, sentada no tapete diante da lareira da sala de estar.

— Para se queixarem da falta de segurança na Copa Mundial — disse Percy. — Querem compensação pelos prejuízos. Mundungo Fletcher entrou com um pedido de compensação pela perda de uma barraca de doze suítes com banheira jacuzzi, mas eu saquei logo qual era a dele. Sei, sem a menor dúvida, que ele estava dormindo embaixo de uma capa estendida por cima de paus.

A Sra. Weasley olhou para o relógio de carrilhão a um canto da sala. Harry gostava desse relógio. Era completamente inútil se alguém queria saber as horas, mas para outras coisas era muito informativo. Tinha nove ponteiros dourados e em cada um estava gravado o nome de um Weasley. Não havia números no mostrador, mas o local onde cada membro da família poderia estar. Havia "casa", "escola" e "trabalho", mas também "perdido", "hospital", "prisão" e, na posição em que estaria o número doze em um relógio normal, "perigo mortal".

Oito dos ponteiros indicavam "casa", mas o do Sr. Weasley, que era o mais comprido, ainda apontava para "trabalho". A Sra. Weasley suspirou.

— O seu pai não precisa ir ao escritório num fim de semana desde o tempo de Você-Sabe-Quem — disse ela. — Estão obrigando-o a trabalhar demais. O jantar dele vai estragar se demorar muito mais a chegar em casa.

— Papai acha que precisa compensar o erro que fez no jogo, não é? — disse Percy. — Verdade seja dita, foi meio imprudente ele fazer uma declaração à imprensa sem antes pedir autorização ao chefe do departamento...

— Não se atreva a culpar o seu pai pelo que aquela infeliz da Skeeter escreveu! — disse a Sra. Weasley, irritando-se na hora.

— Se papai não tivesse dito nada, a Rita teria escrito que era lamentável que ninguém do Ministério tivesse comentado nada — disse Gui, que estava jogando xadrez com Rony. — Rita Skeeter nunca pinta ninguém de anjo. Estão lembrados da vez que ela entrevistou todos os desfazedores de feitiços do Gringotes e me chamou de frangote de cabelo comprido?

— Bom, está um pouco comprido, querido — disse a Sra. Weasley, carinhosamente. — Se você me deixasse...

— Não, mamãe.

A chuva açoitava a janela da sala de estar. Hermione lia, absorta, *O livro padrão de feitiços, 4ª série*, que a Sra. Weasley comprara para ela, Harry e Rony no Beco Diagonal. Carlinhos cerzia um gorro à prova de fogo. Harry dava polimento na Firebolt, o estojo para manutenção de vassouras que Hermione lhe dera no décimo terceiro aniversário aberto aos seus pés. Fred e Jorge estavam sentados no canto mais afastado, de penas na mão, conversando aos cochichos, as cabeças curvadas sobre um pedaço de pergaminho.

— Que é que vocês dois estão aprontando? — perguntou a Sra. Weasley rispidamente, os olhos nos gêmeos.

— Dever de casa — disse Fred vagamente.

— Não seja ridículo, vocês ainda estão de férias — disse a mãe.

— Deixamos este para depois — disse Jorge.

— Por acaso vocês não estão preparando um novo formulário, estão? — perguntou a Sra. Weasley perspicaz. — Por acaso não estariam pensando em recomeçar as "Gemialidades" Weasley?

— Ora, mamãe — disse Fred, erguendo os olhos para a mãe, uma expressão mortificada no rosto. — Se o Expresso de Hogwarts bater amanhã e Jorge e eu morrermos, como é que você iria se sentir sabendo que a última coisa que ouvimos de você foi uma acusação sem fundamento?

Todos riram, até mesmo a Sra. Weasley.

— Ah, seu pai está chegando! — disse ela de repente, olhando mais uma vez para o relógio.

O ponteiro do Sr. Weasley de repente girou de "trabalho" para "viagem"; um segundo depois parou estremecendo em "casa" junto aos demais, e todos o ouviram chamar da cozinha.

— Estou indo, Arthur! — respondeu a mulher, saindo correndo da sala.

Mais alguns minutos e o Sr. Weasley entrava na sala aquecida, trazendo o jantar numa bandeja. Parecia completamente exausto.

— Bom, agora a coisa está realmente pegando fogo — comentou ele com a Sra. Weasley, sentando-se numa poltrona junto à lareira e brincando desanimado com uma porção murcha de couve-flor. — Rita Skeeter andou fuçando a semana inteira, procurando mais bobagens ministeriais para denunciar. E agora descobriu que a coitada da velha Berta está desaparecida, então isso vai ser a manchete de amanhã no *Profeta*. Eu *disse* a Bagman que ele devia ter mandado alguém procurá-la há séculos.

— O Sr. Crouch vem dizendo isso há semanas seguidas — disse Percy, depressa.

— Crouch tem muita sorte de Rita não ter descoberto nada sobre a Winky — retrucou o Sr. Weasley, irritado. — Haveria uma semana de manchetes com a história do elfo doméstico; dele ter sido apanhado segurando a varinha que conjurou a Marca Negra.

— Acho que todos concordamos que o elfo, embora irresponsável, *não* conjurou a Marca? — disse Percy, inflamado.

— Se você quer saber, o Sr. Crouch tem muita sorte que ninguém no *Profeta Diário* saiba como ele é ruim para os elfos! — disse Hermione, zangada.

— Agora, olha aqui, Hermione! — retrucou Percy. — Um funcionário de primeiro escalão no Ministério como o Sr. Crouch merece obediência cega dos seus criados...

— Dos seus *escravos*, você quer dizer! — falou Hermione, com a voz muito aguda. — Porque ele não *pagava salário* a Winky, não é mesmo?

— Acho melhor vocês todos subirem e verificarem se fizeram as malas direito! — disse a Sra. Weasley, interrompendo a discussão. — Andem logo, vamos, todos vocês...

Harry fechou o estojo de manutenção, pôs a Firebolt ao ombro e subiu com Rony. A chuva parecia ainda mais forte no último andar da casa, e vinha acompanhada por assobios e gemidos do vento, para não falar nos uivos ocasionais do vampiro que vivia no sótão. Pichitinho começou a piar e a voar dentro da gaiola quando eles entraram. A visão dos malões quase prontos o deixara num frenesi de animação.

— Arrolha ele com um pouco desses Petiscos para Corujas — disse Rony atirando um pacote para Harry. — Quem sabe ele cala o bico.

Harry enfiou alguns petiscos pelas grades da gaiola, depois voltou sua atenção para o malão. A gaiola de Edwiges estava do lado, ainda vazia.

— Já faz mais de uma semana — disse Harry, contemplando o poleiro deserto de Edwiges. — Rony, você acha que Sirius foi capturado?

— Nããão, teria saído no *Profeta Diário* — protestou Rony. — O Ministério iria querer mostrar que capturou *alguém*, não acha?

— É, acho...

— Olha, toma aqui o material que mamãe comprou para você no Beco Diagonal. E ela tirou um pouco de ouro do seu cofre para você... e lavou todas as suas meias.

Rony carregou uma pilha de coisas para a cama de armar de Harry e largou uma bolsa de dinheiro e um monte de meias do lado. O garoto começou a desembrulhar as compras. Além de *O livro padrão de feitiços, 4ª série*, de Miranda Goshawk, ele tinha agora um punhado de penas novas, doze rolos de pergaminho e ingredientes para o seu estojo de poções — os estoques de espinha de peixe-leão e essência de beladona estavam quase no fim. Começou a empilhar a roupa íntima dentro do caldeirão quando Rony soltou uma exclamação de desagrado às costas dele.

— Que vem a ser *isso*?

Ele estava segurando uma coisa que pareceu a Harry uma longa veste de veludo cor de tijolo. Tinha um babado de renda de aspecto mofado no decote e punhos de renda iguais.

Os garotos ouviram uma batida na porta e a Sra. Weasley entrou, trazendo uma braçada de vestes de Hogwarts recém-lavadas.

— Tomem aqui — disse ela, dividindo a braçada ao meio. — Agora vejam se guardam tudo na mala direito para não amarrotar.

— Mamãe, você me deu a roupa nova da Gina — disse Rony, devolvendo a veste cor de tijolo à mãe.

— Claro que não, é para você. Vestes a rigor.

— Quê? — exclamou Rony, horrorizado.

— Vestes a rigor! — repetiu a Sra. Weasley. — Está na sua lista de material que este ano você deverá levar vestes a rigor... vestes para ocasiões formais.

— A senhora tem que estar brincando — exclamou Rony, incrédulo. — Eu não vou usar isso, nem pensar.

—Todo mundo usa, Rony! — disse a Sra. Weasley, aborrecida. — E são todas assim! Seu pai também tem uma para festas elegantes!

— Saio pelado, mas não visto uma coisa dessas — teimou Rony.

— Não seja bobo. Você precisa de vestes a rigor, estão na sua lista! Comprei para o Harry também... mostre a ele, Harry...

Com uma certa apreensão, Harry abriu o último embrulho sobre a cama. Mas não eram tão ruins quanto esperara; as vestes não tinham renda alguma; de fato, eram mais ou menos iguais às vestes da escola, só que eram verde-garrafa em vez de pretas.

— Achei que elas realçariam a cor dos seus olhos, querido — disse a Sra. Weasley afetuosamente.

— Ora, as dele são legais! — disse Rony, zangado, olhando para as vestes de Harry. — Por que eu não ganhei vestes como as dele?

— Porque... bom, precisei comprar as suas de segunda mão, e não havia muita escolha! — disse a Sra. Weasley, corando.

Harry olhou para o outro lado. Teria dividido com os Weasley, de boa vontade, o dinheiro que havia em seu cofre no Gringotes, mas sabia que eles jamais aceitariam.

— Não vou usar isso nunca — insistiu Rony. — Nunquinha.

— Ótimo — retorquiu a Sra. Weasley. — Ande nu. E Harry não se esqueça de tirar uma fotografia dele. Deus sabe que eu estou bem precisada de umas gargalhadas.

Ela saiu do quarto batendo a porta. Os meninos ouviram um ruído engraçado de alguém cuspindo às costas deles. Era Pichitinho se engasgando com um petisco grande demais.

— Por que é que tudo que eu tenho é porcaria? — enfureceu-se Rony, atravessando o quarto para descolar o bico da coruja.

11

A BORDO DO EXPRESSO DE HOGWARTS

Havia no ar uma inquestionável tristeza de fim de férias quando Harry acordou na manhã seguinte. A chuva forte continuava a fustigar a janela enquanto ele vestia um jeans e uma camiseta; trocaria pelas vestes de escola no Expresso de Hogwarts.

Ele, Rony, Fred e Jorge tinham acabado de chegar ao patamar do primeiro andar, a caminho de tomar o café da manhã, quando a Sra. Weasley apareceu ao pé da escada, parecendo aflita.

– Arthur! – gritou ela para cima. – Arthur! Mensagem urgente do Ministério!

Harry se achatou contra a parede quando o Sr. Weasley passou correndo, com as vestes de trás para a frente e desapareceu de vista. Quando Harry e os outros entraram na cozinha, viram a Sra. Weasley remexendo, ansiosamente, nas gavetas do guarda-louça.

– Tenho uma pena em algum lugar aqui! – dizia ela, enquanto o Sr. Weasley se curvava para a lareira falando com...

Harry fechou os olhos com força e reabriu-os para ter certeza de que estava vendo direito.

A cabeça de Amos Diggory estava parada no meio das chamas como um grande ovo barbudo. Ele falava muito depressa, completamente indiferente às fagulhas que voavam ao seu redor e às chamas que lambiam suas orelhas.

– ... os vizinhos trouxas ouviram estampidos e gritos, então foram e chamaram a... como é mesmo o nome?... *plícia*. Arthur, você tem que ir lá...

– Tome! – disse a Sra. Weasley sem fôlego, empurrando um pedaço de pergaminho, um tinteiro e uma pena amassada nas mãos do marido.

– ... foi pura sorte eu ter sabido – continuou a cabeça do Sr. Diggory –, precisei vir ao escritório mais cedo para despachar umas corujas e encontrei o pessoal do Uso Indevido da Magia de saída... se a Rita Skeeter souber dessa, Arthur...

— Que é que Olho-Tonto diz que aconteceu? — perguntou o Sr. Weasley, ao mesmo tempo que desenroscava a tampa do tinteiro, molhava a pena e se preparava para escrever.

Os olhos do Sr. Diggory reviraram nas órbitas.

— Disse que ouviu intrusos no jardim. Disse que se aproximavam sorrateiramente da casa, mas que foram atacados pelas latas de lixo.

— Que foi que as latas de lixo fizeram? — perguntou o Sr. Weasley, escrevendo freneticamente.

— Fizeram um estardalhaço e dispararam lixo para todo lado, pelo que sei — falou o Sr. Diggory. — Aparentemente uma delas ainda estava voando a esmo quando a plícia apareceu...

O Sr. Weasley gemeu.

— E o que aconteceu com os intrusos?

— Arthur, você conhece Olho-Tonto — disse a cabeça tornando a revirar os olhos. — Alguém andando pelo jardim dele na calada da noite? Mais provavelmente era algum gato com neurose de guerra vagando por ali, coberto de cascas de batatas. Mas se o pessoal do Uso Indevido da Magia puser as mãos em Olho-Tonto ele está perdido, pense na ficha dele, temos que livrá-lo com uma acusação menos séria, alguma coisa no seu departamento, qual é a penalidade para explosão de latas de lixo?

— Talvez uma advertência — respondeu o Sr. Weasley, ainda escrevendo muito depressa, a testa vincada. — Olho-Tonto não usou a varinha? Não chegou a atacar ninguém?

— Aposto que ele pulou da cama e começou a enfeitiçar tudo que conseguiu alcançar pela janela, mas daria muito trabalho provar isso, não houve nenhuma vítima.

— Tudo bem, estou de saída — disse o Sr. Weasley e, enfiando o pergaminho com as anotações no bolso, saiu correndo da cozinha.

A cabeça do Sr. Diggory olhou para os lados e se fixou na Sra. Weasley.

— Desculpe o mau jeito, Molly — disse, mais calmamente —, incomodar vocês tão cedo... mas Arthur é a única pessoa que pode livrar Olho-Tonto, e Olho-Tonto ia começar um novo emprego hoje. Por que é que tinha que escolher ontem à noite...

— Tudo bem, Amos. Tem certeza de que não quer comer uma torrada ou qualquer outra coisa antes de ir?

— Ah, então quero.

A Sra. Weasley apanhou uma torrada amanteigada em uma pilha sobre a mesa da cozinha, prendeu-a nas tenazes da lareira e a levou à boca do Sr. Diggory.

— 'gado — disse ele com a voz abafada e, em seguida, com um estalido, desapareceu.

Harry ouviu o Sr. Weasley gritar tchaus apressados para Gui, Carlinhos, Percy e as garotas. Em cinco minutos, ele estava de volta à cozinha, as vestes agora do lado certo, passando um pente nos cabelos.

— É melhor eu me apressar... um bom ano letivo para vocês, meninos — disse o Sr. Weasley para Harry, Rony e os gêmeos, puxando uma capa por cima dos ombros e se preparando para desaparatar. — Molly, você acha que dá conta de levar os meninos até King's Cross?

— Claro que sim. Se preocupe com Olho-Tonto que nós cuidamos do resto.

Quando o Sr. Weasley desapareceu, Gui e Carlinhos entraram na cozinha.

— Alguém falou em Olho-Tonto? — perguntou Gui. — Que é que ele andou fazendo agora?

— Diz que alguém tentou entrar na casa dele à noite passada — respondeu a Sra. Weasley.

— Olho-Tonto Moody? — indagou Jorge, pensativo, passando geleia na torrada. — Não é aquele biruta...

— Seu pai tem uma excelente opinião sobre Olho-Tonto Moody — disse a Sra. Weasley severamente.

— É, tudo bem, papai coleciona tomadas, não é mesmo? — disse Fred, baixinho, quando a mãe saiu da cozinha. — Cada qual com o seu igual...

— Moody já foi um grande bruxo — disse Gui.

— Ele é um velho amigo do Dumbledore, não é? — perguntou Carlinhos.

— Mas o Dumbledore não é bem o que a gente chamaria de normal, não é — comentou Fred. — Quero dizer, eu sei que ele é um gênio e tudo o mais...

— Quem é Olho-Tonto? — perguntou Harry.

— Está aposentado, mas costumava trabalhar no Ministério — falou Carlinhos. — Vi ele uma vez quando papai me levou ao trabalho. Ele foi Auror... um dos melhores... um cara que captura bruxos das trevas — acrescentou, vendo o olhar atônito de Harry. — Encheu metade das celas de Azkaban. Mas fez uma pá de inimigos... principalmente as famílias das pessoas que ele prendeu... e ouvi falar que Moody está ficando realmente paranoico na velhice. Não confia mais em ninguém. Vê bruxos das trevas por todo lado.

Gui e Carlinhos resolveram acompanhar os garotos ao embarque na estação de King's Cross, mas Percy se desculpou profusamente e disse que precisava de fato ir trabalhar.

— Não posso pedir mais licenças no momento. O Sr. Crouch está realmente começando a confiar em mim.

— Ah é, sabe de uma coisa, Percy? — disse Jorge, sério. — Acho que não demora muito, ele vai aprender o seu nome.

A Sra. Weasley tinha se aventurado a telefonar para a agência de correio do povoado para pedir três táxis de trouxas para levá-los a Londres.

— Arthur tentou pedir emprestado uns carros do Ministério para nós — sussurrou a Sra. Weasley a Harry, enquanto aguardavam parados no pátio lavado de chuva os motoristas dos táxis carregarem os pesados malões de Hogwarts nos carros. — Mas não havia nenhum disponível... Ah, meu Deus, a cara deles não está nada feliz, não é?

Harry não quis comentar com a Sra. Weasley que motoristas de táxi trouxas raramente transportavam corujas animadas, e Pichitinho estava fazendo um estardalhaço de furar os tímpanos. E tampouco ajudou o fato de alguns fogos Dr. Filibusteiro, que não aquecem e acendem molhados, terem explodido inesperadamente quando o malão de Fred se abriu, fazendo o motorista que o carregava berrar de susto e dor, pois Bichento enterrou as garras na perna do homem.

A viagem foi desconfortável, porque eles viajaram espremidos no banco traseiro dos táxis com os malões. Bichento levou algum tempo para se recuperar do susto com os fogos e, até entrarem em Londres, Harry, Rony e Hermione acabaram seriamente arranhados. Sentiram um grande alívio ao desembarcar na estação, embora a chuva caísse mais forte que nunca e eles tivessem se encharcado para atravessar a rua movimentada para entrar na estação com os malões.

A essa altura, Harry já estava se acostumando a embarcar na plataforma 9¾. Era apenas uma questão de rumar diretamente para a barreira, aparentemente sólida, que dividia as plataformas nove e dez. A única parte difícil era fazer isso discretamente de modo a não chamar a atenção dos trouxas. Fizeram isso em grupos, hoje; Harry, Rony e Hermione (os mais visíveis, pois iam levando Pichitinho e Bichento) foram os primeiros; eles se encostaram descontraidamente na barreira, conversando despreocupados, e deslizaram de lado por ela... e, ao fazerem isso, a plataforma 9¾ se materializou diante deles.

O Expresso de Hogwarts, uma reluzente locomotiva vermelha, já estava aguardando, soltando nuvens repolhudas de fumaça, através das quais os muitos alunos de Hogwarts e seus pais parados na plataforma pareciam fantasmas escuros. Pichitinho fez mais barulho que nunca em resposta ao pio das outras corujas escondidas na névoa. Harry, Rony e Hermione saíram em busca de lugares e logo estavam guardando a bagagem em uma cabine mais ou menos na metade do trem. Depois, eles tornaram a saltar para se despedir da Sra. Weasley, de Gui e Carlinhos.

– Talvez eu volte a ver vocês mais cedo do que pensam – disse Carlinhos, rindo, ao dar um abraço de despedida em Gina.

– Por quê? – perguntou Fred, interessado.

– Você verá – respondeu Carlinhos. – Só não diga a Percy que eu falei isso... "porque afinal é informação privilegiada, até o Ministério resolver divulgá-la".

– É, eu até sinto vontade de estar estudando em Hogwarts este ano – disse Gui, as mãos enfiadas nos bolsos, contemplando com um ar quase saudoso o trem.

– Por quê? – perguntou Jorge, impaciente.

– Vocês vão ter um ano interessante – comentou Gui, com os olhos cintilando. – Talvez eu até peça licença para dar uma espiada...

– Uma espiada em quê? – perguntou Rony.

Mas nessa hora ouviram o apito e a Sra. Weasley conduziu-os impaciente às portas do trem.

– Obrigada por nos convidar, Sra. Weasley – disse Hermione, depois que embarcaram, fecharam a porta e se debruçaram na janela do corredor para falar com ela.

– É, obrigado por tudo, Sra. Weasley – disse Harry.

– Ah, o prazer foi meu, queridos – respondeu ela. – Eu os convidaria para o Natal, mas... bem, imagino que vocês vão querer ficar em Hogwarts, por causa... de uma coisa ou outra.

– Mamãe! – exclamou Rony, irritado. – Que é que vocês três sabem que nós não sabemos?

– Vocês vão descobrir hoje à noite – disse a Sra. Weasley sorrindo. – Vai ser muito emocionante, reparem bem, estou muito contente que tenham mudado as regras...

– Que regras? – perguntaram Harry, Rony, Fred e Jorge juntos.

– Tenho certeza de que o Prof. Dumbledore vai contar a vocês... agora, comportem-se? Ouviu *bem*, Fred? E você, Jorge!

Os pistões assobiaram e o trem começou a andar.

– Conta para a gente o que vai acontecer em Hogwarts! – berrou Fred pela janela, quando a Sra. Weasley, Gui e Carlinhos foram se distanciando rapidamente. – Que regras é que vão mudar?

Mas a Sra. Weasley apenas sorriu e acenou. Antes que o trem tivesse virado a primeira curva, ela, Gui e Carlinhos tinham desaparatado.

Harry, Rony e Hermione voltaram à cabine. A chuva grossa que batia nas janelas tornava difícil ver o lado de fora. Rony abriu o malão, tirou as vestes a rigor marrons e atirou-as por cima da gaiola de Pichitinho para abafar os seus pios.

— Bagman queria nos dizer o que ia acontecer em Hogwarts — disse ele, mal-humorado, sentando-se ao lado de Harry. — Na Copa Mundial, lembra? Mas nem a minha própria mãe quer contar. Que será...

— Psiu! — sussurrou Hermione de repente, levando o indicador aos lábios e apontando para a cabine ao lado. Harry e Rony prestaram atenção e ouviram uma voz arrastada já conhecida que entrava pela porta aberta.

— ... papai, na realidade, pensou em me mandar para Durmstrang em lugar de Hogwarts, sabem. Ele conhece o diretor lá, entendem. Bom, vocês sabem qual é a opinião dele sobre Dumbledore... o cara gosta muito de sangues ruins e Durmstrang não admite esse tipo de ralé. Mas mamãe não gostou da ideia de eu ir para uma escola tão longe. Durmstrang tem uma política muito mais certa que Hogwarts com relação às Artes das Trevas. Os alunos de lá até *aprendem* essa matéria, não é só essas bobagens de defesa que a gente aprende...

Hermione se levantou, foi pé ante pé até a porta da cabine e fechou-a para abafar a voz de Malfoy.

— Então ele acha que Durmstrang teria sido melhor para ele, é? — disse ela, zangada. — Eu gostaria que ele *tivesse* ido para lá, aí não teríamos que aturá-lo.

— Durmstrang é outra escola de bruxaria? — perguntou Harry.

— É — respondeu Hermione fungando —, e tem uma péssima reputação. Segundo aquele livro *Uma avaliação da educação em magia na Europa*, a escola enfatiza as Artes das Trevas.

— Acho que já ouvi falar nisso — disse Rony vagamente. — Onde fica? Em que país?

— Ora, ninguém sabe, não é mesmo? — respondeu Hermione, erguendo as sobrancelhas.

— Hum... por que não? — quis saber Harry.

— Tradicionalmente há uma forte rivalidade entre as escolas de magia. Durmstrang e Beauxbatons gostam de esconder onde ficam para ninguém poder roubar os segredos delas — disse Hermione simplesmente.

— Corta essa! — exclamou Rony, começando a rir. — Durmstrang tem que ser mais ou menos do tamanho de Hogwarts; como é que alguém vai esconder um castelão encardido?

— Mas Hogwarts é escondida — retrucou Hermione, surpresa —, todo mundo sabe disso... bom, pelo menos todo mundo que leu *Hogwarts: uma história*.

— Então é só você — falou Rony. — Por isso pode continuar, como é que se esconde um lugar como Hogwarts?

— Encantando ele — respondeu Hermione. — Se um trouxa olhar, só o que vai ver é uma velha ruína embolorada com um letreiro na entrada PERIGO, NÃO ENTRE, ARRISCADO.

— Então Durmstrang também vai parecer uma ruína a um estranho?

— Talvez — disse Hermione, encolhendo os ombros —, ou talvez tenha feitiços antitrouxas, como o estádio da Copa Mundial. E, para impedir bruxos estrangeiros de encontrá-lo, devem ter tornado ele impossível de mapear...

— Como é?

— Bom, a gente pode enfeitiçar um prédio para tornar impossível a pessoa localizá-lo em um mapa, não pode?

— Hum... se você diz que pode — falou Harry.

— Mas eu acho que Durmstrang deve ficar em algum lugar bem ao norte — disse Hermione, pensativa. — Algum lugar muito frio, porque as capas de peles fazem parte dos uniformes de lá.

— Ah, pensem só nas possibilidades — disse Rony, sonhando. — Teria sido muito mais fácil empurrar Malfoy de uma geleira e fazer parecer acidente... pena que a mãe goste dele...

A chuva foi ficando mais pesada à medida que o trem seguia mais para o norte. O céu estava tão escuro e as janelas tão embaçadas que as lanternas foram acesas antes do meio-dia. O carrinho dos lanches surgiu sacudindo pelo corredor, e Harry comprou uma montanha de bolos de caldeirão para os três dividirem.

Muitos amigos apareceram durante a tarde, inclusive Simas Finnigan, Dino Thomas e Neville Longbottom, um menino de rosto redondo e extremamente esquecido que fora criado pela bruxa formidável que era sua avó. Simas ainda usava a roseta da Irlanda. Parte da mágica parecia estar se esgotando agora; ela ainda gritava esganiçada "*Troy! Mullet! Moran!*", mas de um jeito muito fraco e cansado. Passada meia hora mais ou menos, Hermione, cansando-se da interminável discussão sobre quadribol, enterrou-se mais uma vez em *O livro padrão de feitiços, 4ª série*, e começou a tentar aprender a fazer um Feitiço Convocatório.

Neville escutava, invejoso, a conversa dos colegas que reviviam a partida de quadribol.

— Vovó não quis ir — disse ele, infeliz. — Não quis comprar as entradas. Mas parecia fantástico.

— Foi — disse Rony. — Olhe só para isso, Neville...

Ele meteu a mão no malão guardado no bagageiro e puxou a miniatura de Vítor Krum.

— Uau! — exclamou Neville, invejoso, quando Rony equilibrou Krum na mão gorducha.

— E vimos ele de perto, também — continuou Rony. — Ficamos no camarote de honra...

— Pela primeira e última vez na vida, Weasley.

Draco Malfoy aparecera à porta. Atrás dele vinham Crabbe e Goyle, seus enormes sequazes agressivos, que pareciam ter crescido no mínimo trinta centímetros durante o verão. Evidentemente tinham ouvido a conversa pela porta da cabine, que Dino e Simas deixaram entreaberta.

— Não me lembro de ter convidado você para a nossa cabine, Malfoy — disse Harry friamente.

— Weasley... que é isso? — perguntou Malfoy, apontando para a gaiola de Pichitinho. Uma das mangas das vestes de Rony estava pendurada, e balançava com o movimento do trem, deixando o punho de renda mofada muito visível.

Rony fez menção de esconder as vestes, mas Malfoy foi rápido demais para ele; agarrou a manga e puxou.

— Olhem só para isso! — disse o garoto em êxtase, segurando as vestes de Rony e mostrando-as a Crabbe e Goyle. — Weasley, você não andou pensando em *usar* isso, andou? Quero dizer, isso esteve em moda aí por 1890...

— Vai lamber sabão, Malfoy! — xingou Rony, da mesma cor das vestes ao puxá-las das mãos de Malfoy. O garoto uivava, rindo de desdém; Crabbe e Goyle gargalhavam estupidamente.

— Então... vai entrar, Weasley? Vai tentar trazer alguma glória para o nome da sua família? E tem dinheiro também, sabe... você vai poder comprar umas vestes decentes se ganhar...

— Do que é que você está falando? — retorquiu Rony.

— *Você vai entrar?* — repetiu Malfoy. — Suponho que *você* vá, Potter? Você nunca perde uma chance de se exibir, não é?

— Ou você explica a que está se referindo ou vai embora, Malfoy — disse Hermione, impaciente, por cima da borda de O livro padrão de feitiços, 4ª série.

Um sorriso satisfeito se espalhou pelo rosto pálido de Malfoy.

— Não me diga que você não *sabe*? Você tem um pai e um irmão no Ministério e nem ao menos *sabe*? Nossa, *meu* pai me contou há séculos... soube pelo Cornélio Fudge. Mas papai sempre convive com o primeiro escalão do Ministério... talvez seu pai seja insignificante demais para ter sabido, Weasley... é... provavelmente não falam coisas importantes na frente dele...

Rindo mais uma vez, Malfoy fez sinal para Crabbe e Goyle e os três desapareceram.

Rony se levantou e bateu a porta de correr da cabine com tanta força atrás deles que o vidro se espatifou.

— Rony! — exclamou Hermione em tom de censura, e puxando a varinha murmurou a palavra *Reparo!* e os estilhaços do vidro tornaram a formar uma vidraça inteira e a se reencaixar na porta.

— Ora... tirando onda que ele é bem informado e nós não... — rosnou Rony. — *Papai sempre convive com o primeiro escalão do Ministério...* Papai poderia ter recebido uma promoção a qualquer tempo... mas ele gosta do cargo que ocupa...

— Claro que gosta — disse Hermione, baixinho. — Não deixa o Malfoy chatear você, Rony...

— Ele! Me chatear! Como se pudesse! — retrucou Rony, apanhando um dos bolos de caldeirão que sobravam e amassando-o todo.

O mau humor de Rony continuou pelo resto da viagem. Ele não falou muito quando vestiram os uniformes da escola, e continuou de cara amarrada quando o Expresso de Hogwarts começou finalmente a reduzir a velocidade até parar de todo na escuridão de breu da estação de Hogsmeade.

Quando as portas do trem se abriram, ouviu-se uma trovoada no alto. Hermione agasalhou Bichento na capa e Rony deixou as vestes a rigor por cima da gaiola de Pichitinho ao desembarcarem, as cabeças abaixadas e os olhos apertados para impedir que o temporal os molhasse. A chuva caía em tal volume e rapidez que até parecia que alguém estava esvaziando baldes e mais baldes de água gelada na cabeça dos garotos.

— Oi, Hagrid! — berrou Harry, ao ver a silhueta gigantesca na extremidade da plataforma.

— Tudo bem! — gritou Hagrid em resposta, acenando. — Vejo vocês na festa, se não nos afogarmos no caminho!

Os alunos de primeiro ano tradicionalmente chegavam ao castelo de barco, atravessando o lago com Hagrid.

– Oooh, eu não gostaria de atravessar o lago com esse tempo – exclamou Hermione com veemência, tremendo durante a caminhada lenta pela plataforma escura com os outros colegas. Cem carruagens sem cavalos os aguardavam à saída da estação. Harry, Rony, Hermione e Neville embarcaram agradecidos em uma delas, a porta se fechou com um estalo e momentos depois, com um grande ímpeto, a longa procissão de carruagens saiu roncando e espalhando água trilha acima em direção ao castelo de Hogwarts.

12

O TORNEIO TRIBRUXO

Os garotos passaram pelos portões, ladeados por estátuas de javalis alados, e as carruagens subiram o imponente caminho oscilando perigosamente sob uma chuva que parecia estar virando tromba-d'água. Curvando-se para a janela, Harry pôde ver Hogwarts se aproximando, suas numerosas janelas borradas e iluminadas por trás da cortina de chuva. Os relâmpagos riscaram o céu no momento em que a carruagem parou diante das enormes portas de entrada de carvalho, a que se chegava por um lance de degraus de pedra. As pessoas que tinham tomado as carruagens anteriores já subiam correndo os degraus para entrar no castelo; Harry, Rony, Hermione e Neville saltaram da carruagem e correram escada acima, também, só erguendo a cabeça quando já estavam seguros, no cavernoso saguão de entrada iluminado por archotes, com sua magnífica escadaria de mármore.

— Carácoles — exclamou Rony, sacudindo a cabeça e espalhando água para todos os lados —, se isso continuar assim, o lago vai transbordar. Estou todo molhado, ARRE!

Um grande balão vermelho e cheio de água caíra do teto na cabeça de Rony e estourara. Encharcado e resmungando, Rony cambaleou para o lado e esbarrou em Harry na hora em que uma segunda bomba de água caiu — errando Hermione por um triz, ela estourou aos pés de Harry, espirrando água gelada por cima dos tênis e das meias do garoto. As pessoas em volta soltaram gritinhos e começaram a se empurrar procurando sair da linha de tiro — Harry olhou para o alto e viu, flutuando seis metros acima, Pirraça, o *poltergeist*, um homenzinho de chapéu em forma de sino e gravata-borboleta cor de laranja, o rosto largo e malicioso contorcendo-se de concentração para tornar a fazer mira.

— PIRRAÇA! — berrou uma voz zangada. — Pirraça, desça já aqui, AGORA!

A Profª Minerva McGonagall, subdiretora da escola e diretora da Grifinória, saiu correndo do Salão Principal; a professora escorregou no chão molhado e agarrou Hermione pelo pescoço para evitar cair.

— Ai... desculpe, Srta. Granger...

— Tudo bem, professora! — ofegou Hermione, massageando a garganta.

— Pirraça, desça aqui AGORA! — bradou ela, ajeitando o chapéu cônico e olhando feio pelos óculos de aros quadrados.

— Não tô fazendo nada! — gargalhou Pirraça, disparando uma bomba de água contra várias garotas do quinto ano, que gritaram e mergulharam no Salão Principal. — Já molharam as calças, foi? Que inconvenientes! Ihhhhhh-hhhh! — E mirou mais uma bomba em um grupo de alunos do segundo ano que tinha acabado de chegar.

— Vou chamar o diretor! — ameaçou a Profª Minerva. — Estou lhe avisando, Pirraça...

Pirraça estirou a língua, jogou a última de suas bombas de água para o alto e disparou pela escada de mármore acima, gargalhando feito um louco.

— Bom, vamos andando, então! — disse a professora em tom eficiente para os alunos molhados. — Para o Salão Principal, vamos!

Harry, Rony e Hermione escorregaram pelo saguão de entrada e pelas portas de folhas duplas à direita, Rony, furioso, resmungando entre dentes ao afastar os cabelos, que escorriam água, para longe do rosto.

O Salão Principal tinha o aspecto esplêndido de sempre, decorado para a festa de abertura do ano letivo. Pratos e taças de ouro refulgiam à luz de centenas e centenas de velas que flutuavam no ar sobre as mesas. As quatro mesas longas das Casas estavam cheias de alunos que falavam sem parar; no fundo do salão, os professores e outros funcionários sentavam-se a uma quinta mesa, de frente para os estudantes. Estava muito mais quente ali. Harry, Rony e Hermione passaram pela mesa dos alunos da Sonserina, Corvinal e Lufa-Lufa, e se sentaram com os colegas da Grifinória no extremo do salão, ao lado de Nick Quase Sem Cabeça, o fantasma de sua Casa. Branco-pérola e semitransparente, Nick estava vestido esta noite com o gibão de sempre e uma gola de rufos particularmente grande, que servia o duplo propósito de parecer bem festiva e garantir que sua cabeça não balançasse demais no pescoço parcialmente decepado.

— Boa-noite — disse ele aos garotos.

— Para quem? — perguntou Harry, descalçando os tênis e despejando a água que se acumulara dentro. — Espero que andem depressa com a seleção. Estou faminto.

A seleção dos novos alunos por Casas era realizada no início de cada ano letivo, mas, por uma infeliz combinação de circunstâncias, Harry não estivera presente a nenhuma desde a dele mesmo. Estava ansioso para assisti-la.

Nesse instante, uma voz animada e ofegante chamou-o mais adiante à mesa:

— Oi, Harry!

Era Colin Creevey, um aluno do terceiro ano para quem Harry era uma espécie de herói.

— Oi, Colin — cumprimentou Harry, cauteloso.

— Harry, adivinha só! Adivinha só, Harry! Meu irmão está começando! Meu irmão Dênis!

— Hum... que bom! — disse Harry.

— Ele está realmente animado! — continuou Colin, praticamente dando pulos na cadeira. — Espero que ele fique na Grifinória! Cruza os dedos, hein, Harry?

— Hum... claro — disse Harry. E tornou a se virar para Hermione, Rony e Nick Quase Sem Cabeça. — Irmãos e irmãs geralmente vão para a mesma Casa, não é? Estava pensando nos Weasley, todos os sete alunos da Grifinória.

— Ah, não, não obrigatoriamente — disse Hermione. — A gêmea de Parvati Patil está em Corvinal e elas são idênticas, a gente podia até pensar que fossem ficar juntas, não é mesmo?

Harry olhou para a mesa dos professores. Parecia haver mais lugares vazios do que habitualmente. Hagrid, é claro, ainda estava lutando para atravessar o lago com os alunos do primeiro ano; a Prof.ª McGonagall provavelmente estava supervisionando a secagem do piso do saguão de entrada, mas havia ainda outra cadeira desocupada e ele não conseguia atinar quem mais estava faltando.

— Onde é que está o novo professor de Defesa Contra as Artes das Trevas? — perguntou Hermione, que também estava olhando para os professores.

Os garotos ainda não tinham tido nenhum professor de Defesa Contra as Artes das Trevas que durasse mais de três trimestres. O favorito de Harry fora, de longe, o Prof. Lupin, que se demitira no ano anterior. Seu olhar percorreu a mesa dos professores. Decididamente não havia nenhuma cara nova.

— Quem sabe não conseguiram ninguém! — sugeriu Hermione, parecendo ansiosa.

Harry examinou os ocupantes da mesa com mais atenção. O minúsculo Prof. Flitwick, professor de Feitiços, estava sentado em uma alta pilha de almofadas ao lado da Prof.ª Sprout, a mestra de Herbologia, usando um chapéu enviesado sobre os cabelos grisalhos e esvoaçantes. Conversava com a Prof.ª Sinistra, do Departamento de Astronomia. Do outro lado de Sinistra estava o mestre de Poções, de rosto macilento, nariz de gancho e cabelos oleosos, Snape — a pessoa de quem Harry menos gostava em Hogwarts. A repulsa de

Harry por Snape só igualava o ódio que o professor sentia por ele, um ódio que tinha, se é que isso era possível, se intensificado no ano anterior, quando o garoto ajudara Sirius a fugir bem debaixo do nariz exageradamente grande de Snape – ele e Sirius eram inimigos desde os tempos de escola.

Do outro lado de Snape, havia um lugar vago, que Harry achou que devia ser o da Profª McGonagall. Ao lado, e bem no centro da mesa, sentava-se o Prof. Dumbledore, o diretor, seus cabelos e barbas prateados e ondulantes brilhando à luz das velas, suas magníficas vestes verde-escuras bordadas com luas e estrelas. Dumbledore tinha as pontas dos dedos longos e finos e ele apoiava nelas o queixo, contemplando o teto através de oclinhos de meia-lua, como se estivesse perdido em pensamentos. Harry olhou para o teto também. Era encantado para parecer o céu lá fora e nunca tivera um aspecto tão tempestuoso. Nuvens roxas e pretas giravam por ele e quando se ouvia uma nova trovoada do lado de fora corria um relâmpago pelo teto.

– Ah, anda logo – gemeu Rony, ao lado de Harry. – Eu seria capaz de devorar um hipogrifo.

As palavras mal tinham saído de sua boca e as portas do Salão Principal se abriram e fez-se silêncio. A Profª Minerva encabeçava uma longa fila de alunos do primeiro ano até o centro do salão. Se Harry, Rony e Hermione estavam molhados, seu estado nem se comparava ao desses garotos. Eles pareciam ter feito a travessia do lago a nado em lugar de fazê-la de barco. Todos estavam tomados por tremores, em que se misturavam o frio e o nervosismo, ao passarem pela mesa dos professores e pararem em fila diante do resto da escola – todos, exceto o menorzinho, um menino com cabelos castanho-baços, que vinha embrulhado em um agasalho que Harry reconheceu ser o casaco de pele de toupeira de Hagrid. O casaco era tão grande que o garoto parecia coberto por um toldo escuro e peludo. Seu rosto miúdo aparecia por cima da gola, quase dolorosamente animado. Quando ele se alinhou com os colegas aterrorizados, viu que Colin Creevey o olhava, ergueu os polegares e falou:

– Caí no lago! – Parecia decididamente encantado com o ocorrido.

A Profª Minerva agora colocava um banquinho de três pernas diante dos novos alunos e, em cima, um chapéu de bruxo, extremamente velho, sujo e remendado. Os garotos arregalaram os olhos. E todo o resto da escola também. Por um instante, fez-se silêncio. Em seguida, um rasgo junto à aba se escancarou como uma boca, e o chapéu começou a cantar:

Há mil anos ou pouco mais,
Eu era recém-feito,

Viviam quatro bruxos de fama,
Cujos nomes todos ainda conhecem:
O valente Gryffindor das charnecas,
A bela Ravenclaw das ravinas,
A meiga Hufflepuff das planícies,
O astuto Slytherin dos brejais.
Compartiam um desejo, um sonho,
Uma esperança, um plano ousado
De, juntos, educar jovens bruxos,
Assim começou a Escola de Hogwarts.
Cada um desses quatro fundadores
Formou sua própria casa, pois cada
Valorizava virtude vária
Nos jovens que pretendiam formar.
Para Gryffindor, os valentes eram
Prezados acima de todo o resto;
Para Ravenclaw, os mais inteligentes
Seriam sempre os superiores;
Para Hufflepuff, os aplicados eram
Os merecedores de admissão;
E Slytherin, mais sedento de poder,
Amava aqueles de grande ambição.
Enquanto vivos, eles separaram
Do conjunto os seus favoritos
Mas como selecionar os melhores,
Quando um dia tivessem partido?
Foi Gryffindor que encontrou a solução
Tirando-me da própria cabeça
Depois me dotaram de cérebro
Para que por eles eu pudesse escolher!
Coloque-me entre suas orelhas,
Até hoje ainda não me enganei.
Darei uma olhada em sua cabeça
E direi qual a casa do seu coração!

Os aplausos ecoaram pelo Salão Principal quando o Chapéu Seletor terminou.

— Não foi essa a música que ele cantou quando fomos selecionados — disse Harry, fazendo coro aos aplausos gerais.

— Cada ano ele canta uma diferente — disse Rony. — Deve ser uma vida bem chata, não é, a de um chapéu? Vai ver ele passa o ano compondo a nova canção.

A Profª Minerva agora desenrolava um grande pergaminho.

— Quando eu chamar seu nome, ponha o chapéu e se sente no banquinho — explicou ela aos alunos do primeiro ano. — Quando o chapéu anunciar sua casa, vá se sentar à mesa correspondente.

— Ackerley, Stuart!

Um menino se adiantou, tremendo visivelmente da cabeça aos pés, apanhou o chapéu, colocou-o e se sentou no banquinho.

— *Corvinal!* — anunciou o chapéu.

Stuart Ackerley tirou o chapéu e correu para uma cadeira à mesa de Corvinal, na qual todos o aplaudiam.

Harry viu, de relance, Cho, a apanhadora do time da Corvinal, aplaudindo Stuart Ackerley quando o garoto se sentou. Por um segundo fugaz, Harry teve um estranho desejo de se reunir à mesa da Corvinal também.

— Baddock, Malcolm!

— *Sonserina!*

A mesa do outro lado do salão prorrompeu em vivas. Harry viu Malfoy aplaudindo quando Baddock se juntou aos alunos de Sonserina. Harry se perguntou se Baddock saberia que a casa de Sonserina formara um número maior de bruxos das trevas do que qualquer outra. Fred e Jorge vaiaram Malcolm Baddock quando ele se sentou.

— Branstone, Eleanora!

— *Lufa-Lufa!*

— Cauldwell, Owen!

— *Lufa-Lufa!*

— Creevey, Dênis!

O miudinho Dênis Creevey adiantou-se com passos incertos, tropeçando no casaco de Hagrid, que nesta hora entrou discretamente no salão por uma porta atrás da mesa dos professores. Umas duas vezes mais alto do que um homem normal e pelo menos três vezes mais largo, Hagrid, com seus cabelos e barba pretos, longos, desgrenhados e embaraçados, parecia um tanto assustador — uma impressão enganosa, porque Harry, Rony e Hermione sabiam que o amigo possuía uma natureza muito bondosa. Ele deu uma piscadela para os três garotos, ao se sentar à ponta da mesa dos professores, e viu Dênis Creevey experimentar o Chapéu Seletor. O rasgo junto à aba se escancarou...

— Grifinória! — gritou o chapéu.

Hagrid aplaudiu com os demais alunos da Casa, quando Dênis Creevey, abrindo um sorriso de lado a lado do rosto, tirou o chapéu, recolocou-o no banquinho e correu para se juntar ao irmão.

— Colin, eu caí na água! — disse ele com a voz aguda, atirando-se no assento de uma cadeira vazia. — Foi genial! E uma coisa na água me agarrou e me empurrou de volta pro barco!

— Legal! — disse Colin, no mesmo tom animado. — Provavelmente foi a lula gigante, Dênis!

— Uau! — exclamou Dênis, como se ninguém, nem no sonho mais delirante, pudesse esperar coisa melhor do que ser atirado em um lago revolto e profundo e ser empurrado de volta por um gigantesco monstro marinho.

— Dênis! Dênis! Está vendo aquele garoto lá? Aquele de cabelos pretos e óculos? Está vendo ele? *Sabe quem é, Dênis?*

Harry olhou para o outro lado, fixando toda a atenção no Chapéu Seletor, que agora selecionava Ema Dobbs.

A seleção prosseguiu; garotos e garotas expressando no rosto variados graus de medo se adiantavam, um a um, até o banquinho de três pernas, e a fila foi diminuindo à medida que a Prof.ª Minerva ultrapassava a letra "L".

— Ah, anda logo — gemeu Rony, massageando o estômago.

— Ora, Rony, a seleção é muito mais importante do que a comida — disse Nick Quase Sem Cabeça, na hora em que "Madley, Laura!" tornava-se aluna da Lufa-Lufa.

— Claro que é, se a pessoa já está morta — retrucou Rony.

— Espero que os selecionados para a Grifinória este ano estejam à altura do time — disse o fantasma, aplaudindo, quando "McDonald, Natália!" reuniu-se à mesa deles. — Não queremos interromper a nossa maré de vitórias, não é mesmo?

Grifinória tinha ganhado o Campeonato Intercasas nos três últimos anos.

— Pritchard, Grão!

— *Sonserina!*

— Quirke, Orla!

— *Corvinal!*

E, finalmente, com "Whitby, Kevin!" (*Lufa-Lufa!*) encerrou-se a seleção. A Prof.ª Minerva apanhou o chapéu e o banquinho e levou-os embora.

— Já não era sem tempo — exclamou Rony, apanhando os talheres e olhando esperançoso para seu prato de ouro.

O Prof. Dumbledore se levantara. Sorria para os estudantes, os braços abertos num gesto de boas-vindas.

— Só tenho duas palavras para lhes dizer — começou ele, sua voz grave ecoando pelo salão. — *Bom apetite!*

— Apoiado! Apoiado! — disseram Harry e Rony em voz alta, enquanto as travessas vazias se enchiam magicamente diante dos seus olhos.

Nick Quase Sem Cabeça ficou observando tristemente Harry, Rony e Hermione encherem os pratos.

— Aaah, agora sim! — disse Rony, com a boca cheia de purê de batatas.

— Vocês têm sorte de que haja uma festa esta noite, sabem — disse Nick Quase Sem Cabeça. — Hoje cedo tivemos problemas na cozinha.

— Por quê? O que aconteceu? — perguntou Harry com a boca cheia de carne.

— Pirraça, é claro — disse Nick sacudindo a cabeça, que se desequilibrou perigosamente. O fantasma puxou mais para cima um rufo da gola. — A história de sempre, sabem. Ele queria vir à festa, bom, isto está fora de questão, vocês sabem como ele é, absolutamente selvagem, não pode ver um prato de comida sem querer atirá-lo longe. Reunimos um conselho de fantasmas, Frei Gorducho foi a favor de dar uma chance a Pirraça, mas muito prudentemente, na minha opinião, o Barão Sangrento fez pé firme.

O Barão Sangrento era o fantasma da *Sonserina*, um espectro extremamente magro e silencioso, coberto de manchas de sangue prateado. Era a única pessoa de Hogwarts que conseguia realmente controlar Pirraça.

— É, achamos que Pirraça estava invocado com alguma coisa — disse Rony sombriamente. — Então, que foi que ele aprontou na cozinha?

— Ah, o de sempre — respondeu Nick Quase Sem Cabeça, sacudindo os ombros —, causou prejuízos e confusão. Tachos e panelas por toda parte. Sopa para todo lado. Deixou os elfos domésticos loucos de terror...

Blém. Hermione derrubara sua taça de vinho. O suco de abóbora escorreu pela mesa, manchando de laranja mais de um metro de linho branco, mas nem se importou.

— Tem elfos domésticos *aqui*? — perguntou, encarando Nick Quase Sem Cabeça com uma expressão de horror. — Aqui em *Hogwarts*?

— Claro que sim — disse o fantasma, parecendo surpreso com a reação da garota. — O maior número que existe em uma habitação na Grã-Bretanha, acho. Mais de cem.

— Eu nunca vi nenhum! — exclamou Hermione.

— Bom, eles raramente deixam a cozinha durante o dia, não é? Saem à noite para fazer limpeza... abastecer as lareiras e coisas assim... quero dizer, não é esperado que fiquem à vista. Essa é a marca de um bom elfo doméstico, não é, que não se saiba que ele existe.

Hermione ficou olhando o fantasma.

— Mas eles recebem *salário*? — perguntou ela. — Têm *férias*, não têm? Licença médica, aposentadoria e todo o resto?

Nick Quase Sem Cabeça deu gargalhadas tão gostosas que sua gola de rufos escorregou, e a cabeça despencou para o lado e ficou balançando nos poucos centímetros de pele e músculo fantasmais que ainda a ligavam ao pescoço.

— Licença para tratamento médico e aposentadoria? — repetiu ele, puxando a cabeça de volta aos ombros e prendendo-a mais uma vez com a gola. — Elfos domésticos não querem licenças nem aposentadorias.

Hermione olhou para o prato de comida em que mal tocara, juntou os talheres e afastou-o.

— Ora, vamos, Mi-oinc — disse Rony, cuspindo, sem querer, fragmentos de pudim de carne em Harry. — Opa... desculpe, Harry... — E engoliu. — Você não vai arranjar licenças para eles deixando de comer!

— Trabalho escravo — disse a garota, respirando com força pelo nariz. — Foi isso que preparou este jantar. *Trabalho escravo.*

E recusou-se a continuar a comer.

A chuva ainda batucava com força nas janelas altas e escuras. Mais uma trovoada sacudiu as vidraças e o céu tempestuoso relampejou, iluminando os pratos de ouro quando os restos do primeiro prato desapareceram e foram substituídos instantaneamente por sobremesas.

— Torta de caramelo, Mione! — exclamou Rony, abanando intencionalmente o cheiro da sobremesa para os lados da amiga. — Pudim de groselhas, olha! Bolo de chocolate recheado!

Mas Hermione lhe lançou um olhar tão parecido com o que a Prof[a] Minerva costumava dar que o garoto desistiu.

Quando as sobremesas também tinham sido destruídas, e as últimas migalhas desaparecidas dos pratos, deixando-os limpos e brilhantes, Alvo Dumbledore tornou a se levantar. O burburinho das conversas que enchiam o salão cessou quase imediatamente, de modo que somente se ouviam o uivo do vento e o batuque da chuva.

— Então! — exclamou Dumbledore, sorrindo para todos. — Agora que já comemos e molhamos também a garganta ("Hum!", fez Hermione), preciso mais uma vez pedir sua atenção, para alguns avisos.

"O Sr. Filch, o zelador, me pediu para avisá-los de que a lista dos objetos proibidos no interior do castelo este ano cresceu, passando a incluir Ioiôs-berrantes, Frisbees-dentados e Bumerangues-de-repetição. A lista inteira tem uns quatrocentos e trinta e sete itens, creio eu, e pode ser examinada na sala do Sr. Filch, se alguém quiser lê-la."

Os cantos da boca de Dumbledore tremeram ligeiramente.

Ele continuou:

— Como sempre, eu gostaria de lembrar a todos que a floresta que faz parte da nossa propriedade é proibida a todos os alunos, e o povoado de Hogsmeade, àqueles que ainda não chegaram à terceira série.

"Tenho ainda o doloroso dever de informar que este ano não realizaremos a Copa de Quadribol entre as Casas."

— Quê? — exclamou Harry. Ele olhou para Fred e Jorge, seus companheiros no time de quadribol. Xingaram Dumbledore em silêncio, aparentemente espantados demais para falar.

Dumbledore continuou:

— Isto se deve a um evento que começará em outubro e irá prosseguir durante todo o ano letivo, mobilizando muita energia e muito tempo dos professores, mas eu tenho certeza de que vocês irão apreciá-lo imensamente. Tenho o grande prazer de anunciar que este ano em Hogwarts...

Mas neste momento ouviu-se uma trovoada ensurdecedora e as portas do Salão Principal se escancararam.

Apareceu um homem parado à porta, apoiado em um longo cajado e coberto por uma capa de viagem preta. Todas as cabeças no Salão Principal se viraram para o estranho, repentinamente iluminado por um relâmpago que cortou o teto. Ele baixou o capuz, sacudiu uma longa juba de cabelos grisalhos ainda escuros e começou a caminhar em direção à mesa dos professores.

Um ruído metálico e abafado ecoava pelo salão a cada passo que ele dava. Quando alcançou a ponta da mesa, virou à direita e mancou pesadamente até Dumbledore. Mais um relâmpago cruzou o teto. Hermione prendeu a respiração.

O relâmpago revelou nitidamente as feições do homem e seu rosto era diferente de qualquer outro que Harry já vira. Parecia ter sido talhado em madeira exposta ao tempo, por alguém que tinha uma vaguíssima ideia do aspecto que um rosto humano deveria ter, e não fora muito habilidoso com o formão. Cada centímetro da pele do estranho parecia ter cicatrizes. A boca lembrava um rasgo diagonal e faltava um bom pedaço do nariz. Mas eram os seus olhos que o tornavam assustador.

Um deles era miúdo, escuro e penetrante. O outro era grande, redondo como uma moeda e azul-elétrico vivo. O olho azul se movia continuamente, sem piscar, e revirava para cima, para baixo, e de um lado para o outro, independentemente do olho normal — depois virava de trás para diante, apontando para o interior da cabeça do homem, de modo que só o que as pessoas viam era o branco da córnea.

O estranho chegou-se a Dumbledore. Estendeu a mão direita, que era tão cheia de cicatrizes quanto o rosto, e o diretor a apertou, murmurando palavras que Harry não pôde ouvir. Parecia estar fazendo perguntas ao estranho, que abanava negativamente a cabeça, sem sorrir, e respondia em voz baixa. Dumbledore assentiu com a cabeça e indicou ao homem o lugar vazio à sua direita.

O estranho se sentou, sacudiu a juba grisalha para afastá-la do rosto, puxou um prato de salsichas para si, levou-o ao que restara do nariz e cheirou-o. Tirou então uma faquinha do bolso, espetou a salsicha e começou a comer. Seu olho normal fixava as salsichas, mas o olho azul continuava a dar voltas na órbita registrando o salão e os estudantes.

— Gostaria de apresentar o nosso novo professor de Defesa Contra as Artes das Trevas — disse Dumbledore, animado, em meio ao silêncio. — Prof. Moody.

Era normal os novos membros do corpo docente serem recebidos com aplausos, mas nem os colegas nem os estudantes bateram palmas, exceto Dumbledore e Hagrid. Os dois juntaram as mãos e bateram palmas, mas o som ecoou tristemente no silêncio e eles bem depressa pararam. Todos pareciam demasiado hipnotizados pela aparência grotesca de Moody para ter qualquer reação exceto encarar o homem.

— Moody? — murmurou Harry para Rony. — *Olho-Tonto Moody?* O que o seu pai foi ajudar hoje de manhã?

— Deve ser — disse Rony baixo, em tom de assombro.

— Que aconteceu com ele? — cochichou Hermione. — Que aconteceu com a *cara* dele?

— Não sei — cochichou Rony em resposta, mirando Moody, fascinado.

Moody parecia totalmente indiferente à recepção quase fria que tivera. Ignorando a jarra de suco de abóbora à sua frente, o homem tornou a enfiar a mão no interior da capa, puxou um frasco de bolso e bebeu um longo gole. Quando levantou o braço para beber, sua capa se elevou alguns centímetros do chão e Harry viu, por baixo da mesa, um bom pedaço de uma perna de pau, que terminava em um pé com garras.

Dumbledore pigarreou outra vez.

– Como eu ia dizendo – recomeçou ele, sorrindo para o mar de alunos à sua frente, todos ainda mirando Olho-Tonto Moody, paralisados –, teremos a honra de sediar um evento muito emocionante nos próximos meses, um evento que não é realizado há um século. Tenho o enorme prazer de informar que, este ano, realizaremos um Torneio Tribruxo em Hogwarts.

– O senhor está BRINCANDO! – exclamou em voz alta Fred Weasley.

A tensão que invadira o salão desde a chegada de Moody repentinamente se desfez.

Quase todos riram e Dumbledore deu risadinhas de prazer.

– *Não* estou brincando, Sr. Weasley – disse ele –, embora, agora que o senhor menciona, tenha ouvido uma excelente piada durante o verão sobre um trasgo, uma bruxa má e um *leprechaun* que entram num bar...

A Prof.ª Minerva pigarreou alto.

– Hum... mas talvez não seja hora... não... Onde é mesmo que eu estava? Ah, sim, no Torneio Tribruxo... bom, alguns de vocês talvez não saibam o que é esse torneio, de modo que espero que aqueles que *já* sabem me perdoem por dar uma breve explicação, e deixem sua atenção vagar livremente.

"O Torneio Tribruxo foi criado há uns setecentos anos, como uma competição amistosa entre as três maiores escolas europeias de bruxaria – Hogwarts, Beauxbatons e Durmstrang. Um campeão foi eleito para representar cada escola e os três campeões competiram em três tarefas mágicas. As escolas se revezaram para sediar o torneio a cada cinco anos, e todos concordaram que era uma excelente maneira de estabelecer laços entre os jovens bruxos e bruxas de diferentes nacionalidades – até que a taxa de mortalidade se tornou tão alta que o torneio foi interrompido."

– *Taxa de mortalidade?* – sussurrou Hermione, parecendo assustada. Mas, aparentemente, sua ansiedade não foi compartida pela maioria dos alunos no salão; muitos murmuravam entre si, animados, e o próprio Harry estava bem mais interessado em saber mais sobre o torneio do que em se preocupar com o que acontecera centenas de anos atrás.

– Durante séculos houve várias tentativas de reiniciar o torneio – continuou Dumbledore –, nenhuma das quais foi bem-sucedida. No entanto, os nossos Departamentos de Cooperação Internacional em Magia e de Jogos e Esportes Mágicos decidiram que já era hora de fazer uma nova tentativa. Trabalhamos muito durante o verão para garantir que, desta vez, nenhum campeão seja exposto a um perigo mortal.

"Os diretores de Beauxbatons e Durmstrang chegarão com a lista final dos competidores de suas escolas em outubro e a seleção dos três campeões será realizada no Dia das Bruxas. Um julgamento imparcial decidirá que alunos terão mérito para disputar a Taça Tribruxo, a glória de sua escola e o prêmio individual de mil galeões."

— Estou nessa! — sibilou Fred Weasley para os colegas de mesa, o rosto iluminado de entusiasmo ante a perspectiva de tal glória e riqueza. Aparentemente ele não era o único que estava se vendo como campeão de Hogwarts. Em cada mesa Harry viu gente olhando arrebatada para Dumbledore ou então cochichando ardentemente com os vizinhos. Mas, então, Dumbledore recomeçou a falar, e o salão se aquietou.

— Ansiosos como eu sei que estarão para ganhar a Taça para Hogwarts — disse ele —, os diretores das escolas participantes, bem como o Ministério da Magia, concordaram em impor este ano uma restrição à idade dos contendores. Somente os alunos que forem maiores, isto é, tiverem mais de dezessete anos, terão permissão de apresentar seus nomes à seleção. Isto — Dumbledore elevou ligeiramente a voz, pois várias pessoas haviam protestado indignadas ao ouvir suas palavras, e os gêmeos Weasley, de repente, pareciam furiosos — é uma medida que julgamos necessária, pois as tarefas do torneio continuarão a ser difíceis e perigosas, por mais precauções que tomemos, e é muito pouco provável que os alunos abaixo da sexta e sétima séries sejam capazes de dar conta delas. Cuidarei pessoalmente para que nenhum aluno menor de idade engane o nosso juiz imparcial e seja escolhido campeão de Hogwarts. — Seus olhos azul-claros cintilaram ao perpassar os rostos rebelados de Fred e Jorge. — Portanto, peço que não percam tempo apresentando suas candidaturas se ainda não tiverem completado dezessete anos.

"As delegações de Beauxbatons e de Durmstrang chegarão em outubro e permanecerão conosco a maior parte deste ano letivo. Sei que estenderão as suas boas maneiras aos nossos visitantes estrangeiros enquanto estiverem conosco, e que darão o seu generoso apoio ao campeão de Hogwarts quando ele for escolhido. E agora já está ficando tarde e sei como é importante estarem acordados e descansados para começar as aulas amanhã de manhã. Hora de dormir! Vamos andando!"

Dumbledore tornou a se sentar e virou-se para falar com Olho-Tonto Moody. Ouviu-se um estardalhaço de cadeiras batendo e se arrastando quando os alunos se levantaram para sair como um enxame em direção às portas de entrada do Salão Principal.

— Não podem fazer isso com a gente! — reclamou Jorge Weasley, que não se reunira aos colegas que se dirigiam às portas, mas continuara parado olhando de cara emburrada para Dumbledore. — Vamos fazer dezessete anos em abril, por que não podemos tentar?

— Não vão me impedir de me inscrever — disse Fred, teimoso, também amarrando a cara para a mesa principal. — Os campeões vão fazer todo o tipo de coisa que normalmente nunca podemos fazer. E mil galeões de prêmio!

— É — disse Rony, um olhar distante no rosto. — É, mil galeões...

— Vamos — disse Hermione —, vamos ser os únicos a ficar aqui se você não se mexer.

Harry, Rony, Hermione, Fred e Jorge saíram para o saguão de entrada, os gêmeos discutindo as maneiras pelas quais Dumbledore poderia impedir os menores de dezessete anos de se inscreverem no torneio.

— Quem é esse juiz imparcial que vai decidir quem são os campeões? — perguntou Harry.

— Sei lá — disse Fred —, mas é ele a que temos de enganar. Acho que umas gotas de Poção para Envelhecer talvez resolvam, Jorge...

— Mas Dumbledore sabe que vocês são menores — ponderou Rony.

— É, mas não é ele que decide quem é o campeão, é? — perguntou Fred, astutamente. — Estou achando que, quando esse juiz souber quem quer entrar, ele vai escolher o melhor de cada escola, sem se importar com a idade do campeão. Dumbledore está tentando impedir a gente de se inscrever.

— Mas teve pessoas que morreram! — disse Hermione, com a voz preocupada, enquanto passavam por uma porta escondida atrás de uma tapeçaria para subir outra escada ainda mais estreita.

— É — disse Fred levianamente —, mas isso foi há muitos anos, não é? Em todo o caso, onde é que está a graça se não houver um pouco de risco? Ei, Rony, e se descobrirmos como contornar Dumbledore? Já imaginou a gente se inscrevendo?

— Que é que você acha? — perguntou Rony a Harry. — Seria legal, não seria? Mas suponha que eles queiram alguém mais velho?... Não sei se já aprendemos o suficiente...

— Eu decididamente não aprendi — ouviu-se a voz tristonha de Neville às costas de Fred e Jorge. — Mas imagino que a minha avó vai querer que eu experimente, ela está sempre falando que eu devia lutar pela honra da família. Eu terei que... opa...

O pé de Neville afundara direto por um degrau no meio da escada. Havia muitos desses degraus bichados em Hogwarts; já era uma segunda natureza na maioria dos alunos antigos saltar esse determinado degrau, mas a memória de Neville era notoriamente fraca. Harry e Rony o agarraram pelas axilas e o puxaram para cima, enquanto uma armadura no alto das escadas rangia e retinia, rindo-se asmaticamente.

— Quieta aí — disse Rony, baixando o visor da armadura com estrépito, ao passarem.

Os garotos se dirigiram à entrada da Torre da Grifinória, que ficava escondida atrás de uma grande pintura a óleo de uma mulher gorda com um vestido de seda rosa.

— Senha? — perguntou ela quando os garotos se aproximaram.

— *Asnice* — disse Jorge —, um monitor me informou lá embaixo.

O retrato girou para a frente, expondo um buraco na parede, pelo qual todos passaram. Um fogo crepitante aquecia a sala comunal circular, mobiliada com fofas poltronas e mesas. Hermione lançou às chamas dançantes um olhar mal-humorado e Harry a ouviu dizer distintamente *"trabalho escravo"*, antes de dar boa-noite aos amigos e desaparecer pelo portal que dava acesso ao dormitório das meninas.

Harry, Rony e Neville subiram a última escada em espiral para chegar ao próprio dormitório, que ficava situado no alto da Torre. As camas de colunas com cortinados vermelho-escuros estavam encostadas às paredes, cada uma com o malão do dono aos pés. Dino e Simas já estavam se deitando; Simas pregara sua roseta da Irlanda na cabeceira da cama e Dino afixara um pôster de Vítor Krum em cima da mesa de cabeceira. Seu velho pôster do time de futebol de West Ham estava pendurado ao lado do novo.

— Biruta — suspirou Rony, sacudindo a cabeça para os jogadores de futebol completamente imóveis.

Harry, Rony e Neville vestiram os pijamas e se enfiaram em suas camas. Alguém — um elfo doméstico, com certeza — colocara esquentadores entre os lençóis. Era extremamente confortável, ficar ali deitado na cama escutando a tempestade rugir lá fora.

— Eu tentaria, sabe — disse Rony, sonolento, no escuro —, se Fred e Jorge descobrirem como... o torneio... nunca se sabe, não é?

— Imagino que não... — Harry se virou na cama, uma série de imagens novas e fascinantes se formando em sua cabeça... ele enganara o juiz imparcial fazendo-o acreditar que tinha dezessete anos... tornara-se campeão de Hogwarts... estava em pé nos jardins, os braços erguidos em triunfo diante de toda a escola, que o aplaudia e gritava... ele acabara de ganhar o Torneio Tribruxo... O rosto de Cho se destacava claramente na multidão difusa, o rosto radioso de admiração...

Harry sorriu para o travesseiro, excepcionalmente contente de que Rony não pudesse ver o que ele via.

13

OLHO-TONTO MOODY

O temporal já se esgotara quando o dia seguinte amanheceu, embora o teto no Salão Principal continuasse ameaçador; pesadas nuvens cinza-chumbo se espiralavam no alto quando Harry, Rony e Hermione examinaram seus novos horários ao café da manhã. A poucas cadeiras de distância, Fred, Jorge e Lino Jordan discutiam métodos mágicos de se tornarem velhos e, com esse truque, participar do Torneio Tribruxo.

— Hoje não é ruim... lá fora a manhã inteira — disse Rony, que corria o dedo pela coluna intitulada segunda-feira no seu horário —, Herbologia com a Lufa-Lufa e Trato das Criaturas Mágicas... droga, continuamos com a Sonserina...

— Dois tempos de Adivinhação hoje à tarde — gemeu Harry, baixando os olhos. Adivinhação era a matéria de que ele menos gostava, depois de Poções. A Prof.ª Sibila Trelawney não parava de predizer a morte de Harry, coisa que ele achava muitíssimo aborrecida.

— Você devia ter desistido como eu fiz, não é? — disse Hermione, decidida, passando manteiga na torrada. — Então poderia fazer alguma coisa sensata como Aritmancia.

— Você voltou a comer, pelo que estou vendo — comentou Rony, observando Hermione acrescentar generosas quantidades de geleia à torrada amanteigada.

— Já resolvi que há maneiras melhores de marcar posição no caso dos direitos dos elfos — disse Hermione com altivez.

— É... e pelo visto está com fome — disse Rony, sorrindo.

Houve um repentino rumorejo acima deles e cem corujas entraram pelas janelas abertas, trazendo o correio da manhã. Instintivamente, Harry olhou para o alto, mas não viu nada branco na mancha compacta de castanhos e cinza. As corujas circularam sobre as mesas, procurando as pessoas a quem as cartas e pacotes eram endereçados. Uma corujona âmbar desceu até

Neville Longbottom e depositou um embrulho em seu colo – o garoto quase sempre se esquecia de guardar na mala alguma coisa. Do outro lado do salão, a coruja de Draco Malfoy pousara no ombro dele trazendo sua habitual remessa de doces e bolos de casa. Tentando ignorar a profunda sensação de desapontamento no meio do estômago, Harry voltou sua atenção para o mingau de aveia. Será que alguma coisa tinha acontecido a Edwiges e que Sirius sequer recebera sua carta?

Sua preocupação se prolongou por todo o caminho pela horta enlameada até chegarem à estufa número três, mas ali ele se distraiu com a Prof.ª Sprout que mostrava à turma as plantas mais feias que Harry já vira. De fato, elas se pareciam mais com enormes lesmas gordas e pretas que brotavam verticalmente do solo do que com plantas. Cada uma delas se contorcia ligeiramente e tinha vários inchaços brilhantes no corpo que pareciam cheios de líquido.

– Bubotúberas – disse a Prof.ª Sprout brevemente. – Precisam ser espremidas. Recolhe-se o pus...

– O quê? – exclamou Simas Finnigan, expressando sua repugnância.

– Pus, Finnigan – respondeu a professora –, e é extremamente precioso, por isso não o desperdice. Recolhe-se o pus, como eu ia dizendo, nessas garrafas. Usem as luvas de couro de dragão, podem acontecer reações engraçadas na pele quando o pus das bubotúberas não está diluído.

Espremer as bubotúberas era nojento, mas dava um estranho prazer. À medida que estouravam cada tumor, saía dele uma grande quantidade de líquido verde-amarelado, que cheirava fortemente a gasolina. Os alunos o recolheram em garrafas, conforme a professora orientara e, no fim da aula, haviam obtido vários litros.

– Isto vai deixar Madame Pomfrey feliz – disse a Prof.ª Sprout arrolhando a última garrafa. – Um remédio excelente para as formas mais renitentes de acne, o pus de bubotúberas. Pode fazer os alunos pararem de recorrer a medidas desesperadas para se livrarem das espinhas.

– Como a coitada da Heloísa Midgen – disse Ana Abbott, aluna da Lufa-Lufa, em voz baixa. – Ela tentou acabar com as dela lançando um feitiço.

– Que menina tola! – disse a professora, balançando a cabeça. – Mas, no fim, Madame Pomfrey fez o nariz dela voltar à forma anterior.

Uma sineta ressonante sinalizou o fim da aula e a turma se separou; os da Lufa-Lufa subiram a escada de pedra rumo à aula de Transfiguração e os da Grifinória tomaram outro rumo, descendo o jardim em direção à pequena cabana de madeira de Hagrid, que ficava na orla da Floresta Proibida.

Hagrid estava parado à frente da cabana, uma das mãos na coleira do seu enorme cão de caçar javalis, Canino. Havia vários caixotes abertos no chão a seus pés, e Canino choramingava e retesava a coleira, aparentemente tentando investigar o conteúdo dos caixotes mais de perto. Quando os garotos se aproximaram, um estranho som de chocalho chegou aos seus ouvidos pontuado, aparentemente, por pequenas explosões.

— Dia! — cumprimentou Hagrid, sorrindo para Harry, Rony e Hermione. — Melhor esperar pelos alunos da Sonserina, eles não vão querer perder isso... Explosivins!

— Como é? — perguntou Rony.

Hagrid apontou para os caixotes.

— Arrrrrre! — exclamou Lilá Brown num gritinho agudo, saltando para trás.

"Arrrrrre" praticamente resumia o que eram os explosivins, na opinião de Harry. Pareciam lagostas sem casca, deformadas, terrivelmente pálidas e de aspecto pegajoso, as pernas saindo dos lugares mais estranhos e sem cabeça visível. Havia uns cem deles em cada caixote, cada um com uns quinze centímetros de comprimento, rastejando uns sobre os outros, batendo às cegas contra as paredes das caixas. Desprendiam um cheiro forte de peixe podre. De vez em quando, soltavam faíscas da cauda e, com um leve *pum*, se deslocavam alguns centímetros à frente.

— Acabaram de sair da casca — informou Hagrid, orgulhoso —, por isso vocês vão poder criar os bichinhos pessoalmente! Achei que podíamos fazer uma pesquisa sobre eles!

— E por que nós íamos *querer* criar esses bichos? — perguntou uma voz fria.

Os alunos da Sonserina haviam chegado. Quem falava era Draco Malfoy. Crabbe e Goyle davam risadinhas de prazer ao ouvir suas palavras.

Hagrid pareceu embatucar com a pergunta.

— Quero dizer, o que é que *eles* fazem? — perguntou Malfoy. — **Para que *servem?***

Hagrid abriu a boca, aparentemente fazendo um esforço para responder; houve uma pausa de alguns segundos, depois ele disse com aspereza:

— Isto é na próxima aula, Malfoy. Hoje você só vai alimentar os bichos. Agora vamos ter que experimentar diferentes alimentos... nunca os criei antes, não tenho certeza do que gostariam... tenho ovos de formiga, fígados de sapo e um pedaço de cobra, experimentem um pedacinho de cada.

— Primeiro pus e agora isso — resmungou Simas.

Nada, exceto a profunda afeição que tinham por Hagrid, poderia ter feito Harry, Rony e Hermione apanhar mãos cheias de fígados de sapo melados e baixá-las aos caixotes para tentar os explosivins. Harry não conseguiu refrear a suspeita de que aquilo tudo não tinha finalidade alguma, porque os bichos não pareciam ter bocas.

— Ai! — gritou Dino Thomas, passados uns dez minutos. — Ele me pegou!

Hagrid correu para o garoto, com uma expressão ansiosa no rosto.

— A cauda dele explodiu! — disse Dino, zangado, mostrando a Hagrid uma queimadura na mão.

— Ah, é, isso pode acontecer quando eles disparam — disse Hagrid, confirmando o que dizia com a cabeça.

— Arre! — exclamou Lilá Brown outra vez. — Arre, Hagrid, que é essa coisinha pontuda neles?

— Ah, alguns têm espinhos — disse Hagrid, entusiasmado (Lilá retirou depressa a mão da caixa). — Acho que são os machos... as fêmeas têm uma espécie de sugador na barriga... Acho que talvez seja para sugar sangue.

— Bom, sem a menor dúvida eu entendo por que estamos tentando manter esses bichos vivos — disse Malfoy sarcasticamente. — Quem não iria querer animaizinhos de estimação que podem queimar, picar e morder, tudo ao mesmo tempo?

— Só porque eles não são muito bonitos não significa que não sejam úteis — retorquiu Hermione. — Sangue de dragão é uma coisa assombrosamente mágica, mas você não iria querer um dragão como bicho de estimação, não é mesmo?

Harry e Rony sorriram para Hagrid, que retribuiu com um sorriso furtivo por trás da barba espessa. Nada o teria agradado mais do que um filhote de dragão, como Harry, Rony e Hermione sabiam mais do que bem — ele criara um, por um breve período, durante o primeiro ano deles na escola, um agressivo dragão norueguês que recebera o nome de Norberto. Hagrid simplesmente amava monstros — quanto mais letal, melhor.

— Bom, pelo menos os explosivins são pequenos — disse Rony, quando voltavam uma hora depois ao castelo para almoçar.

— São *agora* — disse Hermione, com uma voz exasperada —, mas depois que o Hagrid descobrir o que eles comem imagino que vão atingir um metro e meio de comprimento.

— Bom, isso não vai fazer diferença se descobrirem que eles curam enjoo ou outra coisa qualquer, não é? — disse Rony, sorrindo sonsamente para a amiga.

— Você sabe perfeitamente bem que eu só disse aquilo para calar a boca de Malfoy — retrucou Hermione. — Aliás, acho que ele tem razão. O melhor que podíamos fazer era acabar com os bichos antes que eles comecem a nos atacar.

Os garotos se sentaram à mesa da Grifinória e se serviram de costeletas de cordeiro com batatas. Hermione começou a comer tão rápido que Harry e Rony ficaram olhando para ela.

— Hum, essa é a sua nova posição em favor dos direitos dos elfos? — perguntou Rony. — Em vez de não comer, comer depressa para vomitar?

— Não — respondeu Hermione com toda a dignidade que conseguiu reunir tendo a boca cheia de couves-de-bruxelas. — Só quero chegar à biblioteca.

— Quê? — exclamou Rony, incrédulo. — Mione, é o primeiro dia de aulas! Ainda nem passaram dever de casa pra gente!

Hermione sacudiu os ombros e continuou a devorar a comida como se não comesse há dias. Em seguida se levantou e disse:

— Vejo vocês no jantar! — e saiu apressadíssima.

Quando a sineta tocou para anunciar o início das aulas da tarde, Harry e Rony se dirigiram à Torre Norte, onde, no alto de uma estreita escada em caracol, uma escada de mão prateada levava a um alçapão no teto e à sala em que morava a Prof.ª Sibila Trelawney.

O já conhecido perfume doce que saía da lareira veio ao encontro das narinas dos garotos quando eles chegaram ao topo da escada. Como sempre, as cortinas estavam fechadas; e a sala circular, banhada por uma fraca luz avermelhada projetada por várias lâmpadas cobertas por lenços e xales. Harry e Rony caminharam entre as cadeiras e pufes forrados de chintz, já ocupados, e se sentaram à mesma mesinha redonda.

— Bom-dia! — disse a etérea voz da professora às costas de Harry, causando-lhe um sobressalto.

Uma mulher magra com enormes óculos que faziam seus olhos parecerem demasiado grandes para o rosto, a professora mirava Harry com a expressão trágica que fazia sempre que o via. Os numerosos colares e pulseiras habituais faiscavam em seu corpo às chamas da lareira.

— Você está preocupado, meu querido — disse ela tristemente a Harry. — Minha Visão Interior transpõe o seu rosto corajoso e chega dentro de sua alma perturbada. E lamento dizer que suas preocupações têm fundamento. Vejo tempos difíceis em seu futuro, ai de você... dificílimos... receio que a coisa que você teme realmente venha a acontecer... e talvez mais cedo do que pensa...

Sua voz foi baixando até virar quase um sussurro. Rony revirou os olhos para Harry, que lhe retribuiu com um olhar impassível. A Prof.ª Sibila deixou os garotos, com um movimento ondulante, e se sentou na grande bergère diante da lareira, de frente para a turma. Lilá Brown e Parvati Patil, que a admiravam profundamente, estavam sentadas em pufes muito próximos à professora.

— Meus queridos, está na hora de estudarmos as estrelas — disse ela. — Os movimentos dos planetas e os misteriosos portentos que eles revelam somente àqueles que compreendem os passos da coreografia celestial. O destino humano pode ser decifrado pelos raios planetários que se fundem...

Mas os pensamentos de Harry tinham se afastado. As chamas perfumadas sempre o deixavam sonolento e embotado, e os discursos desconexos da professora sobre adivinhação nunca conseguiam mantê-lo exatamente fascinado — embora não pudesse deixar de refletir sobre o que ela acabara de dizer: *"Receio que a coisa que você teme realmente venha a acontecer..."*

Mas Hermione tinha razão, pensou Harry, irritado, Sibila era realmente uma velha charlatã. Ele não estava com medo de absolutamente nada naquele momento... bom, a não ser talvez o medo de que Sirius tivesse sido apanhado... mas o que sabia a professora? Harry já chegara à conclusão, havia muito tempo, de que a adivinhação dela não passava de palpites ocasionalmente certos e um jeito misterioso de apresentá-los.

Exceto, naturalmente, aquela vez no fim do último trimestre, quando predissera o retorno de Voldemort ao poder... e o próprio Dumbledore era de opinião que o transe de Sibila fora genuíno, quando Harry lhe contara...

— Harry! — murmurou Rony.

— Quê?

Harry olhou para os lados; a turma inteira o observava. Ele se sentou direito; estivera quase cochilando, perdido em meio ao calor e aos seus pensamentos.

— Eu estava dizendo, meu querido, que você, sem dúvida, nasceu sob a influência nefasta de Saturno — disse a Prof.ª Sibila, com um leve quê de mágoa na voz pelo fato de que o garoto obviamente não estivera pendurado em suas palavras.

— Nasci sob o quê... perdão? — disse Harry.

— Saturno, querido, o planeta Saturno! — disse a professora, parecendo irritada que ele não tivesse prestado atenção à informação. — Eu estava dizendo que Saturno com certeza estava numa posição dominante no céu na hora em que você nasceu... seus cabelos escuros... sua baixa estatura... suas perdas trágicas na infância... acho que estou certa ao afirmar, meu querido, que você nasceu em pleno inverno?

— Não — respondeu Harry. — Nasci no verão.

Rony se apressou em transformar uma risada em um forte acesso de tosse.

Meia hora depois, cada um dos alunos recebeu um mapa circular e tentou desenhar a posição dos planetas na hora do seu nascimento. Era um trabalho enjoado, que exigia muitas consultas a tabelas horárias e cálculos de ângulos.

— Eu tenho dois Netunos aqui — disse Harry, depois de algum tempo, olhando insatisfeito o seu pergaminho —, isso não pode estar certo, pode?

— Aaaaah — exclamou Rony, imitando o sussurro místico da professora —, quando dois Netunos aparecem no céu é um sinal seguro de que um anão de óculos está nascendo, Harry...

Simas e Dino, que estavam sentados próximos, riram alto, embora não tão alto a ponto de abafar os gritinhos animados de Lilá Brown:

— Ah, Prof.ª Sibila, olhe! Acho que tenho um planeta oculto! Aaaah, qual é esse, professora?

— É Urano, minha querida — disse a professora examinando o mapa.

— Posso dar uma olhada no seu Urano, também, Lilá? — perguntou Rony.

Por infelicidade, a professora o ouviu e talvez tenha sido por isso que no fim da aula passou para a turma tanto dever de casa.

— Quero uma análise detalhada do modo como os movimentos dos planetas vão afetá-los no próximo mês, tendo em vista o seu mapa pessoal — disse ela secamente, parecendo mais a Prof.ª Minerva do que a fada etérea de sempre. — Para entrega na próxima segunda-feira, e não aceito desculpas!

— Diabo de morcega velha — exclamou Rony com amargura, quando eles se reuniram aos demais alunos que desciam as escadas para jantar no Salão Principal. — Isso vai nos tomar todo o fim de semana, ah vai...

— Muito dever de casa? — indagou Hermione, animada, alcançando-os. — A Prof.ª Vector não passou nada para *nós*!

— Palmas para a Prof.ª Vector — retrucou Rony, mal-humorado.

Os três chegaram ao saguão de entrada, que estava lotado de gente fazendo fila para o jantar. Tinham acabado de entrar no fim da fila, quando uma voz alta soou às costas deles.

— Weasley! Ei, Weasley!

Harry, Rony e Hermione se viraram. Malfoy, Crabbe e Goyle estavam parados ali, cada qual parecendo mais satisfeito.

— Que é? — perguntou Rony rispidamente.

— Seu pai está no jornal, Weasley! — disse Malfoy brandindo um exemplar do *Profeta Diário*, e isso bem alto para que todas as pessoas aglomeradas no saguão pudessem ouvir. — Escuta só isso!

NOVOS ERROS NO MINISTÉRIO DA MAGIA

Pelo visto, os problemas no Ministério da Magia ainda não chegaram ao fim, informa nossa correspondente especial Rita Skeeter. Recentemente censurado por sua incapacidade de controlar multidões durante a Copa Mundial de Quadribol, e ainda devendo à opinião pública uma explicação para o desaparecimento de uma de suas bruxas, ontem o Ministério enfrentou novo constrangimento com as extravagâncias de Arnold Weasley, da Seção de Controle do Mau Uso dos Artefatos dos Trouxas.

Malfoy ergueu os olhos.

— Imagina, nem escreveram direito o nome dele, Weasley, é quase como se ele não existisse, não é?

Todos no saguão agora prestavam atenção. Malfoy esticou o jornal com um gesto largo e continuou a ler:

Arnold Weasley, acusado de possuir um carro voador há dois anos, envolveu-se ontem numa briga com guardiões trouxas da lei (policiais) por causa de latas de lixo extremamente agressivas. O Sr. Weasley parece ter ido socorrer "Olho-Tonto" Moody, um ex-auror idoso, que se aposentou do Ministério ao se tornar incapaz de distinguir um aperto de mão de uma tentativa de homicídio. Ao chegar à casa do ex-auror, fortemente guardada, o funcionário verificou, sem surpresa, que, mais uma vez, o Sr. Moody dera um alarme falso. Em consequência, o Sr. Weasley foi obrigado a alterar muitas memórias para poder escapar dos policiais, mas se recusou a responder às perguntas do Profeta Diário sobre as razões que o levaram a envolver o Ministério nesse episódio pouco digno e potencialmente embaraçoso.

— E tem uma foto, Weasley! — acrescentou Malfoy, virando o jornal e mostrando-a. — Uma foto de seus pais à porta de casa, se é que se pode chamar isso de casa! Sua mãe bem que podia perder uns quilinhos, não acha?

Rony tremia de fúria. Todos o encaravam.

— Se manda, Malfoy — disse Harry. — Vamos Rony...

— Ah, é mesmo, você esteve visitando a família no verão, não foi, Potter? — caçoou Malfoy. — Então me conta, a mãe dele parece uma barrica ou é efeito da foto?

— Você já olhou bem para *sua* mãe, Malfoy? — respondeu Harry, ele e Hermione seguravam Rony pelas costas das vestes para impedi-lo de partir para cima do outro. — Aquela expressão na cara dela, de quem tem bosta debaixo do nariz? Ela sempre teve aquela cara ou foi só porque você estava perto dela?

O rosto pálido de Malfoy corou levemente.

— Não se atreva a ofender minha mãe, Potter.

— Então vê se cala esse bocão — disse Harry dando as costas ao colega.

BANGUE!

Várias pessoas gritaram. Harry sentiu uma coisa branca e quente arranhar o lado do rosto, mergulhou a mão nas vestes para apanhar a varinha, mas antes que chegasse sequer a tocá-la ouviu um segundo estampido e um berro que ecoou pelo saguão de entrada.

— AH, NÃO VAI NÃO, GAROTO!

Harry se virou. O Prof. Moody descia mancando a escadaria de mármore. Tinha a varinha na mão e apontava diretamente para uma doninha muito alva, que tremia no piso de lajotas, exatamente no lugar em que Malfoy estivera.

Fez-se um silêncio aterrorizado no saguão. Ninguém, exceto Moody, mexia um só músculo. Ele se virou para olhar Harry — pelo menos, o olho normal estava olhando para Harry; o outro estava apontando para dentro da cabeça.

— Ele o mordeu? — rosnou o professor. Sua voz era baixa e áspera.

— Não — respondeu Harry —, por pouco.

— DEIXE-O! — berrou Moody.

— Deixe... o quê? — perguntou Harry, espantado.

— Não você, ele! — vociferou Moody, apontando o polegar por cima do ombro para Crabbe, que acabara de congelar em meio a um gesto para recolher a doninha branca. Parecia que o olho giratório de Moody era mágico e enxergava através da nuca do professor.

Moody começou a mancar em direção a Crabbe, Goyle e a doninha, que soltou um guincho aterrorizado e fugiu em direção às masmorras.

— Acho que não! — rugiu Moody, tornando a apontar a varinha para a doninha, ela subiu uns três metros no ar, caiu com um baque úmido no chão e quicou de novo para cima.

"Não gosto de gente que ataca um adversário pelas costas", rosnou Moody, enquanto a doninha quicava cada vez mais alto, guinchando de dor. "Um ato nojento, covarde, reles..."

A doninha voava pelo ar, as pernas e a cauda sacudiam descontroladas.

— Nunca... mais... torne... a... fazer... isso — continuou o professor, destacando cada palavra para a doninha que batia no piso de pedra e tornava a subir.

— Prof. Moody! — chamou uma voz chocada.

A Profª Minerva vinha descendo a escadaria com os braços carregados de livros.

— Olá, Profª McGonagall — cumprimentou Moody calmamente, fazendo a doninha quicar ainda mais alto.

— Que... que é que o senhor está fazendo? — perguntou a professora seguindo com o olhar a subida da doninha no ar.

— Ensinando — respondeu ele.

— Ensinan... Moody, *isso é um aluno?* — gritou a professora, os livros despencando dos seus braços.

— É.

— Não! — exclamou ela, descendo a escada correndo e puxando a própria varinha; um momento depois, com um estampido, Draco Malfoy reapareceu, caído embolado no chão, os cabelos lisos e louros sobre o rosto agora muito vermelho. Ele se levantou, fazendo uma careta.

— Moody, *nunca* usamos transformação em castigos! — disse a professora com a voz fraca. — Certamente o Prof. Dumbledore deve ter-lhe dito isso?

— É, talvez ele tenha mencionado — respondeu Moody, coçando o queixo displicentemente —, mas achei que um bom choque...

— Damos detenções, Moody! Ou falamos com o diretor da casa do faltoso!

— Vou fazer isso, então — disse Moody, encarando Malfoy com intenso desagrado.

O garoto, cujos olhos claros ainda lacrimejavam de dor e humilhação, ergueu o rosto maldosamente para Moody e murmurou alguma coisa em que se distinguiam as palavras "meu pai".

— Ah, é? — disse Moody em voz baixa, aproximando-se alguns passos, a pancada surda de sua perna de pau ecoando pelo saguão. — Bom, conheço seu pai de outras eras, moleque... diga a ele que Moody está de olho no filho dele... diga-lhe isso por mim... agora, imagino que o diretor de sua casa seja o Snape, não?

— É — respondeu Malfoy cheio de rancor.

— Outro velho amigo — rosnou Moody. — Estou querendo mesmo conversar com o velho Snape... vamos, seu... — E segurando o garoto pelo antebraço saiu com ele em direção às masmorras.

A Prof.ª Minerva acompanhou-os com um olhar ansioso por alguns momentos, depois apontou a varinha para os livros caídos fazendo-os subir no ar e voltar aos seus braços.

– Não falem comigo – disse Rony em voz baixa para Harry e Hermione, quando se sentaram à mesa da Grifinória alguns minutos mais tarde, cercados por alunos animados por todos os lados que comentavam o que acabara de acontecer.

– Por que não? – perguntou Hermione, surpresa.

– Porque quero gravar isso na memória para sempre – disse Rony, com os olhos fechados e uma expressão de enlevo no rosto. – Draco Malfoy, a fantástica doninha quicante...

Harry e Hermione riram, e a garota começou a servir bife de caçarola no prato dos dois.

– Ele poderia ter realmente machucado Malfoy – comentou ela. – Foi bom a Prof.ª Minerva ter feito ele parar...

– Mione! – exclamou Rony furioso, os olhos se abrindo repentinamente. – Você está estragando o melhor momento da minha vida!

Hermione soltou uma exclamação de impaciência e começou a comer outra vez em alta velocidade.

– Não me diga que vai voltar à biblioteca hoje à noite? – perguntou Harry, observando-a.

– Preciso – respondeu Hermione indistintamente. – Muito que fazer.

– Mas você nos disse que a Prof.ª Vector...

– Não é dever de escola. – Em cinco minutos ela limpara o prato e fora embora.

Nem bem a garota tinha saído e sua cadeira foi ocupada por Fred Weasley.

– Moody! – disse ele. – Ele é legal?

– Pra lá de legal – disse Jorge, sentando-se defronte a Fred.

– Superlegal – disse o melhor amigo dos gêmeos, Lino Jordan, escorregando para o lugar ao lado de Jorge. – Tivemos ele hoje à tarde – disse Lino a Harry e Rony.

– Como foi a aula? – perguntou Harry, ansioso.

Fred, Jorge e Lino trocaram olhares cheios de significação.

– Nunca tive uma aula igual – disse Fred.

– Ele *sabe* das coisas, cara – disse Lino.

– Do quê? – perguntou Rony, curvando-se para a frente.

– Sabe o que é estar lá fora *fazendo as coisas* – disse Jorge, cheio de importância.

— Que coisas? — perguntou Harry.
— Combatendo as Artes das Trevas — disse Fred.
— Ele já viu de tudo — disse Jorge.
— 'tástico — exclamou Lino.
Rony enfiara a cabeça na mochila à procura do seu horário.
— Não vamos ter aula com ele até quinta-feira! — disse, desapontado.

14

AS MALDIÇÕES IMPERDOÁVEIS

Os dois dias seguintes transcorreram sem grandes incidentes, a não ser que se levasse em conta o sexto caldeirão derretido por Neville na aula de Poções. O Prof. Snape, que, durante as férias, parecia ter alcançado novos níveis em sua gana de se vingar do garoto, deu-lhe uma detenção, da qual Neville voltou com um colapso nervoso, pois teve que destripar uma barrica de iguanas.

— Você sabe por que Snape está nesse mau humor tão grande, não sabe? — perguntou Rony a Harry, enquanto observavam Hermione ensinar a Neville um Feitiço de Limpeza para remover as tripas de iguanas presas sob suas unhas.

— Hum-hum — disse Harry. — Moody.

Era do conhecimento de todos que Snape queria realmente o lugar de professor de Artes das Trevas, e acabara de perdê-lo pelo quarto ano seguido. Snape detestara todos os professores anteriores dessa matéria e demonstrara isso — mas parecia ter extrema cautela para esconder sua animosidade contra Olho-Tonto Moody. De fato, sempre que Harry via os dois professores juntos — na hora das refeições ou quando passavam pelos corredores — tinha a nítida impressão de que Snape evitava os olhos de Moody, fosse o mágico, fosse o normal.

— Acho que Snape tem medo dele, sabe — disse Harry, pensativo.

— Imagine se Moody transformasse Snape em iguana — disse Rony, seus olhos se toldando — e fizesse ele ficar saltando pela masmorra...

Os alunos da quarta série da Grifinória estavam tão ansiosos para ter a primeira aula com Moody que, na quinta-feira, chegaram logo depois do almoço e fizeram fila à porta da sala, antes mesmo da sineta tocar.

A única pessoa ausente foi Hermione, que chegou no último instante para a aula.

— Estava na...

— ... biblioteca — Harry terminou a frase da amiga. — Anda logo senão não vamos arranjar lugares decentes.

Eles correram para pegar três cadeiras bem diante da escrivaninha do professor, apanharam seus exemplares de *As forças das trevas: um guia para sua proteção* e esperaram anormalmente quietos. Não tardaram a ouvir os passos sincopados de Moody que vinha pelo corredor e que, ao entrar na sala, parecia mais estranho e amedrontado que nunca. Seu pé de madeira em garra aparecia ligeiramente por baixo das vestes.

— Podem guardar isso — rosnou ele, apoiando-se na escrivaninha para se sentar —, esses livros. Não vão precisar deles.

Os alunos tornaram a guardar os livros nas mochilas, Rony tinha um ar animado.

Moody apanhou a folha de chamada, sacudiu sua longa juba de cabelos grisalhos para afastá-los do rosto contorcido e marcado, e começou a chamar os nomes, seu olho normal percorrendo a lista e o olho mágico girando, fixando-se em cada aluno quando ele respondia.

— Certo, então — concluiu ele, quando a última pessoa confirmara presença. — Tenho uma carta do Prof. Lupin sobre esta turma. Parece que vocês receberam um bom embasamento para enfrentar criaturas das trevas, estudaram bichos-papões, barretes vermelhos, *hinkypunks*, *grindylows*, *kappas* e lobisomens, correto?

Houve um murmúrio geral de concordância.

— Mas estão atrasados, muito atrasados, em maldições — disse Moody. — Então, estou aqui para pôr vocês em dia com o que os bruxos podem fazer uns aos outros. Tenho um ano para lhes ensinar a lidar com as forças das...

— Quê, o senhor não vai ficar? — deixou escapar Rony.

O olho mágico de Moody girou para se fixar em Rony; o garoto ficou extremamente apreensivo, mas, passado um instante, o professor sorriu — a primeira vez que Harry o via fazer isso. O efeito foi entortar mais que nunca o seu rosto muito marcado, mas de qualquer forma foi um alívio saber que ele era capaz de um gesto amigável como sorrir. Rony pareceu profundamente aliviado.

— Você deve ser filho do Arthur Weasley? — disse Moody. — Seu pai me tirou de uma enrascada há alguns dias... é, vou ficar apenas este ano. Um favor especial a Dumbledore... um ano e depois volto ao sossego da minha aposentadoria.

Ele deu uma risada áspera e então juntou as palmas das mãos nodosas.

— Então... vamos direto ao assunto. Maldições. Elas têm variados graus de força e forma. Agora, segundo o Ministério da Magia, eu devo ensinar a vocês as contramaldições e parar por aí. Não devo lhes mostrar que cara têm as maldições ilegais até vocês chegarem ao sexto ano. Até lá, o Ministério acha que vocês não têm idade para lidar com elas. Mas o Prof. Dumbledore tem uma opinião mais favorável dos seus nervos e acha que vocês podem aprendê-las, e eu digo que, quanto mais cedo souberem o que vão precisar enfrentar, melhor. Como vão se defender de uma coisa que nunca viram? Um bruxo que pretenda lançar uma maldição ilegal sobre vocês não vai avisar o que pretende. Não vai lançá-la de forma suave e educada bem na sua cara. Vocês precisam estar preparados. Precisam estar alertas e vigilantes. A senhorita deve guardar isso, Srta. Brown, enquanto eu estiver falando.

Lilá levou um susto e corou. Estivera mostrando a Parvati o horóscopo que aprontara por baixo da carteira. Aparentemente o olho mágico de Moody podia ver através da madeira, tão bem quanto pela nuca.

— Então... algum de vocês sabe que maldições são mais severamente punidas pelas leis da magia?

Vários braços se ergueram hesitantes, inclusive os de Rony e Hermione. Moody apontou para Rony, embora seu olho mágico continuasse mirando Lilá.

— Hum — disse Rony sem muita certeza —, meu pai me falou de uma... chama Maldição *Imperius* ou coisa assim?

— Ah, sim — disse Moody, satisfeito. — Seu pai *conheceria* essa. Certa vez, deu ao Ministério muito trabalho, essa Maldição *Imperius*.

Moody se apoiou pesadamente nos pés desiguais, abriu a gaveta da escrivaninha e tirou um frasco de vidro. Três enormes aranhas pretas corriam dentro dele. Harry sentiu Rony se encolher ligeiramente ao seu lado — Rony detestava aranhas.

Moody meteu a mão dentro do frasco, apanhou uma aranha e segurou-a na palma da mão, de modo que todos pudessem vê-la.

Apontou, então, a varinha e murmurou *"Imperio!"*.

A aranha saltou da mão de Moody para um fino fio de seda e começou a se balançar para a frente e para trás como se estivesse em um trapézio. Esticou as pernas rígidas e deu uma cambalhota, partindo o fio e aterrissando sobre a mesa, onde começou a plantar bananeiras em círculos. Moody agitou a varinha, e a aranha se ergueu em duas patas traseiras e saiu dançando um inconfundível sapateado.

Todos riram — todos, exceto Moody.

— Acharam engraçado, é? — rosnou ele. — Vocês gostariam se eu fizesse isso com vocês?

As risadas pararam quase instantaneamente.

— Controle total — disse o professor em voz baixa, quando a aranha se enrolou e começou a rodar sem parar. — Eu poderia fazê-la saltar pela janela, se afogar, se enfiar pela garganta de vocês abaixo...

Rony teve um tremor involuntário.

— Há alguns anos, havia muitos bruxos e bruxas controlados pela Maldição Imperius — disse Moody, e Harry entendeu que ele estava se referindo ao tempo em que Voldemort fora todo-poderoso. — Foi uma trabalheira para o Ministério separar quem estava sendo forçado a agir de quem estava agindo por vontade própria.

"A Maldição Imperius pode ser neutralizada, e vou-lhes mostrar como, mas é preciso força de caráter real e nem todos a possuem. Por isso é melhor evitar ser amaldiçoado com ela se puderem. VIGILÂNCIA CONSTANTE!", vociferou ele, e todos os alunos se assustaram.

Moody apanhou a aranha acrobata e atirou-a de volta ao frasco.

— Mais alguém conhece mais alguma? Outra maldição ilegal?

A mão de Hermione voltou a se erguer e, para surpresa de Harry, a de Neville também. A única aula em que Neville normalmente voluntariava informações era a de Herbologia, que era, sem favor algum, a matéria que ele sabia melhor. O garoto pareceu surpreso com a própria ousadia.

— Qual? — perguntou Moody, seu olho mágico dando um giro completo para se fixar em Neville.

— Tem uma, a Maldição Cruciatus — disse Neville, numa voz fraca, mas clara.

Moody olhou Neville com muita atenção, desta vez com os dois olhos.

— O seu nome é Longbottom? — perguntou ele, o olho mágico girando para verificar a folha de chamada.

Neville confirmou, nervoso, com a cabeça, mas o professor não fez outras perguntas. Tornando a voltar sua atenção à classe, ele meteu a mão no frasco mais uma vez, apanhou outra aranha e colocou-a no tampo da escrivaninha, onde o inseto permaneceu imóvel, aparentemente demasiado assustado para se mexer.

— A Maldição Cruciatus — começou Moody. — Preciso de uma maior para lhes dar uma ideia — disse ele, apontando a varinha para a aranha. — Engorgio!

A aranha inchou. Estava agora maior do que uma tarântula. Abandonando todo o fingimento, Rony empurrou a cadeira para trás, o mais longe que pôde da escrivaninha de Moody.

O professor tornou a erguer a varinha, apontou-a para a aranha e murmurou:

— Crucio!

Na mesma hora, as pernas da aranha se dobraram sob o corpo, ela virou de barriga para cima e começou a se contorcer horrivelmente, balançando de um lado para outro. Não emitia som algum, mas Harry teve certeza de que, se tivesse voz, estaria berrando. Moody não afastou a varinha e a aranha começou a estremecer e a se debater violentamente...

— Pare! — gritou Hermione com a voz aguda.

Harry olhou para a amiga. Ela estava com os olhos postos não na aranha, mas em Neville, e Harry, ao seguir a direção do seu olhar, viu que as mãos do garoto se agarravam à carteira diante dele, os nós dos dedos brancos, seus olhos arregalados e horrorizados.

Moody ergueu a varinha. As pernas da aranha se descontraíram, mas ela continuou a se contorcer.

— *Reducio* — murmurou Moody, e a aranha encolheu e voltou ao tamanho normal. Ele a repôs no frasco.

— Dor — explicou Moody em voz baixa. — Não se precisa de anjinhos nem de facas para torturar alguém quando se é capaz de lançar a Maldição *Cruciatus*... ela também já foi muito popular.

"Certo... mais alguém conhece alguma outra?"

Harry olhou para os lados. Pela expressão no rosto dos colegas, ele achou que estavam todos pensando no que aconteceria com a última aranha. A mão de Hermione tremia levemente quando, pela terceira vez, ela a ergueu no ar.

— Sim! — disse Moody olhando-a.

— *Avada Kedavra* — sussurrou a garota.

Vários colegas a olharam constrangidos, inclusive Rony.

— Ah — exclamou Moody, outro sorrisinho torcendo sua boca enviesada. — Ah, a última e a pior. *Avada Kedavra*... a maldição da morte.

Ele enfiou a mão no frasco e, quase como se soubesse o que a esperava, a terceira aranha correu freneticamente pelo fundo do objeto, tentando fugir aos dedos de Moody, mas ele a apanhou e a colocou sobre a escrivaninha. O inseto começou a correr, desvairado, pela superfície de madeira.

Moody ergueu a varinha e Harry sentiu um repentino pressentimento.

— *Avada Kedavra!* — berrou Moody.

Houve um relâmpago de ofuscante luz verde e um rumorejo, como se algo vasto e invisível voasse pelo ar — instantaneamente a aranha virou de dorso, sem uma única marca, mas inconfundivelmente morta. Várias alunas abafaram gritinhos; Rony se atirara para trás, quase caindo da cadeira, quando a aranha escorregou em sua direção.

Moody empurrou a aranha morta para fora da mesa.

– Nada bonito – disse calmamente. – Nada agradável. E não existe contramaldição. Não há como bloqueá-la. Somente uma pessoa no mundo já sobreviveu a ela e está sentada bem aqui na minha frente.

Harry sentiu seu rosto corar quando os (dois) olhos de Moody fitaram os dele. Sentiu que toda a turma também estava olhando para ele. Harry encarou o quadro-negro limpo como se estivesse fascinado por sua superfície, mas na realidade sem sequer vê-lo...

Então fora assim que seus pais tinham morrido... exatamente como aquela aranha. Será que tinham morrido sem desfiguração nem marcas, também? Será que tinham simplesmente visto um relâmpago verde e ouvido o rumorejo da morte que se aproximou célere, antes que a vida fosse varrida de seus corpos?

Harry imaginara a morte dos pais muitas vezes nesses três anos, desde que descobrira que tinham sido assassinados, desde que descobrira o que acontecera naquela noite: como Rabicho informara o esconderijo de seus pais a Voldemort, que viera procurá-los em casa. Como o bruxo matara primeiro o pai de Harry. Como Tiago Potter tentara atrasá-lo, enquanto gritava para a mulher apanhar Harry e correr... e Voldemort avançara para Lílian Potter, dissera-lhe para se afastar para ele poder matar Harry... como sua mãe suplicara para que a matasse no lugar do filho, recusara-se a deixar de proteger o filho com o corpo... e então Voldemort a assassinara também, antes de virar a varinha contra Harry...

Harry conhecia esses detalhes porque ouvira a voz dos pais quando enfrentara os dementadores no ano anterior – pois esse era o terrível poder dessas criaturas: forçar suas vítimas a reviverem as piores lembranças de suas vidas e se afogarem, impotentes, no próprio desespero...

Harry teve a impressão de que Moody recomeçara a falar de muito longe. Com um enorme esforço, ele se obrigou a voltar ao presente e fixar a atenção no que o professor dizia.

– *Avada Kedavra* é uma maldição que exige magia poderosa para lançá-la, vocês podem apanhar as varinhas agora, apontá-las para mim, dizer as palavras e duvido que consigam sequer que o meu nariz sangre. Mas isto não importa. Não estou aqui para ensiná-los a lançá-la.

"Ora, se não há uma contramaldição, por que estou lhes mostrando essa maldição? *Porque vocês precisam conhecê-la*. Vocês têm que reconhecer o pior. Vocês não querem se colocar em uma situação em que precisem enfrentá-la. VIGILÂNCIA PERMANENTE!", berrou ele e a turma inteira tornou a se sobressaltar.

"Agora... essas três maldições, *Avada Kedavra, Imperius* e *Cruciatus*, são conhecidas como as Maldições Imperdoáveis. O uso de qualquer uma delas em um semelhante humano é suficiente para ganharem uma pena de prisão perpétua em Azkaban. É isso que vão ter que enfrentar. É isso que preciso lhes ensinar a combater. Vocês precisam estar preparados. Vocês precisam de armas. Mas, acima de tudo, precisam praticar uma *vigilância constante, permanente*. Apanhem suas penas... copiem o que vou ditar..."

Os alunos passaram o resto da aula tomando notas sobre cada uma das Maldições Imperdoáveis. Ninguém falou até a sineta tocar – mas quando Moody os dispensou e eles saíram da sala explodiram em um falatório irrefreável. A maioria dos alunos discutia as maldições em tom de assombro: "Você viu ela se contorcendo?", "... e quando ele matou a aranha – assim!".

Comentavam a aula, pensou Harry, como se ela tivesse sido um espetáculo fantástico, mas ele não a achara nada divertida – tampouco Hermione.

– Anda logo – disse ela, tensa, para Harry e Rony.

– Não é a biblioteca outra vez, é? – perguntou Rony.

– Não – respondeu a garota, secamente, apontando para um corredor lateral. – Neville.

Neville estava em pé sozinho, no meio do corredor, de olhos fixos na parede de pedra oposta, com a mesma expressão horrorizada e pasma que fizera quando Moody demonstrara a Maldição *Cruciatus*.

– Neville? – chamou Hermione de mansinho.

Neville virou a cabeça.

– Ah, alô – disse ele, a voz mais aguda do que habitualmente. – Aula interessante, não foi? Que será que tem para o jantar, estou... estou morto de fome, vocês não?

– Neville, você está bem? – perguntou Hermione.

– Ah, claro, estou ótimo – balbuciou o garoto, na mesma voz anormalmente aguda. – Jantar muito interessante... quero dizer, aula... que será que tem para se comer?

Rony lançou a Harry um olhar assustado.

– Neville, que...?

Mas eles ouviram às costas um som seco e metálico estranho e, ao se virarem, viram o Prof. Moody vindo em sua direção. Os quatro ficaram em silêncio, observando-o apreensivos, mas quando ele falou foi com um rosnado bem mais baixo e gentil do que tinham ouvido até então.

– Está tudo bem, filho – disse ele a Neville. – Por que não vem até a minha sala? Vamos... podemos tomar uma xícara de chá...

Neville ficou ainda mais assustado ante a perspectiva de tomar chá com Moody. Ele não se mexeu nem falou.

Moody virou o olho mágico para Harry.

— Você está bem, não está, Potter?

— Estou – disse Harry, quase em tom de desafio.

O olho azul de Moody estremeceu de leve na órbita ao examinar Harry. Então falou:

— Vocês têm que saber. Parece cruel, talvez, *mas vocês têm que saber*. Não adianta fingir... bom... venha, Longbottom, tenho uns livros que podem lhe interessar.

Neville olhou suplicante para Harry, Rony e Hermione, mas eles não disseram nada, de modo que o garoto não teve escolha senão se deixar conduzir, uma das mãos nodosas de Moody em seu ombro.

— Que foi que houve? – perguntou Rony, observando Neville e Moody virarem para outro corredor.

— Não sei – disse Hermione, parecendo pensativa.

— Mas foi uma aula e tanto, hein? – disse Rony a Harry, quando se dirigiam ao Salão Principal. – Fred e Jorge tinham razão, não é? Ele realmente conhece o assunto, o Moody. Quando ele lançou a *Avada Kedavra*, o jeito com que aquela aranha simplesmente *morreu*, apagou na hora...

Mas Rony se calou de súbito ao ver a expressão no rosto de Harry, e não tornou a falar até chegarem ao salão, quando comentou que era melhor eles começarem a preparar as predições da Prof.ª Trelawney àquela noite, porque iam demorar horas naquilo.

Hermione não entrou na conversa de Harry e Rony durante o jantar, mas comeu furiosamente depressa e, em seguida, foi para a biblioteca. Harry e Rony voltaram à Torre da Grifinória, e Harry, que não pensara em outra coisa durante todo o jantar, agora levantou o assunto das Maldições Imperdoáveis.

— Moody e Dumbledore não ficariam encrencados se o Ministério soubesse que vimos lançar as maldições? – perguntou Harry ao se aproximarem da Mulher Gorda.

— Provavelmente – disse Rony. – Mas Dumbledore sempre fez as coisas do jeito dele, não é, e Moody, eu imagino, já anda encrencado há anos. Atacar primeiro e fazer perguntas depois, vê só a história das latas de lixo. Biruta.

A Mulher Gorda girou para a frente, revelando a passagem, e eles entraram na sala comunal da Grifinória, que estava cheia e barulhenta.

— Vamos apanhar o nosso material de Adivinhação, então? — disse Harry.

— Acho que sim — gemeu Rony.

Os dois subiram ao dormitório para apanhar os livros e mapas e encontraram Neville sozinho, sentado na cama, lendo. Parecia bem mais calmo do que ao fim da aula de Moody, embora ainda não estivesse completamente normal. Seus olhos estavam muito vermelhos.

— Você está bem, Neville? — perguntou Harry.

— Ah, estou. Estou ótimo, obrigado. Lendo o livro que o Prof. Moody me emprestou...

Ele mostrou o livro: *Plantas mediterrâneas e suas propriedades mágicas*.

— Parece que a Profª Sprout disse a ele que sou realmente bom em Herbologia — disse Neville. Havia um quê de orgulho em sua voz que Harry raramente ouvira antes. — O professor achou que eu gostaria deste.

Repetir para Neville o que a Profª Sprout dissera, pensou Harry, fora uma maneira muito delicada de animar o garoto, porque Neville raramente ouvia alguém dizer que ele era bom em alguma coisa. Era o tipo de coisa que o Prof. Lupin teria feito.

Harry e Rony apanharam seus exemplares de *Esclarecendo o futuro* e voltaram à sala comunal, procuraram uma mesa e começaram a trabalhar nas predições para o mês seguinte. Uma hora mais tarde, tinham feito pouco progresso, embora a mesa estivesse coalhada de pedaços de pergaminho cobertos com somas e símbolos e o cérebro de Harry estivesse enevoado, como se impregnado pela fumaça da lareira da Profª Trelawney.

— Não tenho a menor ideia do significado disso — falou ele examinando a longa lista de cálculos.

— Sabe de uma coisa — disse Rony, cujos cabelos estavam de pé de tanto o garoto passar os dedos por eles, cheio de frustração. — Acho que voltamos à velha regra da Adivinhação.

— Quê... inventar?

— É — disse Rony, varrendo da mesa o monte de anotações e mergulhando a pena no tinteiro para começar a escrever.

— Na próxima segunda-feira — disse ele enquanto escrevia — há grande probabilidade de eu apanhar uma tosse, devido à infeliz conjunção de Marte com Júpiter. — Ele ergueu os olhos para Harry. — Você conhece ela: escreve uma porção de desgraças que ela engole tudo.

— Certo — disse Harry, amassando seu primeiro rascunho e atirando-o por cima das cabeças de um grupo de alunos do primeiro ano que conversavam. — Muito bem... na segunda-feira vou correr o perigo de... hum... me queimar.

— E vai mesmo — disse Rony sombriamente —, vamos ver os explosivins de novo. OK, terça-feira, vou... hum...

— Perder algo valioso — disse Harry, que folheava o *Esclarecendo o futuro* à procura de ideias.

— Boa — disse Rony, copiando-a. — Por causa de... hum... Mercúrio. Por que você não leva uma punhalada pelas costas de alguém que você pensou que fosse amigo?

— Legal... — disse Harry, anotando a sugestão — porque... Vênus está na décima segunda casa.

— E na quarta-feira acho que vou levar a pior em uma briga.

— Aah, eu ia ter uma briga. OK, vou perder uma aposta.

— É, você vai apostar que vou ganhar a minha briga...

Os garotos continuaram a inventar predições (que foram se tornando mais trágicas) por mais uma hora, enquanto a sala comunal se esvaziava à medida que as pessoas iam se deitar. Bichento foi até os dois, deu um salto leve para uma cadeira vazia e mirou Harry misteriosamente, de um modo semelhante ao de Hermione quando sabia que os garotos não estavam fazendo o dever de casa direito.

Correndo o olhar pela sala, tentando pensar em alguma desgraça que ainda não tivesse usado, Harry viu Fred e Jorge sentados junto à parede oposta, as cabeças encostadas uma na outra, as penas na mão, examinando um pedaço de pergaminho. Era muito estranho ver os dois escondidos em um canto, trabalhando em silêncio; em geral eles gostavam de ficar no meio da confusão e de serem o centro das atenções. Havia um certo sigilo no jeito como estudavam um único pergaminho, e Harry se lembrou dos dois sentados juntos, escrevendo alguma coisa, lá na Toca. Ele pensara na época que era outro formulário para as "Gemialidades" Weasley, mas desta vez parecia diferente; se não, eles com certeza teriam deixado Lino Jordan participar da travessura. Harry ficou imaginando se teria alguma coisa a ver com a inscrição no Torneio Tribruxo.

Enquanto Harry observava, Jorge sacudiu a cabeça para Fred, rabiscou alguma coisa com a pena e disse, num tom muito baixo que, mesmo assim, ecoou pela sala quase deserta:

— Não... assim parece que nós o estamos acusando. Temos que ter cuidado...

Então Jorge deu uma olhada na sala e viu que Harry o observava. Harry sorriu e voltou depressa às suas predições — não queria que Jorge pensasse que ele estava bisbilhotando. Logo depois, os gêmeos enrolaram o pergaminho, deram boa-noite e foram se deitar.

Fred e Jorge tinham saído havia uns dez minutos quando o buraco do retrato se abriu e Hermione entrou na sala comunal, trazendo um rolo de pergaminho em uma das mãos e uma caixa, cujo conteúdo fazia barulho, na outra. Bichento arqueou as costas, ronronando.

— Alô — disse ela —, acabei!

— Eu também! — disse Rony em tom triunfante, largando a pena.

Hermione se sentou, deixou as coisas que carregava em uma poltrona vazia e puxou as predições de Rony para ver.

— Não vai ter um mês nada bom, hein? — disse ela ironicamente, quando Bichento veio se enroscar em seu colo.

— Bom, pelo menos estou prevenido — bocejou Rony.

— Você parece que vai se afogar duas vezes — disse a garota.

— Ah, vou, é? — disse Rony baixando os olhos para suas predições. — É melhor eu trocar uma delas por um acidente com um hipogrifo desembestado.

— Você não acha que está um pouco óbvio que você inventou isso tudo? — perguntou Hermione.

— Como é que você se atreve! — exclamou Rony, fingindo-se ofendido. — Estivemos trabalhando como elfos domésticos aqui!

Hermione ergueu as sobrancelhas.

— É só uma expressão — acrescentou ele depressa.

Harry pousou a pena, tendo acabado de predizer a própria morte por decapitação.

— Que é que tem nessa caixa? — perguntou ele, apontando-a.

— Engraçado você perguntar — respondeu a garota com um olhar feio para Rony. Tirou então a tampa e mostrou o conteúdo aos garotos.

Dentro havia uns cinquenta distintivos, de cores diferentes, mas todos com os mesmos dizeres: F.A.L.E.

— Fale? — estranhou Harry, apanhando um distintivo e examinando-o. — Que significa isso?

— Não é *fale* — protestou Hermione, impaciente. — É F-A-L-E. Quer dizer, Fundo de Apoio à Liberação dos Elfos.

— Nunca ouvi falar nisso — disse Rony.

— Ora, é claro que não ouviu — disse Hermione energicamente. — Acabei de fundar o movimento.

— Ah, é? — disse Rony com um ar levemente surpreso. — E quantos membros já tem?

— Bom, se vocês dois se alistarem... três.

— E você acha que queremos andar por aí usando distintivos que dizem "fale", é? — falou Rony.

— F-A-L-E! — corrigiu-o Hermione, irritada. — Eu ia pôr "Fim ao Abuso Ultrajante dos Nossos Irmãos Mágicos" e "Campanha para Mudar sua Condição", mas não dava certo. Então F.A.L.E. é o título do nosso manifesto.

Ela brandiu um rolo de pergaminho para os garotos.

— Andei pesquisando minuciosamente na biblioteca. A escravatura dos elfos já existe há séculos. Custo a acreditar que ninguém tenha feito nada contra ela até agora.

— Hermione, abra bem os ouvidos — disse Rony em voz alta. — Eles. Gostam. Disso. *Gostam* de ser escravizados!

— A curto prazo os nossos objetivos — disse Hermione, falando ainda mais alto do que o amigo e agindo como se não tivesse ouvido uma única palavra — são obter para os elfos um salário mínimo justo e condições de trabalho decentes. A longo prazo, os nossos objetivos incluem mudar a lei que proíbe o uso da varinha e tentar admitir um elfo no Departamento para Regulamentação e Controle das Criaturas Mágicas, porque eles são vergonhosamente sub-representados.

— E como é que vamos fazer tudo isso? — perguntou Harry.

— Vamos começar recrutando novos membros — disse Hermione, feliz. — Achei que dois sicles para entrar, o que paga o distintivo e o produto da venda, podem financiar a distribuição de folhetos. Você é o tesoureiro, Rony, tenho lá em cima uma latinha para você fazer a coleta, e você, Harry, o secretário, por isso você talvez queira anotar tudo que estou dizendo agora, para registrar a nossa primeira reunião.

Houve uma pausa em que Hermione sorriu radiante para os dois, e Harry se dilacerou entre a exasperação com a amiga e a vontade de rir da cara de Rony. O silêncio foi quebrado, não por Rony, que de qualquer maneira parecia estar temporariamente mudo de espanto, mas por umas batidinhas leves na janela. Harry correu os olhos pela sala agora vazia e viu, iluminada pelo luar, uma coruja branquíssima encarapitada no peitoril da janela.

— Edwiges! — gritou ele, precipitando-se pela sala para abrir a janela do lado oposto.

Edwiges entrou, voou pela sala e pousou na mesa em cima das predições de Harry.

— Até que enfim! — exclamou Harry, correndo atrás da coruja.

— Ela trouxe uma resposta! — exclamou Rony, animado, apontando para um pedaço sujo de pergaminho preso à perna de Edwiges.

Harry desamarrou-o depressa e se sentou para ler, depois do que Edwiges voou para o joelho do garoto, piando baixinho.

— Que é que ele diz? — perguntou Hermione, ofegante.

A carta era muito curta e parecia ter sido escrita com muita pressa. Harry leu-a em voz alta.

Harry,
    Estou viajando para o norte imediatamente. A notícia sobre a sua cicatriz é o último de uma série de acontecimentos estranhos que têm chegado aos meus ouvidos. Se ela tornar a doer, procure imediatamente Dumbledore — dizem que ele tirou Olho-Tonto da aposentadoria, o que significa que tem identificado os sinais, mesmo que os outros não os vejam.
    Logo entrarei em contato com você. Dê minhas lembranças a Rony e Hermione. Fique de olhos abertos, Harry.
    Sirius

Harry olhou para Rony e Hermione, que retribuíram o seu olhar.

— Ele está viajando para o norte? — sussurrou Hermione. — Está voltando?

— Dumbledore tem identificado que sinais? — perguntou Rony, parecendo perplexo. — Harry, que é que está acontecendo?

Pois Harry acabara de dar um soco na própria testa, sacudindo Edwiges para fora do colo.

— Eu não devia ter contado a ele! — disse Harry, furioso.

— Do que é que você está falando? — perguntou Rony, surpreso.

— Fiz ele pensar que precisa voltar! — disse Harry, agora batendo o punho na mesa de modo que a coruja foi parar no espaldar da cadeira de Rony, piando indignada. — Precisa voltar porque acha que estou correndo perigo! E não há nada errado comigo! E não tenho nada para você — falou ele com rispidez para Edwiges, que batia o bico, esperançosa —, vai ter que ir para o corujal se quiser comida.

Edwiges lançou ao dono um olhar extremamente ofendido e saiu voando pela janela aberta, raspando a asa na cabeça dele ao sair.

— Harry — começou Hermione, numa voz tranquilizadora.

— Vou me deitar — disse Harry, impaciente. — Vejo vocês de manhã.

Em cima, no dormitório, ele vestiu o pijama e enfiou-se na cama de colunas, mas não se sentiu nem um pouco cansado.

Se Sirius voltasse e fosse apanhado, seria culpa dele, Harry. Por que não ficara calado? Uma dorzinha à toa e ele fora tagarelar... se tivesse tido o juízo de guardar a dor só para si...

Ele ouviu Rony entrar no dormitório pouco depois, mas não falou com o amigo. Durante um longo tempo, Harry ficou contemplando o dossel escuro de sua cama. O dormitório estava completamente silencioso e, se ele estivesse menos preocupado, teria reparado que a ausência dos costumeiros roncos de Neville significava que ele não era o único que estava acordado.

15

BEAUXBATONS E DURMSTRANG

Logo cedo na manhã seguinte, Harry acordou com um plano inteiramente formado na cabeça, como se o seu cérebro adormecido tivesse trabalhado naquilo a noite toda. Ele se levantou e se vestiu à luz fraca do amanhecer, saiu do dormitório sem acordar Rony e desceu para o salão comunal, àquela hora deserto. Ali apanhou um pedaço de pergaminho na mesa em cima da qual ainda se achava o dever de Adivinhação e escreveu a seguinte carta:

> Caro Sirius,
>
> Acho que imaginei a dor na minha cicatriz, eu estava quase dormindo quando lhe escrevi a última carta. Você não precisa voltar, vai tudo bem aqui. Não se preocupe comigo, sinto a cabeça completamente normal.
>
> Harry

Depois, Harry passou pelo buraco do retrato, subiu as escadas do castelo silencioso (só foi detido brevemente por Pirraça, que tentou virar um enorme vaso em cima dele no meio do corredor do quarto andar) e finalmente chegou ao corujal, que ficava no alto da Torre Oeste.

O corujal era uma sala circular revestida de pedra; um tanto fria e varrida por correntes de vento, porque nenhuma das janelas tinha vidro. O chão era coberto de palha, titica de coruja e esqueletos de ratos e arganazes que as corujas regurgitavam. Centenas e mais centenas de corujas de todas as espécies imagináveis estavam aninhadas ali em poleiros que subiam até o alto da torre, quase todas adormecidas, embora aqui e ali um redondo olho cor de âmbar olhasse feio para o garoto. Harry localizou Edwiges aninhada entre uma coruja-das-torres e uma coruja castanho-amarelada, e correu para ela, escorregando um pouco no chão coberto de excremento.

Levou um certo tempo para convencê-la a acordar e olhar para ele porque sua coruja não parava de mudar de lugar no poleiro, virando-lhe o rabo.

Evidentemente continuava furiosa com a falta de gratidão que ele demonstrara na noite anterior. Por fim, foi a insinuação de Harry que ela poderia estar demasiado cansada e que talvez ele pedisse Pichitinho emprestado a Rony que a fez esticar a perna e permitir ao dono amarrar nela a carta.

— Acha ele, está bem? — pediu Harry, alisando o dorso de Edwiges enquanto a levava no braço até uma das aberturas na parede. — Antes que os dementadores façam isso.

Ela lhe deu uma mordidinha no dedo, talvez com mais força do que normalmente teria feito, mas, mesmo assim, piou baixinho de uma maneira que o deixou tranquilo. Em seguida, abriu as asas e levantou voo para o céu do amanhecer. Harry observou-a desaparecer de vista com a conhecida sensação de mal-estar no estômago. Antes tivera tanta certeza de que a resposta de Sirius aliviaria suas preocupações em vez de aumentá-las.

— Isso foi uma *mentira*, Harry — falou Hermione com severidade ao café da manhã, quando o garoto contou a ela e a Rony o que fizera. — Você *não* imaginou que sua cicatriz estava doendo e sabe muito bem disso.

— E daí? — retrucou Harry. — Ele não vai voltar para Azkaban por minha causa.

— Esquece — disse Rony com aspereza a Hermione, quando ela abriu a boca para continuar a discussão e, uma vez na vida, a garota atendeu ao amigo e se calou.

Harry fez o que pôde para não se preocupar com Sirius nas semanas seguintes. É verdade que não conseguia deixar de olhar para os lados, ansiosamente, toda manhã, quando as corujas chegavam trazendo o correio; e tarde da noite, antes de dormir, tinha horríveis visões em que Sirius era encurralado pelos dementadores em alguma rua escura de Londres. Mas entre um momento e outro ele tentava não pensar no padrinho. Desejou que ainda tivesse o quadribol para distraí-lo; nada dava tão certo para uma cabeça preocupada quanto um treino exaustivo. Por outro lado, as aulas estavam se tornando cada vez mais difíceis e exigindo que se esforçasse mais do que nunca, principalmente a de Defesa Contra as Artes das Trevas.

Para surpresa dos alunos, o Prof. Moody anunciara que ia lançar a Maldição *Imperius* sobre cada um deles, a fim de demonstrar o seu poder e verificar se conseguiam resistir aos seus efeitos.

— Mas... se o senhor disse que é ilegal, professor — perguntou Hermione, incerta, quando Moody afastou as carteiras com um movimento amplo da varinha, deixando uma clareira no meio da sala. — O senhor disse... que usá-la contra outro ser humano era...

— Dumbledore quer que vocês aprendam qual é o efeito que ela produz em uma pessoa — disse Moody, o olho mágico girando para a garota e se fixando nela sem piscar, com uma expressão misteriosa. — Se a senhorita preferir aprender pelo método difícil... quando alguém a lançar contra a senhorita para controlá-la... para mim está bem. A senhorita está dispensada da aula. Pode se retirar.

Ele apontou um dedo nodoso para a porta. Hermione ficou muito vermelha e murmurou alguma coisa no sentido de que a pergunta não significava que ela quisesse sair. Harry e Rony sorriram um para o outro. Eles sabiam que Hermione preferia beber pus de bubotúberas a perder uma lição daquela importância.

O professor começou a chamar os alunos à frente e a lançar a maldição sobre eles, um de cada vez. Harry observou os colegas fazerem as coisas mais extraordinárias sob a influência da *Imperius*. Dino Thomas deu três voltas pela sala aos saltos, cantando o hino nacional. Lilá Brown imitou um esquilo. Neville executou uma série de acrobacias surpreendentes, que ele certamente não teria conseguido em condições normais. Nenhum deles parecia ser capaz de resistir à maldição, e cada um só voltava ao normal quando Moody a desfazia.

— Potter — rosnou Moody —, você é o próximo.

O garoto se adiantou até o meio da sala, no espaço que Moody deixara livre. O professor ergueu a varinha, apontou-a para Harry e disse:

— *Imperio*.

Foi uma sensação maravilhosa. Harry sentiu que flutuava e todos os pensamentos e preocupações em sua mente desapareceram suavemente, deixando apenas uma felicidade vaga e inexplicável. Ele ficou ali extremamente relaxado, vagamente consciente de que todos o observavam.

Então, ouviu a voz de Olho-Tonto Moody ecoar em uma célula distante do seu cérebro vazio: *Salte para cima da carteira... salte para cima da carteira...*

Harry dobrou os joelhos obedientemente, preparando-se para saltar.

Salte para cima da carteira...

Mas por quê?

Outra voz despertara no fundo de sua mente. Que coisa boba para alguém fazer, francamente, disse a voz.

Salte para cima da carteira...

Não, acho que não, obrigado, disse a segunda voz, com mais firmeza... não, não quero...

Salte! AGORA!

A próxima coisa que Harry sentiu foi uma imensa dor. Ele saltou e tentou não saltar ao mesmo tempo – o resultado foi se estatelar em cima de uma carteira, derrubando-a, e, pela dor que sentiu nas pernas, fraturar as duas rótulas.

– Agora *está* melhor! – rosnou a voz de Moody e, de repente, Harry percebeu que a sensação de vazio e os ecos tinham desaparecido de sua mente. Lembrou-se com exatidão do que estava acontecendo e a dor nos joelhos pareceu dobrar de intensidade.

"Olhem só isso, vocês todos... Potter resistiu! Lutou contra a maldição e quase a venceu! Vamos experimentar de novo, Potter, e vocês prestem atenção, observem os olhos dele, é onde vocês vão ver, muito bem, Potter, muito bem mesmo! Eles vão ter trabalho para controlar *você*!"

– Pelo jeito que ele fala – resmungou Harry, ao sair mancando da aula de Defesa Contra as Artes das Trevas, uma hora depois (Moody insistira que Harry mostrasse do que era capaz, quatro vezes seguidas, até o garoto conseguir resistir inteiramente à maldição) –, a gente poderia pensar que vai ser atacado a qualquer momento.

– É, eu sei – respondeu Rony, que estava saltitando, um passo sim outro não. Tivera muito mais dificuldade com a maldição do que Harry, embora Moody lhe garantisse que os efeitos passariam até a hora do almoço. – Falando em paranoia... – Rony espiou nervosamente por cima do ombro para verificar se estavam mesmo fora do campo de audição de Moody e continuou: – Não me admira que tenham ficado contentes em se livrar dele no Ministério. Você ouviu quando ele contou ao Simas o que fez com a bruxa que gritou "buu" atrás dele, no dia primeiro de abril? E quando é que a gente vai ler como resistir à Maldição *Imperius* com todo o resto que tem para fazer?

Todos os alunos do quarto ano haviam notado que decididamente houvera um aumento na quantidade de deveres exigida deles neste trimestre. A Profª Minerva explicou o porquê, quando a turma gemeu particularmente alto à vista do dever de Transfiguração que ela passava.

– Vocês agora estão entrando numa fase importantíssima da sua educação em magia! – disse ela, os olhos faiscando perigosamente por trás dos óculos quadrados. – O exame para obter os Níveis Ordinários em Magia estão se aproximando...

– Mas não vamos fazer exames de nivelamento até a quinta série! – exclamou Dino Thomas, indignado.

– Talvez não, Thomas, mas, me acredite, vocês precisam de toda a preparação que puderem obter! A Srta. Granger foi a única aluna desta turma que conseguiu transformar um porco-espinho em uma almofadinha de alfinetes razoável. Eu talvez possa lhe lembrar, Thomas, que a sua almofadinha ainda se encolhe de medo quando alguém se aproxima dela com um alfinete!

Hermione, que tornara a corar, parecia estar fazendo um esforço para não parecer cheia de si demais.

Harry e Rony acharam muita graça quando a Prof.ª Trelawney lhes disse que tinham tirado a nota máxima no dever da aula anterior de Adivinhação. Ela leu longos trechos das predições que eles fizeram, comentando a impassível aceitação dos horrores que os aguardavam – mas os garotos não acharam tanta graça quando ela pediu que fizessem outra projeção para dali a dois meses: eles tinham quase esgotado as ideias para catástrofes.

Entrementes, o Prof. Binns, o fantasma que ensinava História da Magia, mandou-os escrever ensaios semanais sobre a Revolta dos Duendes no século XVIII. O Prof. Snape estava obrigando-os a pesquisar antídotos. A turma levou o dever a sério, porque ele insinuou que talvez envenenasse um deles antes do Natal para ver se o antídoto que encontrassem faria efeito. O Prof. Flitwick lhes pedira que lessem mais três livros, em preparação para a aula de Feitiços Convocatórios.

E até Hagrid aumentara a carga de trabalho de seus alunos. Os explosivins estavam crescendo em um ritmo excepcional, dado que ninguém ainda descobrira o que comiam. Hagrid estava encantado e, como parte da "pesquisa", sugeriu que fossem à sua cabana em noites alternadas para observar os bichos e tomar notas sobre o seu extraordinário comportamento.

– Eu não vou – disse Draco Malfoy com indiferença, quando o professor fez essa proposta com ar de Papai Noel tirando um brinquedo muito vistoso do saco. – Já vejo o bastante dessas nojeiras durante as aulas, obrigado.

O sorriso desapareceu do rosto de Hagrid.

– Você vai fazer o que mando – rosnou ele – ou vou arrancar uma folha do livro do Prof. Moody... ouvi falar que você ficou muito bem de doninha, Malfoy.

Os alunos da Grifinória deram grandes gargalhadas. Malfoy enrubesceu de raiva mas, pelo visto, a lembrança do castigo de Moody ainda era suficientemente dolorosa para impedi-lo de responder. Harry, Rony e Hermione voltaram para o castelo no fim da aula, muito animados; ver Hagrid desmoralizar Malfoy era particularmente gostoso porque, no ano anterior, o garoto se esforçara o máximo para fazer com que Hagrid fosse despedido.

Quando chegaram ao saguão de entrada, viram-se impedidos de prosseguir pela aglomeração de alunos que havia ali, em torno de um grande aviso afixado ao pé da escadaria de mármore. Rony, o mais alto dos três, ficou nas pontas dos pés para ver por cima das cabeças à sua frente e ler o aviso em voz alta para os outros dois.

TORNEIO TRIBRUXO

As delegações de Beauxbatons e Durmstrang chegarão às seis horas, sexta-feira, 30 de outubro. As aulas terminarão uma hora antes...

– Genial! – exclamou Harry. – É Poções a última aula de sexta-feira! Snape não terá tempo de envenenar todos nós!

Os alunos deverão guardar as mochilas e os livros em seus dormitórios e se reunir na entrada do castelo para receber os nossos hóspedes antes da Festa de Boas-Vindas.

– É daqui a uma semana! – exclamou Ernesto MacMillan da Lufa-Lufa, saindo da aglomeração, os olhos brilhando. – Será que o Cedrico sabe? Acho que vou avisar a ele...
– Cedrico? – repetiu Rony sem entender, enquanto Ernesto saía apressado.
– Diggory – disse Harry. – Ele deve estar inscrito no torneio.
– Aquele idiota, campeão de Hogwarts? – disse Rony, quando abriam caminho pelo ajuntamento de alunos para chegar à escadaria.
– Ele não é idiota, você simplesmente não gosta dele porque ele derrotou a Grifinória no quadribol – disse Hermione. – Ouvi falar que é realmente um bom aluno, *e é monitor*!
Ela falou isso como se encerrasse a questão.
– Você só gosta dele porque ele é *bonito* – respondeu Rony com desdém.
– Perdão, eu não gosto de pessoas só porque são bonitas! – retrucou Hermione, indignada.
Rony fingiu que pigarreava alto, um som que estranhamente lembrava "Lockhart!".
A afixação do aviso no saguão de entrada teve um efeito sensível nos moradores do castelo. Durante a semana seguinte, parecia haver um assunto nas conversas, onde quer que Harry fosse: o Torneio Tribruxo. Os boatos voavam de um aluno para outro como um germe excepcionalmente contagioso: quem ia tentar ser o campeão de Hogwarts, que é que o torneio exigia, e em que os alunos de Beauxbatons e Durmstrang se diferenciavam deles.
Harry notou, também, que o castelo estava sofrendo uma faxina mais do que rigorosa. Vários retratos encardidos tinham sido escovados para descon-

tentamento dos retratados, que se sentavam encolhidos nas molduras, resmungando sombriamente e fazendo caretas ao apalpar os rostos vermelhos. As armaduras de repente brilhavam e mexiam sem ranger e Argo Filch, o zelador, estava agindo com tanta agressividade com os alunos que se esquecessem de limpar os sapatos que aterrorizou duas garotas do primeiro ano levando-as à histeria.

Outros funcionários também pareciam estranhamente tensos.

— Longbottom, tenha a bondade de não revelar que você não consegue sequer lançar um simples Feitiço de Troca diante de alguém de Durmstrang! — vociferou a Prof.ª Minerva ao fim de uma aula particularmente difícil, em que Neville acidentalmente transplantara as próprias orelhas para um cacto.

Quando eles desceram para o café na manhã do dia 30 de outubro, descobriram que o Salão Principal fora ornamentado durante a noite. Grandes bandeiras de seda pendiam das paredes, cada uma representando uma casa de Hogwarts — a vermelha com um leão dourado da Grifinória, a azul com uma águia de bronze da Corvinal, a amarela com um texugo preto da Lufa-Lufa e a verde com uma serpente de prata da Sonserina. Por trás da mesa dos professores, a maior bandeira de todas tinha o brasão de Hogwarts: leão, águia, texugo e serpente unidos em torno de uma grande letra "H".

Harry, Rony e Hermione viram Fred e Jorge à mesa da Grifinória. Mais uma vez, e muito anormalmente, os dois estavam sentados à parte dos demais e conversavam em voz baixa. Rony se encaminhou para os dois.

— É chato, sim — dizia Jorge sombriamente a Fred. — Mas, se ele não quer falar conosco pessoalmente, temos que lhe mandar uma carta. Ou enfiá-la na mão dele, ele não pode ficar nos evitando pra sempre.

— Quem é que está evitando vocês? — perguntou Rony, sentando-se ao lado deles.

— Gostaria que fosse você — disse Fred, mostrando-se irritado com a interrupção.

— Que é que é chato? — perguntou Rony a Jorge.

— Ter um babaca metido feito você como irmão — disse Jorge.

— Vocês já tiveram alguma ideia para o Torneio Tribruxo? — perguntou Harry. — Continuaram pensando como vão tentar se inscrever?

— Perguntei a McGonagall como é que os campeões são escolhidos, mas ela não quis dizer — respondeu Jorge com amargura. — Só me disse para calar a boca e continuar transformando o meu racum.

— Fico imaginando quais vão ser as tarefas — disse Rony, pensativo. — Sabe, aposto que poderíamos dar conta, Harry e eu já fizemos coisas perigosas antes...

— Não na frente de uma banca de juízes, isso vocês não fizeram — disse Fred. — McGonagall disse que os campeões recebem pontos pela perfeição com que executam as tarefas.

— Quem são os juízes? — perguntou Harry.

— Bem, os diretores das escolas participantes sempre fazem parte da banca — disse Hermione e todos a olharam surpresos —, porque os três ficaram feridos durante o torneio de 1792, quando um basilisco que os campeões deviam capturar saiu destruindo tudo.

Ela notou que todos a olhavam e disse, com o seu costumeiro ar de impaciência quando via que ninguém mais lera os mesmos livros que ela:

— Está tudo em Hogwarts: uma história. Embora, é claro, esse livro não seja cem por cento confiável. *Uma história revista de Hogwarts* seria um título mais preciso. Ou, então, *Uma história seletiva e muito parcial de Hogwarts, que aborda brevemente os aspectos mais desfavoráveis da escola*.

— Do que é que você está falando? — perguntou Rony, embora Harry soubesse o que vinha pela frente.

— Elfos domésticos! — disse Hermione em voz alta, comprovando que Harry acertara. — Nem uma vez, em mais de mil páginas, *Hogwarts: uma história* menciona que somos todos coniventes com a opressão de centenas de escravos!

Harry sacudiu a cabeça e se concentrou nos ovos mexidos. A falta de entusiasmo dele e de Rony não conseguiu refrear a decisão de Hermione de obter justiça para os elfos domésticos. Era verdade que os dois tinham pagado os dois sicles pelo distintivo do F.A.L.E., mas só o tinham feito para fazê-la calar-se. Os sicles, no entanto, tinham sido gastos em vão; se produziram algum efeito foi o de tornar Hermione ainda mais vociferante. A garota andava atormentando os dois desde então, primeiro para usarem o distintivo, depois para persuadirem outros a fazer o mesmo, e ela também passara a caminhar pela sala comunal da Grifinória todas as noites, encostando os colegas na parede e sacudindo a latinha de coleta debaixo do nariz deles.

— Vocês têm consciência de que os seus lençóis são trocados, as lareiras, acesas, as salas de aula limpas e a comida preparada por um grupo de criaturas mágicas que não recebem salário e são escravizadas? — ela não parava de lembrar a todos com veemência.

Alguns colegas, como Neville, tinham pagado só para Hermione parar de fazer cara feia para eles. Alguns pareceram ligeiramente interessados no que a garota tinha a dizer, mas relutavam a assumir um papel mais ativo no movimento. Muitos encaravam a coisa toda como piada.

Rony agora contemplou o teto, que banhava a todos com um sol de outono e Fred fingiu-se extremamente interessado no bacon que havia em seu prato (os gêmeos tinham se recusado a comprar um distintivo do F.A.L.E.). Jorge, no entanto, chegou para mais perto de Hermione.

— Escuta aqui, Mione, você já foi à cozinha?

— Não, claro que não — respondeu a garota secamente. — Nem posso imaginar que os alunos devam...

— Bom, nós já fomos — disse Jorge, indicando Fred — várias vezes para afanar comida. E encontramos os elfos e eles estão felizes. Acham que têm o melhor emprego do mundo...

— É porque eles não têm instrução e sofrem lavagem cerebral! — começou Hermione acaloradamente, mas suas palavras seguintes foram abafadas pelo ruído de asas que vinha do alto anunciando a chegada das corujas com o correio. Harry ergueu os olhos e, na mesma hora, avistou Edwiges que voava em sua direção. Hermione parou de falar abruptamente; ela e Rony observaram a coruja, ansiosos, enquanto a ave batia as asas rapidamente para descer e pousar no ombro de Harry, depois fechou-as e estendeu a perna, cansada.

Harry desamarrou a resposta de Sirius e ofereceu a Edwiges suas aparas de bacon, que ela comeu, grata. Então, verificando que Fred e Jorge estavam absortos em novas discussões sobre o Torneio Tribruxo, Harry leu a carta de Sirius, aos cochichos, para Rony e Hermione.

Não me convenceu, Harry.

Estou de volta ao país e bem escondido. Quero que me mantenha informado de tudo que estiver acontecendo em Hogwarts. Não use Edwiges, troque de corujas e não se preocupe comigo, cuide-se. Não se esqueça do que lhe disse sobre a cicatriz.

Sirius

— Por que é que você precisa trocar de corujas? — perguntou Rony em voz baixa.

— Edwiges chamará muita atenção — respondeu Hermione na mesma hora. — Ela se destaca. Uma coruja muito branca que fica voltando para o lugar em que ele está escondido... Quero dizer, ela não é um pássaro nativo, não é mesmo?

Harry enrolou a carta e guardou-a dentro das vestes, se perguntando se estaria se sentindo mais ou menos preocupado do que antes. Supunha que o fato de Sirius ter conseguido voltar sem ser apanhado já era muito. Tampouco podia negar que a ideia de que seu padrinho estava muito mais próximo era reconfortante; pelo menos não teria que esperar tanto por uma resposta todas as vezes que lhe escrevesse.

– Obrigado, Edwiges – disse, acariciando-a. Ela piou sonolenta, meteu o bico rapidamente no cálice de suco de laranja do garoto, depois tornou a levantar voo, visivelmente desesperada para tirar um longo sono no corujal.

Havia uma sensação de agradável expectativa no ar aquele dia. Ninguém prestou muita atenção às aulas, pois estavam bem mais interessados na chegada das comitivas de Beauxbatons e Durmstrang à noite; até Poções foi mais tolerável do que de costume, porque durou meia hora a menos. Quando a sineta tocou mais cedo, Harry, Rony e Hermione subiram depressa para a Torre da Grifinória, largaram as mochilas e os livros, conforme as instruções que tinham recebido, vestiram as capas e desceram correndo para o saguão de entrada.

Os diretores das Casas estavam organizando os alunos em filas.

– Weasley, endireite o chapéu – disse a Prof.ª Minerva secamente a Rony. – Srta. Patil, tire essa coisa ridícula dos cabelos.

Parvati fez cara feia e retirou o enorme enfeite de borboleta da ponta da trança.

– Sigam-me, por favor – mandou a professora –, alunos da primeira série à frente... sem empurrar...

Eles desceram os degraus da entrada e se enfileiraram diante do castelo. Fazia um fim de tarde frio e límpido; o crepúsculo vinha chegando devagarinho e uma lua pálida e transparente já brilhava sobre a Floresta Proibida. Harry, postado entre Rony e Hermione na quarta fileira da frente para trás, viu Dênis Creevey decididamente trêmulo de expectativa entre os colegas da primeira série.

– Quase seis horas – comentou Rony, verificando o relógio e depois espiando o caminho que levava aos portões da escola. – Como é que vocês acham que eles vêm? De trem?

– Duvido – respondeu Hermione.

– Como então? Vassouras? – arriscou Harry, erguendo os olhos para o céu estrelado.

– Acho que não... não vindo de tão longe...

– De Chave de Portal? – aventurou Rony. – Ou, quem sabe aparatando, talvez tenham permissão de fazer isso antes dos dezessete anos no lugar de onde vêm?

– Não se pode aparatar nos terrenos de Hogwarts. Quantas vezes tenho que repetir isso a vocês – falou Hermione com impaciência.

Os garotos examinavam animados e atentos os jardins cada vez mais escuros, mas nada se movia; tudo estava quieto, silencioso, como sempre. Harry começava a sentir frio. Desejou que os visitantes chegassem logo... talvez os estudantes estrangeiros estivessem preparando uma entrada teatral... lembrou-se do que o Sr. Weasley dissera no acampamento antes da Copa Mundial de Quadribol: "Sempre os mesmos, não resistimos à tentação de fazer farol quando nos reunimos..."

E então Dumbledore falou em voz alta da última fileira, onde aguardava com os outros professores:

— Aha! A não ser que eu muito me engane, a delegação de Beauxbatons está chegando!

— Onde? — perguntaram muitos alunos ansiosos, olhando em diferentes direções.

— *Ali!* — gritou um aluno da sexta série, apontando para o céu sobre a Floresta.

Alguma coisa grande, muito maior do que uma vassoura — ou, na verdade, cem vassouras —, voava em alta velocidade pelo céu azul-escuro em direção ao castelo, e se tornava cada vez maior.

— É um dragão! — gritou esganiçada uma aluna da primeira série, perdendo completamente a cabeça.

— Deixa de ser burra... é uma casa voadora! — disse Dênis Creevey.

O palpite de Dênis estava mais próximo... quando a sombra gigantesca e escura sobrevoou as copas das árvores da Floresta Proibida, e as luzes que brilhavam nas janelas do castelo a iluminaram, eles viram uma enorme carruagem azul-clara do tamanho de um casarão, que voava para eles, puxada por doze cavalos alados, todos baios, cada um parecendo um elefante de tão grande.

As três primeiras fileiras de alunos recuaram quando a carruagem foi baixando para pousar a uma velocidade fantástica — então, com um baque estrondoso que fez Neville saltar para trás e pisar no pé de um aluno da quinta série da Sonserina —, os cascos dos cavalos, maiores que pratos, bateram no chão. Um segundo mais tarde, a carruagem também pousou, balançando sobre as imensas rodas, enquanto os cavalos dourados agitavam as cabeçorras e reviravam os grandes olhos cor de fogo.

Harry só teve tempo de ver que a porta da carruagem tinha um brasão (duas varinhas cruzadas, e de cada uma saíam três estrelas) antes que ela se abrisse.

Um garoto de vestes azul-claras saltou da carruagem, curvado para a frente, mexeu por um momento em alguma coisa que havia no chão da carruagem e abriu uma escadinha de ouro. Em seguida, recuou respeitosamente.

Então Harry viu um sapato preto e lustroso sair de dentro da carruagem – um sapato do tamanho de um trenó de criança – acompanhado, quase imediatamente, pela maior mulher que ele já vira na vida. O tamanho da carruagem e dos cavalos ficou imediatamente explicado. Algumas pessoas exclamaram.

Harry só vira, até então, uma pessoa tão grande quanto essa mulher: Hagrid; ele duvidou de que houvesse dois centímetros de diferença na altura dos dois. Mas, por alguma razão – talvez simplesmente porque estava habituado a Hagrid –, esta mulher (agora ao pé da escada, que olhava para as pessoas que a esperavam de olhos arregalados) parecia ainda mais anormalmente grande. Ao entrar no círculo de luz projetado pelo saguão de entrada, ela revelou um rosto bonito de pele morena, grandes olhos pretos que pareciam líquidos e um nariz um tanto bicudo. Seus cabelos estavam puxados para trás e presos em um coque na nuca. Vestia-se da cabeça aos pés de cetim preto, e brilhavam numerosas opalas em seu pescoço e nos dedos grossos.

Dumbledore começou a aplaudir; os estudantes, acompanhando a deixa, prorromperam em palmas, muitos deles nas pontas dos pés, para poder ver melhor a mulher.

O rosto dela se descontraiu em um gracioso sorriso e ela se dirigiu a Dumbledore, estendendo a mão faiscante de anéis. O diretor, embora alto, mal precisou se curvar para beijar-lhe a mão.

– Minha cara Madame Maxime – disse. – Bem-vinda a Hogwarts.

– Dumbly-dorr – disse Madame Maxime, com uma voz grave. – Esperro encontrrá-lo de boa saúde.

– Excelente, obrigado – respondeu Dumbledore.

– Meus alunos – disse Madame Maxime, acenando descuidadamente uma de suas enormes mãos para trás.

Harry, cuja atenção estivera focalizada inteiramente em Madame Maxime, reparou, então, que uns doze garotos e garotas – todos, pelo físico, no fim da adolescência – haviam descido da carruagem e agora estavam parados atrás de Madame Maxime. Eles tremiam de frio, o que não surpreendia, pois suas vestes eram feitas de finíssima seda e nenhum deles usava capa. Alguns tinham enrolado echarpes e xales na cabeça. Pelo que Harry pôde ver de seus rostos (estavam à enorme sombra de sua diretora), eles olhavam para o castelo, com uma expressão apreensiva.

– Karrkarroff já chegou? – perguntou Madame Maxime.

– Deve estar aqui a qualquer momento – disse Dumbledore. – Gostaria de esperar aqui para recebê-lo ou prefere entrar para se aquecer um pouco?

— Me aquecerr, acho. Mas os cavalos...

— O nosso professor de Trato das Criaturas Mágicas ficará encantado de cuidar deles — disse Dumbledore — assim que terminar de resolver um probleminha que ocorreu com alguns de seus outros... protegidos.

— Explosivins — murmurou Rony para Harry, rindo-se.

— Meus corrcéis ecsigem... hum... um trratadorr forrte — disse Madame Maxime, com uma expressão de dúvida quanto à capacidade de um professor de Trato das Criaturas Mágicas em Hogwarts para dar conta da tarefa. — Eles son muito forrtes...

— Posso lhe assegurar que Hagrid poderá cuidar da tarefa — disse o diretor, sorrindo.

— Ótimo — disse Madame Maxime, fazendo uma ligeira reverência —, por favorrr inforrrme a esse Agrid que os cavalos só bebem uísque de um malte.

— Farei isso — respondeu Dumbledore, retribuindo a reverência.

— Venham — disse Madame Maxime imperiosamente aos seus alunos e o pessoal de Hogwarts se afastou para deixá-los subir os degraus de pedra.

— De que tamanho você acha que os cavalos de Durmstrang vão ser? — perguntou Simas Finnigan, esticando-se por trás de Lilá e Parvati para falar com Harry e Rony.

— Bom, se eles forem maiores do que esses, nem Hagrid vai ser capaz de cuidar deles — comentou Harry. — Isto é, se ele já não foi atacado pelos explosivins. Qual será o problema com eles?

— Talvez tenham fugido — arriscou Rony, esperançoso.

— Ah, não diz uma coisa dessas — falou Hermione, com um arrepio. — Imaginem aqueles bichos soltos pela propriedade...

Eles continuaram parados, agora tremendo um pouco de frio, à espera da delegação de Durmstrang. A maioria das pessoas contemplava o céu, esperançosa. Durante alguns minutos, o silêncio só foi interrompido pelos cavalões de Madame Maxime que resfolegavam e pateavam. Mas então...

— Vocês estão ouvindo alguma coisa? — perguntou Rony de repente.

Harry prestou atenção; um barulho alto e estranho chegava até eles através da escuridão; um ronco abafado mesclado a um ruído de sucção, como se um imenso aspirador de pó estivesse se deslocando pelo leito de um rio...

— O lago! — berrou Lino Jordan apontando. — Olhem para o lago!

De sua posição, no alto dos gramados, de onde descortinavam a propriedade, eles tinham uma visão desimpedida da superfície escura e lisa da água — exceto que ela repentinamente deixara de ser lisa. Ocorria alguma perturbação no fundo do lago; grandes bolhas se formavam no centro, e suas ondas agora quebravam nas margens de terra — e então, bem no meio do lago, apareceu um rodamoinho, como se alguém tivesse retirado uma tampa gigantesca do seu leito...

Algo que parecia um pau comprido e preto começou a emergir lentamente do rodamoinho... e então Harry avistou o velame...

– É um mastro! – disse ele a Rony e Hermione.

Lenta e imponentemente o navio saiu das águas, refulgindo ao luar. Tinha uma estranha aparência esquelética, como se tivesse ressuscitado de um naufrágio, e as luzes fracas e enevoadas que brilhavam nas escotilhas lembravam olhos fantasmagóricos. Finalmente, com uma grande espalhação de água, o navio emergiu inteiramente, balançando nas águas turbulentas, e começou a deslizar para a margem. Alguns momentos depois, ouviram a âncora ser atirada na água rasa e o baque surdo de um pranchão ao ser baixado sobre a margem.

Havia gente desembarcando, os garotos viram silhuetas passarem pelas luzes das escotilhas. Os recém-chegados pareciam ter físicos semelhantes aos de Crabbe e Goyle... mas então, quando subiram as encostas dos jardins e chegaram mais próximos à luz que saía do saguão de entrada, Harry viu que aquela aparência maciça se devia às capas de peles de fios longos e despenteados que estavam usando. Mas o homem que os conduzia ao castelo usava peles de um outro tipo; sedosas e prateadas como os seus cabelos.

– Dumbledore! – cumprimentou ele cordialmente, ainda subindo a encosta. – Como vai, meu caro, como vai?

– Otimamente, obrigado, Prof. Karkaroff.

O homem tinha uma voz ao mesmo tempo engraçada e untuosa; quando ele entrou no círculo de luz das portas do castelo, os garotos viram que era alto e magro como Dumbledore, mas seus cabelos brancos eram curtos, e a barbicha (que terminava em um cachinho) não escondia inteiramente o seu queixo fraco. Quando alcançou Dumbledore, apertou-lhe a mão com as suas duas.

– Minha velha e querida Hogwarts! – exclamou, erguendo os olhos para o castelo e sorrindo; seus dentes eram um tanto amarelados, e Harry reparou que seu sorriso não abrangia os olhos, que permaneciam frios e astutos. – Como é bom estar aqui, como é bom... Vítor, venha, venha para o calor... você não se importa, Dumbledore? Vítor está com um ligeiro resfriado...

Karkaroff fez sinal para um de seus estudantes avançar. Quando o rapaz passou, Harry viu de relance um nariz grande e curvo e sobrancelhas escuras e espessas. Não precisava do soco que Rony lhe deu no braço, nem do cochicho na orelha para reconhecer aquele perfil.

– Harry, é o Krum!

16

O CÁLICE DE FOGO

— Eu não acredito! — exclamou Rony, em tom de espanto, quando os alunos de Hogwarts se enfileiraram pelos degraus atrás da delegação de Durmstrang.

— Krum, Harry! *Vítor Krum!*

— Pelo amor de Deus, Rony, ele é apenas um jogador de quadribol — disse Hermione.

— *Apenas um jogador de quadribol?* — exclamou Rony, olhando para a amiga como se não pudesse acreditar no que ouvia. — Mione, ele é um dos melhores apanhadores do mundo! Eu não fazia ideia de que ele ainda estava na escola!

Quando eles atravessaram o saguão com os demais alunos de Hogwarts, a caminho do Salão Principal, Harry viu Lino Jordan pulando nas pontas dos pés para conseguir ver melhor a nuca de Krum. Várias garotas do sexto ano apalpavam freneticamente os bolsos enquanto andavam:

— Ah, não acredito, não trouxe uma única pena comigo... Você acha que ele assinaria o meu chapéu com batom?

— *Francamente!* — exclamou Hermione com ar de superioridade, ao passarem pelas garotas, agora disputando o batom.

— Vou pedir um autógrafo a ele se puder — disse Rony —, você tem uma pena, Harry?

— Não, deixei todas lá em cima na mochila — respondeu Harry.

Os garotos se dirigiram à mesa da Grifinória e se sentaram. Rony tomou o cuidado de se sentar de frente para a porta, porque Krum e seus colegas de Durmstrang ainda estavam parados ali, aparentemente sem saber onde se sentar. Os alunos de Beauxbatons tinham escolhido lugares à mesa da Corvinal. Corriam os olhos pelo Salão Principal com uma expressão triste no rosto. Três deles ainda seguravam as echarpes e xales que cobriam a cabeça.

— Não está fazendo *tanto* frio assim — comentou Hermione que os observava, irritada. — Por que não trouxeram as capas?

— Aqui! Venham se sentar aqui! — sibilou Rony. — Aqui! Mione chega para lá, abre um espaço...

— Quê?

— Tarde demais — disse Rony com amargura.

Vítor Krum e os colegas de Durmstrang tinham se acomodado à mesa da Sonserina. Harry viu que Malfoy, Crabbe e Goyle pareciam muito cheios de si com isso. Enquanto o garoto observava, Malfoy se curvou para falar com Krum.

— É, vai fundo, puxa o saco dele, Malfoy — disse Rony com desdém. — Mas aposto como o Krum está percebendo o jogo dele... aposto como tem gente adulando ele o tempo todo... onde é que você acha que eles vão dormir? Poderíamos oferecer um lugar no nosso dormitório, Harry... eu não me importaria de ceder a minha cama, e poderia dormir em uma cama de armar.

Hermione deu uma risadinha desdenhosa.

— Eles parecem bem mais felizes que o pessoal da Beauxbatons — disse Harry.

Os alunos de Durmstrang estavam despindo os pesados casacos de peles e olhando para o teto escuro e estrelado com expressões de interesse; uns dois seguravam os pratos e taças de ouro e examinavam-nos, aparentemente impressionados.

Na mesa dos funcionários, Filch, o zelador, acrescentava cadeiras. Estava usando a velha casaca mofada em homenagem à ocasião. Harry ficou surpreso de ver que ele acrescentara duas cadeiras de cada lado de Dumbledore.

— Mas só tem mais duas pessoas — disse Harry. — Por que Filch está colocando mais quatro cadeiras? Quem mais vem?

— Eh? — respondeu Rony vagamente. Ainda olhava com avidez para Krum.

Depois que todos os estudantes tinham entrado no salão e sentado às mesas das Casas, vieram os professores, que se dirigiram à mesa principal e se sentaram. Os últimos da fila foram o Prof. Dumbledore, o Prof. Karkaroff e Madame Maxime. Quando a diretora apareceu, os alunos de Beauxbatons se levantaram imediatamente. Alguns alunos de Hogwarts riram. A delegação de Beauxbatons não pareceu se constranger nem um pouco e não tornou a se sentar até que Madame Maxime estivesse acomodada do lado esquerdo de Dumbledore. Este, porém, continuou em pé e o Salão Principal ficou silencioso.

— Boa-noite, senhoras e senhores, fantasmas e, muito especialmente, hóspedes — disse Dumbledore sorrindo para os alunos estrangeiros. — Tenho o prazer de dar as boas-vindas a todos. Espero e confio que sua estada aqui seja confortável e prazerosa.

Uma das garotas de Beauxbatons, ainda segurando o xale na cabeça, deu uma inconfundível risadinha de zombaria.

— Ninguém está obrigando você a ficar! — murmurou Hermione, com raiva.

— O torneio será oficialmente aberto no fim do banquete — disse Dumbledore. — Agora convido todos a comer, beber e se fazer em casa!

Ele se sentou, e Harry viu Karkaroff se curvar na mesma hora para a frente e iniciar uma conversa com o diretor.

As travessas diante deles se encheram de comida como de costume. Os elfos domésticos na cozinha pareciam ter se excedido; havia uma variedade de pratos à mesa que Harry jamais vira, inclusive alguns decididamente estrangeiros.

— Que é *isso*? — disse Rony, apontando uma grande travessa com uma espécie de ensopado de frutos do mar ao lado de um grande pudim de carne e rins.

— *Bouillabaisse* — disse Hermione.

— Para você também! — respondeu Rony.

— É *francesa* — explicou a garota. — Comi nas férias, no penúltimo verão, é muito gostosa.

— Acredito — retrucou Rony, servindo-se de chouriço de sangue.

De alguma forma o Salão Principal parecia muito mais cheio do que de costume, ainda que só houvesse umas vinte pessoas a mais ali; talvez porque os uniformes de cores diferentes se destacassem tão claramente contra o preto das vestes de Hogwarts. Agora que tinham despido as peles, os alunos de Durmstrang deixavam ver que usavam vestes de um intenso vermelho-sangue.

Vinte minutos depois do início do banquete, Hagrid entrou discretamente pela porta atrás da mesa dos funcionários. Deslizou para sua cadeira na ponta da mesa e acenou para Harry, Rony e Hermione com a mão coberta de ataduras.

— Os explosivins estão passando bem, Hagrid? — perguntou Harry.

— Otimamente — respondeu ele, animado.

— É, aposto que estão — disse Rony em voz baixa. — Parece que finalmente encontraram a comida que gostam, não? Os dedos de Hagrid.

Naquele instante, ouviram uma voz:

— Com licença, vocês von querrer a *bouillabaisse*?

Era a garota de Beauxbatons que rira durante a fala de Dumbledore. Finalmente retirara o xale. Uma longa cascata de cabelos louro-prateados caía quase até sua cintura. Tinha grandes olhos azul-profundos e dentes muito brancos e iguais.

Rony ficou púrpura. Olhou para a garota, abriu a boca para responder, mas não saiu nada a não ser um fraco gargarejo.

— Pode levar — respondeu Harry, empurrando a terrina para a garota.

— Vocês já se serrvirram?

— Já — disse Rony, sem fôlego. — Estava excelente.

A garota apanhou a terrina e levou-a cuidadosamente até a mesa da Corvinal. Rony continuou com os olhos grudados nela como se nunca tivesse visto uma garota na vida. Harry começou a rir. O som das risadas pareceu sacudir Rony daquele transe.

— É uma veela! — exclamou com a voz rouca para Harry.

— Claro que não! — retrucou Hermione mordazmente. — Não vejo mais ninguém olhando para ela de boca aberta como um idiota!

Mas não era bem verdade. Quando a garota atravessou o salão, muitas cabeças de garotos se viraram, e alguns pareciam ter ficado temporariamente sem fala, exatamente como Rony.

— Estou dizendo, não é uma garota normal! — disse Rony, curvando-se para um lado para poder continuar a vê-la sem ninguém na frente. — Não fazem garotas assim em Hogwarts!

— Fazem garotas legais em Hogwarts — respondeu Harry, sem pensar. Cho Chang, por acaso, estava sentada a poucos lugares da garota de cabelos prateados.

— Quando vocês dois repuserem os olhos dentro das órbitas — disse Hermione com energia —, poderão ver quem acaba de chegar.

Ela apontou para a mesa dos funcionários. As duas cadeiras que estavam vazias acabavam de ser ocupadas. Ludo Bagman sentou-se agora do outro lado do Prof. Karkaroff enquanto o Sr. Crouch, chefe de Percy, ficou ao lado de Madame Maxime.

— Que é que eles estão fazendo aqui? — indagou Harry, surpreso.

— Eles organizaram o Torneio Tribruxo, não foi? — disse Hermione. — Imagino que quisessem vir assistir à abertura.

Quando o segundo prato chegou, os garotos repararam que havia diversos pudins desconhecidos, também. Rony examinou um tipo esquisito de manjar branco mais atentamente, depois deslocou-o com cuidado alguns centímetros para a direita, de modo a deixá-lo bem visível para os convidados à mesa da Corvinal. Mas a garota que lembrava uma veela parecia ter comido o suficiente e não veio até a mesa apanhá-lo.

Depois que os pratos de ouro foram limpos, Dumbledore se levantou mais uma vez. Neste momento, uma agradável tensão pareceu invadir o salão. Harry sentiu um tremor de animação só de imaginar o que viria a seguir. A algumas cadeiras de distância, Fred e Jorge se curvaram para a frente, observando Dumbledore com grande concentração.

— Chegou o momento — disse Dumbledore, sorrindo para o mar de rostos erguidos. — O Torneio Tribruxo vai começar. Eu gostaria de dizer algumas palavras de explicação antes de mandar trazer o escrínio...

— O quê? — murmurou Harry.

Rony deu de ombros.

— ... apenas para esclarecer as regras que vigorarão este ano. Mas, primeiramente, gostaria de apresentar àqueles que ainda não os conhecem o Sr. Bartolomeu Crouch, Chefe do Departamento de Cooperação Internacional em Magia — houve vagos e educados aplausos —, e o Sr. Ludo Bagman, Chefe do Departamento de Jogos e Esportes Mágicos.

Houve uma rodada mais ruidosa de aplausos para Bagman do que para Crouch, talvez por sua fama de batedor ou simplesmente porque ele parecia muito mais simpático. Ele agradeceu com um aceno jovial. Bartolomeu Crouch não sorriu nem acenou quando seu nome foi anunciado. Ao lembrar-se dele vestido com um terno bem cortado na Copa Mundial de Quadribol, Harry achou que parecia estranho naquelas vestes de bruxo. Seu bigode à escovinha e a risca exata nos cabelos pareciam muito esquisitos ao lado dos longos cabelos e barbas de Dumbledore.

— Nos últimos meses, o Sr. Bagman e o Sr. Crouch trabalharam incansavelmente na organização do Torneio Tribruxo — continuou Dumbledore — e se juntarão a mim, ao Prof. Karkaroff e à Madame Maxime na banca que julgará os esforços dos campeões.

À menção da palavra "campeões", a atenção dos estudantes que ouviam pareceu se aguçar.

Talvez Dumbledore tivesse notado essa repentina imobilidade, porque ele sorriu e disse:

— O escrínio, então, por favor, Sr. Filch.

Filch, que andara rondando despercebido um extremo do salão, se aproximou então de Dumbledore, trazendo uma arca de madeira, incrustada de pedras preciosas. Tinha uma aparência extremamente antiga. Um murmúrio de interesse se elevou das mesas dos alunos; Dênis Creevey chegou a subir na cadeira para ver direito, mas, por ser tão miúdo, sua cabeça mal ultrapassou a dos outros.

— As instruções para as tarefas que os campeões deverão enfrentar este ano já foram examinadas pelos Srs. Crouch e Bagman — disse Dumbledore, enquanto Filch depositava a arca cuidadosamente na mesa à frente do diretor —, e eles tomaram as providências necessárias para cada desafio. Haverá três tarefas, espaçadas durante o ano letivo, que servirão para testar os campeões de diferentes maneiras... sua perícia em magia, sua coragem, seus poderes de dedução e, naturalmente, sua capacidade de enfrentar o perigo.

A esta última palavra, o salão mergulhou num silêncio tão absoluto que ninguém parecia estar respirando.

— Como todos sabem, três campeões competem no torneio — continuou Dumbledore calmamente —, um de cada escola. Eles receberão notas por seu desempenho em cada uma das tarefas do torneio e aquele que tiver obtido o maior resultado no final da terceira tarefa ganhará a Taça Tribruxo. Os campeões serão escolhidos por um juiz imparcial... o Cálice de Fogo.

Dumbledore puxou então sua varinha e deu três pancadas leves na tampa do escrínio. A tampa se abriu lentamente com um rangido. O bruxo enfiou a mão nele e tirou um grande cálice de madeira toscamente talhado. Teria sido considerado totalmente comum se não estivesse cheio até a borda com chamas branco-azuladas, que davam a impressão de dançar.

Dumbledore fechou o escrínio e pousou cuidadosamente o cálice sobre a tampa, onde seria visível a todos no salão.

— Quem quiser se candidatar a campeão deve escrever seu nome e escola claramente em um pedaço de pergaminho e depositá-lo no cálice — disse Dumbledore. — Os candidatos terão vinte e quatro horas para apresentar seus nomes. Amanhã à noite, Festa das Bruxas, o cálice devolverá o nome dos três que ele julgou mais dignos de representar suas escolas. O cálice será colocado no saguão de entrada hoje à noite, onde estará perfeitamente acessível a todos que queiram competir.

"Para garantir que nenhum aluno menor de idade ceda à tentação", continuou Dumbledore, "traçarei uma linha etária em volta do Cálice de Fogo depois que ele for colocado no saguão. Ninguém com menos de dezessete anos conseguirá atravessar a linha.

"E, finalmente, gostaria de incutir nos que querem competir que ninguém deve se inscrever neste torneio levianamente. Uma vez escolhido pelo

Cálice de Fogo, o campeão ficará obrigado a prosseguir até o final do torneio. Colocar o nome no cálice é um ato contratual mágico. Não pode haver mudança de ideia, uma vez que a pessoa se torne campeã. Portanto, procurem se certificar de que estão preparados de corpo e alma para competir, antes de depositar seu nome no cálice. Agora, acho que já está na hora de irmos nos deitar. Boa-noite a todos."

— Uma linha etária! — exclamou Fred Weasley, os olhos brilhando, enquanto atravessavam o salão rumo às portas que se abriam para o saguão de entrada.

— Bom, isso deve ser contornável com uma Poção para Envelhecer, não? E depois que o nome estiver no cálice a gente vai ficar rindo, ele não vai saber dizer se você tem ou não dezessete anos!

— Mas eu acho que ninguém abaixo de dezessete anos terá a menor chance — disse Hermione —, ainda não aprendemos o suficiente...

— Fale por você — disse Jorge rispidamente. — Você vai tentar entrar, não vai, Harry?

Harry pensou brevemente na insistência de Dumbledore de que nenhum menor de dezessete anos submetesse o nome, mas então a maravilhosa visão de si mesmo ganhando a Taça Tribruxo invadiu mais uma vez sua mente... ele pensou no quanto Dumbledore ficaria zangado se algum menor de dezessete anos descobrisse uma maneira de atravessar a linha etária...

— Onde está ele? — perguntou Rony, que não estava ouvindo uma só palavra dessa conversa, e examinava a aglomeração de alunos para ver que fim levara Krum. — Dumbledore não disse onde o pessoal de Durmstrang vai dormir, disse?

Mas sua pergunta foi respondida quase instantaneamente; os garotos estavam passando pela mesa da Sonserina naquele momento e Karkaroff se apressava em chegar aos seus alunos.

— Voltamos ao navio, então — foi ele dizendo. — Vítor, como é que você está se sentindo? Comeu o suficiente? Devo mandar buscar um pouco de quentão na cozinha?

Harry viu Krum sacudir negativamente a cabeça e tornar a vestir as peles.

— Professor, *eu* gostaria de beber um pouco de vinho — disse outro garoto de Durmstrang, esperançoso.

— Eu não ofereci a *você*, Poliakoff — retorquiu Karkaroff, seu caloroso ar paternal desaparecendo instantaneamente. — Vejo que derramou comida nas vestes outra vez, moleque porcalhão...

Karkaroff lhe deu as costas e conduziu os alunos para fora, chegando à porta no mesmo momento que Harry, Rony e Hermione. Harry parou para deixá-lo passar primeiro.

– Obrigado – disse Karkaroff, olhando distraído para o garoto.

E então o bruxo estacou. Tornou a virar a cabeça para Harry e encarou-o como se não pudesse acreditar no que via. Atrás do diretor, os alunos de Durmstrang pararam também. Os olhos de Karkaroff percorreram lentamente o rosto de Harry e se detiveram na cicatriz. Os alunos de Durmstrang miraram Harry cheios de curiosidade, também. Pelo canto do olho, o garoto viu que alguns faziam cara de terem finalmente entendido. O garoto que sujara as vestes de comida cutucou uma colega ao seu lado e apontou abertamente para a testa de Harry.

– É, é o Harry Potter, sim – disse alguém com um rosnado às costas deles.

O Prof. Karkaroff virou-se completamente. Olho-Tonto Moody se achava parado ali, apoiado pesadamente na bengala, o olho mágico encarando sem piscar o diretor de Durmstrang.

A cor se esvaiu do rosto de Karkaroff enquanto Harry observava a cena. Uma expressão terrível, em que se misturavam a fúria e o medo, perpassou o rosto do homem.

– Você! – exclamou ele, encarando Moody como se duvidasse de que realmente o via.

– Eu – disse Moody, sério. – E, a não ser que tenha alguma coisa a dizer a Potter, Karkaroff, você talvez queira continuar andando. Está bloqueando a porta.

Era verdade; metade dos estudantes no salão aguardava atrás deles, espiando por cima dos ombros uns dos outros para ver o que estava causando o engarrafamento.

Sem dizer mais uma palavra, o Prof. Karkaroff arrebanhou seus alunos e saiu. Moody observou-o desaparecer de vista, seu olho mágico fixando as costas do bruxo, uma expressão de intenso desagrado em seu rosto mutilado.

Como o dia seguinte era sábado, normalmente a maioria dos estudantes teria tomado o café da manhã mais tarde. Harry, Rony e Hermione, porém, não foram os únicos a se levantarem muito mais cedo do que costumavam nos fins de semana. Quando desceram para o saguão, viram umas vinte pessoas andando por ali, alguns comendo torrada, todos examinando o Cálice de Fogo. A peça fora colocada no centro do saguão sobre o banquinho que era usado para o Chapéu Seletor. Uma fina linha dourada fora traçada no chão, formando um círculo de uns três metros de raio.

— Alguém já depositou o nome? — perguntou Rony, ansioso, a uma aluna do terceiro ano.

— Todo o pessoal da Durmstrang — respondeu ela. — Mas ainda não vi ninguém de Hogwarts.

— Aposto como tem gente que depositou ontem à noite depois que fomos todos dormir — disse Harry. — Eu teria feito isso se fosse eles... não iria querer ninguém me olhando. E se o cálice cuspisse o meu nome de volta na hora?

Alguém riu às costas de Harry. Ao se virar, ele viu Fred, Jorge e Lino Jordan correndo escada abaixo, os três parecendo animadíssimos.

— Resolvido — disse Fred num cochicho vitorioso a Harry, Rony e Hermione. — Acabamos de tomá-la.

— Quê? — exclamou Rony.

— A Poção para Envelhecer, cabeça de bagre — disse Fred.

— Uma gota cada um — acrescentou Jorge, esfregando as mãos de alegria. — Só precisamos envelhecer alguns meses.

— Vamos dividir os mil galeões entre os três se um de nós vencer — disse Lino, com um largo sorriso.

— Não tenho muita certeza de que isso vai dar certo — disse Hermione em tom de aviso. — Tenho certeza de que Dumbledore terá pensado nessa possibilidade.

Fred, Jorge e Lino não lhe deram atenção.

— Pronto? — perguntou Fred aos outros dois, tremendo de animação. — Vamos então, eu vou primeiro...

Harry observou, fascinado, quando Fred tirou do bolso um pedaço de pergaminho com as palavras "Fred Weasley — Hogwarts". O garoto foi direto à linha e parou ali, balançando-se nas pontas dos pés como um mergulhador se preparando para um salto de quinze metros. Depois, acompanhado pelo olhar de todos que estavam no saguão, ele respirou fundo e atravessou a linha.

Por uma fração de segundo, Harry achou que a coisa dera certo — Jorge certamente pensara o mesmo, porque soltou um berro de triunfo e correu atrás de Fred —, mas no momento seguinte ouviram um chiado forte e os gêmeos foram arremessados para fora do círculo dourado, como bolas de golfe. Eles aterrissaram dolorosamente a dez metros de distância no frio chão de pedra e, para piorar a situação, ouviram um forte estalo e brotaram nos dois longas barbas brancas e idênticas.

O saguão de entrada ecoou de risadas. Até Fred e Jorge riram depois de se levantarem e darem uma boa olhada nas barbas um do outro.

– Eu avisei a vocês – disse uma voz grave e risonha, ao que todos se viraram e deram com o Prof. Dumbledore saindo do Salão Principal. Ele examinou Fred e Jorge, com os olhos cintilando. – Sugiro que os dois procurem Madame Pomfrey. Ela já está cuidando da Srta. Fawcett da Corvinal e do Sr. Summers da Lufa-Lufa, que também resolveram envelhecer um pouquinho. Embora eu deva dizer que as barbas deles não são tão bonitas quanto as suas.

Fred e Jorge seguiram para a ala hospitalar acompanhados por Lino, que rolava de rir, e Harry, Rony e Hermione, também às gargalhadas, foram tomar o café da manhã.

A decoração no Salão Principal estava mudada essa manhã. Como era o Dia das Bruxas, uma nuvem de morcegos vivos esvoaçava pelo teto encantado, enquanto centenas de abóboras esculpidas riam-se em cada canto. Harry, à frente dos três, foi até Dino e Simas, que discutiam quais alunos de Hogwarts com dezessete anos ou mais estariam se inscrevendo.

– Corre um boato que Warrington se levantou cedo e depositou o nome no cálice – disse Dino a Harry. – Aquele grandalhão da Sonserina que parece uma preguiça.

Harry, que jogara quadribol contra Warrington, sacudiu a cabeça, desgostoso.

– Não podemos ter um campeão da Sonserina!

– E todo o pessoal da Lufa-Lufa está falando em Diggory – disse Simas com desprezo. – Eu não teria imaginado que ele fosse querer arriscar aquele belo físico.

– Escutem! – disse Hermione de repente.

As pessoas estavam aplaudindo no saguão de entrada. Todos se viraram nas cadeiras e viram Angelina Johnson entrando no salão, sorrindo meio encabulada. Uma garota alta, que jogava como artilheira no time de quadribol da Grifinória, Angelina se aproximou dos colegas, sentou-se e disse:

– Bom, está feito! Depositei o meu nome!

– Você está brincando! – disse Rony, parecendo impressionado.

– Então você já fez dezessete? – perguntou Harry.

– Claro que sim. Você está vendo alguma barba? – respondeu Rony.

– Fiz anos na semana passada – disse Angelina.

– Fico feliz que alguém da Grifinória esteja concorrendo – comentou Hermione. – Espero sinceramente que você seja escolhida, Angelina!

– Obrigada, Hermione – agradeceu Angelina, sorrindo para ela.

– É, é melhor você do que o Zé Bonitinho Diggory – disse Simas, fazendo vários alunos da Lufa-Lufa que passavam pela mesa amarrarem a cara para ele.

– Então, que é que vocês vão fazer hoje? – perguntou Rony a Harry e Hermione, quando saíam do salão depois do café.

– Ainda não fomos visitar o Hagrid – lembrou Harry.

– OK, desde que ele não nos peça para doar uns dedos aos explosivins.

Uma expressão de grande animação surgiu de repente no rosto de Hermione.

– Acabei de me tocar, ainda não pedi ao Hagrid para se alistar no F.A.L.E.! – disse ela, animada. – Me esperem aqui enquanto dou uma corrida lá em cima para apanhar os distintivos.

– Qual é a dela? – exclamou Rony, exasperado, quando Hermione saiu correndo escada acima.

– Ei, Rony – disse Harry de repente. – É a sua amiga...

Os alunos de Beauxbatons entravam no castelo, vindo dos jardins, entre eles a garota veela. O pessoal aglomerado à volta do cálice se afastou para deixá-los passar, observando-os ansiosos.

Madame Maxime entrou atrás dos alunos e organizou-os em fila. Um a um eles atravessaram a linha etária e depositaram seus pedaços de pergaminho nas chamas branco-azuladas. A cada nome inscrito o fogo se avermelhava e faiscava por um breve instante.

– Que é que você acha que acontece com os que não são escolhidos? – murmurou Rony para Harry, quando a garota veela deixou cair seu pedaço de pergaminho no Cálice de Fogo. – Você acha que voltam para a escola ou ficam por aqui para assistir ao torneio?

– Não sei – disse Harry. – Ficam por aqui, suponho... Madame Maxime vai ficar para julgar, não é?

Depois que os alunos de Beauxbatons se inscreveram, Madame Maxime levou-os de volta aos jardins.

– Onde é que *eles* estão dormindo, então? – perguntou Rony chegando até as portas de entrada e acompanhando-os com o olhar.

Um ruído de chocalho às costas dos dois anunciou a reaparição de Hermione com a caixa de distintivos do F.A.L.E.

— Ah, bom, vamos logo — disse Rony, e desceu aos saltos os degraus de pedra, mantendo os olhos fixos na garota veela, que a essa altura já estava no meio do jardim com a diretora.

Ao se aproximarem da cabana de Hagrid na orla da Floresta Proibida, o mistério do dormitório dos alunos de Beauxbatons se esclareceu. A enorme carruagem azul-clara em que haviam chegado fora estacionada a menos de duzentos metros da porta da cabana de Hagrid, e eles estavam embarcando nela. Os cavalos elefânticos que puxavam a carruagem pastavam agora em um picadeiro improvisado montado a um lado.

Harry bateu na porta de Hagrid e os latidos retumbantes de Canino responderam imediatamente.

— Até que enfim! — saudou-os Hagrid, quando abriu a porta e viu quem batia. — Achei que vocês tinham esquecido onde eu morava!

— Estivemos realmente ocupados, Hag... — Hermione começou a dizer, mas parou de chofre, encarando Hagrid, aparentemente sem saber o que dizer.

Hagrid estava usando seu melhor (e horroroso) terno de tecido marrom peludo, com uma gravata amarela e laranja. Mas isto não era o pior; ele evidentemente tentara domesticar os cabelos, usando uma grande quantidade de um produto que parecia graxa para eixo de rodas. Estavam agora alisados em dois molhos — talvez ele tivesse tentado fazer um rabo de cavalo como o de Gui, mas descobrira que tinha cabelo demais. O penteado realmente não combinava nadinha com Hagrid. Por um instante, Hermione mirou-o de olhos arregalados, depois, obviamente decidindo não fazer comentários, disse:

— Hum, onde estão os explosivins?

— Lá fora no canteiro de abóboras — respondeu Hagrid, alegre. — Estão ficando uns bichões, quase um metro de comprimento agora. O único problema é que começaram a se matar uns aos outros.

— Ah, não, sério? — exclamou Hermione, lançando um olhar de censura a Rony, que olhava sem disfarçar o penteado esquisito de Hagrid e acabara de abrir a boca para dizer alguma coisa.

— É — disse Hagrid com tristeza. — Mas tudo bem, eles agora estão em caixas separadas. Ainda sobraram uns vinte.

— Isso é que foi sorte! — disse Rony. Mas Hagrid não percebeu a ironia.

A cabana de Hagrid tinha um único cômodo, e a um canto havia uma cama gigantesca coberta com uma colcha de retalhos. Uma mesa igualmente enorme com cadeiras ficava diante da lareira, sob uma quantidade de presuntos curados, e aves mortas que pendiam do teto. Os garotos se sentaram à mesa enquanto Hagrid preparava o chá e logo se deixaram absorver por mais uma discussão sobre o Torneio Tribruxo. Hagrid parecia tão animado com o assunto quanto eles.

— Aguardem — disse ele, sorrindo. — Aguardem só. Vocês vão ver uma coisa que nunca viram antes. A primeira tarefa... ah, mas eu não posso contar.

— Vamos, Hagrid! — insistiram Harry, Rony e Hermione, mas ele apenas sacudiu a cabeça, rindo.

— Não quero estragar a surpresa. Mas vai ser espetacular, isso eu posso dizer. Os campeões vão ter tarefas escolhidas sob medida. Nunca pensei que ia viver para ver organizarem novamente um Torneio Tribruxo!

Os garotos acabaram almoçando com Hagrid, embora não comessem muito — ele disse que preparara um picadinho de carne, mas, quando Hermione encontrou uma garra no dela, os três perderam um pouco o apetite. Mas se divertiram tentando fazer Hagrid contar as tarefas que haveria no torneio, especulando quais dos inscritos seriam provavelmente escolhidos para campeões, e imaginando se Fred e Jorge já teriam perdido as barbas.

Uma chuva leve começara a cair lá pelo meio da tarde; foi muito gostoso sentarem ao pé da lareira e escutar as gotas de chuva tamborilando de leve na janela, vendo Hagrid cerzir suas meias enquanto discutia com Hermione sobre os elfos domésticos — porque ele se recusou terminantemente a entrar para o F.A.L.E. quando a garota lhe mostrou os distintivos.

— Seria fazer a eles uma maldade, Hermione — disse sério, enquanto trabalhava com uma enorme agulha de osso enfiada com uma linha de cerzir amarela. — Faz parte da natureza deles cuidar dos seres humanos, é disso que eles gostam, entende? Você os faria infelizes se tirasse o trabalho deles e os insultaria se tentasse lhes pagar um salário.

— Mas Harry libertou o Dobby e ele foi à lua de tanta felicidade! — disse Hermione. — E ouvimos dizer que ele está exigindo salário agora!

— Tudo bem, tem aberrações em toda espécie da natureza. Não estou dizendo que não haja elfo esquisito que aceite a liberdade, mas você jamais convenceria a maioria deles a concordar com isso, não, nada feito, Hermione.

Hermione pareceu ficar realmente contrariada e guardou a caixa de distintivos no bolso da capa.

Lá pelas cinco horas começou a escurecer, e Rony, Harry e Hermione decidiram que já era hora de voltar ao castelo para a festa do Dia das Bruxas — e, o que era mais importante, para o anúncio de quem seriam os campeões das escolas.

— Vou com vocês — disse Hagrid, deixando o cerzido de lado. — Me deem um segundo.

Ele se levantou, foi até a cômoda ao lado da cama e começou a procurar alguma coisa nas gavetas. Os garotos não prestaram muita atenção, até que um fedor realmente horrível chegou às suas narinas.

Tossindo, Rony perguntou:
— Hagrid, que é isso?
— Eh? — exclamou Hagrid, virando-se com um enorme frasco na mão. — Você não gostou?
— Isso é loção de barba? — perguntou Hermione, com um tom de voz levemente chocado.
— Hum... *eau-de-Cologne* — murmurou Hagrid. Ele ficou vermelho. — Talvez seja um pouco demais — disse meio impaciente. — Vou tirar, esperem aí...

Ele saiu desajeitado da cabana e os garotos o viram lavar-se vigorosamente no barril de água do lado da janela.
— *Eau-de-Cologne?* — repetiu Hermione, surpresa. — *Hagrid?*
— E qual é a explicação para os cabelos e o terno dele? — perguntou Harry em voz baixa.
— Olhem lá! — exclamou Rony de repente, apontando para fora da janela.

Hagrid acabara de se aprumar e se virara. Se ficara vermelho antes, não era nada comparável ao que estava acontecendo agora. Levantando-se muito cautelosamente, para que Hagrid não os visse, Harry, Rony e Hermione espiaram pela janela e viram que Madame Maxime e os alunos de Beauxbatons tinham acabado de sair da carruagem, obviamente para irem à festa também. Os garotos não conseguiam ouvir, mas Hagrid estava falando com a diretora com os olhos embaçados e uma expressão de arrebatamento, que Harry só notara nele uma única vez — quando admirava o filhote de dragão Norberto.

— Ele está indo com ela para o castelo! — disse Hermione, indignada. — Pensei que ele estava nos esperando!

Sem lançar sequer um olhar à cabana, Hagrid foi subindo pelo gramado com Madame Maxime, e os alunos de Beauxbatons seguiam em sua cola, quase correndo para acompanhar os passos enormes dos dois.

— Ele está caído por ela! — comentou Rony, incrédulo. — Bom, se eles tiverem filhos, vão marcar um recorde mundial, aposto como um bebê deles iria pesar uma tonelada.

Os três saíram da cabana sozinhos e fecharam a porta ao passar. Estava surpreendentemente escuro do lado de fora. Puxando as capas para mais junto do corpo, eles subiram pelos gramados da propriedade.

— Ah, são eles. Olhem lá! — sussurrou Hermione.

A delegação de Durmstrang seguia do lago para o castelo. Vítor Krum caminhava ao lado de Karkaroff e os outros os acompanhavam em pequenos grupos. Rony observou Krum animado, mas o jogador nem olhou para os lados ao alcançar as portas do castelo um pouco à frente de Hermione, Rony e Harry, andando sempre reto.

Quando os três amigos entraram, o salão iluminado por velas estava quase cheio. O Cálice de Fogo fora mudado de lugar; agora se encontrava diante da cadeira vazia de Dumbledore, à mesa dos professores. Fred e Jorge – novamente de cara lisa – pareciam ter aceitado o desapontamento muito bem.

– Espero que seja Angelina – disse Fred, quando Harry, Rony e Hermione se sentaram.

– Eu também! – disse Hermione, sem fôlego. – Bom, vamos saber daqui a pouco!

A Festa das Bruxas pareceu durar muito mais do que habitualmente. Talvez porque fosse o segundo banquete em dois dias, Harry não pareceu interessado na comida preparada com extravagância tanto quanto das outras vezes. Como todas as pessoas no salão, a julgar pelas constantes espichadas de pescoços, as expressões impacientes nos rostos, o desassossego de todos que se levantavam para ver se Dumbledore já acabara de comer, Harry simplesmente queria que os pratos fossem retirados e os nomes dos campeões anunciados.

Depois de muito tempo, os pratos voltaram ao estado de limpeza inicial; houve um aumento acentuado no volume dos ruídos no salão, que caiu quase instantaneamente quando Dumbledore se ergueu. A cada lado dele, o Prof. Karkaroff e Madame Maxime pareciam tão tensos e ansiosos quanto os demais. Ludo Bagman sorria e piscava para vários alunos. O Sr. Crouch, porém, parecia bastante desinteressado, quase entediado.

– Bom, o Cálice de Fogo está quase pronto para decidir – disse Dumbledore. – Estimo que só precise de mais um minuto. Agora, quando os nomes dos campeões forem chamados, eu pediria que eles viessem até este lado do salão, passassem diante da mesa dos professores e entrassem na câmara ao lado – ele indicou a porta atrás da mesa –, onde receberão as primeiras instruções.

Ele puxou, então, a varinha e fez um gesto amplo; na mesma hora todas as velas, exceto as que estavam dentro das abóboras recortadas, se apagaram, mergulhando o salão na penumbra. O Cálice de Fogo agora brilhava com mais intensidade do que qualquer outra coisa ali, a brancura azulada das chamas que faiscavam vivamente quase fazia os olhos doerem. Todos observavam à espera... alguns consultavam os relógios a todo momento...

— A qualquer segundo agora — sussurrou Lino Jordan, a dois lugares de distância de Harry.

As chamas dentro do Cálice de repente tornaram a se avermelhar. Começaram a soltar faíscas. No momento seguinte, uma língua de fogo se ergueu no ar e expeliu um pedaço de pergaminho chamuscado — o salão inteiro prendeu a respiração.

Dumbledore apanhou o pergaminho e segurou-o à distância do braço, de modo a poder lê-lo à luz das chamas, que voltaram a ficar branco-azuladas.

— O campeão de Durmstrang — leu ele em alto e bom som — será Vítor Krum.

— Grande surpresa! — berrou Rony, ao mesmo tempo que uma tempestade de aplausos e vivas percorreu o salão. Harry viu Vítor Krum se levantar da mesa da Sonserina e se encaminhar com as costas curvas para Dumbledore; ele virou à direita, passou diante da mesa dos professores e desapareceu pela porta que levava à câmara vizinha.

— Bravo, Vítor! — disse Karkaroff com a voz tão retumbante que todos puderam ouvi-lo apesar dos aplausos. — Eu sabia que você era capaz!

Os aplausos e comentários morreram. Agora todas as atenções tornaram a se concentrar no Cálice de Fogo, que, segundos depois, tornou a se avermelhar. Um segundo pedaço de pergaminho voou de dentro dele, lançado pelas chamas.

— O campeão de Beauxbatons é Fleur Delacour!

— É ela, Rony! — gritou Harry, quando a garota que parecia uma veela levantou-se graciosamente, sacudiu a cascata de cabelos louro-prateados para trás e caminhou impetuosamente entre as mesas da Corvinal e da Lufa-Lufa.

— Ah, olha lá, eles estão desapontados — disse Hermione sobrepondo sua voz ao barulho e indicando com a cabeça o resto da delegação de Beauxbatons. "Desapontados" era dizer pouco, pensou Harry. Duas das garotas que não tinham sido escolhidas debulhavam-se em lágrimas e soluçavam, com as cabeças deitadas nos braços.

Quando Fleur Delacour também desapareceu na câmara vizinha, todos tornaram a fazer silêncio, mas desta vez foi um silêncio tão pesado de animação que quase dava para sentir seu gosto. O campeão de Hogwarts é o próximo...

E o Cálice de Fogo ficou mais uma vez vermelho; jorraram faíscas dele; a língua de fogo ergueu-se muito alto no ar e de sua ponta Dumbledore tirou o terceiro pedaço de pergaminho.

— O campeão de Hogwarts — anunciou ele — é Cedrico Diggory!

— Não! — exclamou Rony em voz alta, mas ninguém o ouviu, exceto Harry; a zoeira na mesa vizinha era grande demais. Cada um dos alunos da Lufa-Lufa ficou de pé, gritando e sapateando, quando Cedrico passou por eles, um enorme sorriso no rosto, e se encaminhou para a câmara atrás da mesa dos professores. Na verdade, os aplausos para Cedrico foram tão longos que passou algum tempo até que Dumbledore pudesse se fazer ouvir novamente.

— Excelente! — exclamou Dumbledore, feliz, quando finalmente o tumulto serenou. — Muito bem, agora temos os nossos três campeões. Estou certo de que posso contar com todos, inclusive com os demais alunos de Beauxbatons e Durmstrang, para oferecer aos nossos campeões todo o apoio que puderem. Torcendo pelos seus campeões, vocês contribuirão de maneira muito real...

Mas Dumbledore parou inesperadamente de falar, e tornou-se óbvio para todos o que o distraíra.

O fogo no cálice acabara de se avermelhar outra vez. Expeliu faíscas. Uma longa chama elevou-se subitamente no ar e ergueu mais um pedaço de pergaminho.

Com um gesto aparentemente automático, Dumbledore estendeu a mão e apanhou o pergaminho. Ergueu-o e seus olhos se arregalaram para o nome que viu escrito. Houve uma longa pausa, durante a qual o bruxo mirou o pergaminho em suas mãos e todos no salão fixaram o olhar em Dumbledore. Ele pigarreou e leu...

— *Harry Potter!*

17

OS QUATRO CAMPEÕES

Harry ficou sentado ali, consciente de que cada cabeça no Salão Principal se virara para ele. Sentia-se atordoado. Entorpecido. Sem dúvida, estava sonhando. Não ouvira direito.

Não houve aplausos. Um zunido, como o de abelhas enraivecidas, começou a encher o salão; alguns estudantes ficaram em pé para ter uma visão melhor de Harry, sentado ali, imóvel, em sua cadeira.

Na mesa principal, a Profª Minerva se levantara e passara por Ludo Bagman e pelo Prof. Karkaroff para cochichar urgentemente com o Prof. Dumbledore, que inclinara a cabeça para ela, franzindo ligeiramente a testa.

Harry se virou para Rony e Hermione; mais além, viu toda a longa mesa da Grifinória observando-o, boquiaberta.

— Eu não inscrevi meu nome — disse Harry, sem saber o que dizer. — Vocês sabem que não.

Os dois apenas olharam para ele também, sem saber o que responder.

Na mesa principal, o Prof. Dumbledore se aprumou, acenando a cabeça afirmativamente para a Profª Minerva.

— Harry Potter! — tornou ele a chamar. — Harry! Aqui, se me faz o favor!

— Anda — murmurou Hermione, dando um leve empurrão em Harry.

O garoto ficou de pé, pisou na barra das vestes e tropeçou brevemente. Saiu pelo espaço entre as mesas da Grifinória e da Lufa-Lufa. Teve a impressão de estar fazendo uma longuíssima caminhada; a mesa principal parecia não chegar mais perto e ele sentia centenas de olhos fixos nele, como se cada um fosse um refletor. O zum-zum não parava de crescer. Depois do que lhe pareceu uma hora, o garoto chegou diante de Dumbledore, sentindo fixos nele os olhares dos professores.

— Bom... pela porta — disse Dumbledore. O diretor não sorria.

Harry passou pela mesa dos professores. Hagrid estava sentado bem no fim. Mas não piscou para Harry, nem acenou nem fez qualquer dos sinais habituais para cumprimentá-lo. Parecia inteiramente perplexo e olhou para Harry quando este passou, como os demais. O garoto passou pela porta e se viu em um aposento menor, com as paredes cobertas de retratos a óleo de bruxas e bruxos. Um belo fogo rugia na lareira em frente.

Os rostos nos retratos se viraram para olhá-lo quando ele entrou. Surpreendeu uma bruxa encarquilhada passando rapidamente da moldura do próprio retrato para a moldura vizinha, que enquadrava um bruxo de bigodes de morsa. A bruxa encarquilhada começou a cochichar no ouvido do colega.

Vítor Krum, Cedrico Diggory e Fleur Delacour estavam reunidos em torno da lareira. Pareciam estranhamente imponentes, recortados contra as chamas. Krum, curvado e pensativo, apoiava-se no console da lareira, ligeiramente afastado dos outros. Cedrico estava parado com as mãos às costas, contemplando o fogo. Fleur Delacour virou a cabeça quando Harry entrou e jogou para trás a cascata de cabelos longos e prateados.

— Que foi? — perguntou ela. — Querrem que a jante volte ao salon?

Pensava que ele viera trazer um recado. Harry não sabia como explicar o que acabara de acontecer. Ficou ali parado, olhando para os três campeões. Percebeu de repente como eram altos.

Houve um ruído de passos apressados atrás de Harry, e Ludo Bagman entrou na sala. Segurou o garoto pelo braço e levou-o até os outros.

— Extraordinário! — murmurou, apertando o braço de Harry. — Absolutamente extraordinário! Senhores... senhora — acrescentou, aproximando-se da lareira e falando aos outros três. — Gostaria de lhes apresentar, por mais incrível que possa parecer, o *quarto* campeão do Torneio Tribruxo.

Vítor Krum se empertigou. Seu rosto carrancudo nublou-se ao examinar Harry. Cedrico fez cara de estupefação. Olhou de Bagman para Harry e de volta como se tivesse certeza de que ouvira mal o que o bruxo acabara de dizer. Fleur Delacour, porém, sacudiu os cabelos, sorriu e disse:

— Que grrande piada, Senhorr Bagman.

— Piada? — repetiu Bagman, confuso. — Não, não, não é não! O nome de Harry acaba de sair do Cálice de Fogo!

As grossas sobrancelhas de Krum se contraíram ligeiramente. Cedrico continuou a parecer educadamente surpreso.

Fleur franziu a testa.

— Mas evidaman, houve um engano — disse a Bagman com desdém. — Ele non pode competirr. É jóvam demais.

— Bom... é surpreendente — concordou Bagman, esfregando o queixo liso e sorrindo para Harry. — Mas, como sabem, o limite de idade só foi imposto este ano como medida suplementar de precaução. E como o nome dele saiu do Cálice de Fogo... quero dizer, acho que a essa altura não podemos fugir à responsabilidade... somos obrigados... Harry terá que se esforçar o máximo que...

A porta às costas deles se abriu e um grande grupo de pessoas entrou: o Prof. Dumbledore, seguido de perto pelo Sr. Crouch, o Prof. Karkaroff, Madame Maxime, a Profª McGonagall e o Prof. Snape. Harry ouviu o zum-zum de centenas de estudantes do outro lado da parede, antes da Profª McGonagall fechar a porta.

— Madame Maxime! — chamou Fleur na mesma hora, indo ao encontro de sua diretora. — Eston dizando que esse garrotinho vai competirr tambã!

Sob o seu atordoamento e incredulidade, Harry sentiu uma crispação de raiva. *Garrotinho?*

Madame Maxime se empertigara até o limite de sua considerável altura. O cocuruto da bela cabeça roçou o lustre repleto de velas, e seu imenso peito coberto de cetim preto se estufou.

— Que significa isso, Dumbly-dorr? — perguntou imperiosamente.

— Eu também gostaria de saber, Dumbledore — disse o Prof. Karkaroff. Em seu rosto havia um sorriso inflexível e seus olhos azuis eram duas lascas de gelo. — *Dois* campeões de Hogwarts? Não me lembro de ninguém ter me dito que a escola que sediasse o torneio poderia ter dois campeões, ou será que não li o regulamento com a devida atenção?

Ele deu um sorrisinho maldoso.

— É amposível — exclamou Madame Maxime, cujas enormes mãos com numerosas e soberbas opalas descansavam no ombro de Fleur. — Ogwarts não pode terr dois campeons. Serria muito injusto.

— Tivemos a impressão de que a sua linha etária deixaria de fora os competidores mais jovens, Dumbledore — disse Karkaroff, o sorriso inflexível ainda no rosto, embora seus olhos estivessem mais frios que nunca. — Do contrário, teríamos, naturalmente, trazido uma seleção de candidatos mais ampla de nossas escolas.

— Não é culpa de ninguém, exceto de Potter, Karkaroff — falou Snape suavemente. Seus olhos pretos brilharam de malícia. — Não saia culpando Dumbledore pela determinação de Potter de desobedecer às regras. Ele não tem feito nada exceto transgredir limites desde que chegou aqui...

— Muito obrigado, Severo — disse Dumbledore com firmeza, e Snape se calou, embora seus olhos continuassem a brilhar maldosamente por trás da cortina de cabelos pretos e oleosos.

O Prof. Dumbledore olhou então para Harry, que o encarou, tentando perceber a expressão dos olhos do diretor por trás dos oclinhos de meia-lua.

— Você depositou seu nome no Cálice de Fogo, Harry? — perguntou Dumbledore calmamente.

— Não — respondeu Harry. Estava consciente de que todos o olhavam com atenção. Nas sombras, Snape fez um barulhinho impaciente de descrença.

— Você pediu a um estudante mais velho para depositá-lo no Cálice de Fogo para você? — tornou o diretor, sem dar atenção a Snape.

— Não — disse Harry com veemência.

— Ah, mas é clarro que ele está mantindo — exclamou Madame Maxime. Snape agora sacudia a cabeça, a boca crispada.

— Ele não poderia ter atravessado a linha etária — interpôs a Prof.ª Minerva energicamente. — Tenho certeza de que todos concordamos nisso...

— Dumbly-dorr deve terr se anganado ao traçarr a linha — concluiu Madame Maxime, encolhendo os ombros.

— É claro que isto é possível — respondeu Dumbledore polidamente.

— Dumbledore, você sabe muito bem que não se enganou! — exclamou a Prof.ª Minerva, aborrecida. — Francamente, que tolice! Harry não poderia ter cruzado a linha pessoalmente, e como o Prof. Dumbledore acredita que ele não convenceu um colega mais velho a fazer isso por ele decerto isto deveria bastar para todos nós!

Ela lançou um olhar muito zangado ao Prof. Snape.

— Sr. Crouch... Sr. Bagman — começou Karkaroff, a voz mais uma vez untuosa —, os senhores são os nossos... hum... juízes objetivos. Certamente os senhores concordarão que isto é extremamente irregular?

Bagman enxugou o rosto redondo e infantil com o lenço e olhou para o Sr. Crouch, que estava parado fora do círculo das chamas da lareira, o rosto semioculto pelas sombras. Parecia um pouco sobrenatural, a obscuridade fazia-o parecer muito mais velho, emprestando-lhe quase uma aparência de caveira. Quando falou, porém, foi em seu tom habitualmente seco.

— Devemos obedecer ao regulamento e o regulamento diz claramente que as pessoas cujos nomes saírem do Cálice de Fogo devem competir no torneio.

— Bom, Bartô conhece os regulamentos de trás para diante — disse Bagman, sorrindo, e se voltou para Karkaroff e Madame Maxime como se o assunto estivesse definitivamente encerrado.

— Eu insisto em tornar a submeter os nomes do restante dos meus alunos — disse Karkaroff. Ele agora deixara de lado seu tom untuoso e o sorriso. Seu rosto tinha uma expressão realmente feia. — Vocês prepararão novamente o Cálice de Fogo e continuaremos a depositar nomes até cada escola ter dois campeões. Seria o justo, Dumbledore.

— Mas Karkaroff, a coisa não funciona assim — comentou Bagman. — O Cálice de Fogo se apagou, e não voltará a arder até o início do próximo torneio...

— ... no qual Durmstrang, com toda a certeza, não irá competir! — explodiu Karkaroff. — Depois de tantas reuniões e negociações e tantos compromissos, eu não esperava que acontecesse uma coisa desta natureza! Tenho até vontade de me retirar agora mesmo!

— Uma ameaça inútil, Karkaroff — rosnou uma voz próxima à porta. — Você não pode abandonar o seu campeão agora. Ele tem que competir. Todos têm que competir. Um ato contratual mágico, conforme disse Dumbledore. Conveniente, não é mesmo?

Moody acabara de entrar na sala. Encaminhou-se, mancando, até a lareira, e a cada passo que dava ouvia-se uma batidinha.

— Conveniente? — perguntou Karkaroff. — Receio não estar entendendo, Moody.

Harry percebeu que o bruxo tentava parecer desdenhoso, como se não valesse a pena dar atenção ao que Moody dissera, mas suas mãos o traíam; tinham se fechado em punhos.

— Não mesmo? — perguntou Moody em voz alta. — É muito simples, Karkaroff. Alguém depositou o nome de Harry naquele cálice sabendo que o garoto teria que competir se saísse o seu nome.

— Evidaman algám que querria oferrecer a Ogwarts duas oporrtunidades de vancerr! — comentou Madame Maxime.

— Eu concordo, Madame Maxime — disse Karkaroff, com uma reverência. — Vou reclamar com o Ministério da Magia e a Confederação Internacional dos Bruxos...

— Se alguém tem razão para reclamar, é o Potter — rosnou Moody —, mas... o que é engraçado... não estou ouvindo ele dizer uma única palavra...

— Por que ele irria reclamar? — disse Fleur Delacour de repente, batendo o pé. — Ele tam a chance de competirr, não é? Durrante semanas vivemos a esperrança de serr escolhidos! A honrra de nossas escolas! Mil galeões de prrêmio, é uma chance pela qual muita jante morrerria!

— Talvez alguém tenha esperança de que Harry morra — disse Moody, com um leve vestígio de rosnado na voz.

Seguiu-se um silêncio extremamente tenso às suas palavras.

Ludo Bagman, que parecia de fato muito ansioso, balançou-se nervoso e disse:

— Moody, meu caro... que coisa para você dizer!

— Todos sabemos que o Prof. Moody considera a manhã perdida se não descobrir seis conspirações para assassiná-lo antes do almoço — disse Karkaroff em voz alta. — Pelo visto, agora está ensinando a seus alunos o medo de serem assassinados, também. Uma estranha qualidade para um professor de Defesa Contra as Artes das Trevas, Dumbledore, mas com toda a certeza você tem suas razões.

— Será que estou imaginando coisas? Vendo coisas? — rosnou Moody. — Foi um bruxo ou uma bruxa habilitada que pôs o nome do garoto naquele cálice...

— Ah, que prrova há disso? — exclamou Madame Maxime, erguendo as enormes mãos.

— Porque enganou um objeto mágico de grande poder! — disse Moody. — Seria preciso um Feitiço para Confundir excepcionalmente forte para mistificar aquele cálice a ponto de fazê-lo esquecer que apenas três escolas competem no torneio... Estou imaginando que alguém tenha inscrito Potter em uma quarta escola, para garantir que ele fosse o único de sua categoria...

— Você parece ter pensado muito no assunto — disse Karkaroff com frieza —, e não deixa de ser uma teoria criativa, embora, é claro, eu tenha ouvido dizer que recentemente você meteu na cabeça que um dos seus presentes de aniversário continha um ovo de basilisco ardilosamente disfarçado e o fez em pedaços antes de se dar conta de que era um relógio de trem. Então você compreenderá se não o levarmos inteiramente a sério...

— Há pessoas que usam ocasiões inocentes em proveito próprio — retrucou Moody num tom ameaçador. — É o meu trabalho pensar como os bruxos das trevas pensariam, Karkaroff, como você deve se lembrar...

— Alastor! — exclamou Dumbledore em tom de aviso. Harry se perguntou por um momento com quem ele estaria falando, mas logo percebeu que "Olho-Tonto" não poderia ser o verdadeiro nome de Moody. Este se calou, embora ainda observasse Karkaroff com satisfação, o rosto de Karkaroff estava em brasa.

— Como foi que essa situação surgiu, não sabemos — disse Dumbledore dirigindo-se às pessoas reunidas na sala. — Parece-me, no entanto, que não temos alternativa alguma senão aceitá-la. Os dois, Cedrico e Harry, foram escolhidos para competir no torneio. E, portanto, é o que farão...

— Ah, mas Dumbly-dorr...

— Minha cara Madame Maxime, se a senhora tiver uma alternativa, ficarei encantado em ouvi-la.

Dumbledore aguardou, mas Madame Maxime não disse nada, apenas o fitou de cara amarrada. E não foi a única, tampouco. Snape parecia furioso, Karkaroff, lívido. Bagman, porém, parecia bastante animado.

— Bom, vamos agilizar isso, então? — disse, esfregando as mãos e sorrindo para os presentes. — Temos que dar nossas instruções aos campeões, não é mesmo? Bartô, quer fazer as honras da casa?

O Sr. Crouch pareceu despertar de um profundo devaneio.

— É — concordou —, instruções. É... a primeira tarefa...

Encaminhou-se, então, para a claridade das chamas. De perto, Harry achou que ele parecia estar passando mal. Havia sombras escuras sob seus olhos e sua pele enrugada tinha uma aparência frágil que lembrava papel, traços que não estavam ali durante a Copa Mundial de Quadribol.

— A primeira tarefa destina-se a testar o arrojo dos campeões — disse ele a Harry, Cedrico, Fleur e Krum —, por isso não vamos lhes dizer qual é. A coragem diante do desconhecido é uma qualidade importante em um bruxo... muito importante...

"A primeira tarefa terá lugar, em vinte e quatro de novembro, perante os demais estudantes e a banca de juízes.

"É proibido aos campeões pedirem aos seus professores, ou aceitarem deles, ajuda de qualquer tipo para realizar as tarefas do torneio. Os campeões enfrentarão o primeiro desafio armados apenas de varinhas. Receberão informações sobre a segunda tarefa quando a primeira estiver concluída. Por força da natureza árdua e demorada do torneio, os campeões estão dispensados dos exames do fim do ano letivo."

O Sr. Crouch virou-se para encarar Dumbledore.

— Acho que é só isso, não é, Alvo?

— Acho que sim — respondeu Dumbledore, que observava o Sr. Crouch com uma leve preocupação. — Você tem certeza de que não quer pernoitar em Hogwarts, Bartô?

— Não, Dumbledore, preciso voltar ao Ministério. Estamos passando um momento muito movimentado e muito difícil... Deixei o jovem Weatherby responsável pelo departamento... muito entusiasmado... um pouquinho demais, para dizer a verdade...

— Você vai pelo menos tomar um drinque antes de partir? — convidou Dumbledore.

— Vamos, Bartô, eu vou ficar! — disse Bagman, animado. — As coisas estão acontecendo em Hogwarts agora, sabe, está muito mais emocionante aqui do que no escritório!

— Acho que não, Ludo — respondeu Crouch, com um toque de sua antiga impaciência.

— Prof. Karkaroff, Madame Maxime, um último drinque antes de nos recolhermos? — perguntou Dumbledore.

Mas Madame Maxime já passara um braço pelos ombros de Fleur e a conduzia rapidamente para fora da sala. Harry ouviu as duas conversarem muito depressa em francês, ao atravessarem o Salão Principal. Karkaroff fez sinal para Krum e eles, também, agitados, saíram em silêncio.

— Harry, Cedrico, sugiro que vocês vão se deitar — disse Dumbledore, sorrindo para os dois. — Tenho certeza de que Grifinória e Lufa-Lufa estão aguardando vocês para comemorar e seria uma pena privar seus colegas desta excelente desculpa para fazerem muito barulho e confusão.

Harry olhou para Cedrico, que concordou com a cabeça, e juntos saíram da sala.

O Salão Principal agora estava deserto; as velas já estavam pequenas, dando aos sorrisos serrilhados das abóboras um ar misterioso e bruxuleante.

— Então — disse Cedrico com um sorrisinho. — Vamos jogar um contra o outro novamente!

— Acho que sim — respondeu Harry. Na realidade, ele não conseguiu pensar no que dizer. Dentro de sua cabeça parecia haver uma desordem total, como se o seu cérebro tivesse sido saqueado.

— Então... me conta... — disse Cedrico, quando chegaram ao saguão de entrada, que estava agora iluminado por archotes, na ausência do Cálice de Fogo. — No duro, como foi que você conseguiu inscrever seu nome?

— Não inscrevi — disse Harry, erguendo os olhos para o colega. — Não pus o meu nome lá. Falei a verdade.

— Ah... tá — respondeu Cedrico. Harry percebeu que Cedrico não acreditara nele. — Bom... a gente se vê, então!

Em vez de subir a escadaria de mármore, Cedrico rumou para a porta à direita. Harry ficou parado escutando-o descer os degraus de pedra, depois, lentamente, começou a subir os de mármore.

Será que mais alguém além de Rony e Hermione acreditaria nele ou iriam todos pensar que se inscrevera no torneio? Contudo, como é que alguém podia pensar uma coisa dessas, quando ele ia enfrentar competidores que tinham mais três anos de educação mágica – quando ia enfrentar tarefas que não somente pareciam perigosas, mas que deveriam ser executadas diante de centenas de pessoas? É, ele pensara nisso... devaneara sobre isso... mas fora brincadeirinha, verdade, uma espécie de sonho descomprometido... jamais considerara *seriamente* se inscrever, verdade...

Mas alguém considerara isso... alguém quisera vê-lo no torneio, e tomara providências para tanto. Por quê? Para lhe fazer um gosto? Tinha a impressão que não...

Para vê-lo fazer papel de bobo? Bom, provavelmente ia ter o seu desejo satisfeito...

Mas para vê-lo *morto*? Moody estaria agindo com a sua paranoia habitual? Alguém não poderia ter posto o nome de Harry no Cálice de Fogo de brincadeira, para pregar uma peça? Será que alguém queria realmente vê-lo morto?

Essa pergunta Harry pôde responder na hora. Sim, alguém queria vê-lo morto, alguém queria vê-lo morto desde que tinha um ano de idade... Lorde Voldemort. Mas como é que o bruxo conseguira providenciar para que o nome de Harry fosse posto no Cálice de Fogo? Estava supostamente muito longe, em algum país distante, escondido, sozinho... fraco e impotente...

No entanto naquele sonho que tivera, pouco antes de acordar com a cicatriz doendo, Voldemort não estava sozinho... estava falando com Rabicho... conspirando para matar Harry...

Harry levou um choque ao se descobrir já diante da Mulher Gorda. Mal reparara aonde seus pés o levavam. Foi também uma surpresa ver que ela não estava sozinha na moldura. A bruxa encarquilhada, que passara para o quadro vizinho quando ele fora se reunir aos campeões na sala embaixo, agora estava sentada, toda cheia de si, ao lado da Mulher Gorda. Devia ter corrido pelos forros de todos os quadros de setes escadas para chegar ali antes dele. As duas, ela e a Mulher Gorda, o miravam com o maior interesse.

– Ora, muito bem – disse a Mulher Gorda –, Violeta acaba de me contar tudo. Então quem foi afinal o escolhido para campeão da escola?

– *Asnice* – disse Harry, sem emoção.

– Certamente que não é! – protestou a bruxa pálida, indignada.

– Não, não, Vi, é a senha – explicou a Mulher Gorda para acalmá-la, e rodou nas dobradiças para deixar Harry entrar na sala comunal.

O estardalhaço que feriu os ouvidos de Harry quando o retrato girou quase o derrubou de costas. A próxima coisa de que teve consciência foi que estava sendo arrastado para dentro da sala por uns doze pares de mãos, diante dos alunos da Grifinória em peso, que gritavam, aplaudiam e assobiavam.

— Devia ter nos avisado de que tinha se inscrito! — berrou Fred; parecia meio aborrecido e meio impressionado.

— Como foi que você fez isso, sem ficar barbudo? Genial — rugiu Jorge.

— Não fiz — disse Harry. — Não sei como foi que...

Mas Angelina agora se atirava em cima dele.

— Ah, se não pôde ser eu, pelo menos foi alguém da Grifinória...

— Você vai poder dar o troco ao Diggory por aquela última partida de quadribol, Harry! — gritou a voz fina de Katie Bell, outra artilheira da Grifinória.

— Temos comida, Harry, venha comer alguma coisa...

— Não estou com fome, comi bastante no banquete...

Mas ninguém quis ouvir falar de sua falta de apetite; ninguém quis saber que ele não pusera o nome no Cálice de Fogo; ninguém parecia ter notado que ele não estava com a menor disposição de comemorar... Lino Jordan desencavara uma bandeira da Grifinória em algum lugar, e insistia em enrolá-la em Harry como uma capa. Harry não conseguiu fugir; sempre que tentava escapulir até a escada dos dormitórios, os colegas à sua volta cerravam fileiras e o forçavam a aceitar mais uma cerveja amanteigada, metendo salgadinhos e amendoins nas mãos dele... todos queriam saber como é que ele fizera aquilo, como ludibriara a linha etária de Dumbledore e conseguira depositar o nome no Cálice de Fogo...

— Não fui eu — repetia ele sem parar —, não sei como foi que aconteceu.

Mas pela pouca atenção que os colegas lhe davam, os protestos do garoto não faziam a menor diferença.

— Estou cansado! — berrou ele finalmente depois de quase meia hora. — Não, é sério, Jorge, vou me deitar...

A coisa que ele mais queria era encontrar Rony e Hermione para buscar um pouco de sanidade, mas nenhum dos dois parecia estar na sala comunal. Insistindo que precisava dormir, e quase achatando os irmãozinhos Creevey quando tentaram desviá-lo ao pé da escada, Harry conseguiu se livrar de todo mundo e subiu para o dormitório o mais depressa que pôde.

Para seu grande alívio, encontrou Rony, ainda vestido, deitado na cama de um dormitório em que não havia mais ninguém. Ele ergueu os olhos quando Harry entrou batendo a porta.

— Por onde você andou? — perguntou Harry.

— Ah, olá — respondeu Rony.

Sorria, mas parecia um sorriso muito estranho e tenso. Harry, de repente, se deu conta de que ainda vestia a bandeira vermelha da Grifinória que Lino amarrara nele. Apressou-se em despi-la, mas o nó estava muito apertado. Rony continuou deitado na cama sem se mexer, apreciando os esforços de Harry para retirar a bandeira.

— Então — disse ele, quando Harry finalmente conseguiu remover e atirar a bandeira a um canto. — Meus parabéns.

— Que é que você quer dizer com parabéns? — perguntou Harry encarando-o. Decididamente havia alguma coisa esquisita no jeito com que Rony sorria; parecia mais um esgar.

— Bom... ninguém mais conseguiu atravessar a linha etária. Nem mesmo Fred e Jorge. Que foi que você usou, a Capa da Invisibilidade?

— A Capa da Invisibilidade não teria me ajudado a atravessar aquela linha — disse Harry lentamente.

— Ah, certo. Achei que você teria me contado se fosse a capa... porque ela poderia cobrir nós dois, não é mesmo? Mas você encontrou outro jeito, não foi?

— Escuta aqui. Eu não depositei meu nome naquele cálice. Deve ter sido outra pessoa.

Rony ergueu as sobrancelhas.

— Por que alguém faria uma coisa dessas?

— Não sei. — Harry achou que seria muito melodramático dizer "para me matar".

Rony ergueu as sobrancelhas tão alto que elas correram o risco de desaparecer sob seus cabelos.

— Tudo bem, a mim você pode contar a verdade. Se você não quer que o resto do pessoal saiba, ótimo, mas não sei por que está se dando ao trabalho de mentir, você nem ficou mal por isso, não é? A amiga da Mulher Gorda, a tal da Violeta, já contou a todo mundo que Dumbledore vai deixar você competir. Mil galeões de prêmio, hein? E nem vai precisar prestar os exames de fim de ano...

— Eu não pus o meu nome naquele cálice! — disse Harry, começando a se aborrecer.

— Ah, tá bem — retorquiu Rony com o mesmíssimo tom cético de Cedrico. — Só que ainda hoje de manhã você disse que teria posto à noite passada sem que ninguém o visse... eu não sou burro, sabe?

— Pois está parecendo — disse Harry com rispidez.

– Ah, é? – respondeu Rony, mas agora não havia nenhum vestígio de sorriso em seu rosto amarelo ou de qualquer cor. – Você está querendo se deitar, Harry, imagino que vai precisar se levantar cedo amanhã para a sessão de fotografias ou seja lá o que for.

E fechou com força as cortinas em torno de sua cama de colunas, deixando Harry parado ali à porta, encarando as cortinas de veludo vinho, que agora escondiam uma das poucas pessoas que ele contara que fosse acreditar nele.

18

A PESAGEM DAS VARINHAS

Quando Harry acordou no domingo de manhã, levou algum tempo para se lembrar da razão pela qual se sentia tão infeliz e preocupado. Então, a lembrança da noite anterior o engolfou. Ele se sentou e afastou as cortinas da cama, com a intenção de falar com Rony, forçar Rony a acreditar nele – mas encontrou a cama do amigo vazia; obviamente já fora tomar o café da manhã.

Harry se vestiu e desceu a escada circular para a sala comunal. No instante em que apareceu, os colegas que já haviam terminado o café, mais uma vez, prorromperam em aplausos. A perspectiva de chegar no Salão Principal e encarar o restante dos colegas da Grifinória, todos tratando-o como uma espécie de herói, não era nada convidativa; mas era isso ou ficar ali encurralado pelos irmãos Creevey, que lhe acenavam freneticamente para que fosse se juntar a eles. Assim, dirigiu-se resolutamente ao buraco do retrato, abriu-o, passou por ele e deu de cara com Hermione.

– Olá – exclamou ela, estendendo uma pilha de torradas que carregava em um guardanapo. –Trouxe para você... quer dar uma volta?

– Boa ideia – respondeu Harry, agradecido.

Os dois desceram, atravessaram depressa o saguão, sem olhar para o Salão Principal, e pouco depois estavam caminhando pelos jardins em direção ao lago, onde o navio de Durmstrang, ancorado, se refletia escuramente na água. Fazia uma manhã fria e os dois amigos não pararam de andar, comendo as torradas, enquanto Harry contava a Hermione exatamente o que acontecera depois que deixara a mesa da Grifinória, na noite anterior. Para seu imenso alívio, Hermione aceitou sua história sem duvidar.

– Bem, é claro que eu sabia que você não tinha se inscrito – disse a garota quando ele terminou de contar a cena na câmara vizinha ao Salão Principal. – A cara que você fez quando Dumbledore o chamou! Mas a pergunta é, quem inscreveu você? Porque, Moody tem razão, Harry... acho que nenhum estudante teria sido capaz de fazer isso... nunca teria sido capaz de enganar o Cálice de Fogo nem de anular o feitiço de Dumbledore...

— Você viu o Rony? — interrompeu-a Harry.

Hermione hesitou.

— Hum... vi... estava tomando café.

— Ele ainda acha que eu me inscrevi?

— Bem... não, acho que não... não *para valer* — disse ela, sem jeito.

— Que é que você está querendo dizer com esse não *para valer*?

— Ah, Harry, não está na cara? — respondeu Hermione, desesperada. — Ele está com ciúmes!

— Com ciúmes? — repetiu o garoto sem acreditar. — Com ciúmes de quê? Será que ele quer fazer papel de babaca na frente da escola inteira?

— Olha — disse Hermione pacientemente —, é sempre você que recebe todas as atenções, você sabe que é. Sei que não é sua culpa — acrescentou ela depressa, vendo Harry abrir a boca, indignado. — Sei que você não quer isso... mas, bem... sabe, Rony tem todos aqueles irmãos competindo com ele em casa, e você é o melhor amigo dele e é realmente famoso, Rony é sempre deixado de lado quando as pessoas veem você, e ele aguenta isso sem reclamar, mas acho que mais essa vezinha foi demais...

— Ótimo — disse Harry com amargura. — Realmente ótimo. Diga a ele que troco de lugar quando ele quiser. Diga a ele que o meu lugar está às ordens... gente olhando de boca aberta para a minha cicatriz para todo lado que vou...

— Não vou dizer nada a ele — falou Hermione com rispidez. — Diga você mesmo, é o único jeito de resolver isso.

— Não vou correr atrás dele para fazer ele crescer! — disse Harry, tão alto que várias corujas pousadas em uma árvore próxima levantaram voo assustadas. — Talvez ele acredite que não estou me divertindo quando me partirem o pescoço ou...

— Isso não tem graça — disse Hermione, baixinho. — Não tem a menor graça. — Ela parecia extremamente ansiosa. — Harry, estive pensando... você sabe o que precisamos fazer, não sabe? Depressa, assim que voltarmos ao castelo?

— Sei, tacar no Rony um bom chute na b...

— *Escrever a Sirius*. Você tem que contar a ele o que aconteceu. Ele pediu para você o manter informado de tudo que estivesse acontecendo em Hogwarts... é quase como se ele esperasse que uma coisa dessas fosse acontecer. Trouxe pergaminho e uma pena comigo...

— Corta essa! — exclamou Harry, olhando à volta para verificar se havia alguém ouvindo; mas os jardins estavam muito desertos. — Ele voltou ao país só porque a minha cicatriz doeu. Provavelmente invadiria o castelo furioso se eu contasse que alguém me inscreveu no Torneio Tribruxo...

— *Sirius iria gostar que você contasse a ele* — disse Hermione com severidade. — Ele vai descobrir de qualquer jeito...

— Como?

— Harry, isso não vai poder ser abafado — disse ela seriamente. — Esse torneio é famoso e você é famoso. Eu ficaria realmente surpresa se já não tiver saído alguma coisa no *Profeta Diário* sobre a sua entrada no torneio... você já aparece em metade dos livros que tratam do Você-Sabe-Quem, sabia... e Sirius iria preferir saber por você, eu sei que sim.

— OK, OK, vou escrever — disse Harry atirando o último pedaço de torrada no lago. Os dois ficaram parados observando o pão flutuar por um instante, antes de um grande tentáculo emergir e engoli-lo por baixo. Depois disso retornaram ao castelo.

— Vou usar a coruja de quem? — perguntou Harry, quando subiam as escadas. — Ele me disse para não usar Edwiges outra vez.

— Pergunte ao Rony se você pode pedir emprestada...

— Não vou pedir nada ao Rony — disse o garoto, decidido.

— Bom, então peça uma das corujas da escola, qualquer pessoa pode pedir — disse Hermione.

Os dois subiram até o corujal. Hermione deu a Harry um pedaço de pergaminho, uma pena e um tinteiro, depois saiu percorrendo as longas filas de poleiros, examinando as diferentes corujas, enquanto Harry se sentava encostado à parede e escrevia a carta.

Caro Sirius,

Você me disse para mantê-lo informado do que está acontecendo em Hogwarts, então aqui vai: não sei se você já sabe, mas vão realizar um Torneio Tribruxo este ano e, na noite de sábado, fui escolhido para ser o quarto campeão. Não sei quem pôs o meu nome no Cálice de Fogo, mas não fui eu. O outro campeão de Hogwarts é Cedrico Diggory da Lufa-Lufa.

Ele parou nesse ponto, pensativo. Teve vontade de dizer alguma coisa sobre a imensa carga de ansiedade que parecia ter se instalado em seu peito desde a noite anterior, mas não conseguiu descobrir como traduzir isso em palavras. Então, ele simplesmente molhou mais uma vez a pena no tinteiro e escreveu:

Espero que você esteja OK, e Bicuço também.
Harry

— Terminei — disse ele a Hermione, levantando-se e sacudindo a palha das vestes. Ao fazer isso, Edwiges veio voando para o seu ombro e estendeu a perna.

— Não posso usar você — disse Harry a ela, correndo o olhar pelas corujas da escola ao redor. — Tenho que usar uma dessas...

Edwiges soltou um pio muito alto e levantou voo tão inesperadamente que suas garras cortaram o ombro do garoto. E ficou de costas para Harry enquanto ele tentava prender a carta a uma grande coruja-de-igreja. Depois que a coruja partiu, Harry estendeu a mão para acariciar Edwiges, mas ela estalou o bico, furiosa, e voou para os caibros do telhado fora do seu alcance.

— Primeiro Rony, e agora você — disse Harry, aborrecido. — *Não é minha culpa.*

Se Harry pensou que as coisas iam melhorar uma vez que se acostumasse à ideia de ser campeão, o dia seguinte lhe provou que estava enganado. Ele não poderia evitar o resto da escola quando voltasse às aulas — e era visível que o resto da escola, tal como seus colegas da Grifinória, achava que Harry se inscrevera para o torneio. Ao contrário dos garotos de sua Casa, porém, os outros não pareciam estar bem impressionados.

Os da Lufa-Lufa, que normalmente conviviam em excelentes termos com os alunos da Grifinória, tinham se tornado bastante frios. Uma aula de Herbologia foi suficiente para demonstrar isso. Ficou claro que os alunos da Lufa-Lufa achavam que Harry roubara a glória do seu campeão; um sentimento talvez exagerado pelo fato de que a Lufa-Lufa raramente conquistava alguma glória, e Cedrico era um dos poucos que lhe dera alguma, tendo uma vez derrotado a Grifinória no quadribol. Ernesto MacMillan e Justino Finch-Fletchley, com quem Harry habitualmente se dava tão bem, não falaram com ele, embora os três estivessem reenvasando bulbos saltadores na mesma caixa — embora tivessem rido de modo bem desagradável quando um dos bulbos saltadores escapuliu da mão de Harry e bateu com força no rosto do garoto. Tampouco Rony estava falando com Harry. Hermione se sentou entre os dois, procurando a custo manter uma conversa, e, embora os dois lhe respondessem normalmente, evitavam se olhar. Harry achou que até a Profª Sprout parecia estar distante com ele — mas, afinal, ela era a diretora da Lufa-Lufa.

Em circunstâncias normais, o garoto teria ficado ansioso para ver Hagrid, mas a aula de Trato das Criaturas Mágicas significava também rever os alunos da Sonserina — a primeira vez que estaria cara a cara com eles desde que se tornara campeão.

Previsivelmente, Malfoy chegou à cabana de Hagrid com o conhecido sorriso desdenhoso atarraxado no rosto.

— Ah, olha só, pessoal, é o campeão — disse ele a Crabbe e a Goyle no instante em que se aproximou de Harry o bastante para ser ouvido. — Trouxeram os cadernos de autógrafos? É melhor pedir um agora porque duvido que a gente vá vê-lo por muito tempo... metade dos campeões do Torneio Tribruxo morreram... quanto tempo você acha que vai durar, Potter? Aposto que só os primeiros dez minutos da primeira tarefa.

Crabbe e Goyle deram risadas para agradá-lo, mas Malfoy teve que parar por aí, porque Hagrid surgiu dos fundos da cabana, segurando uma torre instável de caixas, cada uma contendo um enorme explosivim. Para horror da turma, Hagrid começou a explicar que a razão pela qual os bichos tinham andado se matando era o excesso de energia acumulada, e que a solução era cada aluno pôr uma coleira em um bicho e levá-lo para passear um pouco. A única vantagem desse plano foi distrair Malfoy completamente.

— Levar essa coisa para passear um pouco? — repetiu ele, enojado, olhando para dentro de uma das caixas. — E onde exatamente você quer que a gente amarre a coleira? No ferrão, no rabo explosivo desse treco?

— No meio — respondeu Hagrid, fazendo uma demonstração. — Hum... é, vocês talvez queiram calçar as luvas de couro de dragão, assim como uma precaução a mais. Harry, vem até aqui me ajudar com esse grandalhão...

A verdadeira intenção de Hagrid, no entanto, era falar com Harry longe do restante da turma.

Ele esperou até todos terem se afastado com os explosivins, depois se virou para o garoto e disse, muito sério:

— Então... você vai competir, Harry. No torneio. Campeão da escola.

— Um dos campeões — corrigiu-o Harry.

Os olhos de Hagrid, pretos como besouros, pareciam muito ansiosos sob as sobrancelhas desgrenhadas.

— Não faz ideia de quem o meteu nessa fria, Harry?

— Você acredita então que não fui eu que me inscrevi? — perguntou Harry, escondendo com esforço o arroubo de gratidão que sentiu ao ouvir as palavras de Hagrid.

— Claro que acredito — resmungou Hagrid. — Você diz que não foi você e eu acredito em você, e Dumbledore acredita em você e tudo.

— Eu bem gostaria de saber quem foi — disse o garoto com amargura.

Os dois olharam para os jardins; a turma agora andava espalhada por lá, toda ela em grande apuro. Os explosivins tinham alcançado uns noventa centímetros de comprimento e se tornado extremamente fortes. Já não eram sem casca e descolorados, tinham desenvolvido uma espécie de escudo acinzentado grosso e reluzente. Pareciam uma cruza de enormes escorpiões com caranguejos alongados — mas ainda não possuíam cabeças ou olhos reconhecíveis. Tinham-se tornado imensamente fortes e difíceis de controlar.

— Parece que eles estão se divertindo, não acha? — comentou Hagrid alegremente. Harry presumiu que ele estivesse se referindo aos explosivins, porque seus colegas certamente não estavam; de vez em quando, com um alarmante estampido, a cauda de um deles explodia, fazendo-o saltar vários metros à frente e mais de um aluno estava sendo arrastado de bruços enquanto tentava desesperadamente se levantar.

— Ah, eu não sei, Harry — suspirou Hagrid de repente, voltando a encará-lo, com uma expressão preocupada no rosto. — Campeão da escola... parece que tudo acontece com você, não é?

O garoto não respondeu. É, parecia que tudo acontecia com ele... era mais ou menos o que Hermione dissera quando andavam pela margem do lago, e essa era a razão, segundo ela, pela qual Rony deixara de falar com ele.

Os dias que se seguiram foram alguns dos piores que Harry passara em Hogwarts. O mais próximo que ele chegara desse sentimento fora durante aqueles meses, no segundo ano, em que grande parte da escola suspeitara de que era ele que atacava os colegas. Mas, então, Rony ficara do seu lado. Harry achava que poderia suportar a atitude do resto da escola se ao menos pudesse ter Rony outra vez como amigo, mas não ia tentar persuadi-lo a voltarem a se falar se ele não queria. Contudo, estava solitário com tanta animosidade ao redor dele.

Harry podia entender a atitude do pessoal da Lufa-Lufa, mesmo que não lhe agradasse; tinham um campeão próprio para apoiar. Não esperara menos do que agressões verbais dos alunos da Sonserina — era muito impopular entre eles e sempre o fora, pois ajudara a Grifinória a derrotá-los muitas vezes, tanto no quadribol quanto no Campeonato Intercasas. Mas alimentara a esperança de que os colegas da Corvinal tivessem a bondade de apoiá-lo tanto quanto a Cedrico. Mas se enganara. A maioria dos alunos daquela Casa parecia pensar que estivera desesperado para conquistar um pouco mais de fama fazendo o Cálice de Fogo aceitar seu nome.

Depois, havia ainda o fato de Cedrico se enquadrar muito melhor no papel de campeão do que ele. Excepcionalmente bonito, nariz reto, cabelos escuros e olhos cinzentos, era difícil dizer quem era o alvo de maior admiração ultimamente, se Cedrico ou Vítor Krum. Harry chegou a presenciar as mesmas garotas do sexto ano que se empenharam tanto para obter um autógrafo de Krum suplicando a Cedrico para assinar suas mochilas na hora do almoço.

Entrementes, não havia resposta de Sirius, Edwiges se recusava a se aproximar dele, a Profª Sibila Trelawney andava predizendo sua morte com uma certeza ainda maior do que de costume e ele estava se saindo tão mal nos Feitiços Convocatórios na aula do Prof. Flitwick que recebera dever de casa suplementar – a única pessoa a receber, à exceção de Neville.

— Na realidade, não é tão difícil assim – Hermione tentou tranquilizá-lo quando saíam da sala de Flitwick, a garota fizera os objetos dispararem pela sala em sua direção a aula inteira, como se ela fosse uma espécie de ímã exótico para espanadores, cestas de papel e lunascópios. – Você simplesmente não se concentrou como devia...

— E por que teria sido isso? – perguntou Harry sombriamente, quando Cedrico Diggory passou por eles, cercado por um grande grupo de garotas que sorriam debilmente e olharam para Harry como se ele fosse um explosivim particularmente grande. — Mesmo assim, deixa para lá, não é? Dois tempos de Poções à espera da gente hoje à tarde...

A aula de Poções sempre fora uma experiência terrível, mas ultimamente chegava quase a ser uma tortura. Ficar trancado em uma masmorra durante uma hora e meia com Snape e os alunos da Sonserina, todos decididos a castigar Harry o máximo por se atrever a ser campeão da escola, era a coisa mais desagradável que ele poderia imaginar. Já aturara uma sexta-feira, com Hermione sentada ao seu lado, entoando entre dentes "Não ligue, não ligue, não ligue", e ele não conseguia ver por que esta seria melhor.

Quando ele e a amiga chegaram à porta da masmorra de Snape depois do almoço, encontraram os alunos da Sonserina esperando à porta, cada um deles usando um distintivo no peito. Por um instante delirante, Harry pensou que fossem distintivos do F.A.L.E. – mas logo viu que todos continham a mesma mensagem em letras vermelhas luminosas, que brilhavam vivamente no corredor subterrâneo mal iluminado.

Apoie CEDRICO DIGGORY —
o VERDADEIRO campeão de Hogwarts.

— Gostou, Potter? — perguntou Malfoy em voz alta, quando Harry se aproximou. — E isso não é só o que eles fazem, olha só!

E apertou o distintivo contra o peito, a mensagem desapareceu e foi substituída por outra, que emitia uma luz verde:

POTTER FEDE

Os alunos da Sonserina rolaram de rir. Cada um deles apertou o distintivo também, até que a mensagem POTTER FEDE estivesse brilhando vivamente a toda volta do garoto. Ele sentiu uma onda de calor subir pelo pescoço e o rosto.

— Ah, *engraçadíssimo* — disse Hermione com sarcasmo a Pansy Parkinson e sua turma de garotas da Sonserina, que riam mais gostosamente do que quaisquer outros —, é realmente *engraçadíssimo*.

Rony estava parado encostado à parede com Dino e Simas. Ele não estava rindo, mas tampouco defendia Harry.

— Quer um, Granger? — perguntou Malfoy, oferecendo um distintivo a Hermione. — Tenho um monte. Mas não toque na minha mão agora, acabei de lavá-la, sabe, e não quero que uma sangue ruim a suje.

Uma parte da raiva que Harry vinha sentindo havia dias pareceu romper um dique em seu peito. Ele apanhou a varinha antes que conseguisse pensar no que estava fazendo. As pessoas em volta se afastaram correndo, recuaram pelo corredor.

— Harry! — gritou Hermione em tom de aviso.

— Anda, Potter, usa — disse Malfoy em voz baixa, puxando a própria varinha. — Moody não está aqui para proteger você agora, usa, se tiver peito...

Por uma fração de segundo, eles se encararam nos olhos, depois, exatamente ao mesmo tempo, os dois agiram.

— Furnunculus! — berrou Harry.

— *Densaugeo!* — berrou Malfoy.

Feixes de luz saíram de cada varinha, colidiram em pleno ar e ricochetearam em ângulo — o de Harry atingiu Goyle no rosto, e o de Malfoy, Hermione. Goyle berrou e levou as mãos ao nariz, de onde começaram a brotar furúnculos enormes e feios — a garota, chorando de dor, apertou a boca.

— Mione! — Rony correu para ela para ver o que acontecera.

Harry se virou e viu Rony tirando a mão de Hermione do rosto. Não era uma visão agradável. Os dentes da frente da garota — que já eram maiores do que o normal — cresciam agora a um ritmo assustador; a cada minuto a garota se parecia mais com um castor, pois seus dentes se alongavam, ultrapassavam o lábio inferior em direção ao queixo — tomada de pânico, ela os apalpou e soltou um grito aterrorizado.

— E que barulheira é essa? — perguntou uma voz suave e letal. Snape chegara.

Os alunos da Sonserina gritavam tentando dar explicações. Snape apontou um dedo longo e amarelado para Malfoy e disse:

— Explique.

— Potter me atacou, professor...

— Atacamos um ao outro ao mesmo tempo! — gritou Harry.

— ... e ele atingiu Goyle, olhe...

Snape contemplou Goyle, cujo rosto agora lembrava a ilustração de um livro doméstico sobre cogumelos venenosos.

— Ala hospitalar, Goyle — disse o professor calmamente.

— Malfoy atingiu Hermione! — disse Rony. — Olhe!

O garoto obrigou Hermione a mostrar os dentes a Snape — ela se esforçava ao máximo para escondê-los com as mãos, embora isso fosse difícil, porque agora tinham ultrapassado o seu decote. Pansy Parkinson e as outras garotas da Sonserina se dobravam de rir em silêncio, apontando para Hermione pelas costas de Snape.

Snape olhou friamente para Hermione e disse:

— Não vejo diferença alguma.

Hermione deixou escapar um lamento, seus olhos se encheram de lágrimas, ela deu meia-volta e correu, correu pelo corredor afora e desapareceu.

Foi uma sorte, talvez, que Harry e Rony tenham começado a gritar com Snape ao mesmo tempo; sorte que suas vozes tenham ecoado tão forte no corredor de pedra, porque, na confusão de sons, ficou impossível o professor ouvir exatamente os nomes de que o xingaram. Mas ele captou o sentido.

— Vejamos — disse, na voz mais suave do mundo. — Cinquenta pontos a menos para a Grifinória e uma detenção para cada um, Potter e Weasley. Agora, entrem ou será uma semana de detenções.

Os ouvidos de Harry zumbiram. A injustiça daquilo o fez desejar amaldiçoar Snape, desintegrá-lo em mil pedacinhos nojentos. Ele passou pelo professor e se dirigiu com Rony para o fundo da masmorra, largando com força a mochila sobre a carteira. Rony tremia de raiva, também – por um instante, pareceu que tudo voltara ao normal entre os dois, mas, em vez disso, Rony se virou e se sentou entre Dino e Simas, deixando Harry sozinho na carteira. Do lado oposto da masmorra, Malfoy deu as costas para Snape e comprimiu o distintivo, rindo-se. O POTTER FEDE lampejou mais uma vez pela sala.

Harry se sentou e ficou encarando Snape quando a aula começou, visualizando coisas horríveis acontecendo ao professor... se ao menos ele soubesse executar uma Maldição *Cruciatus*... atiraria Snape no chão, de costas, como aquela aranha, contorcendo-se e estrebuchando...

– Antídotos! – disse Snape, abrangendo a turma toda com o olhar, seus olhos pretos e frios, brilhando de forma desagradável. – Vocês já tiveram tempo de pesquisar suas fórmulas. Quero que as preparem cuidadosamente e depois vamos escolher alguém em quem experimentar...

Os olhos de Snape encontraram os de Harry e o garoto percebeu o que vinha a caminho. O professor ia envená-lo. Harry se imaginou agarrando o caldeirão, correndo até a frente da turma e tacando o caldeirão na cabeça oleosa de Snape...

Então uma batida na porta da masmorra invadiu os pensamentos de Harry.

Era Colin Creevey; o garoto entrou discretamente na sala, sorrindo para Harry, e dirigiu-se à escrivaninha de Snape diante da turma.

– Que foi? – perguntou Snape com rispidez.

– Por favor, professor, me mandaram levar Harry Potter lá em cima.

Do alto do seu nariz de gancho, Snape baixou os olhos para Colin, cujo sorriso desapareceu do seu rosto pressuroso.

– Potter tem mais uma hora de Poções para completar – disse Snape friamente. – Subirá quando a aula terminar.

Colin corou.

– Professor, o Sr. Bagman é quem está chamando – disse nervoso. – Todos os campeões têm que ir, acho que querem tirar fotos...

Harry teria dado tudo que possuía para impedir Colin de dizer aquelas últimas palavras. Arriscou um relanceio para Rony, mas o amigo contemplava o teto decidido.

– Muito bem, muito bem – retorquiu Snape. – Potter, deixe o seu material, quero que volte aqui depois para testar o seu antídoto.

– Por favor, professor, ele tem que levar o material – disse Colin com uma vozinha esganiçada. – Todos os campeões...

— Muito bem! — disse Snape. — Potter, apanhe sua mochila e desapareça da minha frente!

Harry atirou a mochila por cima do ombro, se levantou e se encaminhou para a porta. Ao passar pelas carteiras dos alunos da Sonserina, o POTTER FEDE lampejou para ele de todas as direções.

— É fantástico, não é, Harry? — disse Colin, começando a falar no instante em que Harry fechou a porta da masmorra depois de passarem. — Mas não é? Você ser campeão?

— É, realmente fantástico — disse Harry, desalentado, quando começaram a subir a escada para o saguão de entrada. — Para que é que eles querem fotos, Colin?

— O *Profeta Diário*, acho!

— Ótimo — disse Harry, sem emoção. — É exatamente do que estou precisando. Mais publicidade.

— Boa sorte! — disse Colin, quando chegaram à sala certa. Harry bateu na porta e entrou.

Era uma sala de aula relativamente pequena; a maior parte das carteiras fora afastada para o fundo do aposento, deixando um amplo espaço no meio; três delas, no entanto, tinham sido enfileiradas lado a lado, diante do quadro-negro e cobertas com uma toalha de veludo. Cinco cadeiras tinham sido arrumadas atrás das mesas cobertas de veludo e Ludo Bagman estava sentado em uma delas conversando com uma bruxa que Harry nunca vira antes e que usava vestes carmim.

Vítor Krum estava em pé, pensativo, a um canto, como de costume, sem falar com ninguém. Cedrico e Fleur estavam entretidos conversando, a garota parecia muito mais feliz do que Harry a vira até então; não parava de jogar a cabeça para trás de modo que os cabelos longos e prateados refletissem a luz. Um homem barrigudo, segurando uma grande máquina fotográfica que soltava uma leve fumaça, observava Fleur pelo canto do olho.

Bagman de repente viu Harry, levantou-se depressa e foi ao encontro do garoto.

— Ah, aqui está ele. O campeão número quatro! Entre, Harry, entre... não tem com o que se preocupar, é apenas a cerimônia de pesagem das varinhas, os outros juízes estão chegando...

— Pesagem das varinhas? — repetiu Harry, nervoso.

— Temos que verificar se as varinhas estão em perfeitas condições de funcionamento, sem problemas, entende, porque são os instrumentos mais importantes nas tarefas que vocês têm pela frente — disse Bagman. — O perito está lá em cima com Dumbledore, agora. E depois vai haver uma pequena sessão de fotos. Esta é Rita Skeeter — acrescentou, indicando com um gesto a bruxa de vestes carmim —; está escrevendo um pequeno artigo sobre o torneio para o *Profeta Diário*...

— Talvez não seja *tão* pequeno assim, Ludo — disse ela, com os olhos em Harry.

Os cabelos da repórter estavam arrumados em cachos caprichosos e curiosamente rígidos que contrastavam estranhamente com seu rosto de queixo volumoso. Ela usava óculos com aros de pedrinhas. Os dedos grossos que seguravam uma bolsa de couro de crocodilo terminavam em unhas de cinco centímetros de comprimento, pintadas de escarlate.

— Gostaria de saber se poderia dar uma palavrinha com Harry antes de começarmos? — pediu ela a Bagman, mas ainda com os olhos fixos em Harry. — O campeão mais novo, entende... para dar um toque pitoresco!

— Certamente! — exclamou Bagman. — Isto é, se Harry não fizer objeção!

— Hum... — disse Harry.

— Beleza — respondeu Rita Skeeter e, num segundo, seus dedos com garras vermelhas tinham segurado com surpreendente firmeza o braço do garoto, conduziam-no para fora da sala e abriam uma porta próxima.

"Não queremos ficar lá dentro com todo aquele barulho", disse ela. "Vejamos... ah, sim, aqui está bom e aconchegante."

Era um armário de vassouras. Harry arregalou os olhos para a bruxa.

— Vamos, querido, certo, ótimo — repetiu outra vez, encarapitou-se precariamente sobre um balde virado de boca para baixo, fez Harry sentar-se em uma caixa de papelão e fechou a porta, mergulhando-os na escuridão. — Vejamos agora...

Rita abriu a bolsa de crocodilo e tirou um punhado de velas, que acendeu com um aceno da varinha, e colocou-as suspensas no ar, de modo a iluminar o que faziam.

— Você não se importa, Harry, se eu usar uma pena-de-repetição-rápida? Assim fico livre para conversar com você normalmente...

— Uma o quê? — perguntou Harry.

O sorriso de Rita se abriu. Harry contou três dentes de ouro. Mais uma vez ela meteu a mão na bolsa e tirou uma pena comprida verde-ácido e um rolo de pergaminho, que abriu entre os dois em cima de uma caixa de Removedor Mágico Multiuso da Sra. Skower. Ela levou a ponta da pena verde à boca, chupou-a por um instante com cara de quem estava gostando, depois colocou-a em pé sobre o pergaminho, onde a pena ficou equilibrada tremendo ligeiramente.

— Teste... meu nome é Rita Skeeter, repórter do Profeta Diário.

Harry olhou depressa para a pena. No momento em que Rita falara, ela começou a escrever, deslizando sobre o pergaminho.

> A atraente Rita Skeeter, 43 anos, cuja pena infrene já esvaziou muitas reputações infladas...

— Beleza — disse Rita Skeeter, mais uma vez, e rasgou a parte escrita do pergaminho, amassou-a e meteu-a na bolsa. Inclinou-se então para Harry e disse:
— Então, Harry... o que fez você decidir entrar no Torneio Tribruxo?

— Hum... — disse Harry outra vez, mas foi distraído pela pena. Embora não estivesse falando, ela continuava a correr pelo pergaminho e, seguindo-a, o garoto pôde ler uma nova frase:

> Uma feia cicatriz, lembrança de um passado trágico, desfigura o rosto, de outra forma encantador, de Harry Potter, cujos olhos...

— Não dê atenção à pena, Harry — disse Rita Skeeter com firmeza. Relutante, Harry ergueu os olhos para ela. — Agora, por que decidiu entrar para o torneio, Harry?

— Eu não entrei — disse Harry. — Não sei como foi que o meu nome foi parar no Cálice de Fogo. Eu não o pus lá.

A repórter ergueu a sobrancelha fortemente delineada.

— Ora, Harry, não precisa ter medo de entrar numa fria. Todos sabemos que você não deveria ter se inscrito. Mas não se preocupe com isso. Os nossos leitores adoram rebeldias.

— Mas eu não me inscrevi — repetiu Harry. — Não sei quem...

— Como é que você se sente com relação às tarefas que o aguardam? — perguntou Rita Skeeter. — Excitado? Nervoso?

— Ainda não pensei realmente... é, nervoso, suponho — disse Harry. Ao falar, suas entranhas reviraram desconfortavelmente.

— Houve campeões que morreram no passado, não é? — disse Rita com eficiência. — Você chegou a pensar nisso?

— Bom... dizem que vai ser muito mais seguro este ano.

A pena correu veloz pelo pergaminho entre os dois, para a frente e para trás, como se estivesse patinando.

— Naturalmente, você já viu a morte cara a cara antes, não é? – perguntou ela, observando-o atentamente. – Como você diria que isso o afetou?

— Hum – disse Harry uma terceira vez.

—Você acha que o trauma do passado o deixou desejoso de se pôr à prova? De fazer jus ao seu nome? Você acha que talvez tenha se sentido tentado a se inscrever no Torneio Tribruxo porque...

— Eu não me inscrevi – disse Harry, começando a se sentir irritado.

— Você tem alguma lembrança dos seus pais? – perguntou Rita Skeeter, abafando a resposta do garoto.

— Não.

— Como você acha que eles se sentiriam se soubessem que você ia competir no Torneio Tribruxo? Orgulhosos? Preocupados? Zangados?

Harry estava se sentindo realmente aborrecido agora. Como é que ele ia saber o que seus pais estariam sentindo se fossem vivos? Percebeu que a jornalista o observava muito atentamente. De cara amarrada, ele evitou seu olhar e baixou os olhos para as palavras que a pena acabara de escrever.

As lágrimas marejaram aqueles olhos espantosamente verdes quando a nossa conversa se voltou para os pais de quem ele mal se lembra.

— Eu NÃO estou com lágrimas nos olhos! – disse Harry em voz alta.

Antes que Rita Skeeter pudesse dizer uma palavra, a porta do armário de vassouras se escancarou. Harry olhou à volta, piscando para a claridade. Alvo Dumbledore estava parado ali, contemplando os dois apertados no armário.

— Dumbledore! – exclamou Rita Skeeter, parecendo encantada, mas Harry reparou que a pena e o pergaminho tinham repentinamente desaparecido da caixa de Removedor Mágico e os dedos da jornalista com garras nas pontas fechavam apressadamente a bolsa de crocodilo. – Como vai? – disse ela, erguendo-se e estendendo uma das mãos grandes e masculinas a Dumbledore. – Espero que tenha visto o meu artigo durante o verão sobre a conferência da Confederação Internacional de Bruxos!

— Encantadoramente maldoso – respondeu o diretor com os olhos cintilantes. – Gostei principalmente da descrição que fez de mim como um idiota ultrapassado.

A repórter não pareceu sequer remotamente desconcertada.

— Eu só estava tentando mostrar que algumas de suas ideias são um tanto antiquadas, Dumbledore, e que muitos bruxos nas ruas...

— Ficarei encantado de ouvir o raciocínio que fundamentou a grosseria, Rita – disse Dumbledore, com uma reverência cortês e um sorriso –, mas receio que tenhamos de discutir esse assunto mais tarde. A pesagem das varinhas vai começar e não pode ser realizada se um dos campeões estiver escondido em um armário de vassouras.

Satisfeitíssimo de se afastar de Rita Skeeter, Harry correu de volta à sala. Os outros campeões estavam agora nas cadeiras junto à porta, e ele se sentou depressa ao lado de Cedrico, com os olhos na mesa coberta de veludo, onde agora havia quatro dos cinco juízes – o Prof. Karkaroff, Madame Maxime, o Sr. Crouch e Ludo Bagman. Rita Skeeter se acomodou a um canto; Harry a viu tirar discretamente o pergaminho da bolsa, abri-lo sobre um joelho, chupar a ponta da pena-de-repetição-rápida e equilibrá-la mais uma vez sobre o pergaminho.

– Gostaria de lhes apresentar o Sr. Olivaras – disse Dumbledore, ocupando seu lugar à mesa dos juízes, e se dirigindo aos campeões. – Ele vai verificar suas varinhas para garantir que estejam em boas condições antes do torneio.

Harry olhou para os lados e, com um choque de surpresa, viu um velho bruxo com grandes olhos azul-claros parado discretamente à janela. Harry já encontrara o Sr. Olivaras antes – era o fabricante de quem Harry comprara a própria varinha, havia mais de três anos, no Beco Diagonal.

– Mademoiselle Delacour, poderia vir até aqui primeiro, por favor? – disse o Sr. Olivaras postando-se no espaço vazio no centro da sala.

Fleur Delacour fez o que o bruxo pedia e lhe entregou a varinha.

– Humm... – disse ele.

O Sr. Olivaras girou a varinha entre os dedos longos como se fosse um bastão, e ela emitiu várias faíscas rosas e douradas. Depois aproximou-a dos olhos e a examinou atentamente.

– É – disse baixinho –, vinte e quatro centímetros... inflexível... jacarandá... e contém... meu Deus...

– Um fio de cabelos de veela – disse Fleur. – Uma das minhas avós.

Então Fleur *era* em parte veela, pensou Harry, anotando a informação mentalmente para contar a Rony... depois se lembrou de que Rony não estava falando com ele.

– Confere – disse o Sr. Olivaras –, confere, eu nunca usei cabelo de veela, naturalmente. Acho que produz varinhas temperamentais... no entanto, o seu a seu dono, se ela lhe serve...

O Sr. Olivaras correu os dedos pela varinha, aparentemente à procura de arranhões ou saliências; então murmurou *Orchideous!* e saiu um ramo de flores da ponta da varinha.

— Muito bem, muito bem, está em ótimas condições de funcionamento — disse o Sr. Olivaras, recolhendo as flores e oferecendo-as a Fleur juntamente com a varinha. — Sr. Diggory, agora o senhor.

Fleur retornou delicadamente à sua cadeira e sorriu para Cedrico quando o garoto passou.

— Ah, esta é uma das minhas, não? — disse o Sr. Olivaras, com muito mais entusiasmo, quando Cedrico lhe entregou a varinha. — É, lembro-me bem dela. Contém um único pelo da cauda de um unicórnio macho particularmente belo... devia ter um metro e setenta; quase me deu uma chifrada quando lhe arranquei um fio da cauda. Trinta centímetros... freixo... agradavelmente flexível. Está em boas condições... o senhor cuida dela periodicamente?

— Lustrei-a à noite passada — disse Cedrico sorrindo.

Harry olhou a própria varinha. Dava para ver marcas de dedos em toda a extensão. Ele agarrou um bocado de pano das vestes na altura dos joelhos e tentou limpá-la discretamente. Várias faíscas douradas voaram de sua ponta. Fleur Delacour lhe lançou um olhar condescendente e ele desistiu.

O Sr. Olivaras disparou pela sala uma sequência de anéis de fumaça prateada da ponta da varinha de Cedrico, declarando-se satisfeito e, em seguida, disse:

— Sr. Krum, se me faz o favor.

Vítor Krum, com o corpo curvado, os ombros redondos e os pés para fora, levantou-se e foi até o Sr. Olivaras. Entregou a varinha e ficou parado, de cara fechada e mãos nos bolsos das vestes.

— Humm — disse o Sr. Olivaras —, é uma criação de Gregorovitch, a não ser que eu esteja enganado. Um excelente fabricante de varinhas, embora o estilo nunca seja bem o que eu... contudo...

Ergueu a varinha e examinou-a minuciosamente, revirando-a várias vezes diante dos olhos.

— É... bétula e fibra de coração de dragão? — perguntou a Krum, que confirmou com a cabeça. — Um pouco mais grossa do que se vê normalmente... bastante rígida... vinte e seis centímetros... *Avis!*

A varinha de bétula produziu um estampido como o de uma pistola e um bando de passarinhos chilreantes saiu voando de sua ponta, pela janela aberta, em direção ao sol desbotado.

— Ótimo — exclamou o Sr. Olivaras, devolvendo a varinha a Krum. — Resta agora... o Sr. Potter.

Harry se levantou e passou por Krum para chegar ao Sr. Olivaras. E entregou sua varinha.

— Aaah, sim — disse o perito, seus olhos azul-claros repentinamente brilhando. — Sim, sim, sim. Lembro-me muito bem.

Harry se lembrava também. Lembrava-se como se tivesse sido ainda ontem...

Há quatro verões, no seu décimo primeiro aniversário, ele entrara na loja do Sr. Olivaras com Hagrid para comprar uma varinha. O homem tirara suas medidas e em seguida começara a lhe dar varinhas para experimentar. Harry teve a impressão de que desprezara todas as varinhas da loja, até finalmente encontrar a que lhe servia — aquela, que era feita de azevinho, vinte e oito centímetros e continha uma única pena da cauda de uma fênix. O Sr. Olivaras se mostrara muito surpreso que Harry fosse tão compatível com essa varinha.

— Curioso — dissera ele — ... curioso — somente quando o garoto perguntou o que era curioso o bruxo explicara que a pena de fênix na varinha de Harry viera do mesmo pássaro que fornecera a alma da varinha de Lorde Voldemort.

Harry nunca compartira essa informação com ninguém. Gostava muito de sua varinha e, por ele, a afinidade dela com a varinha de Voldemort era algo imutável — do mesmo jeito que não podia mudar o fato de ser parente da tia Petúnia. Contudo, ele realmente desejou que o Sr. Olivaras não fosse contar isso aos presentes. Tinha a estranha sensação de que a pena-de-repetição-rápida de Rita Skeeter poderia explodir de animação se isso acontecesse.

O Sr. Olivaras passou mais tempo examinando a varinha de Harry do que a dos demais. Por fim, porém, fez jorrar uma fonte de vinho da varinha e devolveu-a a Harry, anunciando que o objeto continuava em perfeitas condições.

— Muito obrigado a todos — disse Dumbledore, levantando-se da mesa dos juízes. — Vocês podem voltar às suas aulas agora, ou talvez seja mais rápido descerem logo para jantar, já que elas estão prestes a terminar...

Achando que finalmente alguma coisa dera certo naquele dia, Harry se levantou para sair, mas o homem com a máquina fotográfica preta deu um pulo da cadeira e pigarreou.

— Fotos, Dumbledore, fotos — exclamou Bagman, animado. — Todos os juízes e campeões. Que é que você acha, Rita?

— Hum... certo, vamos fazer essas primeiras — respondeu a repórter, cujos olhos estavam fixos em Harry outra vez. — E depois talvez umas fotos individuais.

As fotos consumiram muito tempo. Madame Maxime deixava todos na sombra sempre que se levantava e o fotógrafo não conseguia recuar o suficiente para enquadrá-la; por fim, ela teve que se sentar e os demais se postarem ao seu redor. Karkaroff não parava de torcer o cavanhaque com o dedo para lhe acrescentar mais um cacho; Krum, que Harry imaginaria estar acostumado a esse tipo de coisa, procurava se esconder atrás do grupo. O fotógrafo parecia interessadíssimo em colocar Fleur na frente, mas Rita corria a toda hora e arrastava Harry para lhe dar maior destaque. Depois, ela insistiu que se fizessem fotos separadas dos campeões. E, finalmente, todos foram liberados.

Harry desceu para jantar. Hermione não estava lá – ele supôs que a amiga continuasse na ala hospitalar consertando os dentes. Ele comeu sozinho na ponta da mesa, depois voltou à Torre da Grifinória, pensando em todos os deveres suplementares sobre Feitiços Convocatórios que precisava fazer. Em cima no dormitório, encontrou Rony.

– Você recebeu uma coruja – disse ele bruscamente, no instante em que Harry entrou. Apontou para o travesseiro do amigo. A coruja-de-igreja da escola esperava-o ali.

– Ah... certo – disse Harry.

– E temos que cumprir as detenções amanhã à noite na masmorra do Snape.

Saiu, então, do quarto sem olhar para Harry. Por um instante o garoto refletiu se devia ir atrás do amigo – não tinha bem certeza se queria falar com ele ou lhe dar um soco, as duas opções pareciam igualmente atraentes – mas a tentação de ler a resposta de Sirius foi mais forte. Harry aproximou-se da coruja, soltou a carta da perna da ave e abriu-a.

> Harry,
>
> *Não posso dizer tudo que gostaria em uma carta, é arriscado demais se a coruja for interceptada – precisamos conversar cara a cara. Você pode dar um jeito de estar junto à lareira na Torre da Grifinória à uma hora da manhã, no dia 22 de novembro?*
>
> *Sei melhor do que ninguém que você é capaz de se cuidar e, enquanto estiver perto de Dumbledore e Moody, acho que ninguém conseguirá lhe fazer mal. Porém, parece que alguém está tendo algum sucesso. Inscrever você nesse torneio deve ter sido muito arriscado, principalmente debaixo do nariz de Dumbledore.*
>
> *Fique vigilante, Harry. Continuo querendo saber de tudo que acontecer de anormal. Mande uma resposta sobre o dia 22 de novembro o mais cedo que puder.*
>
> Sirius

19

O RABO-CÓRNEO HÚNGARO

A perspectiva de conversar cara a cara com Sirius foi só o que sustentou Harry nos quinze dias seguintes, o único ponto luminoso em um horizonte que nunca lhe parecera mais escuro. O choque de se ver no papel de campeão da escola agora já diminuíra um pouquinho, e o medo do que o aguardava estava começando a penetrar fundo em sua mente. A primeira tarefa se aproximava; o garoto tinha a sensação de que ela estava de tocaia logo ali, como um monstro aterrorizante, barrando o seu avanço. Nunca se sentira tão nervoso; ultrapassava de muito qualquer sentimento que tinha experimentado antes de uma partida de quadribol, até mesmo a última contra a Sonserina, que decidira quem ganharia a Taça de Quadribol. Harry estava achando difícil pensar no futuro, sentia que a sua vida inteira o conduzira à primeira tarefa e nela terminaria...

Assim sendo, não via como Sirius ia fazê-lo se sentir melhor com relação à realização de uma tarefa mágica difícil e perigosa, diante de centenas de pessoas, mas a simples visão de um rosto amigo já seria alguma coisa neste momento. Harry respondeu a Sirius, dizendo que estaria ao pé da lareira da sala comunal à hora que o padrinho sugerira, e que ele e Hermione tinham passado muito tempo revendo planos para obrigar os retardatários a abandonar a sala na noite em questão. Na pior das hipóteses, iam detonar um pacote de bombas de bosta, mas esperavam não ter que recorrer a isso – Filch os esfolaria vivos.

Entrementes, a vida se tornou ainda pior para Harry dentro dos limites do castelo, pois Rita Skeeter publicara seu artigo sobre o Torneio Tribruxo, que afinal não fora tanto uma notícia sobre o torneio, mas uma versão da vida de Harry extremamente pitoresca. Quase toda a primeira página fora ocupada por uma foto de Harry; o artigo (que continuava nas páginas dois, seis e sete) só falava no garoto, os nomes dos campeões da Beauxbatons e Durmstrang (errados) tinham sido espremidos na última linha do artigo, e Cedrico sequer fora mencionado.

O artigo saíra havia dez dias e Harry ainda era assaltado por uma ardência de náusea e vergonha no estômago todas as vezes que pensava nele. Rita Skeeter pusera em sua boca uma porção de coisas que ele sequer lembrava ter dito na vida, muito menos no armário de vassouras.

> *"Acho que herdo a minha força dos meus pais, sei que eles teriam muito orgulho de mim se me vissem agora... é, às vezes, à noite eu ainda choro a perda deles, não tenho vergonha de admitir... sei que nada me acontecerá de mal durante o torneio, porque eles estarão me protegendo..."*

Mas Rita fizera mais do que transformar os "hums" dele em frases longas e piegas: entrevistara outras pessoas para saber o que pensavam dele.

> *"Harry finalmente encontrou carinho em Hogwarts. Seu amigo íntimo, Colin Creevey, diz que o garoto raramente é visto sem a companhia de Hermione Granger, uma linda menina nascida trouxa que, como Harry, é uma das primeiras alunas da escola."*

Do momento em que o artigo apareceu, Harry teve que aturar colegas – principalmente os da Sonserina – que o citavam, caçoando, quando ele passava.

— Quer um lencinho, Potter, caso comece a chorar na aula de Transfiguração?

— Desde quando você é um dos primeiros alunos da escola, Potter? Ou será que a escola é uma escola que você e o Longbottom fundaram?

— Ei... Harry!

— É, verdade, sim – Harry viu-se gritando, ao se virar no corredor, já cheio. – Morri de chorar pela morte da minha mamãezinha, e estou indo chorar um pouco mais...

— Não... foi só que... você deixou cair a pena.

Era Cho. Harry sentiu o rosto corar.

— Ah... certo... desculpe – murmurou recebendo a pena.

— Hum... boa sorte na terça-feira – disse a garota. – Espero sinceramente que você se dê bem.

O que fez Harry se sentir extremamente idiota.

Hermione também ganhara sua cota de aborrecimentos, mas ainda não começara a berrar com gente inocente; de fato, Harry enchia-se de admiração pela maneira com que a amiga estava enfrentando a situação.

— Linda? Ela? – gritara Pansy Parkinson com a voz esganiçada, a primeira vez que encontrou Hermione, depois que o artigo da Rita Skeeter fora publicado. – Qual foi o padrão de beleza, um esquilo?

— Não liga — disse Hermione com dignidade, erguendo a cabeça no ar e passando pelas garotas da Sonserina que zombavam, como se não as ouvisse. — Simplesmente não liga, Harry.

Mas Harry não conseguia se desligar. Rony não falara com ele desde o dia do recado sobre as detenções de Snape. Harry alimentara uma certa esperança de que fizessem as pazes durante as duas horas em que foram forçados a preparar conservas de miolos de ratos na masmorra, mas isto fora no dia em que o artigo de Rita Skeeter aparecera, o que parecia confirmar a crença de Rony de que Harry estava realmente gostando de toda aquela atenção.

Hermione estava furiosa com os dois; ia de um para outro, tentando forçá-los a se falarem, mas Harry permanecia inflexível; só voltaria a falar com Rony se o amigo admitisse que ele não pusera o nome no Cálice de Fogo e pedisse desculpas por tê-lo chamado de mentiroso.

— Não fui eu que comecei — disse Harry teimosamente. — O problema é dele.

— Você sente falta dele! — tornou Hermione, impaciente. — E eu *sei* que ele sente falta de você...

— *Sinto falta dele? Eu não sinto falta dele...*

Mas isto era uma mentira deslavada. Harry gostava muito de Hermione, mas ela não era o mesmo que Rony. Havia muito menos risos e muito mais visitas à biblioteca quando Hermione era sua melhor amiga. Harry ainda não conseguira dominar os Feitiços Convocatórios, parecia ter desenvolvido uma espécie de bloqueio com relação a eles, e Hermione insistia que aprender a teoria ajudaria. Consequentemente, passavam mais tempo lendo livros durante a hora do almoço.

Vítor Krum passava um tempão na biblioteca, também, e Harry ficava imaginando o que é que ele andava fazendo. Estaria estudando ou procurando coisas que o ajudassem na primeira tarefa? Hermione muitas vezes se queixava de Krum estar ali – não que ele jamais os incomodasse, mas porque aparecia sempre um grupo de garotas dando risadinhas bobas para espioná-lo atrás das estantes, e Hermione achava que aquele barulho a distraía.

— Ele nem ao menos é bonito! — murmurava ela, aborrecida, mirando de cara amarrada o perfil adunco de Krum. — Elas só gostam dele porque é famoso! Não olhariam duas vezes se ele não fosse capaz de fazer aquele tal de Fingimento Wonky...

— Finta de Wronski — corrigiu Harry entre dentes. Sem contar que o garoto gostava que dissessem corretamente os termos do quadribol, sentia uma pontada só de imaginar a expressão de Rony se ele pudesse ouvir Hermione falando de Fingimento Wonky.

É uma coisa estranha, mas quando se está com medo de alguma coisa, e se daria tudo para retardar o tempo, ele tem o mau hábito de correr. Os dias que faltavam para a primeira tarefa pareciam passar como se alguém tivesse ajustado os relógios para trabalharem em velocidade dobrada. A sensação de pânico mal controlado que Harry tinha acompanhava-o para onde fosse, sempre presente como os comentários depreciativos sobre o artigo do *Profeta Diário*.

No sábado que antecedeu a primeira tarefa, todos os estudantes do terceiro ano, e acima, tiveram permissão para visitar o povoado de Hogsmeade. Hermione disse a Harry que lhe faria bem sair um pouco do castelo e o garoto não precisou de muita persuasão.

— Mas e o Rony? Você não quer ir com ele?

— Ah... bem... — Hermione ficou ligeiramente vermelha. — Pensei que a gente podia se encontrar com ele no Três Vassouras...

— Não — disse Harry em tom definitivo.

— Ah, Harry, isso é tão bobo...

— Eu vou, mas não quero me encontrar com o Rony, e vou usar a minha Capa da Invisibilidade.

— Ah, tudo bem, então... — retorquiu Hermione —, mas odeio falar com você naquela capa, nunca sei se estou olhando para você ou não.

Então Harry vestiu a Capa da Invisibilidade no dormitório e tornou a descer e, juntos, ele e a amiga seguiram para Hogsmeade.

Harry se sentiu maravilhosamente livre sob a capa; observou os estudantes que passavam por eles na entrada do povoado, a maioria usando distintivos *Apoie* CEDRICO DIGGORY, mas, para variar, ninguém atirou piadas horríveis para ele nem citou aquele artigo idiota.

— As pessoas não param de olhar para mim agora — reclamou Hermione, ao saírem mais tarde da Dedosdemel, comendo uma grande quantidade de bombons recheados de creme. — Acham que estou falando sozinha.

— Então não mexa tanto os lábios.

— Ah vai, por favor, tira um pouco a sua capa. Ninguém vai incomodar você aqui.

— Ah, é? Então olha para trás.

Rita Skeeter e seu amigo fotógrafo acabavam de sair do bar Três Vassouras. Conversavam em voz baixa e passaram por Hermione sem olhar para a garota. Harry se encostou à parede da Dedosdemel para evitar que Rita Skeeter batesse nele com a bolsa de crocodilo.

Quando os dois se afastaram, Harry comentou:

— Ela está hospedada no povoado. Aposto como vai assistir à primeira tarefa.

Ao dizer isso, seu estômago foi inundado por uma onda de pânico derretido. Mas não disse nada; ele e Hermione não tinham discutido muito o que o aguardava na primeira tarefa; tinha a sensação de que a amiga não queria pensar no assunto.

— Ela já foi embora — disse Hermione olhando através de Harry em direção à rua principal. — Por que não vamos tomar uma cerveja amanteigada no Três Vassouras? Está um pouco frio, não está? Você não precisa falar com o Rony! — acrescentou com irritação, interpretando corretamente o silêncio dele.

O Três Vassouras estava lotado, principalmente com alunos de Hogwarts que aproveitavam a tarde livre, mas também com uma variedade de gente mágica que Harry raramente via em outro lugar. Ele imaginava que, sendo Hogsmeade o único povoado inteiramente mágico da Grã-Bretanha, constituía uma espécie de refúgio para gente como as bruxas, que não gostavam tanto de se disfarçar quanto os bruxos.

Era difícil caminhar entre muita gente com a Capa da Invisibilidade, pois, se pisasse alguém sem querer, poderia provocar perguntas embaraçosas. Harry dirigiu-se com cautela a uma mesa vazia a um canto e Hermione foi comprar as bebidas. Quando atravessava o bar, Harry viu Rony sentado com Fred, Jorge e Lino Jordan. Resistindo ao impulso de dar um bom tranco na cabeça de Rony, ele finalmente chegou à mesa escolhida e se sentou.

Hermione não demorou a se juntar a ele e lhe passou a cerveja por baixo da capa.

— Pareço uma idiota sentada aqui sozinha — resmungou ela. — Por sorte trouxe alguma coisa para fazer.

E a garota puxou um caderno em que andava mantendo um registro dos participantes do F.A.L.E. Harry viu os nomes dele e de Rony no alto de uma pequena lista. Parecia que fora há muito tempo que tinham se sentado para fazer aquelas predições, juntos, e Hermione aparecera e os nomeara secretário e tesoureiro.

— Sabe, talvez eu deva tentar fazer alguns habitantes do povoado participarem do F.A.L.E. — disse Hermione, pensativa, dando uma olhada no bar.

— É, certo. — Harry tomou um gole da cerveja amanteigada embaixo da capa. — Hermione, quando é que você vai desistir dessa história de F.A.L.E.?

— Quando os elfos domésticos tiverem salários decentes e boas condições de trabalho! — sibilou ela em resposta. — Sabe, eu estou começando a achar que chegou a hora de partir para uma ação mais direta. Como será que a gente chega à cozinha da escola?

— Não faço ideia, pergunte ao Fred e ao Jorge — disse Harry.

Hermione mergulhou num silêncio pensativo, enquanto Harry bebia a cerveja amanteigada, observando as pessoas no bar. Todas pareciam animadas e descontraídas. Ernesto Macmillan e Ana Abbott trocavam figurinhas dos Sapos de Chocolate em uma mesa próxima, os dois usando os distintivos *Apoie* CEDRICO DIGGORY nas capas. Perto da porta, Harry viu Cho e um grande grupo das colegas da Corvinal. Mas ela não usava o distintivo... isto o animou um pouquinho...

O que ele não daria para ser uma daquelas pessoas que riam e conversavam, sem nenhuma preocupação no mundo exceto o dever de casa! Imaginou como estaria se sentindo ali se o seu nome *não tivesse* sido escolhido pelo Cálice de Fogo. Primeiro não estaria usando a Capa da Invisibilidade, segundo, Rony estaria sentado com ele. Os três provavelmente estariam felizes imaginando que tarefa mortalmente perigosa os campeões das escolas iriam enfrentar na terça-feira. Ele estaria realmente ansioso para chegar a hora de assistir ao que quer que fosse... torcendo por Cedrico com todos os outros, sentado são e salvo no alto das arquibancadas...

Harry ficou imaginando como estariam se sentindo os outros campeões. Todas as vezes que via Cedrico ultimamente, o garoto estava cercado de admiradores e parecia nervoso, mas animado. De vez em quando Harry via Fleur Delacour de relance nos corredores; tinha a mesma aparência de sempre, arrogante e imperturbável. E Krum simplesmente ficava sentado na biblioteca, examinando livros.

Harry pensou em Sirius, e o nó apertado e tenso em seu peito pareceu afrouxar um pouquinho. Estaria falando com o padrinho em pouco mais de doze horas, pois aquela era a noite em que iam se encontrar na sala comunal — presumindo que nada saísse errado, como tudo o mais ultimamente...

— Olha, é Hagrid! — disse Hermione.

As costas da enorme cabeça peluda de Hagrid — graças a Deus ele abandonara o novo penteado — sobressaía na aglomeração. Harry se perguntou por que não o teria visto logo, já que seu amigo era tão grande, mas se levantando cautelosamente, viu que Hagrid estivera curvado, conversando com o Prof. Moody. Tinha o costumeiro canecão diante dele, mas Moody bebia da garrafa de bolso. Madame Rosmerta, a bonita dona do bar, não parecia estar gostando muito disso; olhava enviesado para Moody enquanto recolhia os copos das mesas ao redor dos dois homens. Talvez achasse que aquilo era um insulto ao seu quentão, mas Harry sabia a explicação. Moody contara à turma na última aula de Defesa Contra as Artes das Trevas que ele sempre preferia preparar sua comida e bebida, pois era muito fácil para bruxos das trevas envenenarem um copo momentaneamente descuidado.

Enquanto Harry observava, viu Hagrid e Moody se levantarem para sair. Ele acenou, depois se lembrou de que o amigo não podia vê-lo. Moody, porém, parou, seu olho mágico virado para o canto em que Harry estava. Ele deu um tapinha no meio das costas de Hagrid (não conseguindo alcançar seu ombro), murmurou alguma coisa e, em seguida, os dois tornaram a atravessar o bar em direção à mesa de Harry e Hermione.

— Tudo bem, Hermione? — disse Hagrid em voz alta.

— Olá — respondeu a garota sorrindo.

Moody contornou a mesa mancando e se abaixou; Harry pensou que ele estava lendo o caderno do F.A.L.E., até ele murmurar:

— Bela capa, Potter.

Harry encarou-o espantado. O pedaço que faltava do nariz de Moody era particularmente visível à curta distância. Moody sorriu.

— O seu olho... quero dizer, o senhor pode...?

— Claro, ele vê através de Capas da Invisibilidade — disse Moody, baixinho. — E, às vezes, isso me tem sido útil, pode acreditar.

Hagrid estava sorrindo para Harry, também. Este sabia que o amigo não podia vê-lo, mas Moody obviamente dissera a Hagrid que o garoto estava ali.

Hagrid se abaixou sob o pretexto de ler o caderno do F.A.L.E. também, e disse num sussurro tão baixo que somente Harry pôde ouvir.

— Harry, me encontre hoje à meia-noite na minha cabana. Use a capa.

Erguendo-se, falou em voz alta:

— Que bom ver você, Hermione — piscou e saiu. Moody acompanhou-o.

— Por que será que ele quer que eu vá encontrá-lo à meia-noite? — perguntou Harry muito surpreso.

— Ele quer? — disse Hermione, parecendo espantada. — Que será que ele está aprontando? Não sei se você deve ir, Harry... — Ela espiou para os lados nervosamente e sibilou: — Talvez você se atrase para ver Sirius.

Era verdade que descer pelos jardins à meia-noite até a casa de Hagrid significava voltar em cima da hora para o encontro com Sirius; Hermione sugeriu que ele mandasse Edwiges a Hagrid para dizer que não podia ir

— sempre supondo que a coruja consentisse em levar o bilhete, é claro —, Harry, porém, achou melhor ir ver rapidamente o que o amigo queria. Estava muito curioso com o que poderia ser; Hagrid nunca pedira a Harry para visitá-lo tão tarde da noite.

Às onze e meia daquela noite, Harry, que fingira ir se deitar mais cedo, jogou a Capa da Invisibilidade por cima do corpo e saiu sorrateiramente pela sala comunal. Ainda havia muitos colegas lá. Os irmãos Creevey tinham conseguido pôr as mãos em uma pilha de distintivos *Apoie CEDRICO DIGGORY* e estavam tentando enfeitiçá-los para fazê-los dizer, ao invés, *Apoie HARRY POTTER*. Até ali, porém, só tinham conseguido fazer os distintivos enguiçarem em POTTER FEDE. Harry passou por eles em direção ao buraco do retrato e esperou um minuto mais ou menos, de olho no relógio. Depois, Hermione abriu a Mulher Gorda pelo lado de fora conforme tinham planejado. Ele passou pela amiga murmurando "Obrigado!", e saiu pelo castelo.

Os jardins estavam muito escuros. Harry desceu os gramados em direção às luzes que brilhavam na cabana de Hagrid. O interior da enorme carruagem da Beauxbatons também estava aceso; Harry podia ouvir Madame Maxime falando lá dentro, quando bateu na porta de Hagrid.

— É você aí, Harry? — sussurrou Hagrid, abrindo a porta e espiando para os lados.

— Sou — disse Harry, entrando na cabana e tirando a capa de cima da cabeça. — Que é que está havendo?

— Tenho uma coisa para lhe mostrar.

Havia um ar de enorme animação em Hagrid. Ele usava uma flor que lembrava uma alcachofra exagerada na botoeira. Parecia que tinha abandonado o uso da graxa de eixo, mas certamente tentara pentear os cabelos — dava para Harry ver os dentes partidos do pente presos neles.

— Que é que você vai me mostrar? — disse Harry, cauteloso, se perguntando se os explosivins teriam posto ovos ou se Hagrid teria conseguido comprar outro enorme cão de três cabeças de algum estranho no bar.

— Venha comigo, fique quieto e coberto com a capa — disse Hagrid. — Não vamos levar Canino, ele não vai gostar...

— Olhe, Hagrid, não posso demorar... Tenho que estar de volta no castelo porque à uma hora...

Mas Hagrid não estava ouvindo; estava abrindo a porta da cabana e saindo. Harry correu para acompanhá-lo, mas descobriu, para sua grande surpresa, que Hagrid o levava para a carruagem da Beauxbatons.

— Hagrid, que...?

— Psiu! — disse ele ao bater três vezes na porta com varinhas de ouro cruzadas.

Madame Maxime abriu-a. Usava um xale de seda envolvendo os ombros maciços. Ela sorriu quando viu Hagrid.

— Ah, Agrrid... já está na horra?

— Bom suar — disse Hagrid, sorrindo para ela e estendendo a mão para ajudá-la a descer os degraus dourados.

Madame Maxime fechou a porta, Hagrid lhe ofereceu o braço, e os dois saíram contornando o picadeiro que guardava os gigantescos cavalos alados de Madame Maxime, e Harry, totalmente perplexo, correu para acompanhá--los. Será que Hagrid queria lhe mostrar Madame Maxime? Poderia vê-la quando quisesse... ela não era exatamente uma pessoa que passasse despercebida...

Mas parecia que Madame Maxime ia ter a mesma surpresa que Harry porque, passado algum tempo, ela disse em tom de brincadeira:

— Aonde é que você está me levando, Agrid?

— Você vai gostar — disse Hagrid, rouco. — Vale a pena ver, confie em mim. Só que não pode sair por aí contando que eu lhe mostrei, certo? Não era para ninguém saber.

— Claro que não — disse Madame Maxime, batendo as longas pestanas pretas.

E eles continuavam a caminhar, Harry cada vez mais irritado enquanto corria no encalço dos dois, consultando o relógio de vez em quando. Hagrid tinha algum plano biruta em mente, que talvez o fizesse perder o encontro com Sirius. Se não chegassem depressa aonde iam, ele ia dar meia-volta e rumar direto para o castelo, deixando Hagrid aproveitar o passeio ao luar com Madame Maxime...

Mas então — quando tinham se distanciado tanto ao longo do perímetro da Floresta que o castelo e o lago desapareceram de vista — Harry ouviu alguma coisa. Havia homens gritando adiante... depois ouviram um rugido ensurdecedor, de rachar os tímpanos...

Hagrid fez Madame Maxime dar a volta a um arvoredo e parou. Harry correu a se juntar aos dois — por uma fração de segundo, achou que estava vendo fogueiras e homens que corriam em torno delas —, então seu queixo caiu.

Dragões.

Quatro dragões adultos, enormes, de aspecto feroz, empinavam-se nas patas traseiras, dentro de um cercado feito com grossas pranchas de madeira, rugindo e bufando — torrentes de fogo se erguiam quinze metros para o céu escuro de suas bocas abertas e cheias de dentes, no alto de pescoços esticados. Havia um azul-prateado com chifres longos e pontiagudos, que rosnava para os bruxos no chão e tentava mordê-los; outro de escamas lisas e verdes, que se contorcia e batia as patas com toda a força; um vermelho, com uma estranha franja de belas pontas de ouro ao redor do focinho, que soprava para o ar nuvens de fogo em forma de cogumelo; e um último, preto e gigantesco, mais parecido com um lagarto do que os demais, que era o mais próximo.

No mínimo uns trinta bruxos, sete ou oito para cada dragão, tentavam controlá-los, puxando correntes presas a grossas tiras de couro em volta dos pescoços e das pernas dos bichos. Hipnotizado, Harry olhou bem para o alto e viu os olhos do dragão preto, com pupilas verticais como as de um gato, arregalados de medo ou de fúria, não saberia dizer qual... fazia um barulho terrível, um uivo penetrante...

— Fique aí, Hagrid! — berrou um bruxo junto à cerca, puxando com força a corrente que segurava. — Eles podem cuspir fogo a uma distância de seis metros, sabe! Já vi este Rabo-Córneo chegar a doze!

— Ele não é lindo? — perguntou Hagrid, baixinho.

— Não adianta! — berrou outro bruxo. — Feitiço Estuporante quando eu contar três!

Harry viu cada um dos guardadores de dragões puxar a varinha.

— *Estupore!* — gritaram eles em uníssono, e os feitiços dispararam pela escuridão como foguetes chamejantes, explodindo em chuvas de estrelas sobre os couros escamosos dos dragões...

Harry observou o mais próximo deles balançar nas pernas traseiras; as mandíbulas se escancararam em um súbito uivo silencioso; as narinas subitamente se apagaram, embora ainda fumegassem — depois, muito lentamente, o bicho caiu —; várias toneladas de dragão preto, musculoso, coberto de escamas, desabaram no chão com um baque que, Harry poderia jurar, fizera as árvores atrás dele estremecerem.

Os guardadores de dragões baixaram as varinhas e avançaram até os bichos caídos, cada um destes do tamanho de um morro. Os bruxos se apressaram a esticar as correntes e a prendê-las firmemente em estacas de ferro, que eles enterraram bem fundo no chão, com suas varinhas.

— Quer dar uma olhada de perto? — Hagrid perguntou animado à Madame Maxime. Os dois se aproximaram da cerca e Harry os acompanhou. O bruxo que alertara Hagrid para não se aproximar se virou e Harry viu quem era, Carlinhos Weasley.

— Tudo bem, Hagrid? — ofegou ele, aproximando-se para falar. — Devem estar OK agora, demos a eles uma poção para dormir durante a viagem, achei que seria melhor acordarem quando estivesse escuro e tranquilo, mas, como você viu, eles não ficaram felizes, não ficaram nada felizes...

— Que raças você tem aqui, Carlinhos? — perguntou Hagrid, examinando o dragão mais próximo, o preto, com uma atitude próxima à reverência. Os olhos do bicho ainda estavam ligeiramente abertos. Harry pôde ver um risco amarelo e brilhante sob a pálpebra enrugada e escura.

— É um Rabo-Córneo húngaro — informou Carlinhos. — Tem um Verde-Galês comum lá adiante, o menor deles, um Focinho-Curto sueco, aquele cinza-azulado e o Meteoro-Chinês, aquele outro vermelho.

Carlinhos olhou para o lado; Madame Maxime estava caminhando ao longo do cercado, examinando os dragões estuporados.

— Eu não sabia que você ia trazer ela, Hagrid — disse Carlinhos franzindo a testa. — Os campeões não podem saber o que os espera, ela com certeza vai contar à campeã de Beauxbatons, não vai?

— Só achei que ela gostaria de ver os dragões — respondeu Hagrid encolhendo os ombros, ainda contemplando embevecido os dragões.

— Um encontro realmente romântico, Hagrid — comentou Carlinhos balançando a cabeça.

— Quatro... — contou Hagrid — então é um para cada campeão, é? Que é que eles vão ter de fazer, lutar com eles?

— Só passar por eles, acho. Estaremos por perto se a coisa ficar feia, prontos para lançar Feitiços de Extinção. Pediram dragões em época de nidificação, não sei o porquê... mas vou lhe dizer uma coisa, eu não invejo o campeão que pegar o Rabo-Córneo. Bicho feroz. A extremidade de trás é tão perigosa quanto a da frente, olha lá.

Carlinhos apontou para o rabo do dragão e Harry viu que, a intervalos de uns poucos centímetros, havia chifrinhos compridos, cor de bronze.

Cinco dos colegas guardadores de Carlinhos cambaleavam até o Rabo-Córneo naquele momento, transportando, juntos, uma ninhada de ovos em um cobertor. Depositaram sua carga, cuidadosamente, do lado do Rabo-Córneo. Hagrid deixou escapar um gemido de saudade.

— Eu contei todos, Hagrid — disse Carlinhos com severidade. Depois perguntou: — Como vai o Harry?

— Ótimo — respondeu Hagrid. Continuava a admirar os ovos.

— Faço votos de que continue ótimo depois de enfrentar esses bichos — disse Carlinhos, muito sério, contemplando o cercado dos dragões. — Não

tive coragem de contar à mamãe qual vai ser a primeira tarefa dele, ela já está tendo gatinhos por antecipação... – Carlinhos imitou a voz ansiosa da mãe: – *"Como eles puderam deixá-lo entrar nesse torneio, ele é criança demais! Pensei que estivessem todos seguros, pensei que ia haver um limite de idade!"* Ela está se acabando de chorar por causa daquele artigo do Profeta Diário. *"Ele ainda chora a perda dos pais! Ah, que Deus o abençoe, eu não sabia!"*

Para Harry já era o bastante. Confiando que Hagrid não sentiria falta dele, com os dragões e Madame Maxime para ocupar sua atenção, ele se virou silenciosamente e começou a caminhar de volta ao castelo.

Não sabia se estava ou não contente de ter visto o que o esperava. Talvez assim fosse melhor. O primeiro choque passara agora. Talvez se visse os dragões pela primeira vez na terça-feira tivesse caído duro diante de toda a escola... mas quem sabe desmaiaria assim mesmo... estaria armado com a varinha – que neste momento lhe parecia apenas uma ripinha de madeira – contra um dragão de quinze metros de altura, coberto de escamas e chifres, que cuspia fogo. E precisava passar pelo bicho. Com todo mundo olhando. Como?

Harry se apressou, contornando a orla da floresta; tinha menos de quinze minutos para chegar à lareira e falar com Sirius, e não se lembrava de ter jamais sentido maior vontade de falar com alguém do que naquele momento – quando, sem aviso, bateu em alguma coisa muito sólida.

Harry caiu de costas, os óculos tortos, apertando a capa em torno do corpo. Uma voz próxima exclamou:

– Ai! Quem está aí?

Harry verificou depressa se a capa o cobria inteiramente e ficou imóvel, olhando espantado para a silhueta do bruxo com quem colidira. Reconheceu a barbicha... era Karkaroff.

– Quem está aí? – tornou a perguntar Karkaroff, olhando muito desconfiado para os lados, no escuro. Harry continuou imóvel e calado. Passado pouco mais de um minuto, Karkaroff pareceu ter concluído que batera em algum bicho; olhava para baixo da cintura, como se esperasse ver um cachorro. Depois tornou a procurar, sorrateiramente, a sombra das árvores, e rumou para o local em que se encontravam os dragões.

Muito lenta e cautelosamente, Harry se levantou e continuou seu caminho, o mais rápido que pôde, sem fazer muito barulho, correndo pela escuridão de volta a Hogwarts.

Não tinha a menor dúvida do que Karkaroff ia fazer. Tinha saído escondido do navio para tentar descobrir qual seria a primeira tarefa. Talvez até tivesse visto Hagrid e Madame Maxime rumando para a Floresta juntos – não era nada difícil identificá-los a distância... e agora só o que Karkaroff precisava fazer era seguir o ruído das vozes e ele, tal como Madame Maxime, saberia o que aguardava os campeões. Pelo jeito, o único campeão que ia enfrentar o desconhecido na terça-feira era Cedrico.

Harry alcançou o castelo, passou despercebido pelas portas de entrada e começou a subir os degraus de mármore; estava muito ofegante, mas não se atrevia a diminuir o passo... tinha menos de cinco minutos para chegar à lareira...

– *Asnice!* – ofegou ele para a Mulher Gorda, que tirava um cochilo na moldura do quadro que encobria o buraco.

– Se você assim diz – murmurou ela sonolenta, sem abrir os olhos, e o quadro girou para a frente para admitir o garoto. Harry entrou. A sala comunal estava deserta e, a julgar pelo fato de que tinha o cheiro de sempre, Hermione não precisara soltar nenhuma bomba de bosta para garantir que ele e Sirius tivessem alguma privacidade.

Harry tirou a Capa da Invisibilidade e se largou em uma poltrona diante da lareira. A sala estava na penumbra e as chamas eram a única fonte de luz. Próximo, sobre uma mesa, os distintivos *Apoie* CEDRICO DIGGORY que os Creevey tinham tentado melhorar brilhavam à claridade da lareira. Agora diziam POTTER REALMENTE FEDE. Harry tornou a voltar sua atenção para as chamas e levou um susto.

A cabeça de Sirius flutuava sobre as chamas. Se Harry não tivesse visto o Sr. Diggory fazer exatamente o mesmo na cozinha dos Weasley, teria se apavorado. Em vez disso, seu rosto se iluminou com o primeiro sorriso que dava em dias, ele deixou a poltrona, foi se agachar diante da lareira e disse:

– Sirius, como é que você vai indo?

Sirius tinha a aparência diferente da que Harry se lembrava. Da outra vez, quando se despediram, o rosto do padrinho estava magérrimo e fundo, emoldurado por uma juba de cabelos compridos, escuros e embaraçados – mas seus cabelos estavam curtos e limpos agora, o rosto mais cheio e ele parecia mais jovem, e mais semelhante à única fotografia que Harry tinha dele, e que fora tirada no casamento dos Potter.

– Eu não sou importante, como vai você? – perguntou Sirius, sério.

– Estou... – Por um segundo, Harry tentou dizer "ótimo", mas não conseguiu. Antes que pudesse se refrear, estava falando mais do que falara em dias, que ninguém acreditava que não tinha se inscrito no torneio voluntariamente, que Rita Skeeter publicara mentiras sobre ele no *Profeta Diário*, que não podia andar pelos corredores sem caçoarem dele e que seu amigo Rony não acreditava nele, e tinha ciúmes...

"... e agora Hagrid acabou de me mostrar qual vai ser a primeira tarefa, e são dragões, Sirius, e estou perdido", terminou ele, desesperado.

Sirius observava o garoto com os olhos cheios de preocupação, que ainda conservavam a expressão que Azkaban lhes dera – aquela expressão fantasmagórica e mortiça. Deixara Harry terminar de falar sem interrupção, mas agora disse:

– Dragões a gente pode dar um jeito, Harry, mas falaremos disso em um minuto, não posso me demorar muito aqui... arrombei uma casa de bruxos para usar a lareira, mas eles podem voltar a qualquer momento. Tem coisas de que preciso alertá-lo.

– Quais? – perguntou Harry, sentindo seu ânimo afundar alguns pontos... com certeza não poderia haver nada pior do que dragões à espera?

– Karkaroff – disse Sirius. – Harry, ele era um dos Comensais da Morte. Você sabe o que é isso, não sabe?

– Sei, ele... quê?

– Ele foi apanhado, esteve em Azkaban comigo, mas foi libertado. Aposto o que quiser que foi essa a razão de Dumbledore querer um auror em Hogwarts este ano, para ficar de olho nele. Moody foi quem pegou Karkaroff. Foi o primeiro que trancafiou em Azkaban.

– Karkaroff foi libertado? – perguntou o garoto lentamente, seu cérebro parecia estar lutando para absorver mais uma informação chocante. – Por que foi que libertaram ele?

– Ele fez um acordo com o Ministério da Magia – disse Sirius, amargurado. – Ele fez uma declaração admitindo que errara e então revelou nomes... e mandou uma porção de outras pessoas para Azkaban em lugar dele... ele não é muito popular por lá, isso eu posso afirmar. E desde que saiu, pelo que sei, tem ensinado Artes das Trevas a cada estudante que passa pela escola dele. Por isso tenha cuidado com o campeão de Durmstrang também.

– OK – disse Harry, devagar. – Mas... você está dizendo que Karkaroff pôs meu nome no Cálice? Porque, se fez isso, ele é realmente um bom ator. Parecia furioso com o acontecido. Queria me impedir de competir.

– Sabemos que ele é um bom ator – respondeu Sirius – porque convenceu o Ministério da Magia a libertá-lo, não é? Agora, tenho acompanhado o *Profeta Diário*, Harry...

— Você e o resto do mundo — disse o garoto com amargura.

— ... e lendo nas entrelinhas do artigo que aquela tal de Skeeter publicou no mês passado, Moody foi atacado na véspera de se apresentar para trabalhar em Hogwarts. É, sei que ela diz que foi mais um alarme falso — acrescentou Sirius depressa, ao ver Harry fazer menção de falar —, mas tenho a impressão de que não foi. Acho que alguém tentou impedi-lo de chegar a Hogwarts. Acho que alguém sabia que seria muito mais difícil agir com ele por perto. E ninguém vai investigar muito. Olho-Tonto andou ouvindo estranhos, vezes demais. Mas isto não significa que tenha se tornado incapaz de identificar a coisa verdadeira. Moody foi o melhor auror que o Ministério já teve.

— Então... que é que você está me dizendo? — perguntou o garoto, hesitante. — Karkaroff vai tentar me matar? Mas... por quê?

Sirius hesitou.

— Tenho ouvido coisas muito estranhas — disse pausadamente. — Os Comensais da Morte parecem andar um pouco mais ativos do que o normal ultimamente. Mostraram-se publicamente na Copa Mundial de Quadribol, não foi? Alguém projetou a Marca Negra no céu... e, além disso, você ouviu falar na bruxa do Ministério da Magia que está desaparecida?

— Berta Jorkins?

— Exatamente... ela desapareceu na Albânia, e sem dúvida foi lá que diziam ter visto Voldemort pela última vez... e ela saberia que ia haver um Torneio Tribruxo, não é?

— É, mas... não é muito provável que ela tivesse dado de cara com Voldemort, ou é?

— Ouça, eu conheci Berta Jorkins — disse Sirius, sério. — Esteve em Hogwarts no meu tempo, alguns anos mais adiantada do que seu pai e eu. E era uma idiota. Muito bisbilhoteira, mas completamente desmiolada. Não é uma boa combinação, Harry. Eu diria que ela poderia ser facilmente atraída para uma arapuca.

— Então... então Voldemort poderia ter descoberto tudo sobre o torneio? É isso que você quer dizer? Você acha que Karkaroff poderia estar aqui por ordem dele?

— Não sei — disse Sirius lentamente. — Não sei... Karkaroff não me parece o tipo que voltaria para Voldemort a não ser que soubesse que o lorde teria poder suficiente para protegê-lo. Mas quem pôs o seu nome no Cálice de Fogo fez isso de caso pensado, e não posso deixar de achar que o torneio seria uma boa ocasião para atacar você e fazer parecer que foi um acidente.

— Até onde posso ver, parece um plano muito bom — disse Harry, desolado.
— Só precisam sentar-se e esperar que os dragões façam o serviço por eles.
— Certo... esses dragões — disse Sirius, falando agora muito rapidamente.
— Tem um jeito, Harry. Não ceda à tentação de usar um Feitiço Estuporante, os dragões são fortes, e têm demasiado poder mágico para serem nocauteados por um único feitiço. É preciso meia dúzia de bruxos para dominar um dragão...
— É, eu sei, acabei de ver — disse Harry.
— Mas você pode dar conta sozinho — disse Sirius. — Tem um jeito e só precisa de um feitiço simples. Basta...

Mas Harry ergueu a mão para silenciá-lo, seu coração disparara subitamente como se quisesse explodir. Ouvira passos que desciam a escada circular às costas dele.

— Vá! — sibilou Sirius. — *Vá!* Tem alguém chegando!

Harry levantou-se depressa, escondendo as chamas com o corpo — se alguém visse o rosto de Sirius entre as paredes de Hogwarts, faria um estardalhaço dos diabos — o Ministério seria chamado — ele, Harry, seria interrogado sobre o paradeiro de Sirius...

O garoto ouviu um estalido nas chamas atrás dele e soube que Sirius se fora — observou a escada circular —, quem teria resolvido dar um passeio a uma hora da manhã e impedira Sirius de lhe dizer como passar por um dragão?

Era Rony. Vestido com seu pijama marrom estampado de plumas, ele parou de chofre ao ver Harry do lado oposto da sala e olhou para os lados.

— Com quem você estava falando? — perguntou.
— E isso é da sua conta? — rosnou Harry. — Que é que você está fazendo aqui embaixo a essa hora da noite?
— Fiquei imaginando onde você... — e parou, encolhendo os ombros. — Nada, vou voltar para a cama.
— Achou que poderia vir bisbilhotar, não foi? — gritou Harry. Ele sabia que Rony sequer fazia ideia do que encontraria, sabia que não fizera de propósito, mas não estava ligando, naquele momento ele odiou tudo em Rony, até o pedaço de tornozelo que aparecia por baixo das calças do pijama.
— Sinto muito — disse Rony, ficando vermelho de raiva. — Eu devia ter percebido que você não queria ser perturbado. Vou deixar você continuar praticando em paz para a próxima entrevista.

Harry apanhou um dos distintivos POTTER REALMENTE FEDE da mesa e atirou-o com toda a força para o outro lado da sala. O distintivo acertou Rony na testa e ele cambaleou.

— Toma — disse Harry. — Uma coisa para você usar na terça-feira. Quem sabe você até arranja uma cicatriz agora, se tiver sorte... é o que você quer, não é?

E atravessou a sala, decidido, em direção à escada; de certa forma esperou que Rony o detivesse, teria até gostado que ele lhe tivesse dado um soco, mas ele ficou parado ali naquele pijama demasiado pequeno e Harry, tendo subido a escada furioso, ficou deitado na cama sem dormir, por muito tempo, mas não ouviu Rony vir se deitar.

20

A PRIMEIRA TAREFA

Harry levantou-se na manhã de domingo e se vestiu tão distraidamente que levou algum tempo para perceber que estava tentando calçar o chapéu no pé em vez da meia. Quando finalmente conseguiu pôr cada peça de roupa na parte certa do corpo, saiu correndo à procura de Hermione, encontrando-a à mesa da Grifinória no Salão Principal, onde ela tomava café da manhã com Gina. Sentindo-se demasiado enjoado para comer, Harry esperou até Hermione terminar a última colherada de mingau de aveia, depois a arrastou para darem outro passeio. Nos jardins, contou-lhe tudo sobre os dragões e tudo sobre o que Sirius dissera, durante o longo passeio à volta do lago.

Mesmo alarmada com o que ouvia sobre os avisos de Sirius a respeito de Karkaroff, a garota continuou achando que os dragões eram o problema mais premente.

— Vamos só tentar manter você vivo até a noite de terça-feira — disse desesperada —, depois podemos nos preocupar com Karkaroff.

Deram três voltas no lago, tentando pensar em um feitiço simples para dominar o dragão. Nada, porém, lhes ocorreu, de modo que se recolheram à biblioteca. Ali, Harry baixou cada livro que conseguiu encontrar sobre dragões e os dois começaram a pesquisar uma grande pilha de livros.

— O corte mágico de unhas... o tratamento da podridão de escamas... isto não serve, isto é para gente biruta feito o Hagrid que quer criar dragões saudáveis...

"*Os dragões são extremamente difíceis de matar, graças à magia muito antiga que impregna seu grosso couro, que nenhum, exceto os feitiços mais poderosos são capazes de penetrar...* mas Sirius disse que um feitiço simples funcionaria...

"Vamos tentar alguns livros de feitiços simples, então", disse Harry, deixando de lado *Homens aficionados por dragões*.

Ele voltou à mesa com uma pilha de livros de feitiços, descansou-os e começou a folhear um a um, com Hermione cochichando sem parar ao seu lado.

— Bom, tem Feitiços de Substituição... mas qual é a vantagem de substituir um dragão? A não ser que a pessoa substitua as presas dele por gengivas ou outra coisa qualquer para torná-las inofensivas... o problema é que, como diz o livro, muito pouca coisa atravessa o couro de um dragão... Eu diria: transfigure o bicho, mas, com uma coisa daquele tamanhão, a gente realmente não tem a menor esperança, duvido até que a Profª Minerva... a não ser que a pessoa lance o feitiço *nela mesma*? Talvez dar a si mesma poderes extraordinários? Mas isso *não é* um feitiço simples, quero dizer, ainda não estudamos nenhum desses em aula, só sei que existem porque ando fazendo provas simuladas para os N.O.M.s...

— Hermione — disse Harry entre dentes —, quer calar a boca um instante, por favor? Estou tentando me concentrar.

Mas só o que aconteceu quando a garota se calou foi que o cérebro de Harry se encheu com uma espécie de zumbido indistinto, que parecia não deixar espaço para concentração. Ele olhou desalentado para o índice de *Azarações básicas para os ocupados e aflitos: escalpos instantâneos*... mas dragões não tinham cabelos... *bafo de pimenta*... isso provavelmente aumentaria o poder de fogo do dragão... *língua de espinhos*... exatamente o que ele precisava, dar ao dragão mais uma arma...

— Ah, não, lá vem ele *outra vez*, por que é que ele não pode ler naquele navio idiota — exclamou Hermione, irritada, quando Vítor Krum entrou daquele seu jeito curvado, lançou um olhar carrancudo para os dois e se sentou num canto distante com uma pilha de livros. — Vamos, Harry, vamos voltar para a sala comunal... o fã-clube dele não vai demorar, chilreando sem parar...

E não deu outra, quando iam saindo da biblioteca, um grupo de garotas passou por eles nas pontas dos pés, uma delas usando um lenço da Bulgária amarrado à cintura.

Harry mal chegou a dormir àquela noite. Quando acordou na manhã de segunda-feira, ele pensou seriamente, pela primeira vez na vida, em fugir de Hogwarts. Mas quando correu o olhar pelo Salão Principal, na hora do café da manhã, e pensou no que significava abandonar o castelo, compreendeu que não poderia fazer isso. Era o único lugar em que fora feliz... bem, ele supunha que devia ter sido feliz em companhia dos pais, também, mas não seria capaz de lembrar.

Por alguma razão, a consciência de que preferia estar ali e ter de encarar um dragão a voltar à rua dos Alfeneiros com Duda foi uma coisa boa; e fez com que se sentisse ligeiramente mais calmo. Terminou de comer o bacon com esforço (a garganta não estava funcionando muito bem), e quando se levantou com Hermione ele viu Cedrico Diggory deixando a mesa da Lufa-Lufa.

Cedrico ainda não sabia dos dragões... o único campeão que não sabia, se Harry estivesse certo em pensar que Maxime e Karkaroff teriam informado a Fleur e Krum...

— Mione, vejo você nas estufas — disse ele, tomando uma decisão ao ver Cedrico saindo do salão. — Vai andando, eu alcanço você.

— Harry, você vai se atrasar, a sineta já vai tocar...

— Eu alcanço você, OK?

Quando Harry chegou ao pé da escadaria de mármore, Cedrico já estava no topo. Ia acompanhado de um monte de amigos do sexto ano. Harry não queria falar com o campeão na frente deles; faziam parte do grupo que andara citando o artigo de Rita Skeeter, em voz alta, todas as vezes que ele se aproximava. Seguiu, então, Cedrico a distância e viu que o garoto ia em direção ao corredor da classe de Feitiços. Isto deu a Harry uma ideia. Parando a uma certa distância deles, puxou a varinha e mirou com cuidado.

— Diffindo!

A mochila de Cedrico se rompeu. Pergaminhos, penas e livros se espalharam pelo chão. Vários tinteiros se quebraram.

— Não se preocupem — disse Cedrico em tom irritado, quando os amigos se abaixaram para ajudá-lo —, digam a Flitwick que estou chegando, vão indo...

Isto era exatamente o que Harry esperava que acontecesse. Ele tornou a guardar a varinha nas vestes, esperou até que os amigos de Cedrico desaparecessem na sala de aula e entrou depressa no corredor, agora vazio, exceto por ele e Cedrico.

— Oi — disse Cedrico, apanhando um exemplar de *Um guia de transformação avançada*, manchado de tinta. — Minha mochila simplesmente se rompeu... nova em folha...

— Cedrico — disse Harry —, a primeira tarefa vão ser dragões.

— Quê? — exclamou Cedrico, erguendo a cabeça.

— Dragões — disse Harry depressa, caso o Prof. Flitwick saísse para ver onde andava Cedrico. — São quatro, um para cada um de nós, e vamos ter que passar por eles.

Cedrico arregalou os olhos. Harry viu um pouco do pânico que andara sentindo desde o sábado à noite passar pelos olhos cinzentos do colega.

— Tem certeza? — perguntou numa voz abafada.

— Absoluta. Eu vi.
— Mas como foi que você descobriu? Não devíamos saber...
— Não importa — disse Harry depressa, sabia que Hagrid estaria em apuros se ele dissesse a verdade. — Mas eu não sou o único que sabe. Fleur e Krum a essa hora também já sabem, Maxime e Karkaroff viram os dragões, também.

Cedrico se levantou, os braços cheios de penas, pergaminhos e livros sujos de tinta, a bolsa rasgada pendurada em um ombro. Fitou Harry atentamente e havia uma expressão intrigada, quase desconfiada em seus olhos.

— Por que é que você está me dizendo isso? — perguntou.

Harry olhou-o sem acreditar. Tinha certeza de que Cedrico não faria uma pergunta dessas se ele próprio tivesse visto os dragões. Harry não teria deixado seu pior inimigo despreparado para enfrentar aqueles monstros — bom, talvez Malfoy ou Snape...

— Não seria... justo, não acha? — disse ele a Cedrico. — Agora todos sabemos... estamos em pé de igualdade, não é?

Cedrico continuava a olhar o garoto com um ar ligeiramente desconfiado quando Harry ouviu um conhecido toque-toque às suas costas. Virou-se e viu Olho-Tonto Moody saindo de uma sala próxima.

— Venha comigo, Potter — rosnou o professor. — Diggory, pode ir andando.

Harry olhou preocupado para Moody. Será que o professor ouvira os dois?

— Hum... Professor, eu devia estar na aula de Herbologia...

— Esqueça, Potter. Na minha sala, por favor...

Harry acompanhou-o, se perguntando o que iria lhe acontecer agora. E se Moody quisesse saber como ele descobrira a respeito dos dragões? Será que iria procurar Dumbledore e denunciar Hagrid ou simplesmente transformar Harry numa doninha? Bom, seria mais fácil passar por um dragão se ele fosse uma doninha, pensou Harry sem emoção, ficaria bem menor, muito mais difícil de enxergar de uma altura de quinze metros...

Harry acompanhou Moody à sua sala. O professor fechou a porta ao passarem e se virou para encarar Harry, o olho mágico fixo nele ao mesmo tempo que o olho normal.

— Foi uma coisa muito decente o que você acabou de fazer, Potter — disse Moody, baixinho.

O garoto não soube o que responder; não era a reação que esperara.

— Sente-se — disse o professor, e o garoto se sentou, espiando para os lados.

Visitara essa sala na época dos seus dois ocupantes anteriores. Na do Prof. Lockhart, as paredes eram cobertas de fotos em que o professor sorria e piscava um olho. Quando Lupin a ocupara, era mais provável a pessoa deparar com um espécime fascinante de alguma criatura das trevas que ele arranjara para os alunos estudarem em aula. Agora, no entanto, a sala estava apinhada com um número excepcional de objetos estranhos que, supunha Harry, Moody usara na época em que fora auror.

Sobre a escrivaninha havia algo que parecia um grande pião de vidro rachado; Harry reconheceu imediatamente o bisbilhoscópio, porque ele próprio era dono de um, embora muito menor do que o de Moody. A um canto, sobre uma mesinha, havia um objeto que lembrava uma antena dourada de televisão e não parava de girar. Zumbia levemente. Havia algo que lembrava um espelho pendurado na parede oposta a Harry, mas não refletia a sala. Vultos escuros se moviam por ele, nenhum realmente em foco.

— Gosta dos meus detectores de presença das trevas? — perguntou Moody, que observava Harry atentamente.

— Que é aquilo? — perguntou o garoto, apontando para a antena dourada de televisão.

— Sensor de segredos. Vibra quando detecta alguma coisa oculta ou falsa... não funciona aqui, é claro, há interferência demais, estudantes para todos os lados mentindo para justificar por que não fizeram os deveres. Anda zumbindo desde que cheguei. Tive que desligar o meu bisbilhoscópio porque ele não parava de apitar. É extrassensível, capta qualquer coisa num raio de um quilômetro e meio. Naturalmente, poderia estar captando mais do que mentiras infantis — acrescentou com um rosnado.

— E para que serve o espelho?

— Ah, é o meu Espelho-de-Inimigos. Está vendo eles ali, rondando? Não estou realmente em perigo até enxergar o branco dos olhos deles. É aí que abro o meu baú.

Ele soltou uma gargalhada breve e rouca e apontou para um grande baú sob uma janela. Tinha sete fechaduras alinhadas. Harry ficou imaginando o que haveria ali, até que a pergunta seguinte do professor o trouxe bruscamente à terra.

— Então... descobriu a respeito dos dragões?

Harry hesitou. Receara isso — mas não contara a Cedrico e certamente não iria contar a Moody que Hagrid infringira o regulamento.

— Tudo bem — disse Moody, sentando-se e esticando a perna de pau com um gemido. — Tradicionalmente trapacear sempre fez parte do Torneio Tribruxo.

— Eu não trapaceei — disse Harry com veemência. — Foi... descobri meio por acaso.

Moody sorriu.

— Não estou acusando-o, menino. Venho dizendo a Dumbledore, desde o começo, que ele pode ter os princípios elevados que quiser, mas pode apostar que o velho Karkaroff e Maxime não os terão. Devem ter dito aos seus campeões tudo o que puderam. Querem ganhar. Querem vencer Dumbledore. Gostariam de provar que ele é apenas humano.

Moody deu aquela sua risada rouca e seu olho mágico girou tão rápido que fez Harry se sentir tonto só de ver.

— Então... já tem alguma ideia de como vai conseguir passar pelo dragão? — perguntou Moody.

— Não.

— Bom, eu não vou lhe dizer — afirmou o professor com rispidez —, não demonstro favoritismos, eu. Mas vou-lhe dar uns bons conselhos de ordem geral. O primeiro é: *explore os seus pontos fortes*.

— Não tenho pontos fortes — disse Harry, antes que pudesse se conter.

— Perdão — rosnou Moody —, você tem pontos fortes se eu digo que os tem. Pense um pouco. Que é que você sabe fazer melhor?

Harry tentou se concentrar. No que é que ele *era* melhor? Bom, isso era realmente fácil...

— Quadribol — disse sem emoção —, grandes ajudas...

— Certo — disse Moody mirando-o com muita severidade, o olho mágico mal se mexendo. — Você é um grande piloto, pelo que ouvi falar.

— É, mas... — Harry encarou-o. — Mas não posso usar a vassoura, só tenho a varinha...

— Meu segundo conselho de ordem geral — disse Moody em voz alta, interrompendo-o — é usar um feitiço bom e simples que lhe permita *conseguir o que precisa*.

Harry olhou para ele sem entender. Do que é que precisava?

— Vamos, moleque... — sussurrou Moody. — Some dois mais dois... não é tão difícil assim...

E fez-se a luz. O que ele fazia melhor era voar. Precisava passar pelo dragão pelo ar. Para isso, precisava da Firebolt. E para ter a Firebolt ele precisava...

— Mione — murmurou Harry, depois de correr para a estufa três minutos mais tarde e balbuciar uma desculpa ao passar pela Profª Sprout —, Mione, preciso de sua ajuda.

— Que é que você acha que estive tentando fazer, Harry? — murmurou ela em resposta, os olhos arregalados de ansiedade por cima de um agitado arbusto tremulante que estava podando.

— Mione, preciso aprender a fazer um Feitiço Convocatório corretamente até amanhã de tarde.

E assim os dois treinaram. Não almoçaram, em vez disso foram para uma sala de aula vazia, onde Harry tentou com todo o empenho fazer vários objetos voarem pela sala até ele. Ainda não estava bom. Os livros e penas continuavam a perder o embalo no meio da sala e cair como pedras no chão.

— Concentre-se, Harry, *concentre-se*...

— Que é que você acha que eu estou tentando fazer? — perguntou Harry, zangado. — Uma porcaria de um dragãozão não para de aparecer na minha cabeça, sei lá o porquê... OK, Mione, tenta outra vez...

Ele queria faltar à aula de Adivinhação para continuar treinando, mas Hermione se recusou categoricamente a matar a aula de Aritmancia, e não adiantava ficar lá sem ela. Portanto, Harry teve que aturar mais de uma hora a Prof.ª Sibila Trelawney, que passou metade desse tempo dizendo a todos que a posição de Marte com relação a Saturno, naquele momento, significava que as pessoas nascidas em julho corriam um grande perigo de sofrer uma morte súbita e violenta.

— Que bom — disse Harry em voz alta, a raiva levando a melhor —, desde que não seja demorada, porque não quero sofrer.

Por um momento pareceu que Rony ia rir; sem dúvida, seu olhar encontrou o de Harry pela primeira vez em dias, mas este continuava muito magoado com o amigo para se importar. Harry passou o resto da aula tentando atrair, com a varinha, pequenos objetos para si, por baixo da mesa. Conseguiu fazer uma mosca disparar direto para a sua mão, embora não tivesse total certeza de que aquilo resultasse de sua perícia com os Feitiços Convocatórios — talvez a mosca fosse apenas burra.

Ele forçou um pouco de jantar para dentro depois da aula de Adivinhação, e em seguida voltou à sala vazia com Hermione, usando a Capa da Invisibilidade para evitar os professores. Os dois continuaram a treinar até depois da meia-noite. Teriam demorado mais, mas Pirraça apareceu e, fingindo achar que Harry queria que lhe atirassem coisas, começou a arremessar cadeiras pela sala. Os dois garotos tiveram que sair depressa antes que o barulho atraísse Filch, e voltaram à sala comunal da Grifinória, que àquela hora felizmente estava vazia.

Às duas da manhã, Harry estava ao pé da lareira, cercado por uma montanha de objetos – livros, penas, várias cadeiras viradas, um velho jogo de bexigas e o sapo de Neville, Trevo. Somente na última hora ele, realmente, pegara o jeito dos Feitiços Convocatórios.

– Está melhor, Harry, está muito melhor – disse Hermione, parecendo exausta, porém muito satisfeita.

– Bom, agora sabemos o que fazer na próxima vez que não conseguirmos lançar um feitiço – disse Harry, atirando um dicionário de runas para Hermione, para que pudesse tentar mais uma vez –, me ameace com um dragão. Certo... – Ele ergueu a varinha novamente. – *Accio dicionário!*

O pesado livro voou da mão de Hermione, atravessou a sala e Harry o aparou.

– Harry, sinceramente acho que você pegou o jeito! – exclamou a garota, encantada.

– Desde que funcione amanhã – disse Harry. – A Firebolt vai estar muito mais longe do que essas coisas aqui, vai estar no castelo e eu vou estar lá fora nos jardins...

– Não faz diferença – disse Hermione com firmeza. – Desde que você se concentre para valer, realmente para valer, ela chega lá. Harry, é melhor dormirmos um pouco... você vai precisar estar descansado.

Harry se concentrara com tanto empenho para aprender os Feitiços Convocatórios naquela noite que parte do seu pânico irracional o deixara. Voltou, contudo, com força total, na manhã seguinte. A atmosfera na escola era de grande tensão e animação. As aulas iam ser interrompidas ao meio-dia, dando a todos os estudantes tempo para descer até o cercado dos dragões – embora, é claro, eles ainda não soubessem o que encontrariam lá.

Harry se sentiu estranhamente isolado de todos à sua volta, tanto dos que lhe desejavam boa sorte quanto dos que o vaiavam.

– *Vamos levar uma caixa de lenços de papel, Potter* – diziam ao passar.

Era um nervosismo tão intenso que ele ficou imaginando se poderia perder a cabeça quando tentassem conduzi-lo ao dragão e ele começasse a xingar todo mundo que estivesse à vista.

O tempo estava mais esquisito que nunca, transcorria em grandes lapsos, de modo que num momento Harry estava sentado assistindo à primeira aula, História da Magia, e, no momento seguinte, saindo para almoçar... depois (aonde fora a manhã? As últimas horas sem dragão?) a Profª Minerva corria para ele no Salão Principal. Um montão de gente estava olhando.

— Potter, os campeões têm que descer para os jardins agora... você tem que se preparar para a primeira tarefa.

— OK — disse Harry, se levantando e deixando cair o garfo no prato, com estrépito.

— Boa sorte — sussurrou Hermione. — Você vai se sair bem!

— Ah, vou! — exclamou Harry, com uma voz que nem parecia a dele.

O garoto deixou o Salão Principal com a Profª Minerva, que também não parecia a pessoa de sempre; de fato, parecia quase tão ansiosa quanto Hermione. Ao conduzi-lo pelos degraus de pedra para a fria tarde de novembro, ela pôs a mão no ombro do garoto.

— Agora, não entre em pânico — disse ela —, mantenha a cabeça fria... temos bruxos à mão para resolver a situação se ela se descontrolar... o principal é você fazer o melhor que puder e ninguém vai passar a pensar mal de você por isso... você está bem?

— Estou — Harry ouviu-se dizendo. — Estou ótimo.

Ela o conduzia ao lugar onde estavam os dragões, margeando a Floresta, mas, quando se aproximaram do arvoredo por trás do qual o cercado estaria claramente visível, Harry viu que haviam armado uma barraca, com a entrada voltada para quem chegava, que impedia a visão dos dragões.

— Você deve entrar aí com os outros campeões — disse a Profª McGonagall, com a voz um tanto trêmula — e esperar a sua vez, Potter. O Sr. Bagman está aí dentro... ele lhe dirá como... proceder... boa sorte.

— Obrigado — disse Harry, numa voz distante e sem emoção. A professora o deixou à entrada da barraca. Ele entrou.

Fleur Delacour estava sentada a um canto, em um banquinho baixo de madeira. Não parecia nem de longe a garota habitualmente composta, parecia um tanto pálida e suada. Vítor Krum parecia ainda mais carrancudo do que de hábito, o que fez Harry supor que aquela era a sua maneira de demonstrar nervosismo. Cedrico andava para lá e para cá. Quando Harry entrou, ele deu ao garoto um breve sorriso, que Harry retribuiu, sentindo os músculos do rosto fazerem muita força como se não soubessem mais sorrir.

— Harry! Que bom! — exclamou Bagman alegremente, virando-se para olhá-lo. — Entre, entre, fique à vontade!

Bagman, por alguma razão, parecia um personagem de quadrinhos grande demais, parado ali entre os campeões pálidos. Trajava as antigas vestes do Wasp.

— Bom, agora estamos todos aqui, hora de dar a vocês informações mais detalhadas! – disse ele, animado. – Quando os espectadores acabarem de chegar, vou oferecer a cada um de vocês este saco – ele mostrou um saquinho de seda púrpura e sacudiu-o diante dos garotos –, do qual vocês irão tirar uma miniatura da coisa que terão de enfrentar! São diferentes... hum... as variedades, entendem. E preciso dizer mais uma coisa... ah, sim... sua tarefa será *apanhar o ovo de ouro!*

Harry olhou à sua volta. Cedrico acenou a cabeça para indicar que compreendera as palavras de Bagman, e então recomeçara a andar pela barraca; parecia ligeiramente esverdeado. Fleur Delacour e Krum não tiveram a menor reação. Talvez achassem que iriam vomitar se abrissem a boca; sem dúvida essa era a sensação do próprio Harry. Mas pelo menos os outros tinham se voluntariado para ser campeões...

E pouco depois ouviram-se centenas e mais centenas de pés passando pela barraca, seus donos animados, dando risadas e fazendo piadas... Harry se sentiu tão isolado da multidão como se pertencesse a uma espécie diferente. Então – lhe pareceu que transcorrera apenas um segundo –, Bagman estava abrindo a boca do saquinho púrpura.

— Primeiro as damas – disse ele, oferecendo-o a Fleur Delacour.

Ela enfiou a mão trêmula no saquinho e retirou uma minúscula e perfeita figurinha de dragão – um Verde-Galês. Tinha o número "dois" pendurado ao pescoço. E Harry percebeu, pelo fato de Fleur não ter demonstrado o menor sinal de surpresa, mas, ao contrário, uma decidida resignação, que ele concluíra certo: Madame Maxime contara à garota o que a aguardava.

O mesmo se aplicava a Krum. Ele tirou o Meteoro-Chinês vermelho. Tinha o número "três" pendurado ao pescoço. Ele sequer piscou, apenas olhou para o chão.

Cedrico enfiou a mão no saquinho e retirou o Focinho-Curto sueco cinza-azulado, o número "um" pendurado ao pescoço. Sabendo o que sobrara, Harry meteu a mão no saquinho de seda e tirou o Rabo-Córneo húngaro e o número "quatro". O dragão abriu as asas quando o garoto o olhou e arreganhou os dentes minúsculos.

— Bom, então está decidido! – disse Bagman. – Cada um de vocês sorteou o dragão que irá enfrentar e a ordem em que cada um fará isso, entendem? Agora, vou precisar deixá-los por um momento, porque vou fazer a irradiação. Sr. Diggory, o senhor é o primeiro, só o que tem a fazer é entrar no cercado quando ouvir o apito, certo? Agora... Harry... Posso dar uma palavrinha com você? Lá fora?

— Hum... sim, senhor — disse Harry, sem emoção, e se levantou e saiu da barraca com Bagman, que andou uma pequena distância até o arvoredo e se virou, então, para o garoto com uma expressão paternal no rosto.

— Está se sentindo bem, Harry? Posso buscar alguma coisa para você?

— Quê? Não... não, nada.

— Você tem um plano? — disse Bagman, baixando a voz como se conspirasse. — Porque não me importo de lhe dar algumas dicas, se quiser, sabe. Quero dizer — continuou Bagman baixando ainda mais a voz —, você é a vítima aqui, Harry... qualquer coisa que eu puder fazer para ajudar...

— Não — disse Harry, tão depressa que percebeu imediatamente que parecera grosseiro —, não... eu... eu já decidi o que vou fazer, obrigado.

— Ninguém *iria saber*, Harry — disse Bagman com uma piscadela.

— Não, estou ótimo — respondeu o garoto se perguntando por que não parava de dizer isso a todo mundo e se algum dia estivera tão longe do ótimo. — Já tenho um plano, eu...

Um apito soou em algum lugar.

— Meu bom Deus, tenho que correr! — disse Bagman assustado, e saiu com pressa.

Harry voltou à barraca e viu Cedrico saindo, mais verde que nunca. Harry tentou desejar boa sorte quando ele passou, mas o que saiu de sua boca foi uma espécie de rosnado rouco.

Harry voltou para a companhia de Fleur e Krum. Segundos mais tarde, ouviu os berros dos espectadores, o que significava que Cedrico entrara no cercado, e agora estava cara a cara com o modelo vivo de sua figurinha...

Foi pior do que Harry poderia ter imaginado, ficar sentado ali escutando. A multidão gritava... urrava... exclamava como uma entidade única de muitas cabeças, enquanto Cedrico fazia o que quer que estivesse fazendo para tentar passar pelo Focinho-Curto sueco. Krum continuava a olhar para o chão. Fleur agora passara a refazer os passos de Cedrico, dando voltas na barraca. E os comentários de Bagman tornavam tudo muito pior... imagens horrendas se formaram na mente de Harry, quando ele ouviu: "Aaah, por um triz, por muito pouco"... "Ele está se arriscando, o campeão!"... "Boa *tentativa* — pena que não deu resultado!".

Então, uns quinze minutos depois, Harry ouviu um urro ensurdecedor que só poderia significar uma coisa: Cedrico conseguira passar pelo dragão e se apoderara do ovo de ouro.

— Realmente muito bom! — gritou Bagman. — E agora as notas dos juízes!

Mas ele não irradiou as notas; Harry supôs que os juízes estivessem erguendo as notas no alto para mostrá-las à multidão.

— Um a menos, faltam três! — berrou Bagman, quando o apito tornou a tocar. — Senhorita Delacour, queira fazer o favor!

Fleur tremia da cabeça aos pés; Harry sentiu mais simpatia por ela do que sentira até então, quando a viu deixando a barraca com a cabeça erguida e a mão apertando a varinha. Ele e Krum ficaram a sós, em lados opostos da barraca, evitando se olhar.

Recomeçou o mesmo processo...

— Ah, não tenho muita certeza se isto foi sensato! — os dois ouviam Bagman dizer animadamente. — Ah... quase! Cuidado agora... meu bom Deus, pensei que já tinha apanhado!

Dez minutos depois, Harry ouviu a multidão prorromper em aplausos mais uma vez... Fleur devia ter sido bem-sucedida também. Uma pausa, enquanto os juízes mostravam as notas de Fleur... mais palmas... então, pela terceira vez, o apito.

— E aí vem o Sr. Krum! — exclamou Bagman e o garoto saiu curvado, deixando Harry completamente só.

Sentia-se muito mais consciente do seu corpo do que normalmente; consciente de que seu coração batia acelerado e seus dedos formigavam de medo... mas, ao mesmo tempo, ele parecia estar fora do próprio corpo, vendo as paredes da barraca e ouvindo a multidão, como se estivesse muito longe...

— Muito ousado! — berrava Bagman e Harry ouviu o Meteoro-Chinês soltar um poderoso e terrível urro, enquanto a multidão prendia a respiração em uníssono. — Que sangue-frio ele está demonstrando... e... sim, senhores, ele apanhou o ovo!

Os aplausos romperam o ar invernal como se espatifassem uma vidraça; Krum terminara — seria a vez de Harry a qualquer momento.

Harry se levantou, reparando vagamente que suas pernas pareciam feitas de *marshmallow*. Ele aguardou. Então ouviu o apito tocar. Cruzou, então, a entrada da barraca, o pânico se avolumando dentro dele. E agora estava passando pelas árvores e atravessando uma abertura na cerca.

O garoto via tudo diante de si como em um sonho berrantemente colorido. Havia centenas e mais centenas de rostos nas arquibancadas que o olhavam, que tinham se materializado desde a última vez que ele estivera naquele lugar. E havia o Rabo-Córneo, do outro lado do cercado, deitado sobre sua ninhada de ovos, as asas meio fechadas, os olhos amarelos e malignos fixos nele, um lagarto preto, monstruoso e coberto de escamas, sacudindo com força o rabo de chifres, que deixava marcas de um metro de comprimento escavadas no chão duro. A multidão fazia uma barulheira infernal, mas, se era simpática ou não a ele, Harry não sabia nem se importava. Era hora de fazer o que tinha de fazer... focalizar a mente, inteira e absolutamente, na coisa que era sua única chance...

Ele ergueu a varinha.

— *Accio Firebolt!* — gritou.

Então, esperou, cada fibra de seu corpo desejando, pedindo... se não funcionasse... se não estivesse a caminho... ele parecia contemplar as coisas à sua volta através de uma barreira transparente e luminosa, como uma névoa de vapor quente, que fazia as centenas de rostos que o rodeavam flutuar estranhamente...

Então ele a ouviu, cortando o ar às suas costas; ele se virou e viu a Firebolt disparando em sua direção, começando a sobrevoar a floresta, chegando ao cercado e estacando imóvel no ar, aguardando que ele a montasse. A multidão fez ainda mais estardalhaço... Bagman gritou alguma coisa... mas os ouvidos de Harry não estavam mais ouvindo bem... ouvir não era importante...

Ele passou a perna por cima da vassoura e deu impulso contra o chão. Um segundo depois, uma coisa milagrosa aconteceu...

À medida que ele ganhava altura, à medida que o vento passava rumorejando entre seus cabelos, à medida que os rostos da multidão se transformavam em meros pontinhos cor de carne lá embaixo e o Rabo-Córneo se reduzia ao tamanho de um cão, ele percebeu que deixara atrás de si, não somente o chão, mas também o medo... ele estava de volta ao lugar a que pertencia...

Era apenas mais uma partida de quadribol, nada mais... apenas mais uma partida de quadribol, e aquele dragão era apenas mais um time adversário indigesto...

Ele olhou para a ninhada de ovos e localizou o ovo de ouro brilhando entre os demais cor de cimento, agrupados em segurança entre as pernas dianteiras do bicho.

— OK — Harry disse a si mesmo —, uma tática diversiva... vamos...

E mergulhou. A cabeça do Rabo-Córneo o acompanhou; o garoto sabia o que ia fazer, e se recuperou do mergulho bem na hora; um jorro de fogo fora cuspido exatamente no ponto em que ele estaria se não tivesse se desviado... mas Harry não se importou... aquilo era o mesmo que se desviar de um balaço...

— Nossa, como ele sabe voar! — berrou Bagman, enquanto a multidão gritava e exclamava. — O senhor está assistindo a isso, Sr. Krum?

Harry voou mais alto descrevendo um círculo; o Rabo-Córneo continuava acompanhando o progresso do garoto; sua cabeça girava sobre o longo pescoço — se continuasse a fazer isso, ia ficar bem enjoadinho —, mas era melhor não insistir muito ou o bicho iria recomeçar a cuspir fogo...

Harry se deixou afundar rapidamente na hora em que o dragão abriu a boca, mas desta vez teve menos sorte — ele escapou das chamas, mas o bicho chicoteou o rabo para o alto ao seu encontro e, quando ele virou para a esquerda, um dos longos chifres arranhou seu ombro, rasgando suas vestes...

Harry sentiu o ombro arder, ouviu os gritos e gemidos da multidão, mas o corte não parecia ser muito fundo... agora, ao passar veloz pelas costas do Rabo-Córneo, ocorreu-lhe uma possibilidade...

O dragão não parecia estar querendo voar, estava demasiado preocupado em proteger os ovos. Embora se contorcesse e abrisse e fechasse as asas sem tirar aqueles medonhos olhos amarelos de Harry, tinha medo de se afastar demais de sua ninhada... mas o garoto precisava persuadi-lo a fazer isso ou jamais chegaria perto deles... o truque era fazer isso cautelosamente, gradualmente...

Harry começou a voar, primeiro para um lado, depois para o outro, suficientemente longe para o bafo do bicho não o perfurar, mas, ainda assim, oferecendo uma ameaça suficientemente forte para o dragão não tirar os olhos dele. A cabeça do bicho virava para um lado e para o outro, vigiando o garoto com aquelas pupilas verticais, as presas à mostra...

Harry voou mais alto. A cabeça do Rabo-Córneo se ergueu com ele, o pescoço agora esticava-se ao máximo, ainda se movendo, como uma serpente diante do seu encantador...

O garoto subiu mais alguns palmos, e o bicho soltou um rugido de exasperação. Harry era uma mosca para ele, uma mosca que o bicho gostaria de amassar; seu rabo tornou a chicotear, mas Harry estava demasiado alto para que pudesse alcançá-lo... o dragão cuspiu fogo para o ar, Harry se desviou... as mandíbulas do bicho se escancararam...

— Anda — sibilou Harry, fazendo voltas irresistíveis no alto —, anda, vem me pegar... levanta, agora...

Então o dragão se empinou, abrindo finalmente as poderosas asas pretas de couro, grandes como as de uma avioneta — e Harry mergulhou. Antes que o dragão percebesse o que ele fizera, ou onde desaparecera, o garoto estava voando a toda velocidade para o chão em direção aos ovos, agora sem a proteção das patas com garras do dragão — Harry soltou as mãos da Firebolt —, agarrou o ovo de ouro...

E, com um grande arranco, tornou a subir e parou no ar, sobre as arquibancadas, o pesado ovo bem preso sob o braço bom, e era como se alguém tivesse acabado de aumentar o volume do som – pela primeira vez ele tomou realmente consciência do barulho da multidão, que gritava e aplaudia com tanto estardalhaço quanto os torcedores dos irlandeses na Copa Mundial...

– Olhem só para isso! – berrava Ludo Bagman. – Por favor, olhem para isso! Nosso campeão mais jovem foi o mais rápido a apanhar o ovo! Bom, isto vai diminuir a desvantagem do Sr. Potter!

Harry viu os guardadores de dragões se adiantarem correndo para dominar o bicho, e lá na entrada do cercado a Profª McGonagall, o Prof. Moody e Hagrid corriam ao seu encontro, todos acenando para que fosse ter com eles, seus sorrisos visíveis mesmo àquela distância. Ele tornou a sobrevoar as arquibancadas, a algazarra da multidão batucando seus tímpanos, e desceu suavemente para pousar, o coração mais leve do que estivera em semanas... conseguira cumprir a primeira tarefa, sobrevivera...

– Foi excelente, Potter! – exclamou a Profª McGonagall quando ele desmontou a Firebolt, o que vindo dela era um elogio extravagante. Harry reparou que a mão da professora tremia quando apontou para o seu ombro. – Vai precisar procurar Madame Pomfrey antes que os juízes anunciem sua nota... ali, ela já teve que fazer um curativo em Diggory...

– Você conseguiu, Harry! – exclamou Hagrid, rouco. – Você conseguiu! E ainda por cima contra o Rabo-Córneo e, sabe, o Carlinhos disse que esse era o pior...

– Obrigado, Hagrid – disse Harry em voz alta, para que o bruxo não se atrapalhasse e acabasse revelando que, na véspera, mostrara ao garoto os dragões.

O Prof. Moody parecia muito satisfeito, também; seu olho mágico dançava na órbita.

– Devagar se vai ao longe, Potter – rosnou ele.

– Certo então, Potter, para a barraca de primeiros socorros, faz favor... – disse a Profª Minerva McGonagall.

Harry saiu do cercado ainda ofegante e viu Madame Pomfrey parada à entrada da segunda barraca com ar preocupado.

– Dragões! – exclamou ela com a voz desgostosa, puxando Harry para dentro. A barraca era dividida em cubículos; ele viu a silhueta de Cedrico através da lona, mas o campeão não parecia muito machucado; pelo menos estava sentado. Madame Pomfrey examinou o ombro de Harry, falando nervosamente, sem parar, o tempo todo. – No ano passado foram os dementadores, este ano são os dragões, que é mais que vão trazer para a escola? Você teve muita sorte... o corte é bem superficial... mas será preciso limpá-lo antes de fechar...

Ela limpou o corte com uma pelota de algodão molhada em líquido purpúreo que fumegava e ardia, mas depois tocou o ombro dele com a varinha e o garoto sentiu o corte se fechar instantaneamente.

– Agora se sente quieto um minuto, *sente-se*! Depois pode ir receber a sua nota.

A enfermeira saiu apressada da barraca e ele a ouviu entrar na porta vizinha e dizer:

– Como é que você está se sentindo agora, Diggory?

Harry não queria ficar sentado imóvel; continuava cheio de adrenalina. Levantou-se, querendo ver o que estava acontecendo lá fora, mas antes que chegasse à entrada da barraca duas pessoas entraram em disparada – Hermione, seguida de perto por Rony.

– Harry, você foi genial! – exclamou Hermione em voz alta e fina. Tinha marcas de unhas no rosto, que ela andara apertando de medo. – Você foi fantástico! Realmente foi!

Mas Harry tinha os olhos em Rony, que estava muito branco e olhava fixamente para o amigo como se visse um fantasma.

– Harry – disse ele muito sério –, quem quer que tenha posto o seu nome naquele cálice, eu... eu reconheço que estava tentando acabar com você!

Foi como se as últimas semanas jamais tivessem acontecido – como se Harry estivesse encontrando Rony pela primeira vez, logo depois de ter sido escolhido campeão.

– Entendeu, foi? – disse Harry com frieza. – Demorou.

Hermione estava parada e nervosa entre os dois, olhando de um para outro. Rony abriu a boca, inseguro. Harry sabia que ele ia se desculpar e, de repente, descobriu que não precisava ouvir desculpas.

– OK – disse, antes que Rony pudesse falar. – Esquece.

– Não – disse Rony –, eu não devia ter...

– *Esquece*.

Rony riu nervoso para Harry e este retribuiu o sorriso.

Hermione caiu no choro.

– Não tem motivo para chorar – disse Harry, espantado.

— Vocês dois são tão burros! — exclamou ela, batendo o pé no chão, as lágrimas caindo nas vestes. Então, antes que qualquer dos dois pudesse impedi-la, a garota os abraçou e saiu correndo, agora decididamente aos berros.

— Maluca — concluiu Rony, balançando a cabeça. — Harry, anda, eles vão anunciar as suas notas...

Recolhendo o ovo de ouro e a Firebolt, sentindo-se mais eufórico do que teria acreditado possível uma hora atrás, Harry se abaixou para sair da barraca, Rony a seu lado, falando depressa:

— Você foi o melhor, sabe, ninguém foi páreo para você. Cedrico fez uma coisa estranha, transfigurou uma pedra no chão... transformou-a em cachorro... estava tentando fazer o dragão avançar no cachorro e não nele. Bem, foi uma transfiguração legal, e até funcionou, porque ele apanhou o ovo, mas ele também se queimou, o dragão mudou de ideia no meio do caminho e decidiu que preferia pegar ele em vez do labrador, Cedrico escapou por um triz. E a tal Fleur tentou uma espécie de feitiço, acho que estava querendo fazer o dragão entrar em transe, bom, isso também funcionou, o bicho ficou sonolento, mas aí soltou um ronco e cuspiu um grande jorro de chamas e a saia dela pegou fogo, ela apagou com um pouco de água tirada da varinha. E Krum, você não vai acreditar, mas ele nem pensou em voar! Mas, provavelmente, foi o melhor depois de você. Atacou o dragão com um feitiço bem no olho. Só teve um problema, o bicho saiu andando agoniado e amassou metade dos ovos de verdade, ele perdeu pontos por causa disso, Krum não devia ter danificado a ninhada.

Rony respirou fundo quando os dois chegaram ao cercado. Agora que o Rabo-Córneo fora levado, Harry pôde ver onde os cinco juízes estavam sentados — bem na outra extremidade, em assentos altos cobertos de tecido dourado.

— Cada um dá notas de um a dez — explicou Rony, e Harry, apurando os olhos na direção do campo, viu o primeiro juiz, Madame Maxime, erguer a varinha no ar. Dela saiu uma comprida fita prateada que desenhou um grande oito no ar.

— Nada mal! — disse Rony, enquanto a multidão aplaudia. — Suponho que tenha descontado pontos pelo seu ferimento no ombro...

O Sr. Crouch foi o seguinte. Lançou um número nove no ar.

— Está indo bem! — berrou Rony, batendo nas costas de Harry.

Depois, Dumbledore. Ele também projetou um nove. A multidão aplaudia com mais entusiasmo que nunca.

Ludo Bagman — *dez*.

— Dez? — disse Harry, incrédulo. Mas... eu me machuquei... qual é a dele?

— Harry, não reclama! — berrou Rony, animado.

E agora Karkaroff erguia a varinha. Parou um momento e em seguida saiu um número de sua varinha também — quatro.

— Quê? — bradou Rony, furioso. — Quatro? Seu bosta desonesto, você deu dez ao Krum!

Mas Harry não se importou, não teria se importado se Karkaroff lhe desse zero; a indignação de Rony por sua causa valia uns cem pontos para ele. Não disse isso ao amigo, é claro, mas seu coração estava mais leve do que o ar quando ele deu meia-volta para se retirar do cercado. E não foi apenas Rony... não foram apenas os alunos da Grifinória que aplaudiram no meio da multidão. Quando chegara a hora, quando viram o que Harry precisava enfrentar, a maioria da escola tinha ficado do seu lado e do de Cedrico também... ele não se importava com os alunos da Sonserina, podia suportar o que quer que lhe dissessem.

— Vocês estão empatados no primeiro lugar, Harry! Você e Krum! — disse Carlinhos Weasley, correndo ao encontro deles quando os garotos voltavam à escola. — Escutem, tenho que correr, tenho que mandar uma coruja à mamãe, jurei que contaria a ela o que acontecesse, mas foi inacreditável! Ah, foi, e me mandaram lhe avisar que você precisa ficar por aqui mais uns minutinhos... Bagman quer falar com você na barraca dos campeões.

Rony disse que esperaria, de modo que Harry tornou a entrar na barraca, que, de algum modo, parecia diferente agora; simpática e hospitaleira. Ele lembrou a sensação que tivera no momento que procurava fugir do Rabo-Córneo e comparou-a à longa espera antes de sair para enfrentá-lo... não havia comparação, a espera fora imensuravelmente pior.

Fleur, Cedrico e Krum entraram juntos.

Um lado da cabeça de Cedrico estava coberto com uma grossa pasta laranja, que presumivelmente estava curando sua queimadura. Ele sorriu para Harry ao vê-lo.

— Foi legal, Harry.

— Você também — disse o garoto retribuindo o sorriso.

— Muito bons, *todos* vocês! — disse Ludo Bagman, entrando lépido na barraca e parecendo satisfeito como se ele próprio tivesse iludido a guarda de um dragão. — Agora, só umas palavrinhas. Vocês têm um bom intervalo até a segunda tarefa, que terá lugar às nove e meia da manhã de 24 de fevereiro, mas vamos lhes dar alguma coisa em que pensar durante esse tempo!

Se examinarem os ovos de ouro que estão segurando, verão que eles se abrem... estão vendo as dobradiças? Vocês precisam decifrar a pista que está dentro do ovo, porque ela dirá qual vai ser a segunda tarefa e permitirá que se preparem! Ficou claro? Têm certeza? Podem ir, então!

Harry deixou a barraca, tornou a se juntar a Rony e os dois recomeçaram a andar costeando a floresta, conversando animados; Harry queria saber com maiores detalhes o que os outros campeões tinham feito. Depois, quando contornavam o arvoredo, atrás do qual Harry ouvira os dragões rugirem pela primeira vez, uma bruxa saltou do meio das árvores.

Era Rita Skeeter. Usava hoje vestes verde-ácido; a pena-de-repetição-rápida na mão se mesclava perfeitamente com as vestes.

– Parabéns, Harry! – disse ela, rindo radiante para o garoto. – Será que você pode me dar uma palavrinha? Como foi que você se sentiu enfrentando aquele dragão? Como é que você se sente *agora* quanto à lisura das notas?

– Posso dar uma palavrinha, sim – disse Harry com selvageria. – *Tchau*.

E saiu com Rony em direção ao castelo.

21

A FRENTE DE LIBERAÇÃO DOS ELFOS DOMÉSTICOS

Harry, Rony e Hermione foram ao corujal naquela noite à procura de Pichitinho para Harry poder enviar uma carta a Sirius, contando-lhe que conseguira passar ileso pelo dragão. No caminho, Harry pôs Rony a par de tudo que Sirius lhe informara sobre Karkaroff. Embora, de início, Rony tivesse se chocado em saber que o bruxo fora um Comensal da Morte, na altura em que chegaram ao corujal ele já estava dizendo que os três deviam ter desconfiado disso o tempo todo.

— Se encaixa direitinho, não é! — disse ele. — Você se lembra do que Malfoy disse no trem, que o pai dele era amigo de Karkaroff? Agora a gente já sabe onde se conheceram. Provavelmente estavam correndo mascarados na Copa Mundial... Mas vou dizer uma coisa, Harry, se foi Karkaroff que pôs o seu nome no Cálice de Fogo, ele agora vai estar se sentindo muito idiota, não acha? Não funcionou, não é? Você só levou um arranhão! Vem até aqui, eu faço isso...

Pichitinho estava demasiado animado com a ideia de fazer uma entrega, voava sem parar à volta da cabeça de Harry, piando continuamente. Rony agarrou a coruja no ar e segurou-a quieta para que o amigo pudesse prender a carta à perna da ave.

— Acho que não é possível que as outras tarefas sejam tão perigosas. Como poderiam ser? — prosseguiu Rony enquanto levava Pichitinho até a janela. — Sabe de uma coisa? Acho que você poderia vencer esse torneio, Harry, estou falando sério.

Harry sabia que Rony só estava dizendo isso para compensar o seu comportamento nas últimas semanas, mas assim mesmo gostou. Hermione, no entanto, encostou-se à parede do corujal, cruzou os braços e amarrou a cara para Rony.

— Harry tem um longo caminho a percorrer até o fim do torneio — disse ela, séria. — Se essa foi a primeira tarefa, nem quero pensar qual vai ser a próxima.

— Você é um raiozinho luminoso de sol, não é não? Você e a Prof.ª Sibila deviam se reunir um dia desses.

E, dizendo isso, Rony lançou Pichitinho pela janela. A ave mergulhou quase quatro metros antes de conseguir se sustentar; a carta amarrada a sua perna era muito mais comprida e pesada do que o normal — Harry não pôde resistir à tentação de contar a Sirius, lance a lance, exatamente como voara para cá e para lá, circulara e se desviara do Rabo-Córneo.

Os três acompanharam Pichitinho desaparecer na noite, e então Rony falou:

— Bom, é melhor descermos para a sua festa surpresa, Harry, a esta altura, Fred e Jorge já devem ter pilhado comida suficiente das cozinhas.

Não deu outra. Quando entraram, a sala comunal da Grifinória explodiu de vivas e gritos outra vez. Havia montanhas de bolos e garrafões de suco de abóbora e cerveja amanteigada em cima de cada móvel; Lino Jordan soltara alguns dos seus Fogos Fabulosos do Dr. Filibusteiro Sem Fumaça Nem Calor, por isso o ar estava denso de estrelas e faíscas; e Dino Thomas, que era muito bom em desenho, tinha pendurado magníficos galhardetes novos, a maioria dos quais mostrava Harry voando na Firebolt em volta da cabeça do dragão, embora houvesse uns dois que mostravam Cedrico com os cabelos em chamas.

Harry se serviu da comida; quase esquecera como era se sentir realmente faminto, e se sentou com Rony e Hermione. Não conseguia acreditar na felicidade que sentia; recuperara o apoio de Rony, dera conta da primeira tarefa e só teria que enfrentar a segunda dali a três meses.

— Putz, isso é pesado — comentou Lino Jordan, levantando o ovo dourado, que Harry deixara em cima de uma mesa, e pesando-o nas mãos. — Abra, Harry, vamos! Vamos ver o que tem dentro!

— Ele tem que decifrar a pista sozinho — disse Hermione depressa. — É a regra do torneio...

— Eu devia arranjar um jeito de passar pelo dragão sozinho, também — murmurou Harry, de modo que somente Hermione o ouvisse, e ela deu um sorriso culpado.

— É, anda, Harry, abra! — fizeram coro vários colegas.

Lino passou o ovo a Harry e o garoto enfiou as unhas no sulco que corria a toda volta do objeto, forçando o ovo a abrir.

Estava oco e completamente vazio — mas no momento em que Harry o abriu um som terrível, alto e agudo com um agouro, encheu a sala. A coisa mais próxima àquilo que Harry já ouvira fora a orquestra-fantasma na festa do aniversário de morte de Nick Quase Sem Cabeça, em que todos os componentes tocavam um serrote musical.

— Fecha isso! — berrou Fred, as mãos tampando os ouvidos.

— Que é isso? — perguntou Simas Finnigan, olhando o ovo enquanto Harry tornava a fechá-lo com um estalo. — Parecia um espírito agourento... quem sabe você vai ter que passar por um deles da próxima vez, Harry!

— Era alguém sendo torturado! — arriscou Neville, que ficara muito pálido e largara os pães de salsicha no chão. — Você vai ter que enfrentar a Maldição *Cruciatus*!

— Deixa de ser babaca, Neville, isso é ilegal — disse Jorge. — Não usariam a Maldição *Cruciatus* contra os campeões. Achei que lembrava um pouco o Percy cantando... quem sabe você vai ter que atacar ele quando estiver debaixo do chuveiro, Harry.

— Quer uma tortinha de geleia, Mione? — ofereceu Fred.

Hermione olhou com ar de dúvida para o prato que o garoto lhe estendia. Fred sorriu.

— Pode se servir. Não fiz nada com elas. É com os cremes de caramelo que você tem de se cuidar...

Neville, que acabara de encher a boca de creme, se engasgou e o cuspiu fora.

Fred deu uma risada.

— É só uma brincadeirinha, Neville...

Hermione apanhou uma tortinha de geleia. Depois perguntou:

— Você apanhou tudo isso na cozinha, Fred?

— Foi — respondeu ele sorrindo para a garota. Ele fez uma voz de falsete e imitou um elfo doméstico: — "O que pudermos lhe arranjar, meu senhor, qualquer coisa!" São superprestativos... me arranjariam um boi assado se eu dissesse que estava faminto.

— Como é que você entra lá? — perguntou Hermione com uma voz inocentemente desinteressada.

— É fácil, tem uma porta escondida atrás da pintura de uma fruteira. É só fazer "cosquinha" na pera, ela ri e... — Ele parou e olhou desconfiado para a garota. — Por quê?

— Nada — apressou-se Hermione a dizer.

— Vai tentar liderar uma greve de elfos domésticos, é? Vai desistir dos folhetos e incitar os caras a se revoltarem?

Algumas pessoas riram. Hermione não respondeu.

— Não vai perturbar os elfos dizendo que têm que pedir roupas e salários! — avisou-a Fred. — Vai desviar os caras do preparo da comida!

Nesse instante, Neville provocou uma ligeira distração transformando-se em um grande canário.

— Ah... me desculpe, Neville — gritou Fred, abafando as risadas. — Me esqueci... *foram* os cremes de caramelo que enfeitiçamos...

Um minuto depois, Neville entrava na muda e quando as penas acabaram de cair ele reapareceu tal qual era. E até engrossou o coro de gargalhadas.

— Cremes de Canários! — anunciou Fred para os alunos que se animavam com facilidade. — Jorge e eu inventamos, sete sicles cada, uma pechincha!

Era quase uma hora da manhã quando Harry finalmente subiu para o dormitório em companhia de Rony, Neville, Simas e Dino. Antes de fechar as cortinas de sua cama, o garoto colocou a miniatura do Rabo-Córneo húngaro em cima da mesa de cabeceira, onde o dragão bocejou, se enroscou e fechou os olhos. Para ser sincero, pensou Harry, ao correr as cortinas da cama, Hagrid tinha uma certa razão... eles eram realmente legais, os dragões...

O começo de dezembro trouxe chuva e neve granulada a Hogwarts. Mesmo cheio de correntes de ar como costumava ser o castelo no inverno, Harry se sentia grato por suas lareiras e paredes grossas todas as vezes que passava pelo navio de Durmstrang no lago, jogando com os ventos fortes, as velas pretas enfunadas contra o céu escuro. Ocorreu-lhe que a carruagem de Beauxbatons provavelmente era bem fria também. Hagrid, reparou ele, estava mantendo os cavalos de Madame Maxime bem abastecidos do uísque que preferiam; os vapores que subiam do cocho a um canto do picadeiro eram suficientes para deixar tonta a classe inteira de Trato das Criaturas Mágicas. Isto não ajudava nada, porque os garotos continuavam cuidando dos horrorosos explosivins e precisavam ficar sóbrios.

— Não tenho bem certeza se eles hibernam ou não — disse Hagrid, na aula seguinte, à classe que tremia de frio na horta de abóboras varrida pelo vento. — Achei que devíamos tentar ver se os bichos querem tirar uma soneca... Vamos colocá-los nessas caixas...

Agora só restavam dez; aparentemente ainda não haviam se fartado de se matar uns aos outros. Cada um agora chegava quase a um metro e oitenta centímetros de comprimento. A carapaça grossa e cinzenta, as perninhas curtas em movimento, as caudas que expeliam fogo, os ferrões e os sugadores se somavam para tornar os explosivins as coisas mais repugnantes que Harry já vira. A turma olhou desanimada para as enormes caixas que Hagrid trouxera, todas forradas com almofadas e cobertores macios.

— Vamos levá-los para as caixas — disse Hagrid —, tampá-las, e ver o que acontece.

Mas os explosivins, pelo que se viu, não hibernavam e não gostavam de ser enfiados à força em caixas forradas com almofadas com uma tampa por cima. Hagrid logo começou a gritar:

— Não entrem em pânico, não entrem em pânico! — Enquanto os bichos desembestavam pela horta de abóboras agora juncada com os restos de caixas fumegantes. A maioria da turma, Malfoy, Crabbe e Goyle à frente, tinha fugido para a cabana de Hagrid pela porta dos fundos e se barricara lá dentro; Harry, Rony e Hermione, no entanto, estavam entre os alunos que tinham ficado do lado de fora tentando ajudar o professor. Juntos, conseguiram dominar e prender nove dos explosivins, embora ao custo de vários cortes e queimaduras; finalmente, faltou apenas uma das criaturas.

— Não vão assustá-lo! — gritou Hagrid, enquanto Rony e Harry usavam as varinhas para lançar fagulhas no bicho, que avançava ameaçadoramente para os garotos, o ferrão nas costas estremecendo em riste. — Tentem passar a corda pelo ferrão para ele não poder atacar os outros.

— Ah, é, nós nem íamos querer uma coisa dessas! — gritou Rony, zangado, enquanto ele e Harry recuavam contra a parede da cabana de Hagrid, ainda mantendo o explosivim afastado com fagulhas.

— Ora, ora, ora... isso parece *realmente* divertido!

Rita Skeeter estava debruçada na cerca do jardim de Hagrid, apreciando a confusão. Usava uma grossa capa carmim com uma gola de peles e trazia a bolsa de crocodilo no braço.

Hagrid se atirou em cima do bicho que acuava Harry e Rony e achatou-o; um jorro de fogo disparou de sua cauda, queimando os pés de abóbora mais próximos.

— Quem é a senhora? — perguntou Hagrid à jornalista, enquanto passava a corda no ferrão do explosivim e apertava o laço.

— Rita Skeeter, repórter do *Profeta Diário* — respondeu a moça, sorrindo para ele. Seu dente de ouro brilhou.

— Pensei ter ouvido Dumbledore dizer que a senhora não podia mais entrar na escola? — disse Hagrid erguendo ligeiramente as sobrancelhas enquanto saía de cima do bicho achatado e começava a arrastá-lo para junto dos companheiros.

Rita fez de conta que não ouviu o que Hagrid acabara de dizer.

— Como é o nome dessas criaturas fascinantes? — perguntou ela, com um sorriso ainda maior.

— Explosivins — resmungou Hagrid.

— Sério? — disse ela, parecendo vivamente interessada. — Nunca ouvi falar deles antes... e de onde é que eles vêm?

Harry notou uma vermelhidão subir da barba preta e desgrenhada de Hagrid e sentiu um súbito desânimo. Onde é que Hagrid *arranjara* aqueles bichos?

Hermione, que parecia estar pensando mais ou menos a mesma coisa, disse depressa:

— Eles são muito interessantes, não é mesmo? Não são, Harry?

— Quê? Ah, são... ai... interessantes — disse o garoto quando a amiga pisou seu pé.

— Ah, *você está* aqui, Harry! — exclamou Rita olhando para o lado. — Então você gosta da aula de Trato das Criaturas Mágicas? Uma de suas matérias preferidas?

— É — disse Harry corajosamente. Hagrid lhe deu um grande sorriso.

— Que beleza! — disse Rita. — Realmente uma beleza. Está ensinando isso há muito tempo? — perguntou ela a Hagrid.

Harry reparou que os olhos da jornalista corriam de Dino (que recebera um corte feio no rosto) para Lilá (cujas vestes estavam bastante chamuscadas), para Simas (que estava cuidando de vários dedos queimados), e dele para as janelas da cabana, onde se encontrava a maior parte da turma, de nariz colado na vidraça, esperando ver se era seguro sair.

— Este é o meu segundo ano — respondeu o professor.

— Que beleza... O senhor não gostaria de dar uma entrevista? Contar sua experiência com criaturas mágicas? O *Profeta* publica uma coluna zoológica toda quarta-feira, como o senhor com certeza já sabe. Nós poderíamos falar desses... hum... estouradins?

— *Explosivins* — apressou-se a corrigir Hagrid. — Hum... claro, por que não?

Harry teve uma sensação ruim sobre o convite, mas não havia como se comunicar com Hagrid sem Rita ver, por isso ele foi obrigado a ficar em silêncio observando Hagrid e Rita combinarem se encontrar no Três Vassouras para uma longa entrevista, mais para o fim da semana. Então a sineta tocou no castelo, anunciando o fim da aula.

— Bem, tchau, Harry! — gritou Rita alegremente para o garoto, enquanto ele se afastava com Rony e Hermione. — Até sexta-feira à noite, então, Hagrid!

— Rita vai distorcer tudo que ele disser — comentou Harry, baixinho.

— Desde que ele não tenha importado aqueles explosivins ilegalmente nem nada do gênero — disse Hermione desesperada. Eles se entreolharam, era exatamente o tipo de coisa que Hagrid seria capaz de fazer.

— Hagrid já se meteu em montes de confusão antes e Dumbledore nunca o despediu — disse Rony em tom de consolo. — O pior que pode acontecer é Hagrid ter que se livrar dos bichos. Desculpe... eu disse o pior? Quis dizer o melhor.

Harry e Hermione caíram na gargalhada e, sentindo-se mais animados, foram almoçar.

Harry gostou imensamente da aula de Adivinhação naquela tarde; a turma ainda estava fazendo mapas e predições, mas agora que ele e Rony tinham voltado a ser amigos a coisa recuperara a antiga graça. A Profª Sibila, que andara tão satisfeita com os garotos quando eles estiveram predizendo mortes horrendas para si mesmos, não tardou a se irritar quando os dois ficaram de risadinhas na hora em que ela explicava as várias maneiras com que Plutão era capaz de desorganizar a vida diária.

— Seria de *pensar* — disse ela, num sussurro místico que não ocultava seu óbvio aborrecimento — que *alguns* de nós — e olhou significativamente para Harry — seriam um pouquinho menos frívolos se tivessem visto o que vi quando consultei a minha bola de cristal ontem à noite. Eu estava sentada bordando, muito absorta, quando fui tomada por um impulso de consultar a bola. Levantei-me e me sentei diante dela e contemplei suas profundezas cristalinas... e o que acham que vi olhando para mim?

— Uma *morcega* velha com os óculos maiores do que a cara? — cochichou Rony. Harry fez muita força para ficar com a cara séria.

— *A morte*, meus queridos.

Parvati e Lilá levaram as mãos à boca, fazendo cara de horror.

— Sim, senhores — disse a professora, acenando a cabeça de modo impressionante —, ela está se aproximando, cada vez mais, descrevendo círculos no céu como um urubu, cada vez mais baixa... sempre mais baixa sobre o castelo...

Ela olhou diretamente para Harry, que bocejou com a boca escancarada e de maneira óbvia.

— Teria sido mais impressionante se ela não tivesse anunciado isso oito vezes antes — disse Harry, quando finalmente recuperaram o ar fresco na escada sob a sala de Sibila. — Mas, se eu caísse duro toda vez que ela diz que vou cair, eu seria um milagre da medicina.

— Seria uma espécie de fantasma superconcentrado — disse Rony rindo, ao passarem pelo Barão Sangrento que ia em sentido contrário, um olhar sinistramente fixo nos olhos enormes. — Pelo menos ela não passou dever de casa. Espero que a Prof.ª Vector tenha passado um monte para Mione, adoro ficar à toa quando ela está ocupada...

Mas a garota não apareceu para jantar, nem estava na biblioteca quando eles foram procurá-la. A única pessoa que estava lá era Vítor Krum. Rony ficou parado um tempo atrás das estantes, observando Krum e discutindo aos cochichos com Harry se deveria pedir um autógrafo — mas então percebeu que havia umas seis ou sete garotas rondando entre as estantes ao lado, discutindo exatamente a mesma coisa, e perdeu o entusiasmo pela ideia.

— Onde será que ela se meteu? — indagou Rony quando os dois rumavam para a Torre da Grifinória.

— Sei lá... *Asnice*.

Mas a Mulher Gorda mal começara a girar para a frente quando o ruído de alguém correndo às costas dos garotos anunciou a chegada de Hermione.

— Harry! — ofegou ela, derrapando até parar ao lado dele (a Mulher Gorda olhou para a garota, com as sobrancelhas erguidas). — Harry, você tem de vir comigo... tem de vir, aconteceu a coisa mais fantástica... por favor...

Ela agarrou o braço de Harry e tentou arrastar o garoto de volta ao corredor.

— Que é que aconteceu? — perguntou Harry.

— Eu mostro a você quando a gente chegar lá, ah, anda logo, depressa...

Harry olhou para Rony; este olhou para Harry, intrigado.

— OK — disse Harry, começando a retroceder pelo corredor com Hermione, Rony correndo para acompanhá-los.

— Ah, não se incomodem comigo! — gritou a Mulher Gorda, irritada, para os garotos. — Não peçam desculpas por ter me incomodado! Vou continuar pendurada aqui, aberta, até vocês voltarem, não é isso?

— É, obrigado — gritou Rony por cima do ombro.

— Hermione, aonde é que estamos indo? — perguntou Harry, depois que a garota os fizera descer seis andares e já estavam na escadaria de mármore do saguão de entrada.

— Você vai ver, você vai ver já, já! — disse Hermione, animada.

Ela virou à esquerda ao pé da escada e correu para a porta que Cedrico cruzara na noite seguinte ao Cálice de Fogo ter regurgitado o seu nome e o de Harry. O garoto jamais passara ali antes. Ele e Rony acompanharam Hermione, desceram um lance de escadas de pedra, mas, em vez destas terminarem em uma sombria passagem subterrânea, como a que levava à masmorra do Snape, os garotos se viram em um corredor de pedra, largo, muito bem iluminado com archotes, e decorado com alegres pinturas, na maioria, de comida.

— Ah, espera aí... — disse Harry lentamente, a meio caminho do corredor. — Espera um instante, Mione...

— Quê? — Ela se virou para olhá-lo, o rosto que era só expectativa.

— Já sei do que se trata — disse Harry.

O garoto cutucou Rony e apontou para o quadro logo atrás de Hermione. Era a pintura de uma enorme fruteira de prata.

— Mione! — exclamou Rony, entendendo. — Você não está tentando nos pegar a laço para aquela história do fale outra vez!

— Não, não, não estou! — apressou-se ela a dizer. — E não é *fale*, Rony...

— Você mudou o nome? — perguntou Rony, franzindo a testa. — Que somos então? A Frente de Liberação dos Elfos Domésticos? Não vou invadir a cozinha para fazer eles pararem de trabalhar, não vou fazer isso...

— Não estou lhe pedindo isso! — disse Hermione impacientemente. — Desci aqui agora há pouco para conversar com eles e encontrei... ah, *anda*, Harry, quero lhe mostrar!

A garota tornou a agarrá-lo pelo braço, puxou-o para diante do quadro da fruteira, esticou o dedo indicador e fez cócegas na enorme pera verde. A fruta começou a se contorcer e rir e, de repente, transformou-se em uma grande maçaneta verde. Hermione segurou-a, abriu a porta e empurrou Harry pelas costas, com força, obrigando-o a entrar.

O garoto teve apenas uma breve visão de um amplo aposento de teto alto, grande como o Salão Principal acima, repleto de tachos e panelas de latão empilhados ao redor das paredes de pedra, um grande fogão de tijolos no extremo oposto, quando alguma coisa pequena se precipitou do meio do aposento ao encontro dele, guinchando:

— Harry Potter, meu senhor! *Harry Potter!*

No segundo seguinte, todo o ar dos seus pulmões foi expelido, o elfo, aos guinchos, colidiu com ele na altura do diafragma, abraçando-o com tanta força que o garoto pensou que suas costelas iam partir.

— D-Dobby? — ofegou Harry.

— É o Dobby, meu senhor, é sim! — guinchou a voz na altura do seu umbigo. — Dobby teve muita esperança de ver Harry Potter, meu senhor, e Harry Potter veio ver ele, meu senhor!

Dobby soltou o garoto e recuou alguns passos, sorrindo para Harry de orelha a orelha, seus enormes olhos verdes, redondos como bolas de tênis, se enchendo de lágrimas de felicidade. Tinha quase exatamente a mesma aparência quando Harry o conhecera; o nariz fino e reto, as orelhas de morcego, as mãos e os pés compridos – exceto pelas roupas, que eram muito diferentes.

Quando Dobby trabalhara para os Malfoy, sempre usara a mesma fronha velha e imunda. Agora, porém, vestia a combinação mais extravagante de roupas que Harry já vira na vida; fizera uma escolha de peças pior do que a dos bruxos na Copa Mundial. Usava um abafador de chá à guisa de chapéu, no qual estavam presos vários distintivos coloridos; uma gravata com estampa de ferraduras de cavalo sobre o peito nu, calções que pareciam os de uma criança jogar futebol e meias desparelhadas. Uma delas, Harry reparou, era a preta que ele tirara do próprio pé e induzira o Sr. Malfoy a jogar para Dobby, e, ao fazer isso, libertara-o. A outra era listrada de rosa e laranja.

– Dobby, que é que você está fazendo aqui? – perguntou Harry, surpreso.

– Dobby veio trabalhar em Hogwarts, meu senhor! – guinchou o elfo, animado. – O Prof. Dumbledore deu emprego a Dobby e Winky, meu senhor!

– Winky? – exclamou Harry. – Ela também está aqui?

– Está, sim, senhor, está! – disse Dobby, e agarrando a mão de Harry puxou-o para dentro da cozinha entre quatro longas mesas de madeira que estavam ali. Cada uma das mesas, o garoto notou ao passar, estava colocada exatamente embaixo das quatro mesas das Casas em cima, no Salão Principal. Naquele momento não havia comida nelas, o jantar já terminara, mas ele supôs que uma hora antes estivessem carregadas de travessas que então eram mandadas pelo teto para as suas correspondentes no andar superior.

No mínimo uns cem elfos estavam parados pela cozinha, sorrindo, inclinando a cabeça e fazendo reverências quando Dobby passou com Harry por eles. Todos usavam o mesmo uniforme; uma toalha de chá estampada com o timbre de Hogwarts e amarrada como uma toga, como a de Winky.

Dobby parou diante do fogão de tijolos e apontou.

– Winky, meu senhor! – disse ele.

Ela estava sentada em um banquinho junto ao fogo. Ao contrário de Dobby, obviamente não saíra catando roupas. Usava uma sainha e uma blusa comportadas, e um chapéu azul combinando, com aberturas laterais para suas orelhonas. Mas, enquanto cada peça da estranha coleção de roupas de Dobby estava impecavelmente limpa e bem cuidada, pois até pareciam novas em folha, era visível que Winky não estava cuidando das próprias roupas. Havia manchas de sopa na blusa e um chamuscado na saia.

— Olá, Winky — cumprimentou Harry.

Os lábios de Winky tremeram. Então ela rompeu em lágrimas, que transbordaram dos seus grandes olhos castanhos e caíram pela roupa, exatamente como acontecera na Copa Mundial de Quadribol.

— Ah, meu Deus! — exclamou Hermione. Ela e Rony tinham seguido Harry e Dobby até o fundo da cozinha. — Winky, não chore, por favor, não...

Mas Winky chorava com mais vontade que nunca. Dobby, por outro lado, sorria radiante para Harry.

— Harry Potter gostaria de tomar uma xícara de chá? — guinchou ele alto, abafando os soluços de Winky.

— Hum... ah, OK — disse o garoto.

Instantaneamente, uns seis elfos domésticos vieram correndo atrás dele, trazendo uma grande bandeja de prata com um bule de chá, xícaras para Harry, Rony e Hermione, uma jarrinha de leite e um grande prato de biscoitos.

— Serviço de primeira! — exclamou Rony, com admiração na voz. Hermione franziu a testa para ele, mas os elfos pareciam encantados da vida; fizeram uma grande reverência e se retiraram.

— Há quanto tempo está aqui, Dobby? — perguntou Harry, quando o elfo serviu o chá para todos.

— Só uma semana, Harry Potter, meu senhor! — respondeu Dobby alegremente. — Dobby veio ver o Prof. Dumbledore, meu senhor. Sabe, meu senhor, é muito difícil um elfo doméstico que foi dispensado arranjar outro emprego, meu senhor, muito difícil, mesmo...

Ao ouvir isso, Winky chorou ainda mais alto, seu nariz de tomate amassado pingando pela frente da blusa, embora ela não fizesse o menor esforço para estancar essa pingadeira.

— Dobby viajou pelo país durante dois anos, meu senhor, tentando encontrar trabalho! Mas Dobby não encontrou nada, meu senhor, porque agora ele quer receber ordenado!

Os elfos domésticos por toda a cozinha, que estavam escutando e observando com interesse, desviaram os olhos ao ouvirem isso, como se Dobby tivesse dito alguma coisa grosseira e constrangedora.

Hermione, porém, exclamou:

— Assim é que se faz, Dobby!

— Muito obrigado, senhorita! — disse o elfo, dando a ela um sorriso que era só dentes. — Mas a maioria dos bruxos não quer um elfo doméstico que exige ordenado, senhorita. "Isto não é próprio de um elfo doméstico", dizem eles e batem a porta na cara de Dobby! Dobby gosta de trabalhar, mas quer se vestir e quer receber ordenado, Harry Potter... Dobby gosta de ser livre!

Os elfos domésticos de Hogwarts agora começaram a se afastar discretamente de Dobby, como se ele tivesse alguma doença contagiosa. Winky, no entanto, continuou onde estava, embora se notasse um decidido aumento no volume do seu choro.

— E, então, Harry Potter, Dobby vai visitar Winky e descobre que ela foi libertada, também! — conta Dobby com satisfação.

Ao ouvir isso, Winky se atirou para a frente e caiu do banquinho, de rosto no chão de lajotas, batendo os pequenos punhos e positivamente urrando de infelicidade. Hermione imediatamente se ajoelhou ao lado dela e tentou consolá-la, mas nada que dissesse produzia a menor diferença.

Dobby continuou sua história, guinchando alto para abafar o choro estridente de Winky.

— Então Dobby teve a ideia, Harry Potter, meu senhor! "Por que Dobby e Winky não procuram um trabalho juntos?", "Onde é que existe trabalho suficiente para dois elfos domésticos?", pergunta Winky. E Dobby pensa e se lembra, meu senhor! *Hogwarts!* Então Dobby e Winky vieram ver o Prof. Dumbledore, meu senhor, e o professor nos contratou!

Dobby sorriu muito animado e lágrimas de felicidade brotaram, mais uma vez, dos seus olhos.

— E o Prof. Dumbledore diz que vai pagar a Dobby, meu senhor, se Dobby quer pagamento! E, assim, Dobby é um elfo livre, meu senhor, e Dobby recebe um galeão por semana e um dia de folga por mês!

— Isso é muito pouco! — exclamou Hermione, indignada, ainda curvada para os gritos incessantes e os murros no chão de Winky.

— O Prof. Dumbledore ofereceu a Dobby dez galeões por semana e folgas nos fins de semana — disse Dobby, estremecendo de repente como se a perspectiva de tanto lazer e riqueza o assustasse —, mas Dobby fez ele baixar a oferta, senhorita... Dobby gosta da liberdade, senhorita, mas não quer tanto assim, senhorita, ele gosta mais do trabalho.

— E quanto é que o Prof. Dumbledore está pagando a *você*, Winky? — perguntou Hermione bondosamente.

Se a garota achou que isso ia animar Winky, estava delirando. Winky realmente parou de chorar, mas, quando se sentou, ficou encarando Hermione com seus imensos olhos castanhos, seu rosto lavado de lágrimas e inesperadamente furioso.

— Winky é um elfo em desgraça, mas Winky ainda não está aceitando pagamento — guinchou ela. — Winky não decaiu a esse ponto! Winky está devidamente envergonhada de ter sido libertada!

— Envergonhada? — perguntou Hermione, perplexa. — Mas... Winky, espera aí! É o Sr. Crouch que devia estar envergonhado e não você! Você não fez nada errado, ele é que foi realmente horrível com você...

Mas, ao ouvir isso, Winky levou as mãos às aberturas laterais do chapéu e achatou as orelhas para não poder ouvir nem mais uma palavra e guinchou:

— A senhorita não vai insultar o meu amo! A senhorita não vai insultar o Sr. Crouch! O Sr. Crouch é um bruxo bom, senhorita! O Sr. Crouch fez bem em mandar a feia Winky embora!

— Winky está tendo dificuldades para se adaptar, Harry Potter — guinchou Dobby confidencialmente. — Winky se esquece que não está mais presa ao Sr. Crouch; que pode dizer o que pensa agora, mas não quer fazer isso.

— Os elfos domésticos não podem dizer o que pensam dos amos, então? — perguntou Harry.

— Ah, não, não meu senhor — disse Dobby repentinamente sério. — Faz parte da escravidão do elfo doméstico, meu senhor. Guardamos silêncio e os segredos dos amos, meu senhor, defendemos a honra da família e nunca falamos mal dela, embora o Prof. Dumbledore tenha dito a Dobby que não faz questão disso. O Prof. Dumbledore disse que a gente é livre para... para...

Dobby pareceu subitamente nervoso e chamou Harry mais para perto. Harry se inclinou para ele.

Dobby cochichou:

— Disse que a gente é livre para chamar ele de... de velho caduco se quiser, meu senhor!

Dobby deu uma risadinha assustada.

— Mas Dobby não quer, Harry Potter — disse ele voltando a falar normalmente e balançando a cabeça de modo que suas orelhas abanavam. — Dobby gosta muito do Prof. Dumbledore, meu senhor, e tem orgulho de guardar os segredos dele.

— Mas você pode dizer o que quiser sobre os Malfoy agora? — perguntou Harry sorrindo.

Um olhar de temor surgiu nos olhos imensos de Dobby.

— Dobby... Dobby poderia — disse cheio de dúvida. Aprumou então seus ombrinhos. — Dobby poderia dizer a Harry Potter que seus antigos amos eram... eram... *bruxos malvados das trevas!*

Dobby ficou parado um instante, o corpo todo tremendo, horrorizado com a sua própria coragem — então correu até a mesa mais próxima e começou a bater a cabeça nela, com força, guinchando:

— *Dobby mau! Dobby mau!*

Harry agarrou o elfo por trás da gravata e afastou-o da mesa.

— Obrigado, Harry Potter, obrigado — disse Dobby, sem fôlego, esfregando a cabeça.

— Você só precisa de um pouco de prática — disse Harry.

— Prática! — guinchou Winky, furiosa. — Você devia era ter vergonha, Dobby, falando desse jeito dos seus amos!

— Eles não são mais meus amos, Winky! — disse Dobby em tom de desafio. — Dobby não se importa mais com o que eles pensam!

— Ah, você é um elfo mau, Dobby! — lamentou-se Winky, as lágrimas escorrendo mais uma vez pelo seu rosto. — O coitadinho do meu Sr. Crouch, que é que ele está fazendo sem a Winky? Está precisando de mim, está precisando da minha ajuda! Eu cuidei dos Crouch a vida inteira e minha mãe fez isso antes de mim e minha avó antes dela... ah, o que elas diriam se soubessem que Winky foi libertada? Ah, que vergonha, que vergonha! — Ela escondeu o rosto na saia e abriu um berreiro.

— Winky — disse Hermione com firmeza —, tenho certeza de que o Sr. Crouch vai indo muitíssimo bem sem você. A gente o viu, sabe...

— A senhorita tem visto o meu amo? — perguntou Winky, sem fôlego, erguendo o rosto manchado de lágrimas da saia, mais uma vez, e arregalando os olhos para Hermione. — A senhorita tem visto ele aqui em Hogwarts?

— Tenho. Ele e o Sr. Bagman são juízes no Torneio Tribruxo.

— O Sr. Bagman vem também? — guinchou Winky e, para grande surpresa de Harry (e de Rony e Hermione também, pela expressão no rosto deles), ela pareceu novamente zangada. — O Sr. Bagman é um bruxo malvado! Um bruxo muito malvado! Meu amo não gosta dele, ah, não, nem um pouquinho!

— Bagman... malvado? — exclamou Harry.

— Ah é — disse Winky, acenando furiosamente com a cabeça. — Meu dono contou a Winky umas coisas! Mas Winky não vai repetir... Winky... Winky guarda os segredos do amo...

E mais uma vez ela se debulhou em lágrimas; os garotos a ouviam soluçar escondida na saia.

— Coitado do meu amo, coitado do meu amo, não tem mais a Winky para ajudar!

Os garotos não conseguiram extrair de Winky nem mais uma palavra que fizesse sentido. Deixaram-na chorar e terminaram o chá, enquanto Dobby tagarelava alegremente sobre sua vida de elfo liberto e seus planos para o seu ordenado.

— A próxima coisa que Dobby vai comprar é um suéter sem mangas, Harry Potter! – disse ele alegremente, apontando para o peito nu.

– Vou lhe dizer o que vou fazer – disse Rony, que parecia ter se afeiçoado muito ao elfo. – Vou lhe dar o suéter que minha mãe tricotar para mim este Natal, eu sempre ganho um. Você não tem nada contra cor de tijolo, tem?

Dobby ficou encantado.

– Talvez a gente tenha que dar uma encolhida nele para caber em você, mas vai combinar bem com o seu abafador de chá.

Quando se preparavam para ir embora, muitos elfos que os cercavam se aproximaram, oferecendo lanchinhos para os garotos levarem. Hermione recusou, com uma expressão constrangida, ao ver a maneira como os elfos continuavam a se curvar e fazer reverências, mas Harry e Rony encheram os bolsos com bolos e tortas.

— Muito obrigado! – disse Harry aos elfos, que tinham se agrupado em torno da porta para lhes desejar boa noite. – Até à vista, Dobby.

— Harry Potter... Dobby pode ir ver o senhor de vez em quando, meu senhor? – perguntou Dobby tenteando.

— Claro que pode – disse o garoto, e o elfo abriu um sorriso.

— Sabe de uma coisa? – disse Rony, depois que ele, Hermione e Harry haviam deixado a cozinha para trás e já estavam subindo as escadas para o saguão de entrada. – Todos esses anos sempre fiquei realmente impressionado com a capacidade de Fred e Jorge pegarem comida na cozinha, ora não é nada difícil, não é mesmo? Os caras mal podem esperar para dar a comida!

— Acho que foi a melhor coisa que poderia ter acontecido a esses elfos, sabe – disse Hermione seguindo à frente para subir a escadaria de mármore. – Dobby ter vindo trabalhar aqui, quero dizer. Os outros elfos vão ver como ele está feliz, depois de libertado, e devagarinho vão se lembrar de desejar a mesma coisa!

— Vamos esperar que eles não prestem muita atenção na Winky – disse Harry.

— Ah, ela vai se animar – disse Hermione, embora parecesse meio em dúvida. – Depois que passar o choque e ela se acostumar a Hogwarts, vai ver que está muito melhor sem o tal do Crouch.

— Mas ela parece que ama o cara – disse Rony com a voz engrolada (acabara de morder o bolo).

— Mas ela não tem uma boa opinião do Bagman, não é? – comentou Harry. – Que será que Crouch diz dele em casa?

— Provavelmente diz que Bagman não é um bom chefe de departamento — disse Hermione —, e vamos ser sinceros... ele tem razão, não acham?

— Mesmo assim, eu preferia trabalhar para ele do que para o velho Crouch — disse Rony. — Pelo menos Bagman tem senso de humor.

— Não deixa o Percy escutar você dizendo isso — falou Hermione, dando um sorrisinho.

— É, Percy não iria querer trabalhar para ninguém que tivesse senso de humor, não é mesmo? — disse Rony, agora começando a comer a bomba de chocolate. — Percy não reconheceria uma piada nem que ela dançasse pelada na frente dele, usando só o abafador de chá do Dobby na cabeça.

22

A TAREFA INESPERADA

— Potter! Weasley! Querem prestar atenção?

A voz irritada da Prof.ª McGonagall estalou como um chicote pela aula de Transfiguração de quinta-feira, os dois garotos levaram um susto e ergueram a cabeça.

A aula chegava ao fim; eles tinham terminado a tarefa dada; as galinhas-da-guiné que tentavam transformar em porquinhos-da-índia já estavam trancadas em uma grande gaiola sobre a escrivaninha da professora (o porquinho-da-índia de Neville ainda conservava as penas); tinham copiado do quadro-negro o dever de casa ("Descreva, com exemplos, como os Feitiços de Transfiguração devem ser adaptados ao se fazerem trocas cruzadas entre espécies"). A sineta devia tocar a qualquer momento e Harry e Rony, que andavam travando uma luta de espadas com umas varinhas falsas de Fred e Jorge, no fundo da sala, ergueram a cabeça, Rony agora segurando um papagaio de lata e Harry, um hadoque de borracha.

— Agora que Potter e Weasley tiveram a bondade de parar com as criancices — disse a professora, lançando um olhar feio aos dois no momento em que a cabeça do hadoque de Harry se pendurou para o lado e caiu silenciosamente no chão, o bico do papagaio de Rony se partira momentos antes —, tenho um aviso para dar a todos.

"O Baile de Inverno está próximo, é uma tradição do Torneio Tribruxo e uma oportunidade para convivermos socialmente com os nossos hóspedes estrangeiros. Agora, o baile só será franqueado aos alunos do quarto ano em diante, embora vocês possam convidar um aluno mais novo se quiserem..."

Lilá Brown deixou escapar uma risadinha aguda. Parvati Patil deu-lhe uma cutucada nas costelas com força, o rosto contraindo-se furiosamente enquanto ela, também, lutava para não rir feito boba. As duas viraram a cabeça para olhar Harry. A professora fingiu não vê-las, o que Harry achou que era uma nítida injustiça, pois acabara de chamar a atenção dele e de Rony.

— O traje é a rigor — continuou a professora —, e o baile, no Salão Principal, começará às oito horas e terminará à meia-noite, no dia de Natal. Então...

A Prof.ª McGonagall olhou deliberadamente para a turma.

— O Baile de Inverno naturalmente é uma oportunidade para todos nós... hum... para nos soltarmos — disse ela em tom de desaprovação.

Lilá deu mais risadinhas que nunca, tampando a boca com a mão para abafar o som. Dessa vez Harry pôde entender qual era a graça: a Prof.ª McGonagall, com os cabelos presos, não tinha jeito de que algum dia fosse se soltar em nenhum sentido.

— Mas isto não significa — continuou ela — que vamos relaxar os padrões de comportamento que se espera dos alunos de Hogwarts. Ficarei seriamente aborrecida se, de alguma maneira, um aluno da Grifinória envergonhar a escola.

A sineta tocou e ouviram-se os costumeiros ruídos de gente guardando o material nas mochilas e atirando-as por cima dos ombros.

A professora chamou, sobrepondo-se ao barulho geral:

— Potter, uma palavrinha, por favor.

Supondo que fosse alguma coisa relacionada com o hadoque de borracha decapitado, Harry dirigiu-se, com ar de desânimo, à escrivaninha da professora.

A Prof.ª McGonagall esperou até o resto da turma sair e então disse:

— Potter, os campeões e seus pares...

— Que pares? — perguntou Harry.

A professora olhou desconfiada para o garoto, como se achasse que ele estava querendo ser engraçado.

— Os pares para o Baile de Inverno, Potter — explicou ela com frieza. — *Os pares de dança.*

As entranhas de Harry pareceram se enroscar e murchar.

— Pares de dança?

Ele sentiu que estava corando.

— Eu não danço — disse depressa.

— Ah, dança sim, senhor — disse a professora, irritada. — É o que estou lhe dizendo. Tradicionalmente os campeões abrem o baile com os seus pares.

Harry teve uma súbita visão de si mesmo, de casaca e cartola, acompanhado por uma garota com aquele tipo de vestido de babadinhos que a tia Petúnia sempre usava nas festas de negócios do tio Válter.

— Eu não vou dançar.

— É a tradição — disse a Prof.ª Minerva com firmeza. — Você é um dos campeões de Hogwarts e vai fazer o que se espera de você como representante de sua escola. Portanto, providencie um par, Potter.

— Mas eu... não...

— Você me ouviu, Potter — disse ela, em tom de quem encerra a conversa.

Há uma semana, Harry teria dito que arranjar um par para dançar era moleza se comparado a enfrentar um Rabo-Córneo húngaro. Mas agora que cumprira aquela tarefa e se confrontava com a perspectiva de convidar uma garota para o baile, ele achou que preferia enfrentar mais uma rodada com o dragão.

Harry nunca vira tanta gente inscrever os nomes para passar o Natal em Hogwarts; ele sempre se inscrevia, naturalmente, porque sua alternativa, em geral, era regressar à rua dos Alfeneiros, mas até agora ele sempre fora minoria. Este ano, porém, todo mundo do quarto ano para cima parecia querer ficar, e todos pareciam a Harry obcecados pelo tal baile — ou, pelo menos, todas as garotas estavam, e era espantoso quantas garotas Hogwarts de repente parecia abrigar; ele nunca reparara muito bem nisso. Garotas que davam risadinhas e cochichavam pelos corredores, garotas que riam alto quando os garotos passavam por elas, garotas que comparavam informações, animadas, sobre o que iam usar na noite de Natal...

— Por que é que elas têm que andar em bandos? — perguntou Harry a Rony, quando uma dúzia de garotas passou por eles, rindo e olhando para Harry. — Como é que se vai encontrar uma sozinha para se convidar?

— Que tal laçar uma — sugeriu Rony. — Já tem ideia de quem é que você vai tentar convidar?

Harry não respondeu. Sabia perfeitamente quem é que ele *gostaria* de convidar, mas arranjar coragem para fazê-lo era outra conversa... Cho era um ano mais velha do que ele; era muito bonita; era uma boa jogadora de quadribol e também muito popular.

Rony parecia saber o que se passava na cabeça de Harry.

— Escuta, você não vai ter nenhuma dificuldade. Você é campeão. Acabou de derrotar o Rabo-Córneo húngaro. Aposto como elas vão fazer fila para ir com você.

Em homenagem à amizade recém-remendada entre os dois, Rony procurou deixar um mínimo absoluto de amargura transparecer em sua voz. Além disso, para sua surpresa, Harry descobriu que o amigo tinha razão.

Uma terceiranista da Lufa-Lufa, de cabelos crespos, com quem Harry jamais falara na vida, convidou-o para ir ao baile com ela, logo no dia seguinte. Ele ficou tão surpreso que respondeu "não" antes mesmo de parar para refletir sobre o convite. A garota se afastou parecendo bem magoada, e Harry teve que aturar as piadas de Dino, Simas e Rony sobre ela durante toda a aula de História da Magia. No dia seguinte, mais duas garotas o convidaram, uma do segundo ano e (para seu horror) uma do quinto ano, que parecia ser capaz de nocauteá-lo se ele recusasse.

— Ela era bem jeitosa — disse Rony, querendo ser justo, depois que parou de dar risadas.

— Ela era bem uns trinta centímetros mais alta que eu — disse Harry, ainda nervoso. — Imagina com que cara eu ia ficar tentando dançar com ela.

As palavras de Hermione a respeito de Krum não paravam de lhe voltar à lembrança: "Elas só gostam dele porque ele é famoso!" Harry duvidava muito de que as garotas que até então o haviam convidado para ser seu par iriam querer acompanhá-lo ao baile se ele não fosse campeão da escola. Depois se perguntou se isto o incomodaria se fosse Cho que o convidasse.

Mas, de modo geral, Harry teve que admitir que, mesmo com a perspectiva constrangedora de abrir o baile dali a uns dias, a vida decididamente melhorara desde que ele cumprira a primeira tarefa. Não atraía mais tantos comentários desagradáveis no corredor, no que ele suspeitava de que havia dedo de Cedrico — tinha a impressão de que o campeão talvez tivesse dito ao pessoal da Lufa-Lufa para deixar Harry em paz, em gratidão pela dica que recebera sobre os dragões. Parecia haver menos *Apoie CEDRICO DIGGORY* pela escola, também. Draco Malfoy, naturalmente, continuava a citar o artigo de Rita Skeeter para ele sempre que encontrava oportunidade, mas cada dia arrancava menos risadas — e só para melhorar a sensação de bem-estar de Harry, não aparecera história alguma sobre Hagrid no *Profeta Diário*.

— Ela não parecia muito interessada em criaturas mágicas, para lhe dizer a verdade — contou Hagrid, quando Harry, Rony e Hermione lhe perguntaram como correra sua entrevista com a jornalista na última aula de Trato das Criaturas Mágicas do trimestre. Para grande alívio dos garotos, Hagrid desistira do contato direto com os explosivins, e os alunos tinham simplesmente se abrigado nos fundos da cabana, sentados a uma mesa de cavalete, para preparar uma seleção fresca de alimentos com os quais tentar os bichos.

"Ela só queria que eu falasse sobre você, Harry", continuou Hagrid em voz baixa. "Bem, eu contei que somos amigos desde que fui buscá-lo na casa dos Dursley. 'Nunca teve que ralhar com ele em quatro anos?', ela perguntou.

'Nunca fez bagunça na sua aula?' Eu disse que não e parece que ela não gostou nem um pouco da resposta. Acho que queria que eu dissesse que você era uma dor de cabeça, Harry."

— Claro que queria — disse Harry, atirando pedaços de fígado de dragão numa grande tigela de metal e apanhando a faca para continuar a cortar. — Ela não pode continuar a escrever que sou um heroizinho trágico, vai acabar ficando chato.

— Ela quer um novo ângulo — comentou Rony sensatamente enquanto descascava ovos de salamandra. — Queria que você dissesse que Harry era um delinquente doidão!

— Mas ele não é! — exclamou Hagrid, parecendo sinceramente chocado.

— A Rita devia ter entrevistado Snape — disse Harry, sério. — Ele teria dado o serviço completo sobre mim sem pestanejar. *Potter tem transgredido limites desde que chegou a esta escola...*

— Ele disse isso, foi? — perguntou Hagrid enquanto Rony e Hermione davam risadas. — Você pode ter atropelado algumas regras, Harry, mas sinceramente você é um bom menino, não é?

— Obrigado, Hagrid — disse Harry rindo.

— Você vai a esse tal baile no dia de Natal, Hagrid? — perguntou Rony.

— Pensei em dar uma passada lá — respondeu ele com impaciência. — Vai ser legal, acho. Você vai abrir o baile, não é, Harry? Quem é que você vai levar?

— Por enquanto ninguém — respondeu o garoto, sentindo que estava corando. Hagrid não insistiu no assunto.

A última semana do trimestre foi ficando cada vez mais animada à medida que os dias passavam. Corriam boatos sobre o Baile de Inverno por todo lado, embora Harry não acreditasse nem na metade — por exemplo, que Dumbledore comprara oitocentos barris de quentão de Madame Rosmerta. Mas parecia ser verdade que ele contratara as Esquisitonas. Exatamente quem ou o quê eram as Esquisitonas o garoto não sabia, pois nunca tivera acesso à rádio bruxa, mas deduzia, pela animação gerada nos garotos que haviam crescido ouvindo a RRB (Rede Radiofônica dos Bruxos), que eram um famoso grupo musical.

Alguns professores, como o nanico Prof. Flitwick, desistiram de tentar ensinar aos garotos alguma coisa quando suas cabecinhas estavam tão visivelmente longe dali; ele os deixou fazerem jogos durante a aula de quarta-feira, e passou a maior parte do tempo conversando com Harry sobre maneiras de aperfeiçoar o Feitiço Convocatório que ele usara durante a primeira tarefa do

Torneio Tribruxo. Outros professores não foram tão generosos. Nada poderia jamais desviar o Prof. Binns, por exemplo; continuou a dar as revoltas dos duendes – como Binns não permitira sequer que a própria morte o impedisse de continuar ensinando, os garotos supunham que uma bobaginha feito o Natal não fosse perturbá-lo. Era espantoso como o professor conseguia fazer até as revoltas mais sangrentas e encarniçadas parecerem tão tediosas quanto o relatório de Percy sobre os fundos dos caldeirões. Os professores McGonagall e Moody também fizeram os garotos trabalharem até o último segundo de aula e, quanto a Snape, seria mais fácil ele adotar Harry do que deixar seus alunos fazerem jogos durante a aula. Contemplando a turma com um ar malvado, informou-a de que aplicaria um teste sobre antídotos a venenos na última aula do trimestre.

— Perverso é o que ele é – disse Rony, com amargura, àquela noite na sala comunal da Grifinória. – Dar um teste no último dia. Estragar o finalzinho do trimestre com um monte de revisões.

— Hum... mas não se pode dizer que você esteja se matando de estudar, não é? – comentou Hermione, olhando para o garoto por cima dos seus apontamentos sobre Poções. Rony estava entretido construindo um castelo de cartas com o baralho de Snap Explosivo, um passatempo muito mais interessante do que o que se faz com o baralho dos trouxas, dada a possibilidade da coisa toda explodir a qualquer instante.

— É Natal, Hermione – disse Harry, cheio de preguiça; o garoto estava relendo *Voando com os Cannons*, pela décima vez, numa poltrona ao lado da lareira.

Hermione lhe lançou, também, um olhar severo.

— Pensei que você estaria fazendo alguma coisa construtiva, Harry, mesmo que não queira aprender os antídotos!

— Como o quê? – perguntou Harry, enquanto acompanhava Joey Jenkins dos Cannons rebater violentamente um balaço contra o artilheiro do Ballycastle Bats.

— Aquele ovo! – sibilou Hermione.

— Ah, vai, Hermione, tenho até o dia vinte e quatro de fevereiro – respondeu o garoto.

Harry guardara o ovo de ouro em seu malão no dormitório e não o abrira desde a festa de comemoração da primeira tarefa. Afinal, ainda faltavam dois meses até que lhe exigissem o significado daquele grito de agouro.

— Mas pode levar semanas para você chegar a uma conclusão! Você vai parecer um perfeito idiota se os outros campeões souberem a resposta para a próxima tarefa e você não.

— Deixa ele em paz, Mione, ele conquistou o direito de tirar uma folga — disse Rony enquanto colocava as duas últimas cartas no topo do castelo e a coisa toda explodia chamuscando suas sobrancelhas.

— Ficou legal, Rony... vai combinar bem com as suas vestes a rigor, ah, isso vai.

Eram Fred e Jorge. Sentaram-se à mesa com os três garotos enquanto Rony apalpava o rosto para avaliar o estrago.

— Rony, podemos pedir Pichitinho emprestado? — perguntou Jorge.

— Não, ele está fora entregando uma carta. Por quê?

— Porque Jorge quer convidar sua coruja para ir ao baile — disse Fred sarcasticamente.

— Porque nós gostaríamos de mandar uma carta, seu panacão — disse Jorge.

— Para quem é que você tanto escreve, hein? — perguntou Rony.

— Não mete o nariz, Rony, ou vou queimar ele para você, também — disse Fred, acenando a varinha num gesto de ameaça. — Então... vocês já arranjaram par para o baile?

— Não — respondeu Rony.

— Então é melhor andarem depressa, companheiros, ou todas as garotas legais vão estar ocupadas — disse Fred.

— Com quem é que vocês vão, então?

— Angelina — disse Fred prontamente, sem o menor constrangimento.

— Quê? — disse Rony, espantado. — Você já a convidou?

— Bem lembrado — disse Fred. E virando a cabeça gritou para o outro extremo da sala comunal: — Oi! Angelina!

Angelina, que estava conversando com Alícia Spinnet perto da lareira, olhou para o garoto.

— Que foi? — perguntou em resposta.

— Quer ir ao baile comigo?

Angelina lançou um olhar a Fred como se o avaliasse.

— Tudo bem — disse ela, e tornou a se virar para Alícia para retomar a conversa, com um sorrisinho no rosto.

— Pronto — disse Fred a Harry e Rony —, moleza.

Levantou-se, então, se espreguiçou e disse:

— É melhor usarmos uma coruja da escola, então, Jorge, vamos...

Os dois saíram. Rony parou de apalpar as sobrancelhas e olhou para Harry por cima dos restos fumegantes do seu castelo de cartas.

— A gente devia começar a se mexer, sabe... convidar alguém. Ele tem razão. Não queremos acabar com um par de trasgos.

Hermione deixou escapar uma exclamação de indignação.

— Com licença... um par do quê?

— Bom... sabe — respondeu Rony, encolhendo os ombros —, eu prefiro ir sozinho do que com... com Heloísa Midgeon, digamos.

— A acne dela melhorou à beça ultimamente, e ela é bem legal!

— Tem o nariz fora de esquadro.

— Ah, entendo — disse Hermione, encrespando. — Então, basicamente, você vai levar a garota mais bonita que aceitar você, mesmo que ela seja completamente intragável?

— Hum... é, é por aí — disse Rony.

— Eu vou dormir — retorquiu Hermione e saiu num repelão em direção à escada para o dormitório das garotas, sem dizer mais nada.

Os funcionários de Hogwarts, demonstrando um constante interesse em impressionar os visitantes de Beauxbatons e Durmstrang, pareciam decididos a mostrar o castelo em sua melhor forma neste Natal. Quando armaram as decorações, Harry reparou que eram as mais fantásticas que ele já vira no interior da escola. Pingentes de gelo perene tinham sido presos nos balaústres da escadaria de mármore; as doze árvores de Natal que sempre eram montadas no Salão Principal estavam enfeitadas com tudo, desde frutinhas vermelhas luminosas até corujas douradas vivas que piavam, e as armaduras tinham sido enfeitiçadas para cantar canções tradicionais de Natal quando alguém passasse por elas. Era impressionante ouvir "O' vinde adoremos" cantado por um elmo vazio que só sabia metade da letra. Várias vezes, Filch, o zelador, teve que retirar Pirraça de dentro da armadura, onde ele pegara a mania de se esconder, preenchendo as lacunas das canções com palavras de sua própria invenção, todas muito grosseiras.

E Harry ainda não convidara Cho para o baile. Ele e Rony estavam ficando muito nervosos agora, embora Harry lembrasse que o amigo pareceria muito menos idiota sem par do que ele; Harry teria que abrir o baile com os outros campeões.

— Imagino que sempre tem a Murta Que Geme — disse Harry, desanimado, referindo-se ao fantasma que assombrava o banheiro das garotas no segundo andar.

— Harry, a gente só tem que cerrar os dentes e mandar ver — disse Rony na sexta-feira pela manhã, num tom que sugeria que os dois estavam planejando tomar de assalto uma fortaleza inexpugnável. — Quando voltarmos ao salão comunal hoje à noite, teremos arranjado dois pares, topa?

– Hum... OK – disse Harry.

Mas todas as vezes que ele viu Cho naquele dia – no intervalo das aulas, depois do almoço, e uma vez a caminho da aula de História da Magia – ela estava cercada de amigas. Será que a garota *nunca* ia a lugar algum sozinha? Será que ele talvez pudesse surpreendê-la quando estivesse entrando no banheiro? Mas não – parecia até que ela entrava ali também com um séquito de quatro ou cinco colegas. Contudo, se ele não a convidasse logo, quando o fizesse ela já teria sido convidada por outro.

Harry achou difícil se concentrar no teste de Snape sobre antídotos e, em consequência, esqueceu de acrescentar um ingrediente básico – o benzoar –, o que significou que recebeu uma nota baixa. Mas ele não se incomodou; estava ocupado demais reunindo coragem para o que pretendia fazer. Quando a sineta tocou, ele agarrou a mochila e correu para a porta da masmorra.

– Encontro vocês na hora do jantar – disse a Rony e Hermione, e saiu correndo escada acima.

Teria que pedir a Cho uma palavrinha em particular, só isso... assim, saiu apressado pelos corredores apinhados procurando a garota e encontrou-a (mais cedo do que esperava) saindo da aula de Defesa Contra as Artes das Trevas.

– Hum... Cho? Posso dar uma palavrinha com você?

Risadinhas deviam ser proibidas por lei, pensou Harry, furioso, quando as garotas à volta de Cho começaram a rir. Mas ela não. Respondeu:

– OK – e acompanhou-o até ficarem fora do alcance dos ouvidos das colegas.

Harry virou-se para olhá-la e seu estômago afundou de um jeito esquisito, como se ele tivesse descido dois degraus de uma vez, sem querer.

– Hum – começou ele.

Não podia convidá-la. Não podia. Mas tinha que convidá-la. Cho ficou parada ali com uma expressão intrigada, olhando para ele.

As palavras saíram antes que Harry conseguisse tirar a língua do caminho.

– *Queriraobailecomigo?*

– Desculpe, não ouvi – disse Cho.

– Você quer... você quer ir ao baile comigo? – disse Harry. Por que tinha que ficar vermelho justamente agora? Por quê?

– Ah! – exclamou Cho, corando também. – Ah, Harry, sinceramente sinto muito – e seu rosto parecia confirmar isso. – Eu já disse que iria com outro garoto.

– Ah – disse Harry.

Era estranho; um momento antes suas entranhas estavam revirando como cobras, mas de repente ele parecia não ter mais entranhas.

— Ah, OK, não faz mal.

— Sinto muito mesmo — repetiu a garota.

— Tudo bem.

Eles ficaram ali parados se olhando, então Cho disse:

— Bom...

— É — disse ele.

— Então, tchau — disse a garota ainda muito vermelha. E se afastou.

Harry chamou-a antes que pudesse se conter.

— Com quem é que você vai?

— Ah... Cedrico. Cedrico Diggory.

— Ah, certo.

As entranhas dele tinham voltado ao lugar. Pareciam ter-se enchido de chumbo durante a ausência.

Esquecendo-se completamente do jantar, ele subiu devagarinho a escada para a Torre da Grifinória. A voz de Cho ecoava em seus ouvidos a cada passo. "*Cedrico... Cedrico Diggory.*" Harry tinha até começado a gostar de Cedrico — se dispusera a esquecer o fato de que o garoto o derrotara no quadribol, e era bonito e popular, e era praticamente o campeão favorito da escola. Agora, de repente, ele se dava conta de que Cedrico era na realidade um garoto bonito e inútil que não tinha cérebro suficiente para encher um oveiro.

— *Luzes encantadas* — disse secamente à Mulher Gorda, a senha fora trocada na véspera.

— Com certeza, meu querido! — chilreou ela, acertando a faixa de lantejoulas nos cabelos ao girar para a frente para admitir o garoto.

Ao entrar na sala comunal, Harry correu os olhos pelo aposento e, para sua surpresa, viu Rony sentado, de rosto branco, num canto distante. Gina estava ao seu lado conversando, aparentemente numa voz baixa de quem consola.

— Que aconteceu, Rony? — perguntou Harry se juntando aos dois.

Rony ergueu os olhos para Harry, uma expressão de horror no rosto.

— Por que fiz aquilo? — perguntou ele, enlouquecido. — Não sei o que me obrigou a fazer aquilo!

— O quê?

— Ele... hum... convidou Fleur Delacour para ir ao baile — disse Gina. Parecia que estava fazendo força para não rir, mas continuou a dar palmadinhas no braço de Rony, demonstrando sua solidariedade.

— Você o quê?

— Não sei o que me obrigou a fazer aquilo! — exclamou Rony outra vez. — Quem é que eu estava fingindo que era? Havia gente, a toda volta, fiquei maluco, todo mundo olhando! Eu estava passando por ela no saguão de entrada, Fleur estava parada conversando com Diggory, e uma coisa parece que se apoderou de mim, e convidei!

Rony gemeu e enterrou o rosto nas mãos. Ele não parava de falar, embora fosse difícil distinguir o que dizia.

— A garota olhou para mim como se eu fosse um verme ou coisa parecida. Nem me respondeu. E então... não sei... parece que recuperei o juízo e me mandei dali.

— Ela é parte veela — disse Harry. — Você tinha razão, a avó dela era veela. Não foi sua culpa, aposto como você passou na hora em que ela estava jogando charme para Diggory e você foi atingido, mas ela está perdendo tempo. Ele vai levar Cho.

Rony levantou a cabeça.

— Eu acabei de convidá-la para ir comigo — disse Harry, sem emoção —, e ela me contou.

Gina de repente parara de sorrir.

— Isso é uma piração — disse Rony —, somos os únicos que não têm ninguém, bem, tirando o Neville. Ei, adivinha quem ele convidou? *Mione*!

— Quê! — exclamou Harry, completamente distraído pela surpreendente notícia.

— É, eu sei! — disse Rony, um pouco de cor voltando ao seu rosto quando ele começou a rir. — Neville me contou depois da aula de Poções! Disse que ela sempre foi muito legal, que o ajudava nos estudos, mas Mione falou que já estava indo com alguém. Ha! Como se fosse! Ela só não queria ir com o Neville... quero dizer, quem iria querer?

— Não! — disse Gina, aborrecida. — Não ria...

Naquele instante Hermione vinha passando pelo buraco do retrato.

— Por que vocês dois não foram jantar? — perguntou ela, vindo se reunir ao grupo.

— Porque... ah, parem de rir, vocês dois... porque as garotas que eles convidaram acabaram de recusar o convite! — disse Gina.

Isso fez os dois calarem a boca.

— Obrigado, Gina — disse Rony, azedo.

— Todas as garotas bonitas já estão ocupadas, Rony? — perguntou Hermione com um ar superior. — A Heloísa Midgen está começando a parecer bem bonita, agora, não está não? Bem, tenho certeza de que vocês vão encontrar em *algum lugar* alguém que queira vocês.

Mas Rony estava encarando Hermione como se, de repente, a visse sob uma luz totalmente nova.

– Hermione, Neville tem razão, você *é* uma garota...

– Bem observado – respondeu ela com azedume.

– Então... você poderia acompanhar um de nós!

– Não, não poderia – retorquiu Hermione.

–Ah, vai – disse ele, impaciente –, precisamos de pares, vamos fazer um papel realmente idiota se não tivermos nenhum, todos os outros têm...

– Não posso ir com vocês – disse Hermione, agora corando –, porque já estou indo com uma pessoa.

– Não, não está! – disse Rony. – Você só disse isso para se livrar de Neville!

–Ah, foi? – Os olhos de Hermione faiscaram perigosamente. – Só porque *você* levou três anos para reparar, Rony, não significa que mais *ninguém* tenha percebido que eu sou uma garota!

Rony arregalou os olhos para ela. Depois tornou a sorrir.

– OK, OK, sabemos que você é uma garota. Satisfeita? Você vai com a gente agora?

– Eu já falei! – disse Hermione, muito zangada. – Estou indo com outra pessoa!

E saiu decidida em direção à escada para o dormitório das garotas.

– Ela está mentindo – sentenciou Rony, acompanhando-a com o olhar.

– Não está, não – disse Gina, baixinho.

– Quem é a pessoa, então?

– Não vou dizer, não é da sua conta.

– Certo – disse ele, que parecia ofendidíssimo –, essa história está ficando idiota. Gina, *você* pode ir com o Harry e eu vou...

– Não posso – respondeu Gina, e ela ficou vermelha também. – Estou indo com... com Neville. Ele me convidou quando Hermione disse não e eu achei... bem... de outro jeito eu não poderia ir, não estou no quarto ano.

– Ela parecia infelicíssima. – Acho que vou descer para jantar – e, dizendo isso, se levantou e saiu pelo buraco do retrato, de cabeça baixa.

Rony ficou olhando abobado para Harry.

– Que será que deu nelas? – perguntou.

Mas Harry acabara de ver Parvati e Lilá entrando pelo buraco do retrato. Chegara a hora de tomar atitudes drásticas.

— Espera aqui — disse ele a Rony, se levantou, saiu numa linha reta até Parvati e disse:

— Parvati? Quer ir ao baile comigo?

Parvati teve um acesso de risinhos. Harry esperou que ela terminasse, os dedos cruzados dentro do bolso das vestes.

— Tudo bem — disse por fim a garota, corando furiosamente.

— Obrigado — disse Harry, aliviado. — Lilá, você quer ir com o Rony?

— Ela vai com o Simas — respondeu Parvati e as duas tiveram outro acesso de risinhos ainda mais forte.

Harry suspirou.

— Sabem de alguém que pudesse ir com o Rony? — disse ele, baixando a voz de modo que o amigo não o ouvisse.

— Que tal a Hermione Granger? — sugeriu Parvati.

— Ela está indo com outra pessoa.

A garota fez cara de espanto.

— Aaaah... *quem?* — perguntou interessada.

Harry encolheu os ombros.

— Não faço ideia. Então, e o Rony?

— Bem... — disse Parvati lentamente. — Imagino que minha irmã talvez... Padma, sabe... da Corvinal. Eu pergunto a ela se você quiser.

— Quero, seria ótimo. Me avisa, está bem?

E ele voltou para onde Rony estava, com a sensação de que esse tal baile dava muito mais trabalho do que merecia, e desejou que o nariz de Padma Patil fosse bem centrado no rosto.

23

O BAILE DE INVERNO

Apesar da pesada carga de deveres de casa que os alunos do quarto ano tinham recebido para as férias, Harry não estava com a menor vontade de estudar quando o trimestre terminou, e passou a semana que antecedeu o Natal divertindo-se o máximo possível como todos os outros alunos. A Torre da Grifinória não parecia mais vazia agora do que estivera durante o tempo de aulas; parecia até ter encolhido ligeiramente, porque seus moradores estavam muito mais barulhentos do que o normal. Fred e Jorge fizeram grande sucesso com os seus Cremes de Canário e, nos primeiros dois dias de férias, as pessoas não paravam de explodir em penas por todo o lado. Não tardou muito, porém, todos os alunos da Grifinória aprenderam a olhar a comida que outras pessoas ofereciam com extrema cautela, para a eventualidade de ter Creme de Canário escondido no meio, e Jorge confidenciou a Harry que ele e Fred agora estavam trabalhando em outra invenção. Harry fez uma anotação mental para, no futuro, jamais aceitar sequer uma batata frita de Fred e Jorge. Ele ainda não esquecera Duda e o Caramelo Incha-Língua.

Caía muita neve sobre o castelo e seus terrenos agora. A carruagem azul-clara da Beauxbatons parecia uma enorme abóbora coberta de gelo ao lado da casinha de bolo glaçado que era a cabana de Hagrid, enquanto as escotilhas do navio de Durmstrang estavam foscas e o cordame, branco de gelo. Os elfos domésticos na cozinha se desdobravam para preparar pratos nutritivos, ensopados que aqueciam e sobremesas deliciosas, e somente Fleur Delacour parecia ser capaz de encontrar de que reclamar.

— É pesada demais, essa comida de Ogwarts — ouviram-na reclamar mal-humorada, quando, certa noite, deixavam o Salão Principal atrás dela (Rony escondendo-se atrás de Harry, cuidando para não ser visto por Fleur). — Não vou caberr nas minhas vestes de baile!

— Aaah, mas que tragédia — comentou Hermione na hora em que Fleur ia chegando ao saguão de entrada. — Ela realmente se acha muito importante, essa aí, não é?

— Hermione, com quem você vai ao baile? — perguntou Rony.

O garoto não parava de assediá-la com essa pergunta, na esperança de fazê-la responder sem querer ao ser perguntada quando menos esperasse. No entanto, Hermione meramente franzia a testa e dizia:

— Não vou lhe contar porque você iria caçoar de mim.

— Você está brincando, Weasley? — disse Malfoy às costas deles. — Você está dizendo que alguém convidou *isso* para ir ao baile? Não foi o sangue ruim de molares compridos, foi?

Harry e Rony se viraram na mesma hora, mas Hermione disse em voz alta, acenando para alguém por cima do ombro de Malfoy:

— Olá, Prof. Moody!

Malfoy ficou pálido e pulou para trás, procurando Moody com um olhar alucinado, mas o professor ainda estava à mesa, terminando seu ensopado.

— Que doninha nervosinha você é, hein? — comentou Hermione demonstrando desprezo, e ela, Rony e Harry subiram a escadaria de mármore dando boas risadas.

— Hermione — disse Rony, olhando para ela de esguelha e, de repente, franzindo a testa —, os seus dentes...

— Que têm eles?

— Bem, estão diferentes... acabei de notar...

— Claro que estão, você esperava que eu ficasse com aquelas presas que Malfoy me deu?

— Não, quero dizer, eles estão diferentes do que eram antes de ele lançar o feitiço em você... estão... retos e... do tamanho normal.

Hermione de repente sorriu muito travessamente, e Harry também reparou: era um sorriso diferente do que ele lembrava.

— Bem... quando fui procurar Madame Pomfrey para consertar os dentes, ela segurou um espelho e me disse para mandar ela parar quando os dentes voltassem ao tamanho normal. E eu deixei ela demorar um pouco mais. — Hermione deu um sorriso ainda maior. — Papai e mamãe não vão ficar muito satisfeitos. Estou tentando convencer os dois a me deixar reduzir os dentes há séculos, mas eles queriam que eu continuasse com o aparelho. Sabe, eles são dentistas, daí acharem que dentes e magia não devem... olhem lá! Pichitinho voltou!

A corujinha de Rony piava feito louca no alto da balaustrada enfeitada de pingentes de gelo, um rolo de pergaminho amarrado à perna. As pessoas que passavam apontavam e riam, e um grupo de alunas do terceiro ano parou para comentar: "Ah, olha só que corujinha mínima! Não é uma *gracinha*?"

— Seu penoso babaca! — sibilou Rony correndo escada acima e agarrando Pichitinho. — Você entrega as cartas direto ao destinatário! Não fica por aí se exibindo!

Pichitinho piou alegremente, a cabeça espichando por cima da mão fechada de Rony. As garotas do terceiro ano pareceram muito chocadas.

— Caiam fora! — disse Rony rispidamente, sacudindo a mão que segurava a coruja, que piou ainda mais alegremente ao sair voando pelos ares. — Aqui, toma, Harry — acrescentou Rony em voz baixa, enquanto as garotas saíam correndo com o ar escandalizado. Ele puxou a resposta da perna de Pichitinho, Harry embolsou-a e os três correram a lê-la na Torre da Grifinória.

Todos na sala comunal estavam demasiado ocupados extravasando a agitação das férias para observar o que alguém mais estivesse fazendo. Harry, Rony e Hermione se sentaram afastados dos colegas, junto a uma janela escura que lentamente se cobria de neve e Harry leu em voz alta.

Caro Harry,

Parabéns por conseguir passar pelo Rabo-Córneo, quem pôs o seu nome naquele cálice não deve estar se sentindo muito feliz no momento! Eu ia sugerir um Feitiço Conjunctivitus, porque os olhos do dragão são o seu ponto mais fraco...

— Foi o que Krum usou! — murmurou Hermione.

...mas do seu jeito foi melhor, estou impressionado.

Porém, não fique se sentindo muito satisfeito consigo mesmo, Harry. Você só deu conta de uma tarefa; quem o inscreveu no torneio vai ter muitas outras oportunidades se quer realmente lhe fazer mal. Mantenha os olhos abertos — particularmente quando a pessoa de quem já falamos estiver por perto — e se concentre em não se meter em confusões.

Mande notícias, continuo querendo saber de qualquer coisa anormal.

Sirius

— Ele está falando exatamente a mesma coisa que Moody — disse Harry em voz baixa, guardando a carta dentro das vestes. — "Vigilância constante!" Parece até que eu ando por aí com os olhos fechados, ricocheteando nas paredes...

— Mas ele tem razão, Harry — disse Hermione —, você ainda tem duas tarefas a cumprir. Devia realmente dar uma olhada naquele ovo, sabe, e começar a estudar o que significa...

— Hermione, ainda faltam séculos! — disse Rony com rispidez. — Quer jogar uma partida de xadrez, Harry?

— OK — disse Harry. Depois, vendo a expressão de Hermione: — Vamos, como é que vou me concentrar nessa barulheira? Não vou conseguir nem ouvir o ovo com essa turma berrando.

— Ah, imagino que não — suspirou ela, se sentando para assistir à partida, que terminou num emocionante xeque-mate de Rony, envolvendo dois peões corajosos, mas imprudentes, e um bispo muito violento.

Harry acordou, de repente, na manhã de Natal. Imaginando o que teria causado o seu abrupto retorno à consciência, ele abriu os olhos e viu uma coisa de olhos muito grandes, verdes e redondos que o encarava na escuridão, tão próximo que a coisa e ele estavam quase nariz contra nariz.

— *Dobby!* — berrou Harry, afastando-se do elfo tão depressa que quase caiu da cama. — Não *faz* isso!

— Dobby sente muito, meu senhor! — esganiçou-se o elfo com a voz cheia de ansiedade, saltando pra trás com os longos dedos cobrindo a boca. — Dobby só está querendo desejar a Harry Potter "Feliz Natal" e lhe trazer um presente, meu senhor! Harry Potter disse que Dobby podia vir vê-lo um dia desses, meu senhor!

— Tudo bem — disse Harry, ainda respirando muito acelerado, enquanto seu coração voltava ao normal. — Da próxima vez é só me cutucar ou outra coisa assim, não se debruça sobre mim desse jeito...

Harry afastou as cortinas da cama, apanhou os óculos na mesa de cabeceira e colocou-os. Seu berro acordara Rony, Simas, Dino e Neville. Os quatro estavam espiando entre as cortinas de suas camas, as pálpebras pesadas e os cabelos desmanchados.

— Alguém está atacando você, Harry? — perguntou Simas, sonolento.

— Não, é só o Dobby — resmungou Harry. — Pode voltar a dormir.

— Ah... presentes! — exclamou Simas, vendo a montanha aos pés de sua cama. Rony, Dino e Neville resolveram que, uma vez que estavam acordados, era melhor começarem a abrir os presentes, também. Harry se voltou para Dobby, que agora estava de pé, nervoso, ao lado de sua cama, ainda com o ar preocupado por ter perturbado o garoto. Havia um enfeite de Natal preso à argola do seu abafador.

— Dobby pode dar o presente dele a Harry Potter? — perguntou ele, hesitante.

— Claro que pode. Hum... também tenho uma coisinha para você.

Era mentira; não comprara nada para Dobby, mas abriu depressa o seu malão e tirou um par de meias enrolado, e particularmente cheias de bolotinhas. Eram suas meias mais velhas e piores, amarelo-mostarda, e, tempos atrás, tinham pertencido ao tio Válter. A razão por que estavam tão embolotadas é que Harry as usava para embrulhar o bisbilhoscópio. Ele desembrulhou o objeto e entregou as meias a Dobby, dizendo:

— Desculpe, me esqueci de embrulhar...

Mas Dobby ficou absolutamente encantado.

— As meias são as peças favoritas, favoritas mesmo, de Dobby, meu senhor! — disse o elfo rasgando as meias velhas que calçava e pondo as do tio Válter. — Agora tenho sete, meu senhor... mas, meu senhor... — disse ele arregalando os olhos, depois de puxar as meias até onde pôde, de modo que elas chegaram à bainha dos seus shorts — eles se enganaram na loja, Harry Potter, lhe venderam duas meias iguais!

— Ah, não, Harry, como foi que você não viu isso! — exclamou Rony, rindo lá de sua cama, que agora estava juncada de papel de embrulho. — Vou dizer o que vou fazer, Dobby, aqui, tome mais duas e você pode combiná-las como deve ser. E aqui está seu suéter.

O garoto atirou para Dobby um par de meias roxas que acabara de desembrulhar e o suéter tricotado à mão que a Sra. Weasley lhe mandara.

Dobby não coube em si de contentamento.

— Meu senhor, o senhor é muito bondoso! — guinchou ele com os olhos transbordantes de lágrimas, fazendo profundas reverências para Rony. — Dobby sabia que o senhor devia ser um grande bruxo, porque é o maior amigo de Harry Potter, mas Dobby não sabia que também era tão grande em generosidade de alma, tão nobre, tão sem egoísmo...

— São apenas meias — disse Rony, cujas orelhas coraram ligeiramente, embora ele parecesse muito satisfeito. — Uau, Harry — ele acabara de abrir o presente de Harry, um boné do Chudley Cannon. — Maneiro! — Enfiou o boné na cabeça, onde a cor se chocou violentamente com os seus cabelos.

Dobby, em seguida, entregou um pacotinho a Harry, que continha nada menos que... meias.

— Dobby fez elas com as próprias mãos, meu senhor! — disse o elfo alegremente. — Comprou a lã com o ordenado dele, meu senhor!

A meia esquerda era vermelho-berrante e tinha uns desenhos de vassouras; a direita era verde, com um desenho de nós.

— Elas são... elas são realmente... ah, muito obrigado, Dobby — disse Harry e calçou-as, fazendo os olhos de Dobby marejarem novamente de felicidade.

— Dobby precisa ir agora, meu senhor, já estamos preparando o almoço de Natal na cozinha! — E saiu apressado do dormitório, acenando um adeus para Rony e os outros garotos ao passar.

Os outros presentes de Harry foram muito mais satisfatórios do que as meias desparelhadas de Dobby — com exceção óbvia do presente dos Dursley, que consistia em uma única folha de papel absorvente, o mais pobre que já recebera, Harry supôs que eles, também, deviam estar se lembrando do Caramelo Incha-Língua. Hermione dera a Harry um livro intitulado *Os times de quadribol da Grã-Bretanha e da Irlanda*; Rony, uma grande sacola de bombas de bosta; Sirius, um canivete maneiro com acessórios para abrir qualquer porta e desfazer qualquer nó; e Hagrid, uma enorme caixa de doces com todos os que Harry mais gostava — Feijõezinhos de Todos os Sabores Bertie Botts, Sapos de Chocolate, Chicles de Baba-Bola e Delícias Gasosas. Ganhara, também, é claro, o pacote habitual da Sra. Weasley, incluindo um novo suéter (verde com a estampa de um dragão — Harry imaginou que Carlinhos lhe contara tudo sobre o Rabo-Córneo) e uma grande quantidade de tortas caseiras de frutas secas.

Harry e Rony se encontraram com Hermione na sala comunal e desceram juntos para tomar o café da manhã. Os três passaram a maior parte da manhã na Torre da Grifinória, onde todos se divertiam com os presentes recebidos, depois voltaram ao Salão Principal para um almoço magnífico, que incluía no mínimo uns cem perus e pudins de Natal e montanhas de Bolachas Mágicas de Cribbage.

Os garotos saíram para os jardins à tarde; a neve estava intocada, exceto pelas valas fundas feitas pelos estudantes de Durmstrang e Beauxbatons a caminho do castelo. Hermione preferiu assistir à batalha de bolas de neve de Harry com os Weasley, em vez de tomar parte nela e, às cinco horas, disse que ia subir para se preparar para o baile.

— Quê, você precisa de três horas? — perguntou Rony, olhando para ela incrédulo e pagando por esse lapso de concentração: uma enorme bola, atirada por Jorge, atingiu-o com força do lado da cabeça. — Com quem é que você vai? — gritou ele para Hermione, mas a garota apenas acenou e desapareceu pela escada de acesso ao castelo.

Não houve o chá de Natal àquela tarde porque o baile incluía um banquete, de modo que às sete horas, quando ficou difícil fazer pontaria direito, os garotos abandonaram a batalha de bolas de neve e marcharam de volta ao salão comunal. A Mulher Gorda estava sentada em sua moldura com a amiga Violeta do andar de baixo, as duas extremamente tontas, caixas vazias de bombons recheados de licor amontoadas sob o quadro.

— *Lutas de Covil*, é isso aí! — ela riu, quando os garotos disseram a senha, e girou o quadro para a frente para deixá-los passar.

Harry, Rony, Simas, Dino e Neville trocaram a roupa por vestes a rigor no dormitório, todos se sentindo muito constrangidos, mas nenhum tanto quanto Rony, que se examinou no comprido espelho a um canto, com cara de desgosto. Não havia como contornar o fato de que as vestes dele pareciam mais um vestido do que qualquer outra coisa. Numa tentativa desesperada de fazê-las parecer mais masculinas, ele usou um Feitiço de Corte nos babados do decote e das mangas. Funcionou bastante bem; pelo menos se livrara das rendas, embora não tivesse feito um trabalho muito caprichado, e as barras ainda parecessem lastimavelmente esfiapadas quando eles desceram.

— Eu ainda não consigo entender como foi que vocês dois ficaram com as garotas mais bonitas do ano — murmurou Dino.

— Magnetismo animal — disse Rony, deprimido, puxando fiapos das bainhas dos punhos.

O salão comunal estava com um ar estranho, cheio de gente usando diferentes cores em lugar da massa preta de sempre. Parvati esperava Harry ao pé da escada. Estava realmente muito bonita, com vestes rosa-choque, sua longa trança preta entrelaçada com ouro e pulseiras de ouro reluzindo nos braços. Harry se sentiu aliviado de ver que ela não estava dando risadinhas.

— Você... hum... está bonita — disse ele, sem jeito.

— Obrigada. Padma vai se encontrar com você no saguão de entrada — acrescentou para Rony.

— Certo — disse Rony, olhando à volta. — Cadê Hermione?

Parvati deu de ombros.

— Vamos descer, então, Harry?

— OK — concordou o menino, desejando poder continuar no salão comunal. Fred piscou para ele ao passar pelo buraco do retrato.

O saguão de entrada também estava apinhado de estudantes, todos andando por ali à espera de que dessem oito horas, quando as portas para o Salão Principal seriam abertas. As pessoas que iam encontrar pares de outras Casas procuravam atravessar a aglomeração, tentando localizar uns aos outros. Parvati encontrou a irmã Padma e levou-a até Harry e Rony.

— Oi — cumprimentou Padma, que estava tão bonita quanto Parvati, de vestes turquesa-forte. Mas não parecia muito entusiasmada com a ideia de ter Rony como par; seus olhos escuros se demoraram nas mangas e no decote esfiapados das vestes do garoto quando o examinou de alto a baixo.

— Oi — disse Rony sem olhar para ela, mas espiando os convidados.
— Ah, não...

Ele dobrou ligeiramente os joelhos para se esconder atrás de Harry, porque Fleur Delacour ia passando, absolutamente fantástica com suas vestes de cetim cinza-prateado, acompanhada pelo capitão do time de quadribol da Corvinal, Rogério Davies. Quando os dois desapareceram, Rony se endireitou e ficou examinando as cabeças das pessoas que estavam de costas.

– Cadê a Hermione? – indagou outra vez.

Um grupo de alunos da Sonserina vinha subindo as escadas do seu salão comunal na masmorra. Malfoy à frente; usava vestes de veludo preto com a gola alta, que na opinião de Harry o faziam parecer um padre. Pansy Parkinson estava agarrada ao braço de Malfoy, com vestes rosa-claro cheias de babadinhos. Crabbe e Goyle vinham de verde; pareciam pedregulhos cobertos de limo e nenhum dos dois, Harry ficou satisfeito de constatar, conseguira encontrar um par.

As portas de carvalho da entrada se abriram e todos se viraram para olhar os alunos de Durmstrang entrarem com o Prof. Karkaroff. Krum vinha à frente da delegação, acompanhado por uma garota bonita, de vestes azuis, que Harry não conhecia. Por cima das cabeças do grupo, ele viu que a área do gramado logo à entrada do castelo fora transformada em uma espécie de gruta cheia de luzes encantadas – ou seja, centenas de fadinhas vivas encontravam-se sentadas nas roseiras que tinham sido conjuradas ali e esvoaçavam sobre as estátuas que pareciam representar Papai Noel e suas renas.

Então a voz da Prof.ª Minerva McGonagall chamou:

– Campeões aqui, por favor!

Parvati ajeitou as franjas, sorridente; ela e Harry disseram "Vemos vocês daqui a pouco", para Rony e Padma, e se adiantaram, a aglomeração de pessoas que conversavam se abriu para deixá-los passar. A professora, que trajava vestes a rigor de *tartan* vermelho, e enfeitara a aba do chapéu com uma guirlanda bem feiosa de cardos – a flor nacional da Escócia –, mandou-os esperar a um lado das portas, enquanto os demais entravam; eles deviam entrar no Salão Principal em cortejo, quando os outros estudantes se sentassem. Fleur Delacour e Rogério Davies pararam mais próximos às portas; Davies parecia tão aturdido com a sua sorte de ter Fleur como par que mal conseguia desgrudar os olhos dela. Cedrico e Cho ficaram ao lado de Harry; o garoto desviou o olhar para não precisar conversar com eles. Em lugar disso, seu olhar recaiu sobre a garota ao lado de Krum. Seu queixo caiu.

Era Hermione.

Mas ela não parecia nadinha com a Hermione. Fizera alguma coisa com os cabelos; não estavam mais lanzudos, mas lisos e brilhantes e enrolados num elegante nó na nuca. Estava usando vestes feitas de um tecido etéreo azul-pervinca, e tinha uma postura um tanto diferente – ou talvez fosse meramente a ausência dos vinte e tantos livros que ela normalmente carregava às costas. E sorria – um sorriso um pouco nervoso, era verdade –, mas a redução no tamanho dos dentes da frente era mais visível que nunca. Harry não conseguia compreender como não a vira antes.

– Oi, Harry! – disse ela. – Oi, Parvati!

Parvati mirava Hermione com depreciativa incredulidade. E não era a única, tampouco; quando as portas do Salão Principal se abriram, o fã-clube de Krum que fazia ponto na biblioteca passou, lançando a Hermione olhares de profundo desprezo. Pansy Parkinson boquiabriu-se ao passar com Malfoy, e mesmo ele não pareceu capaz de encontrar uma ofensa para atirar a Hermione. Rony, porém, passou direto por ela sem sequer olhar.

Depois que estavam todos sentados no salão, a Prof.ª Minerva mandou os campeões e seus pares formarem um cortejo, de dois em dois, e a seguiram. Os garotos obedeceram e todos no salão aplaudiram, quando eles entraram e se dirigiram a uma grande mesa redonda no fundo do salão, onde estavam sentados os juízes.

As paredes do salão estavam cobertas de gelo prateado e cintilante, com centenas de guirlandas de visco e azevinho cruzando o teto escuro salpicado de estrelas. As mesas das Casas haviam desaparecido; em lugar delas havia umas cem mesinhas iluminadas com lanternas, que acomodavam, cada uma, doze pessoas.

Harry se concentrou em não tropeçar nos próprios pés. Parvati parecia estar se divertindo; sorria radiante para todos, conduzindo Harry com tanta firmeza que ele teve a sensação de que era um cachorrinho de concurso que ela estava ensinando a desfilar. Ele avistou Rony e Padma ao se aproximar da mesa principal. Rony observava Hermione passar com os olhos apertados. Padma parecia chateada.

Dumbledore sorriu feliz quando os campeões se aproximaram da mesa principal, mas Karkaroff tinha uma expressão parecidíssima com a de Rony ao ver Krum e Hermione se aproximarem. Ludo Bagman, esta noite de vestes roxo-berrante, com grandes estrelas amarelas, batia palmas com tanto entusiasmo quanto qualquer estudante; e Madame Maxime, que trocara o uniforme costumeiro de cetim preto por um vestido rodado de seda lilás, os aplaudia educadamente. Mas o Sr. Crouch, Harry percebeu de súbito, não estava presente. A quinta cadeira à mesa estava ocupada por Percy Weasley.

Quando os campeões e seus pares chegaram à mesa, Percy puxou uma cadeira vazia ao seu lado, olhando significativamente para Harry. Harry entendeu a deixa e se sentou ao lado do garoto, que trajava vestes a rigor azul-marinho, novíssimas, e exibia uma expressão de grande presunção.

— Fui promovido — disse Percy, antes mesmo que Harry lhe perguntasse e, pelo seu tom, parecia estar anunciando sua eleição para Supremo Dirigente do Universo. — Agora sou assistente pessoal do Sr. Crouch, e estou aqui para representá-lo.

— Por que é que ele não veio? — perguntou Harry. Não se sentia nada ansioso para passar o jantar ouvindo uma aula sobre o fundo dos caldeirões.

— Receio que o Sr. Crouch não esteja passando bem, nada bem. Não tem estado bem desde a Copa Mundial. O que não chega a surpreender, excesso de trabalho. Já não é tão jovem quanto era, embora continue genial, é claro, a cabeça continua brilhante como sempre foi. Mas a Copa Mundial foi um fiasco para todo o Ministério, e depois o Sr. Crouch sofreu um grande choque pessoal com o mau comportamento do seu elfo doméstico, Blinky, ou sei lá que nome tinha. Naturalmente ele a dispensou em seguida, mas, bem, como disse, meu chefe está ficando velho, precisa de alguém para cuidar dele, e acho que seu conforto em casa sofreu um decidido baque desde que o elfo foi embora. Depois, então, tivemos que organizar o torneio, e o rescaldo da Copa Mundial para resolver, aquela nojenta da Skeeter xeretando por toda parte, não, coitado, ele está passando um tranquilo e merecido Natal. Só fico satisfeito por ele saber que tem alguém de confiança para substituí-lo.

Harry teve muita vontade de perguntar se o Sr. Crouch já parara de chamar Percy de "Weatherby", mas resistiu à tentação.

Ainda não havia comida nas travessas de ouro, apenas pequenos menus diante de cada conviva. Harry apanhou o dele hesitante e espiou para os lados — não havia garçons. Dumbledore, no entanto, examinou atentamente o próprio menu, depois ordenou muito claramente ao seu prato:

— Costeletas de porco!

E as costeletas de porco apareceram. Entendendo a ideia, os demais ocupantes da mesa também fizeram os pedidos aos seus pratos. Harry olhou para Hermione a ver o que ela achava desse novo e complicado método de jantar — certamente significava muito mais trabalho para os elfos domésticos! —, mas, ao menos uma vez na vida, Hermione não parecia estar pensando no F.A.L.E. Estava profundamente absorta conversando com Vítor Krum e parecia nem notar o que estava comendo.

Agora ocorria a Harry que ele nunca chegara a ouvir Krum falar antes, mas sem dúvida o garoto estava falando agora e, pelo visto, com muito entusiasmo.

— Pom, temos um castelo também, non é ton grrande quanto este, nem ton conforrtável, acho — ia ele dizendo a Hermione. — Temos só quatrro andarres, e as larreirras só são acesas parra finalidades mágicas. Mas a prropriedade em que ecstá a escola é ainda maiorr do que esta, emborra no inverrno a gente tenha muito pouca luz solarr, porr isso não aprroveitamos muito os jarrdins. Mas no verrão todo o dia sobrrevoamos os lagos e montanhas...

— Ora, ora, Vítor! — disse Karkaroff, com uma risada que não se estendeu aos seus olhos frios. — Não vá contar mais nada, agora, ou a nossa encantadora amiga vai saber exatamente onde nos encontrar!

Dumbledore sorriu, seus olhos cintilando.

— Igor, tanto segredo... a pessoa poderia até pensar que você não quer visitas.

— Bom, Dumbledore — disse Karkaroff, mostrando os dentes amarelos —, todos protegemos os nossos domínios, não? Todos não guardamos zelosamente os templos de saber que nos foram confiados? Não estamos certos em nos orgulhar de que somente nós conhecemos os segredos de nossas escolas, e, mais uma vez, certos em protegê-las?

— Ah, eu nunca sonharia em presumir que conheço todos os segredos de Hogwarts, Igor — disse Dumbledore amigavelmente. — Ainda hoje de manhã, por exemplo, a caminho do banheiro, virei para o lado errado e me vi em um aposento de belas proporções que eu nunca vira antes, e que continha uma coleção realmente magnífica de penicos. Quando voltei para investigá-lo mais de perto, descobri que o aposento desaparecera. Mas preciso ficar atento para reencontrá-lo. É possível que só esteja acessível às cinco e meia da manhã. Ou talvez só apareça com a lua em quartil ou quando quem procura está com a bexiga excepcionalmente cheia.

Harry riu para dentro do prato de gulache. Percy franziu a testa, mas Harry poderia jurar que Dumbledore lhe dera uma piscadela quase imperceptível.

Entrementes, Fleur Delacour criticava as decorações de Hogwarts com Rogério Davies.

— Isse non é nada — disse ela contemplando as paredes cintilantes do Salão Principal com ar de pouco caso. — No Palace de Beauxbatons, tems esculturres de gelo em volta da sala de jantarr no Natall. Éles não derretem, é clarro... parrecem enorrmes estátues de diamante, faiscande pela sala.

E a comida é simplesman superrbe. E temes corres de ninfes das mates, cantando serrenatas enquanto comemes. Não temes essas armadurras feies nos corrredorres e, se um dia um polterrgeist entrrasse em Beauxbatons, serria expulso assim. — E ela bateu a mão com impaciência na mesa.

Rogério Davies observava a garota falar com uma expressão aturdida no rosto e a toda hora errava ao levar o garfo à boca. Harry teve a impressão de que o garoto estava ocupado demais admirando Fleur para escutar uma única palavra do que ela dizia.

— Absolutamente certa — disse ele depressa, batendo com a própria mão na mesa como fizera Fleur. — *Assim*. É claro.

Harry correu os olhos pelo salão. Hagrid estava sentado a uma das mesas reservadas aos professores; voltara a vestir o seu horrível terno peludo marrom, e tinha os olhos fixos na mesa principal. Harry o viu dar um discreto aceno e, ao olhar para os lados, viu Madame Maxime retribuir o aceno, suas opalas faiscando à luz das velas.

Hermione agora ensinava Krum a pronunciar seu nome corretamente; ele não parava de chamá-la de Hermy-on.

— Her-mi-o-ne — dizia ela lenta e claramente.

— Herm-on-nini.

— Está bastante parecido — disse ela, encontrando os olhos de Harry e sorrindo.

Quando toda a comida fora consumida, Dumbledore se levantou e pediu aos estudantes que fizessem o mesmo. Então, a um aceno de sua varinha, as mesas se encostaram às paredes, deixando o salão vazio, em seguida ele conjurou uma plataforma ao longo da parede direita. Sobre ela foram colocados uma bateria, alguns violões, um alaúde, um violoncelo e algumas gaitas de foles.

As Esquisitonas subiram, então, no palco sob aplausos delirantemente entusiásticos; eram todas extremamente cabeludas, trajavam vestes pretas que haviam sido artisticamente rasgadas. Apanharam seus instrumentos e Harry, que estivera tão interessado em observá-las que quase esqueceu o que viria a seguir, de repente percebeu que as lanternas de todas as outras mesas tinham se apagado e que os outros campeões e seus pares estavam em pé.

— Anda! — sibilou Parvati. — Temos que dançar!

Harry tropeçou nas vestes ao se levantar. As Esquisitonas tocaram uma música lenta e triste; Harry entrou na pista de dança bem iluminada, evitando cuidadosamente o olhar dos colegas (ele viu Simas e Dino acenarem para ele entre risinhos), e no momento seguinte Parvati agarrara suas mãos, colocara uma em torno da própria cintura e segurava a outra na dela.

Não foi tão mal como poderia ter sido, pensou Harry, girando lentamente no mesmo lugar (Parvati o conduzia). Mantinha os olhos fixos sobre as cabeças das pessoas que assistiam, mas dali a pouco muitas delas também vieram para a pista de dança, de modo que os campeões deixaram de ser o centro das atenções. Neville e Gina dançavam próximos a ele – Harry via Gina fazer frequentes caretas sempre que Neville pisava seus pés – e Dumbledore valsava com Madame Maxime. Ficava tão pequeno junto a ela que a ponta do seu chapéu cônico mal roçava o queixo da bruxa; no entanto, Madame Maxime se movia graciosamente para uma mulher daquele tamanho. Olho-Tonto Moody estava seguindo um compasso de dois tempos extremamente desajeitado com a Profª Sinistra, que nervosamente evitava a perna de madeira do seu par.

– Belas meias, Potter – rosnou Moody ao passar, seu olho mágico espiando através das vestes de Harry.

– Ah... são, Dobby, o elfo doméstico, tricotou-as para mim – disse Harry, sorrindo.

– Ele dá *arrepios*! – sussurrou Parvati, quando Moody se afastou batendo a perna de pau. – Acho que não deviam *permitir* aquele olho dele!

Harry ouviu a última nota trêmula da gaita de foles com alívio. As Esquisitonas pararam de tocar, os aplausos encheram mais uma vez o Salão Principal e Harry soltou Parvati.

– Vamos sentar um pouco?

– Ah... mas... agora vem uma realmente boa! – disse Parvati, ao ouvir as Esquisitonas começarem uma nova música, que era muito mais movimentada.

– Não, não gosto dessa – mentiu Harry e conduziu a garota para fora da pista de dança, passando por Fred e Angelina, que dançavam com tanta exuberância que as pessoas à volta deles se afastavam com medo de se machucar, e se dirigiram à mesa em que Rony e Padma estavam sentados.

– Como é que vocês estão indo? – perguntou Harry a Rony, se sentando e abrindo uma garrafa de cerveja amanteigada.

Rony não respondeu. Olhava feio para Hermione e Krum, que dançavam ali perto. Padma estava sentada com os braços e as pernas cruzadas, um pé balançando ao ritmo da música. De vez em quando ela lançava um olhar aborrecido a Rony, que a ignorava completamente. Parvati se sentou do outro lado de Harry, cruzou os braços e as pernas também e, minutos depois, foi convidada a dançar por um garoto da Beauxbatons.

— Você se importa, Harry? — perguntou Parvati.

— Quê? — disse Harry, que estava observando Cho e Cedrico.

— Ah, nada — retrucou Parvati e saiu com o garoto da Beauxbatons. Quando a música terminou, ela não voltou.

Hermione apareceu e se sentou na cadeira vazia de Parvati. Estava com o rosto um pouco afogueado de dançar.

— Oi — disse Harry. Rony não disse nada.

— Está quente, não acham? — disse ela se abanando com a mão. — Vítor foi apanhar alguma coisa para a gente beber.

Rony lhe lançou um olhar irritado.

— *Vítor?* — disse ele. — Ele ainda não lhe pediu para chamá-lo de *Vitinho*?

Hermione olhou, surpresa, para o garoto.

— Que é que há com você?

— Se você não sabe — disse ele sarcasticamente —, não sou eu que vou lhe dizer.

Hermione encarou-o demoradamente, depois Harry, mas este sacudiu os ombros.

— Rony, que é...

— Ele é da Durmstrang — vociferou Rony. — Está competindo contra o Harry! Contra Hogwarts! Você... você está... — Rony obviamente estava procurando palavras suficientemente fortes para descrever o crime de Hermione — *confraternizando com o inimigo*, é isso que você está fazendo!

Hermione ficou boquiaberta.

— Não seja tão burro! — respondeu ela após um momento. — O *inimigo!* Francamente, quem é que ficou todo animado quando viu o Krum chegar? Quem é que queria pedir um autógrafo a ele? Quem é que tem um modelinho dele no dormitório?

Rony preferiu ignorar as perguntas.

— Suponho que ele a tenha convidado para vir com ele quando os dois estavam na biblioteca?

— Isso mesmo — disse Hermione, as manchas rosadas em seu rosto se intensificando. — E daí?

— Que aconteceu, estava tentando convencê-lo a participar do *fale*, é?

— Não, não estava, não! Se você quer *realmente* saber, ele... ele disse que estava indo todos os dias à biblioteca para tentar falar comigo, mas não conseguia reunir coragem.

Hermione disse isso muito depressa e corou tanto que ficou quase da mesma cor do vestido de Parvati.

— É, é... isto é o que ele conta — disse Rony em tom desagradável.

— E o que é que você quer dizer com isso?

— É óbvio, não é? Ele é aluno do Karkaroff, não é? E sabe que você anda em companhia do... ele só está tentando se aproximar do Harry, tirar informações sobre ele ou até chegar perto bastante para azarar ele...

Hermione pareceu ter sido esbofeteada por Rony. Quando falou, tinha a voz trêmula.

— Para sua informação, ele não me fez uma *única* pergunta sobre o Harry, nem umazinha...

Rony mudou o rumo da conversa com a velocidade da luz.

— Então está na esperança de você o ajudar a decifrar a mensagem do ovo! Suponho que tenham andado juntando as cabeças durante aquelas sessõezinhas íntimas na biblioteca...

— Eu *nunca* o ajudaria com aquele ovo! — exclamou Hermione, com ar de indignação. — *Nunca*. Como é que você pode dizer uma coisa dessas... eu quero que Harry vença o torneio. Harry sabe disso, não sabe, Harry?

— Você tem um jeito engraçado de demonstrar isso — desdenhou Rony.

— O torneio é justamente para se conhecer bruxos estrangeiros e fazer amizade com eles! — disse Hermione com voz aguda.

— Não é, não. É para se ganhar!

As pessoas estavam começando a olhar para eles.

— Rony — disse Harry em voz baixa —, eu não tenho nada contra Hermione vir com o Krum...

Mas Rony não deu atenção a Harry tampouco.

— Por que você não vai procurar o Vitinho, ele deve estar se perguntando aonde é que você anda — disse Rony.

— *Pare de chamá-lo de Vitinho!* — Hermione ficou de pé e saiu decidida pela pista de dança, desaparecendo na multidão.

Rony acompanhou-a com uma expressão no rosto que misturava raiva e satisfação.

— Você não vai me convidar para dançar? — perguntou Padma a ele.

— Não — disse Rony, ainda olhando feio para as costas de Hermione.

— Ótimo — retrucou Padma se levantando e indo se juntar a Parvati e ao garoto de Beauxbatons, que conjurou um amigo para se reunir a eles tão depressa que Harry seria capaz de jurar que chamara o amigo com um Feitiço Convocatório.

— Onde está Hermi-o-nini? — perguntou uma voz.

Krum acabara de chegar à mesa segurando duas cervejas amanteigadas.

— Não faço ideia — disse Rony, emburrado, erguendo os olhos. — Perdeu ela, foi?

Krum ficou mais uma vez carrancudo.

— Pom, se focê a virr, diga que apanhei as bebidas — disse ele se afastando curvado.

— Fez amizade com Vítor Krum, Harry?

Percy apareceu animado, esfregando as mãos e com um ar extremamente pomposo.

— Excelente! Essa é a ideia, sabe, da Cooperação Internacional em Magia.

Para contrariedade de Harry, Percy imediatamente ocupou a cadeira que Padma deixara livre. A mesa principal agora estava vazia; o Prof. Dumbledore dançava com a Profª Sprout; Ludo Bagman com a Profª McGonagall; Maxime com Hagrid abriam uma estrada pela pista de dança ao valsar entre os estudantes, e Karkaroff não estava à vista. Quando a música seguinte terminou, todos aplaudiram mais uma vez e Harry viu Ludo Bagman beijar a mão da Profª McGonagall e refazer seu caminho entre os dançarinos, momento em que Fred e Jorge o assediaram.

— Que é que eles acham que estão fazendo, importunando um funcionário do primeiro escalão do Ministério? — sibilou Percy, observando os gêmeos, desconfiado. — Que falta de respeito...

Mas Ludo Bagman se desvencilhou dos garotos muito rapidamente e, ao ver Harry, acenou e se aproximou da mesa.

— Espero que meus irmãos não o tenham incomodado, Sr. Bagman! — disse Percy na mesma hora.

— Quê? Ah, não, de modo algum, de modo algum! Não, eles estavam me dizendo mais alguma coisa sobre aquelas varinhas falsas que inventaram. Queriam saber se eu podia sugerir como comercializá-las. Prometi colocá-los em contato com alguns conhecidos na Zonko's...

Percy não pareceu nada feliz com a resposta e Harry podia apostar que o irmão iria correndo contar à Sra. Weasley no minuto em que chegasse em casa. Pelo visto, os planos dos gêmeos haviam se tornado mais ambiciosos ultimamente, se estavam pensando em vender seus produtos no varejo.

Bagman abriu a boca para perguntar alguma coisa a Harry, mas Percy o distraiu.

— Como é que o senhor acha que o torneio está correndo, Sr. Bagman? O *nosso* departamento está bastante satisfeito, o probleminha com o Cálice de Fogo — ele lançou um olhar a Harry — foi lamentável, naturalmente, mas as coisas parecem ter corrido muito bem até agora, o senhor não acha?

— Ah, sim — respondeu Bagman, animado —, tem sido um grande divertimento. Como anda o velho Bartô? Que pena que ele não pôde vir.

— Ah, tenho certeza de que o Sr. Crouch não vai tardar a melhorar e voltar ao trabalho — disse Percy cheio de importância —, mas, nesse meio-tempo, estou preparado para cobrir a lacuna. Claro que não é somente comparecer a bailes — ele deu uma breve risada —, ah, não, tenho precisado cuidar de problemas de todo o tipo que surgem na ausência dele, o senhor ouviu falar que Ali Bashir foi apanhado contrabandeando um carregamento de tapetes voadores para dentro do país? E que temos tentado persuadir a Transilvânia a assinar uma sanção internacional aos duelos? Tenho uma reunião com o chefe da cooperação em magia transilvano no próximo ano...

— Vamos dar uma volta — murmurou Rony para Harry —, sair de perto de Percy...

Fingindo que queriam se reabastecer de bebidas, Harry e Rony saíram da mesa, contornaram a pista de dança e seguiram para o saguão de entrada. As portas estavam abertas de par em par e as fadinhas luminosas no roseiral piscavam e cintilavam quando os garotos desceram os degraus da entrada e se viram cercados de plantas que formavam caminhos serpeantes e de grandes estátuas de pedra. Harry ouviu um rumorejo de água caindo, que lhe pareceu uma fonte. Aqui e ali as pessoas estavam sentadas em bancos entalhados. Os dois garotos tomaram um dos caminhos que passava pelo roseiral, mas tinham dado apenas alguns passos quando ouviram uma voz desagradável e conhecida.

— ... não vejo com o que tem de se preocupar, Igor.

— Severo, você não pode fingir que isto não está acontecendo! — a voz de Karkaroff era baixa e ansiosa como se cuidasse para ninguém os ouvir. — Tem se tornado cada vez mais nítida nos últimos meses. Estou começando a me preocupar seriamente, não posso negar...

— Então, fuja — disse a voz de Snape secamente. — Fuja, eu apresentarei suas desculpas. Eu, no entanto, vou permanecer em Hogwarts.

Os dois professores contornaram um canto. Snape levava a varinha na mão e ia estourando roseiras, com a expressão mal-humoradíssima. Ouviam-se gritinhos em muitos arbustos e vultos escuros saíam correndo para fora deles.

— Dez pontos a menos para Lufa-Lufa, Fawcett! — rosnou Snape, quando uma garota passou correndo por ele. — E dez para Corvinal, também, Stebbins! — quando um garoto passou no encalço dela. — E que é que vocês dois estão fazendo? — acrescentou ele, avistando Harry e Rony mais adiante no caminho. Karkaroff, percebeu Harry, pareceu ligeiramente desconfortável ao vê-los parados ali. Levou a mão nervosamente à barbicha e começou a enrolá-la com o dedo.

— Estamos passeando — respondeu Rony secamente. — Não é contra a lei, é?

— Então continuem passeando! — rosnou Snape, e passou roçando por eles, sua longa capa preta se abrindo como uma vela enfunada às suas costas. Karkaroff apressou-se em alcançar o colega. Os dois garotos continuaram a descer pelo caminho.

— Que será que deixou o Karkaroff tão preocupado? — murmurou Rony.

— E desde quando ele e Snape estão se chamando pelo nome de batismo? — indagou Harry lentamente.

Os garotos tinham chegado a uma enorme rena de pedra agora, por cima da qual avistaram o jorro cintilante de um alto chafariz. Avistaram também, sentadas em um banco de pedra, as silhuetas escuras de duas pessoas, que contemplavam a água ao luar. Então Harry ouviu a voz de Hagrid.

— No momento em que vi você, eu soube — ia ele dizendo, numa voz estranhamente rouca.

Harry e Rony se imobilizaram. Por alguma razão aquilo não parecia o tipo de cena que eles deviam interromper... Harry virou-se para olhar o caminho e viu Fleur Delacour e Rogério Davies parados, meio escondidos por uma roseira próxima. Bateu no ombro de Rony e acenou a cabeça para o lado dos dois, querendo indicar que ele e Rony poderiam facilmente sair por ali sem serem notados (Fleur e Davies pareceram a Harry muito ocupados), mas Rony, os olhos se arregalando de terror ao ver Fleur, sacudiu a cabeça com vigor e puxou Harry para mais junto das sombras atrás da rena.

— Que é que você soube, Agrrid? — perguntou Madame Maxime, com um audível ronronar na voz baixa.

Harry decididamente não queria escutar aquilo; sabia que Hagrid iria odiar ser entreouvido numa situação daquelas (ele teria sentido o mesmo) — se fosse possível, o garoto teria enfiado os dedos nos ouvidos e cantarolado alto, mas isto não era realmente uma opção. Em lugar disso, tentou se interessar por um besouro que rastejava pelo dorso da rena, mas o besouro simplesmente não era interessante o bastante para bloquear as palavras seguintes de Hagrid.

— Eu simplesmente soube... soube que você era como eu... puxou ao seu pai ou à sua mãe?

— Eu... eu não sei o que você querr dizerr com isso, Agrrid...
— Puxei à minha mãe — disse Hagrid em voz baixa. — Ela foi uma das últimas na Grã-Bretanha. Claro, eu não consigo me lembrar muito bem dela... ela foi embora, entende. Quando eu tinha uns três anos. Não era um tipo muito maternal. Bem... não é da natureza delas, não é mesmo? Não sei o que aconteceu com ela... pode até ter morrido, pelo que sei...

Madame Maxime não respondeu. E Harry, contra sua vontade, tirou os olhos do besouro e espiou por cima dos chifres da rena, escutando... ele nunca ouvira Hagrid falar da infância antes.

— Meu pai ficou com o coração partido quando ela foi embora. Um cara miudinho, o meu pai era. Quando cheguei aos seis anos podia levantar e colocar ele em cima da cômoda quando me contrariava. Costumava fazer ele rir... — A voz grave de Hagrid quebrou. Madame Maxime o escutava, imóvel, aparentemente contemplando o chafariz de prata. — Papai me criou... mas ele morreu, é claro, logo depois que entrei para a escola. Meio que tive de abrir o meu caminho sozinho depois disso. Mas veja, Dumbledore foi uma grande ajuda. Muito bom para mim, ele foi...

Hagrid puxou um grande lenço de seda encardido e assoou o nariz com força.

— Então... em todo o caso... chega de falar de mim. E você? De que lado você herdou?

Mas Madame Maxime repentinamente se pusera de pé.

— Está frio — disse ela. Mas fosse qual fosse a temperatura que fazia, não chegava nem de longe à frieza na voz dela. — Acho que vou entrar agora.

— Eh? — disse Hagrid sem entender. — Não, não vá, nunca encontrei alguém igual a mim antes!

— Alguém exatamente *como*? — perguntou Madame Maxime, num tom de voz cortante.

Harry poderia ter dito a Hagrid que era melhor não responder; ficou parado ali nas sombras, cerrando os dentes, desejando por tudo no mundo que o amigo não respondesse — mas não adiantou nada.

— Alguém meio gigante, é claro — disse Hagrid.

— Como é que você se atreve? — gritou Madame Maxime. Sua voz explodiu na noite tranquila como uma buzina de nevoeiro; às costas deles, Harry ouviu Fleur e Roger despencarem da roseira em que estavam. — Nunca fui mais insultada na vida! Meio gigante? *Moi*? Eu tenho... eu tenho os ossos grraúdos!

Ela saiu intempestivamente; grandes enxames de fadinhas multicoloridas se ergueram no ar quando ela passou, empurrando arbustos para os lados.

Hagrid continuou sentado no banco, acompanhando-a com o olhar parado. Estava escuro demais para distinguir a expressão do seu rosto. Depois, passado um minuto, ele se levantou e se afastou, mas não voltou ao castelo, saiu pelos jardins escuros em direção à sua cabana.

— Anda — disse Harry muito baixinho a Rony. — Vamos embora...

Mas Rony não se mexeu.

— Que é que está havendo? — perguntou Harry olhando para o amigo.

Rony se virou para Harry, a expressão realmente muito séria.

— Você sabia? — sussurrou. — Que Hagrid era meio gigante?

— Não — disse Harry, sacudindo os ombros. — E daí?

Harry percebeu imediatamente pelo olhar de Rony que, mais uma vez, estava revelando sua ignorância sobre o universo da magia. Criado pelos Dursley, havia muita coisa que os bruxos aceitavam naturalmente e que eram verdadeiras revelações para Harry, mas essas surpresas tinham se tornado menos frequentes à medida que ele progredia na escola. Agora, porém, ele percebia que a maioria dos bruxos não teria dito "E daí?" ao descobrir que um amigo tivera uma giganta por mãe.

— Eu lhe explico lá dentro — disse Rony, baixinho. — Vamos...

Fleur e Rogério Davies tinham desaparecido, provavelmente em uma moita de arbustos com mais privacidade. Harry e Rony voltaram ao Salão Principal. Parvati e Padma agora estavam sentadas a uma mesa distante com um grande grupo de garotos da Beauxbatons, e Hermione estava mais uma vez dançando com Krum. Harry e Rony se sentaram a uma mesa bem longe da pista de dança.

— Então? — perguntou Harry a Rony. — Qual é o problema de ser gigante?

— Bom, eles... eles... não são muito legais — terminou Rony, sem graça.

— Quem se importa? — exclamou Harry. — Não há nada errado com Hagrid!

— Eu sei que não tem, mas... caracas, não admira que ele fique na moita — disse Rony, balançando a cabeça. — Eu sempre achei que ele talvez tivesse ficado no caminho de um Feitiço de Ingurgitamento ruim quando era criança ou outra coisa do gênero. E não gostasse de mencionar isso...

— Mas qual é o problema da mãe dele ter sido uma giganta? — perguntou Harry.

— Bem... ninguém que o conhece vai se importar, porque sabe que ele não é perigoso — disse Rony lentamente. — Mas... Harry, eles são apenas gigantes cruéis. É como Hagrid disse, é da natureza deles, são como os trasgos... gostam de matar, todo mundo sabe disso. Mas hoje não tem mais gigantes na Grã-Bretanha.

— Que foi que aconteceu com eles?
— Bem, eles estavam acabando mesmo, então um monte deles foi morto pelos aurores. Mas dizem que há gigantes no exterior... a maioria escondida em montanhas...
— Não sei quem é que a Maxime pensa que está enganando — disse Harry, observando a bruxa sentada sozinha à mesa dos juízes, com o ar muito sério. — Se Hagrid é meio gigante, decididamente ela também é. Ossos graúdos... a única coisa que tem ossos maiores do que ela é um dinossauro.

Harry e Rony passaram o resto do baile discutindo gigantes a um canto, nenhum dos dois com a menor inclinação para dançar. Harry tentou não olhar para Cho e Cedrico; sentiu uma enorme vontade de chutar alguma coisa.

Quando as Esquisitonas terminaram de tocar à meia-noite, receberam mais uma rodada de aplausos estrepitosos e começaram a sair em direção ao saguão de entrada. Muitas pessoas expressaram o desejo de que o baile pudesse continuar por mais tempo, mas Harry estava absolutamente satisfeito de ir se deitar, e, se alguém quisesse saber, a noite não fora lá essas coisas.

Já no saguão de entrada, Harry e Rony viram Hermione se despedindo de Krum antes do garoto se retirar para o navio de Durmstrang. Ela lançou a Rony um olhar gelado e passou por ele a caminho da escadaria de mármore sem falar. Os dois amigos a seguiram, mas, no meio da escada, Harry ouviu alguém que o chamava.

— Ei... Harry!

Era Cedrico Diggory. Harry viu que Cho ficara à espera dele no saguão.

— Que foi? — respondeu Harry com frieza, quando o garoto correu escada acima ao seu encontro.

Cedrico fez cara de quem não queria dizer o que viera dizer na frente de Rony, que encolheu os ombros, parecendo aborrecido, e continuou a subir as escadas.

— Escuta... — Cedrico baixou a voz quando Rony desapareceu. — Eu lhe devo um favor por ter me falado dos dragões. Sabe o ovo de ouro? O seu solta um grito agourento quando você o abre?

— Solta.

— Então... toma um banho, OK?

— Quê?

— Toma um banho e... hum, leva o ovo junto e... hum, rumina um pouco as coisas debaixo da água quente. Vai ajudar você a pensar... acredita em mim.

Harry ficou olhando para ele.

— Vou lhe dizer uma coisa — disse Cedrico —, usa o banheiro dos monitores. Quarta porta à esquerda daquela estátua de Boris, o Pasmo, no quinto andar. A senha é *Frescor de Pinho*. Tenho que ir... quero dizer boa noite...

Ele tornou a sorrir para Harry e desceu depressa as escadas para se juntar a Cho.

Harry voltou para a Torre da Grifinória sozinho. Recebera um conselho estranhíssimo. Por que um banho o ajudaria a descobrir o significado do ovo que gritava? Será que Cedrico estava gozando a cara dele? Será que estava tentando fazer Harry parecer bobo, para que, ao comparar os dois, Cho gostasse ainda mais dele?

A Mulher Gorda e sua amiga Vi estavam tirando um cochilo no quadro que cobria a entrada da Casa. Harry teve que berrar *Luzes Encantadas!* para que elas acordassem, e, ao fazer isso, as duas ficaram muitíssimo irritadas. Quando entrou na sala comunal, encontrou Rony e Hermione tendo uma briga daquelas. Mantendo uma distância de três metros, os dois vociferavam um com o outro, as caras vermelhas como pimentões.

— Ora, se você não gosta, então sabe qual é a solução, não sabe? — berrava Hermione; agora seus cabelos iam se soltando do elegante coque, e seu rosto se contraía de raiva.

— Ah, é? — berrava Rony em resposta. — Qual é?

— Da próxima vez que houver um baile, me convide antes que outro garoto faça isso, e não como último recurso!

A boca de Rony ficou mexendo sem emitir som algum como a de um peixe de aquário fora da água, enquanto Hermione virava as costas e subia batendo os pés na escada do dormitório das garotas para se deitar. Rony se virou para Harry.

— Bom — balbuciou, completamente abismado —, bom, isso só prova que ela não entendeu nada...

Harry não respondeu. Estava gostando demais de ter feito as pazes com o amigo para dizer o que estava pensando naquele momento — mas, em todo o caso, ele achava que Hermione entendera melhor do que Rony.

24

O FURO JORNALÍSTICO DE RITA SKEETER

Todos acordaram tarde no dia seguinte ao Natal, que é feriado na Grã-Bretanha. A sala comunal da Grifinória estava muito mais sossegada do que ultimamente, muitos bocejos pontuavam as conversas ociosas. Os cabelos de Hermione tinham voltado a ficar crespos e cheios; ela confessou a Harry que usara quantidades generosas de Poção Capilar Alisante para ir ao baile, "mas é muita mão de obra fazer isso todo dia", disse ela, sem emoção, coçando atrás das orelhas do ronronante Bichento.

Rony e Hermione aparentemente tinham chegado a um acordo subentendido de não mencionarem a discussão que tinham tido. Estavam até sendo simpáticos um com o outro, embora estranhamente formais. Rony e Harry não perderam tempo para contar à garota a conversa entre Madame Maxime e Hagrid que tinham ouvido, mas Hermione não pareceu achar a novidade de que Hagrid era meio gigante tão chocante quanto Rony.

— Bem, achei que devia ser — disse ela, encolhendo os ombros. — Eu sabia que ele não poderia ser todo gigante, porque os gigantes têm uns seis metros de altura. Mas, francamente, por que toda essa histeria por causa dos gigantes? Nem *todos* devem ser horríveis... é o mesmo tipo de preconceito que as pessoas têm com relação aos lobisomens... é muita cegueira, não é, não?

Rony fez cara de quem gostaria de dar uma resposta desdenhosa, mas talvez não quisesse outra briga, porque se contentou em sacudir a cabeça incrédulo quando Hermione não estava olhando.

Agora era hora de pensar nos deveres de casa que eles tinham posto de lado na primeira semana de férias. Todos pareciam estar se sentindo pouco entusiasmados, agora que o Natal terminara — todos exceto Harry, isto é, que estava começando (mais uma vez) a ficar ligeiramente nervoso.

O problema era que o dia vinte e quatro de fevereiro parecia bem mais perto, uma vez passado o Natal, e ele ainda não se mexera para decifrar a pista que havia no ovo de ouro. Portanto, ele passou a tirar o ovo do malão todas as vezes que subia ao dormitório, abria-o e escutava com atenção, na esperança de que daquela vez o grito fizesse mais sentido. Harry se esforçou para descobrir o que o som lhe lembrava, além dos trinta serrotes musicais, mas nunca ouvira nada que se parecesse com aquilo. Fechou o ovo, sacudiu-o vigorosamente, reabriu-o para ver se o som mudara, mas nada. Tentou fazer perguntas ao ovo, berrando para abafar seu lamento, mas nada aconteceu. Chegou mesmo a atirar o ovo do outro lado do quarto – embora não esperasse realmente que isso resolvesse.

Harry não esquecera da dica que Cedrico lhe dera, mas seus sentimentos pouco amigáveis com relação ao campeão, naquele momento, significavam que ele não estava interessado em aceitar ajuda de Cedrico se pudesse. Em todo o caso, achava que, se o garoto tivesse realmente querido dar uma mãozinha a ele, teria sido muito mais claro. Harry dissera a Cedrico exatamente o que o esperava na primeira tarefa – mas a ideia que o outro fazia de uma troca justa fora lhe dizer para tomar um banho. Bem, ele não precisava desse tipo de ajuda inútil – pelo menos, não de alguém que ficava andando para cima e para baixo pelos corredores de mãos dadas com Cho. Assim, chegou o primeiro dia do novo trimestre e Harry foi para as aulas, sobrecarregado de livros, pergaminhos e penas, como de costume, mas também com essa preocupação a lhe pesar no estômago, como se o ovo fosse mais um peso a carregar para todo o lado com ele.

A neve continuava alta nos jardins e as janelas da estufa estavam cobertas por um vapor tão denso que não era possível enxergar através delas na aula de Herbologia. Ninguém estava ansioso para ir à aula de Trato das Criaturas Mágicas com um tempo desses, embora, como disse Rony, era provável que os explosivins deixassem os alunos bem aquecidos, quer fazendo-os correr atrás deles, quer expelindo fogo pelo rabo com tanta força que a cabana de Hagrid pegaria fogo.

Quando os garotos chegaram lá, porém, encontraram uma bruxa mais velha, com os cabelos grisalhos muito curtos e um queixo muito saliente, parada diante da porta da frente do professor.

– Vamos, andem, a sineta já tocou há cinco minutos – vociferou ela, quando os viu caminhando pela neve com dificuldade ao seu encontro.

– Quem é a senhora? – perguntou Rony, mirando-a. – Aonde foi o Hagrid?

– Meu nome é Prof.ª Grubbly-Plank – disse ela com eficiência. – Sou a professora temporária de Trato das Criaturas Mágicas.

— Aonde foi o Hagrid? — repetiu Harry em voz alta.

— Não está se sentindo bem — respondeu ela secamente.

Uma risada breve e desagradável chegou aos ouvidos de Harry. Ele se virou; Draco Malfoy e o resto dos alunos da Sonserina estavam vindo se reunir à turma. Tinham um ar satisfeito, e nenhum pareceu surpreso de ver a Prof.ª Grubbly-Plank.

— Por aqui, por favor — disse a professora e saiu contornando o picadeiro onde os enormes cavalos da Beauxbatons tremiam de frio. Harry, Rony e Hermione a seguiram, olhando para trás, por cima do ombro, para a cabana de Hagrid. Todas as cortinas estavam corridas. Será que Hagrid estava ali, sozinho e doente?

— Que é que o Hagrid tem? — perguntou Harry, apressando o passo para alcançar a professora.

— Não é da sua conta — disse ela, como se achasse que o garoto estava sendo intrometido.

— Mas é da minha conta — disse Harry com veemência. — Que aconteceu com ele?

A Prof.ª Grubbly-Plank continuou como se não o ouvisse. Conduziu-os além do picadeiro dos cavalos da Beauxbatons, todos agrupados tentando se proteger do frio, e em direção a uma árvore na orla da Floresta, onde encontraram amarrado um grande e belo unicórnio.

Muitas garotas soltaram exclamações de admiração ao ver o unicórnio.

— Ah, é tão bonito! — murmurou Lilá Brown. — Como será que ela conseguiu? Dizem que são realmente difíceis de apanhar!

O unicórnio era tão branco que fazia a neve ao redor parecer cinzenta. Pateava o chão nervoso com seus cascos dourados e atirava para trás a cabeça com um só chifre.

— Meninos, fiquem afastados! — gritou secamente a professora, estendendo um braço e, com isso, batendo com força em Harry na altura do peito.

"Eles preferem o toque das mulheres, os unicórnios. Meninas à frente, e se aproximem com cuidado. Vamos, devagar..."

Ela e as meninas se adiantaram devagarinho até o bicho, deixando os garotos parados junto à cerca do picadeiro, assistindo.

No instante em que a professora ficou fora do alcance de suas vozes, Harry se virou para Rony.

— Que é que você acha que aconteceu com ele? Acha que pode ter sido um explosivim...?

— Ah, ele não foi atacado, Potter, se é o que você está pensando — disse Malfoy suavemente. — Não, ele só está envergonhado demais para mostrar aquela caratonha.

— Que é que você quer dizer com isso? — perguntou Harry com rispidez.

Malfoy meteu a mão no bolso interno das vestes e puxou uma folha dobrada de jornal.

— Já vem você — disse ele. — Detesto ser eu a lhe dar a notícia, Potter...

Malfoy deu um sorriso afetado quando Harry pegou o jornal, desdobrou-o e leu-o com Rony, Simas, Dino e Neville, que espiava por cima do ombro deste. Era um artigo encimado pela foto de Hagrid com uma cara extremamente sonsa.

O MAIOR ERRO DE DUMBLEDORE

Alvo Dumbledore, o excêntrico diretor da Escola de Magia e Bruxaria de Hogwarts, nunca teve medo de fazer nomeações controvertidas para o corpo docente, escreve Rita Skeeter, nossa correspondente especial. Em setembro deste ano, ele contratou Alastor "Olho-Tonto" Moody, o notório ex-auror que vê feitiços por toda parte, para ensinar Defesa Contra as Artes das Trevas, uma decisão que fez muita gente erguer as sobrancelhas no Ministério da Magia, dado o conhecido hábito que Moody tem de atacar qualquer um que faça um movimento repentino em sua presença. Olho-Tonto, porém, parece responsável e bondoso, em contraste com o indivíduo meio humano que Dumbledore emprega para ensinar Trato das Criaturas Mágicas.

Rúbeo Hagrid, que admite ter sido expulso de Hogwarts no terceiro ano, e desde então exerce na escola a função de guarda-caça, um emprego que Dumbledore lhe arranjou. No ano passado, no entanto, usou sua misteriosa influência sobre o diretor da escola para obter o cargo suplementar de professor de Trato das Criaturas Mágicas, preterindo muitos candidatos com melhores qualificações.

Um homem assustadoramente grande e de ar feroz, Hagrid tem usado sua recém-adquirida autoridade para aterrorizar os alunos ao tratar de uma coleção de seres horripilantes. Enquanto Dumbledore faz vista grossa, Hagrid já feriu vários alunos durante uma série de aulas que muitos admitem "dar muito medo".

"Eu já fui atacado por um hipogrifo e meu amigo, Vicente Crabbe, levou uma dentada feia de um verme", declarou Draco Malfoy, um aluno do quarto ano. "Todos odiamos Hagrid, mas temos receio demais para dizer qualquer coisa."

Mas Hagrid não tem a menor intenção de desistir de sua campanha de intimidação. Em conversa com a repórter do Profeta Diário, no mês passado, ele admitiu que cria uns bichos a que chama de "explosivins", uma cruza extremamente perigosa de manticore com caranguejo-de-fogo. A criação de novas raças é, naturalmente, uma atividade em geral acompanhada de perto pelo Departamento para Regulamentação e Controle das Criaturas Mágicas. Hagrid, ao que parece, considera-se acima dessas restrições pouco importantes.

"Eu só estava me divertindo um pouco", disse ele, antes de mudar rapidamente de assunto.

E como se isso não bastasse, o Profeta Diário agora encontrou provas de que Hagrid não é — como sempre fingiu ser — um bruxo puro-sangue. De fato, não é sequer um ser humano puro. Sua mãe, podemos revelar com exclusividade, não é outra senão a giganta Fridwulfa, cujo paradeiro é atualmente desconhecido.

Sedentos de sangue e brutais, os gigantes chegaram à extinção com as guerras que promoveram entre si no século passado. Os poucos sobreviventes se alistaram nas fileiras d'Aquele-Que-Não-Deve-Ser-Nomeado, e foram responsáveis por alguns dos piores massacres de trouxas durante o seu reino de terror.

Embora muitos gigantes que serviram Àquele-Que-Não-Deve-Ser-Nomeado tenham sido mortos por aurores que combatiam o partido das trevas, Fridwulfa não foi um deles. É possível que tenha fugido para uma das comunidades de gigantes que ainda existem em montanhas no exterior. Mas, se as extravagâncias de Hagrid durante as aulas de Trato das Criaturas Mágicas puderem servir de medida, o filho de Fridwulfa parece ter herdado sua natureza brutal.

Mas, bizarramente, dizem que Hagrid criou uma grande amizade pelo garoto que provocou a queda de Você-Sabe-Quem — e com isso obrigou a própria mãe, bem como os demais seguidores do bruxo das trevas, a procurar um refúgio. Talvez Harry Potter não tenha conhecimento da desagradável verdade sobre seu grande amigo — mas não resta dúvida de que Alvo Dumbledore tem obrigação de providenciar para que Harry Potter, bem como seus colegas, sejam informados dos perigos de se associarem com meio gigantes.

Harry terminou a leitura e ergueu os olhos para Rony, cujo queixo estava caído.

— Como foi que ela descobriu isso? — sussurrou ele.

Mas não era isso que estava incomodando Harry.

— Que foi que você quis dizer com "todos detestamos Hagrid"? — perguntou Harry, irritado, a Malfoy. — Que bobagem é essa de que esse cara aí — e indicou Crabbe — levou uma mordida feia de um verme? Eles nem têm dentes!

Crabbe dava risadinhas, aparentemente muito satisfeito consigo mesmo.

— Bom, acho que isso deve encerrar a carreira desse caipirão — disse Malfoy, os olhos brilhando. — Meio gigante... e eu pensando que ele engoliria um frasco de Esquelesce quando era criança... nenhum pai nem mãe vai gostar nem um pouco dessa notícia... vão ficar preocupados que o gigante devore os filhinhos deles, ha, ha...

— Seu...

— Vocês estão prestando atenção aqui na frente?

A voz da Prof.ª Grubbly-Plank chegou até eles; as garotas agora estavam agrupadas em torno do unicórnio, acariciando-o. Harry sentia tanta fúria que o artigo do *Profeta Diário* tremia em sua mão quando ele se virou maquinalmente para o unicórnio, cujas muitas propriedades mágicas a professora começava a enumerar em voz alta, para que os garotos pudessem ouvir também.

— Espero que ela continue, essa mulher! — disse Parvati Patil quando terminaram e todos seguiram para o castelo para almoçar. — A aula ficou mais parecida com o que eu imaginei que seria o Trato das Criaturas Mágicas... criaturas normais como unicórnios, não monstros...

— E Hagrid? — perguntou Harry, zangado, quando subiam as escadas.

— Que é que tem ele? — perguntou Parvati, com a voz inflexível. — Ele pode continuar como guarda-caça, não pode?

Parvati andava tratando Harry com frieza desde o baile. Ele supôs que devia ter dado mais atenção à garota, mas ela parecia ter se divertido mesmo assim. Com certeza estava contando a todo mundo que quisesse ouvir que combinara encontrar-se com o garoto de Beauxbatons em Hogsmeade no próximo fim de semana.

— Foi uma aula realmente boa — disse Hermione, quando eles entraram no Salão Principal. — Eu não sabia metade das coisas que a Prof.ª Grubbly-Plank falou sobre os uni...

— Olhe isso aqui! — rosnou Harry sacudindo o artigo do *Profeta Diário* no nariz de Hermione.

O queixo de Hermione foi caindo à medida que lia. Sua reação foi exatamente a mesma que a de Rony.

— Como foi que aquela Skeeter horrorosa descobriu isso? Você acha que Hagrid *contou* a ela?

— Não — respondeu Harry, se adiantando para a mesa da Grifinória, e se atirando numa cadeira, furioso. — Hagrid nunca disse isso nem à gente, não é? Acho que ela ficou tão aborrecida porque ele não quis contar os meus podres que saiu fuçando para se vingar dele.

— Talvez ela tenha escutado a conversa dele com Madame Maxime no baile — arriscou Hermione, baixinho.

— Nós a teríamos visto nos jardins! — disse Rony. — Em todo o caso, ela não tem permissão para tornar a entrar na escola, Hagrid disse que Dumbledore a proibiu...

— Talvez ela use uma Capa da Invisibilidade — disse Harry, servindo uma concha de caçarola de frango em seu prato e derramando-a por todo o lado, tal era a sua raiva. — É o tipo de coisa que ela faria, não é, se esconder atrás de moitas para escutar as conversas dos outros.

— Como você e Rony fizeram? — perguntou Hermione.

— Não estávamos querendo ouvir! — disse Rony, indignado. — Não tivemos opção! O panaca começou a falar da mãe giganta num lugar em que todo mundo podia ouvir!

— Temos que ir visitar Hagrid — disse Harry. — Hoje à noitinha, depois da aula de Adivinhação. Dizer que o queremos de volta... Você quer ele de volta, não quer? — O garoto disparou a pergunta à Hermione.

— Bem... não vou fingir que a mudança não foi legal, ter uma aula decente de Trato das Criaturas Mágicas para variar, mas eu quero que Hagrid volte, é claro que quero! — acrescentou Hermione depressa, fraquejando diante do olhar furioso de Harry.

Então, naquela noite, depois do jantar, os três saíram do castelo, mais uma vez, e atravessaram os jardins congelados até a cabana de Hagrid. Bateram e os latidos retumbantes de Canino responderam.

— Hagrid, somos nós! — gritou Harry, socando a porta. — Abre!

Não houve resposta. Os garotos ouviram Canino arranhar a porta, mas ela não se abriu. Bateram mais uns dez minutos; Rony até bateu em uma das janelas, mas não houve resposta.

— Para que é que ele está evitando *a gente*? — perguntou Hermione quando finalmente desistiram e já iam voltando para a escola. — Com certeza ele não acha que nos importamos que ele seja meio gigante?

Mas, pelo jeito, Hagrid se importava. Os garotos não viram nem sinal dele a semana inteira. Não apareceu à mesa dos professores na hora das refeições, nem foi visto pela propriedade cuidando de suas tarefas de guarda-caça, e a Prof.ª Grubbly-Plank continuou a dar as aulas de Trato das Criaturas Mágicas. Malfoy se gabava a cada oportunidade possível.

— Com saudades do seu amiguinho mestiço? — ele não parava de murmurar para Harry sempre que havia um professor por perto, de modo a ficar a salvo de uma reação. — Com saudades do seu homem-elefante?

Houve uma visita a Hogsmeade na metade de janeiro. Hermione ficou muito surpresa que Harry pretendesse ir.

— Pensei que você ia aproveitar a tranquilidade da sala comunal. Olha que você realmente precisa trabalhar naquele ovo.

— Ah, eu... eu acho que agora já tenho uma boa ideia do que se trata — mentiu Harry.

— Já tem, é? — exclamou Hermione, parecendo impressionada. — Muito bem!

As entranhas de Harry deram uma revirada de culpa, mas ele fingiu não ter sentido. Afinal, ainda lhe restavam cinco semanas para descobrir a pista do ovo e isso era uma eternidade... e, se ele fosse a Hogsmeade, talvez desse de cara com Hagrid e tivesse uma chance de convencê-lo a voltar.

No sábado, ele, Rony e Hermione deixaram o castelo, juntos, e atravessaram os jardins frios e úmidos em direção aos portões. Ao passarem pelo navio de Durmstrang ancorado no lago, viram Vítor Krum saindo para o convés, trajando apenas calções de banho. Ele era muito magro, mas bem mais forte do que parecia, porque trepou na amurada do navio, esticou os braços à frente e mergulhou direto no lago.

— Ele é doido! — comentou Harry, observando a cabeça escura de Krum reaparecer no meio do lago. — Deve estar congelando, estamos no meio de janeiro!

— É muito mais frio no lugar de onde ele vem — disse Hermione. — Imagino que ele sinta até um calorzinho aqui.

— É, mas ainda tem a lula gigante — lembrou Rony. Sua voz não revelava ansiedade, se revelava alguma coisa, era esperança. Hermione reparou no tom de voz dele e franziu a testa.

— Ele é realmente legal, sabe. Não é nada do que se poderia pensar de alguém que vem de Durmstrang. Ele me disse que gosta muito mais daqui.

Rony não fez comentários. Não mencionara Vítor Krum desde o baile, mas Harry encontrara a miniatura de um braço embaixo da cama do amigo, no dia seguinte ao Natal, que dava a impressão de ter sido arrancado do modelinho com as vestes de quadribol da Bulgária.

Harry ficou de olhos muito atentos à procura de um sinal de Hagrid por todo o caminho até a enlameada rua Principal e sugeriu uma visita ao Três Vassouras depois de se certificar de que Hagrid não estava nas outras lojas.

O bar estava apinhado como sempre, mas uma olhada rápida pelas mesas informou a Harry que Hagrid não se encontrava ali. Desanimado, dirigiu-se ao balcão com Rony e Hermione, pediu à Madame Rosmerta três cervejas amanteigadas e pensou, deprimido, que afinal teria feito melhor se tivesse ficado na escola escutando o lamento do ovo.

— Será que ele *nunca* vai ao escritório? — cochichou Hermione de repente.
— Olha lá!

Ela apontou para o espelho atrás do bar e Harry viu, refletido ali, Ludo Bagman, sentado em um canto mais escuro com um grupo de duendes. O bruxo falava muito rápido, e em voz baixa, com os duendes, que tinham os braços cruzados e uma expressão assustadora no rosto.

Era realmente estranho, pensou Harry, que Bagman estivesse ali no Três Vassouras, num fim de semana, quando não havia nenhum evento do torneio, e, portanto, nenhuma atividade do seu júri. Ele observou o bruxo pelo espelho. Bagman parecia tenso, tão tenso quanto naquela noite na floresta antes da Marca Negra aparecer. Mas neste momento Bagman olhou para o bar, viu Harry e se levantou.

— Um momento, um momento! — Harry o ouviu dizer bruscamente para os duendes e atravessar o bar em direção a ele, o sorriso juvenil de sempre no rosto.

"Harry!", exclamou ele. "Como vai? Estava na esperança de encontrá-lo! Está tudo correndo bem?"

— Ótimo, obrigado!

— Será que eu podia dar uma palavrinha rápida com você, em particular? — disse ele, pressuroso. — Vocês poderiam nos dar licença um momento, por favor?

— Hum... OK — concordou Rony, e ele e Hermione saíram à procura de uma mesa.

Bagman levou Harry para o canto mais afastado do bar de Madame Rosmerta.

— Bom, achei que gostaria de cumprimentá-lo outra vez por seu esplêndido desempenho contra o Rabo-Córneo, Harry — disse Bagman. — Foi realmente soberbo!

— Obrigado — disse o garoto, mas sabia que não devia ser só isso que Bagman queria dizer, porque poderia ter dado os parabéns diante de Rony e Hermione. Mas o bruxo parecia não ter pressa alguma de dizer o que era. Harry o viu olhar para o espelho do bar na direção dos duendes que os observavam em silêncio, com aqueles olhos escuros e puxados.

— Absoluto pesadelo — disse Bagman a Harry entre dentes, reparando que Harry também observava os duendes. — O inglês deles não é muito bom... parece até que estou de volta à Copa Mundial de Quadribol com todos aqueles búlgaros... mas pelo menos *eles* usavam gestos que todo ser humano era capaz de reconhecer. Essa turma fica algaraviando em grugulês...

e só conheço uma palavra de grugulês. *Bladvak*. Significa "picareta". Não gosto de usá-la para eles não pensarem que estou ameaçando-os. — E soltou uma gargalhada breve, mais retumbante.

— Que é que eles querem? — perguntou Harry, notando que os duendes continuavam a observar Bagman com muita atenção.

— Hum... bem... — disse Bagman, parecendo subitamente nervoso. — Eles... hum... estão procurando Bartô Crouch.

— Por que é que estão procurando por ele aqui? — perguntou Harry. — Ele não está no Ministério em Londres?

— Hum... para falar a verdade, não faço a menor ideia de onde esteja. Vamos dizer que tenha parado de comparecer ao trabalho. Já está ausente há umas duas semanas. O jovem Percy, assistente dele, diz que ele está doente. Aparentemente tem enviado instruções via coruja. Mas se importa de não comentar isso com ninguém, Harry? Porque a Rita Skeeter continua bisbilhotando por todo lado que pode e eu seria capaz de apostar que ela poderia transformar a doença de Bartô em algo sinistro. Provavelmente dizer que ele está desaparecido como Berta Jorkins.

— O senhor teve notícias da Berta Jorkins? — perguntou Harry.

— Não — respondeu Bagman, parecendo outra vez tenso. — Tenho gente procurando, é claro... — (Já não era sem tempo, pensou Harry) — e é tudo muito estranho. Sem a menor dúvida *chegou* na Albânia, porque se encontrou lá com uma prima em segundo grau. Depois deixou a casa da prima dizendo que ia ao sul visitar uma tia... e parece ter desaparecido no caminho, sem deixar vestígios. O diabo é quem sabe onde ela pode ter se metido... não parece ser do tipo que foge para casar, por exemplo... contudo... mas por que é que estamos falando de duendes e de Berta Jorkins? O que eu realmente queria perguntar a você é... — e aqui ele baixou a voz — como é que você vai indo com o ovo de ouro?

— Hum... nada mal — disse Harry ocultando a verdade.

Bagman pareceu perceber que o garoto não estava sendo honesto.

— Escute, Harry — disse ele (ainda em voz muito baixa). — Eu me sinto muito mal a respeito dessa coisa toda... você foi empurrado para o torneio, você não se voluntariou... e se — (aqui sua voz ficou tão baixa que Harry precisou chegar mais perto para escutar) — ... se tiver alguma coisa que eu possa fazer... um empurrãozinho na direção certa... acabei me afeiçoando a você... o jeito como você passou pelo dragão!... Bem, é só dizer.

Harry olhou para o rosto rosado e redondo, e para os grandes olhos azul-celeste de Bagman.

— Devemos decifrar as pistas sozinhos, não é? — disse ele, tomando cuidado para manter a voz displicente e não parecer que estava acusando o chefe do Departamento de Jogos e Esportes Mágicos de infringir o regulamento.

— Bem... bem, é verdade — disse Bagman, impaciente —, mas... vamos, Harry, todos queremos a vitória de Hogwarts, não é mesmo?

— O senhor ofereceu ajuda a Cedrico? — perguntou Harry.

A mais leve das rugas vincou o rosto liso de Bagman.

— Não, não ofereci. Eu... bem, como disse, me afeiçoei a você. Por isso pensei em oferecer...

— Bem, obrigado — disse Harry —, mas acho que estou quase chegando lá... mais uns dois dias e resolvo o problema do ovo.

Ele não tinha muita certeza da razão pela qual estava recusando a ajuda de Bagman, exceto que o bruxo era quase um estranho para ele, e aceitar sua ajuda lhe parecia muito mais desonesto do que pedir conselhos a Rony, Hermione ou Sirius.

Bagman pareceu quase afrontado, mas não pôde dizer muito mais, porque Fred e Jorge apareceram naquele momento.

— Olá, Sr. Bagman — disse Fred, animado. — Podemos lhe oferecer uma bebida?

— Hum... não — disse Bagman, com um último olhar desapontado para Harry —, não, muito obrigado, garotos...

Fred e Jorge pareciam quase tão desapontados quanto Bagman, que mirava Harry como se o garoto o tivesse deixado na mão.

— Bem, preciso correr — disse ele. — Foi bom ver vocês. Boa sorte, Harry.

E saiu apressado do bar. Os duendes deslizaram para fora das cadeiras e saíram atrás de Bagman. Harry foi se reunir a Rony e Hermione.

— Que é que ele queria? — perguntou Rony, no instante em que Harry se sentou.

— Ele se ofereceu para me ajudar com o ovo de ouro.

— Ele não devia estar fazendo isso! — exclamou Hermione, parecendo muito chocada. — Ele é um dos juízes! E, em todo o caso, você já decifrou sozinho, não foi?

— Hum... quase.

— Bem, eu acho que Dumbledore não gostaria de saber que Bagman andou tentando convencer você a ser desonesto! — disse Hermione ainda com uma expressão de profunda reprovação. — Espero que ele esteja tentando ajudar Cedrico também!

— Não, não está. Eu perguntei a ele — informou Harry.

— Quem é que se importa se Cedrico está recebendo ajuda? — disse Rony. Harry, intimamente, concordou.

— Aqueles duendes não pareciam muito simpáticos — comentou Hermione, bebericando a cerveja amanteigada. — Que é que eles estavam fazendo aqui?

— Procurando Crouch, segundo informou Bagman. Ele continua doente. Não tem ido trabalhar.

— Quem sabe Percy está envenenando ele? — sugeriu Rony. — Provavelmente acha que se Crouch apagar ele vai ser nomeado chefe do Departamento de Cooperação Internacional em Magia.

Hermione lançou a Rony um olhar do tipo não-brinque-com-essas-coisas e comentou:

— Engraçado, duendes procurando o Sr. Crouch... eles normalmente se dirigem ao Departamento para Regulamentação e Controle das Criaturas Mágicas.

— Mas Crouch sabe falar um monte de línguas diferentes — lembrou Harry. — Talvez eles precisem de um intérprete.

— Agora está se preocupando com os coitadinhos dos duendes, é? — perguntou Rony a Hermione. — Está pensando em lançar um S.P.D.F. ou outra coisa do gênero? Uma Sociedade Protetora dos Duendes Feios?

— Ha, ha, ha — exclamou Hermione sarcasticamente. — Duendes não precisam de proteção. Você não tem prestado atenção ao que o Prof. Binns vem nos contando sobre as revoltas dos duendes?

— Não — disseram Harry e Rony juntos.

— Pois é, eles têm plena capacidade de enfrentar os bruxos — disse Hermione, tomando mais um golinho de cerveja amanteigada. — Eles são muito inteligentes. Não são como os elfos domésticos, que nunca se unem para se defender.

— Uh, ah — exclamou Rony, com os olhos fixos na porta.

Rita Skeeter acabara de entrar. Estava usando vestes amarelo-banana; tinha as unhas longas pintadas de rosa-choque e vinha acompanhada do seu fotógrafo barrigudo. Ela comprou bebidas, e os dois abriam caminho entre as pessoas e as mesas até uma mesa próxima. Harry, Rony e Hermione amarraram a cara para ela ao verem-na se aproximar. Ela falava depressa e parecia muito satisfeita com alguma coisa.

— ... não parecia muito interessado em falar com a gente, você também não acha, Bozo? E por que você acha que não estava? E o que é que ele estava fazendo com uma matilha de duendes na cola? Mostrando os pontos pitorescos do povoado... que absurdo... ele sempre foi um mau mentiroso. Você acha que ele está escondendo alguma coisa? Acha que devíamos fuçar um pouco? Ludo Bagman, o desacreditado *ex-Chefe dos Esportes Mágicos*... é uma boa abertura, Bozo, agora só precisamos encontrar uma história para usá-la...

— Tentando estragar a vida de mais alguém? — perguntou Harry em voz alta.

Algumas pessoas viraram a cabeça. Os olhos de Rita Skeeter se arregalaram por trás dos óculos de pedrinhas quando viu quem falara.

— Harry! — exclamou ela sorridente. — Que ótimo? Por que você não vem se sentar conosco...?

— Eu não chegaria perto da senhora nem com uma vassoura de três metros — disse Harry, furioso. — Por que a senhora fez aquilo com o Hagrid, hein?

Rita Skeeter ergueu as sobrancelhas acentuadas com lápis grosso.

— Os nossos leitores têm o direito de saber a verdade, Harry, estou meramente fazendo o meu...

— Quem se importa que ele seja meio gigante? — gritou Harry. — Não há nada errado com ele!

O bar inteiro ficou em silêncio. Madame Rosmerta acompanhava de olhar fixo por trás do balcão, aparentemente esquecida de que a garrafa que estava enchendo de quentão começara a transbordar.

O sorriso de Rita Skeeter estremeceu levemente, mas ela o firmou quase no mesmo instante; abriu a bolsa de crocodilo com um estalido, tirou a pena-de-repetição-rápida e disse:

— Que tal me dar uma entrevista sobre o Hagrid que *você* conhece, Harry? O homem por trás dos músculos? A improvável amizade que tem por ele e as razões para tê-la? Você o chamaria de um pai-substituto?

Hermione se levantou abruptamente, a cerveja amanteigada apertada na mão como se fosse uma granada.

— Sua mulher horrorosa — disse ela, entre dentes —, a senhora não se importa, não é, qualquer coisa vira artigo, e qualquer pessoa serve, não é? Até Ludo Bagman...

— Sente-se, menininha boba, e não fale do que não entende — disse Rita Skeeter com frieza, seu olhar endurecendo ao pousar em Hermione. — Sei de coisas sobre Ludo Bagman que deixariam você de cabelos em pé... *Não* que eles precisem de ajuda — acrescentou, mirando os cabelos lanzudos de Hermione.

— Vamos embora — disse Hermione. — Anda, Harry, Rony...

Os garotos saíram; muita gente ficou olhando para eles enquanto se retiravam. Harry virou a cabeça ao alcançar a porta. A pena-de-repetição-rápida estava em posição; corria para a frente e para trás no pedaço de pergaminho sobre a mesa.

— Você vai ser a próxima que ela vai perseguir, Mione — disse Rony, numa voz baixa e preocupada quando tornavam a subir a rua.

— Ela que experimente! — disse a garota com voz aguda; tremia de raiva. — Vou mostrar a ela! Menininha boba, é? Ah, vai ter troco, primeiro Harry, agora o Hagrid...

— Você não vai querer se indispor com a Rita Skeeter — disse Rony, nervoso.

— Estou falando sério, Mione, ela vai desenterrar alguma coisa sobre você...

— Meus pais não leem o *Profeta Diário*, ela não pode me apavorar e me fazer esconder! — disse Hermione, agora caminhando tão depressa que Harry e Rony mal conseguiam acompanhá-la. A última vez que Harry vira Hermione com tanta raiva assim ela metera a mão na cara de Draco Malfoy. — E Hagrid não vai se esconder mais! Ele nunca deveria ter deixado aquela imitação de ser humano o perturbar! Andem!

Desatando a correr, ela levou os garotos de volta à estrada, cruzou os portões ladeados por javalis alados e atravessou os jardins até a cabana de Hagrid.

As cortinas ainda estavam corridas, mas eles ouviram os latidos de Canino quando se aproximaram.

— Hagrid! — chamou Hermione, batendo com força na porta da frente. — Hagrid, pode parar com isso! Sabemos que você está aí dentro! Ninguém liga a mínima se sua mãe era uma giganta, Hagrid! Você não pode deixar aquela Skeeter nojenta fazer isso com você! Hagrid, vem aqui fora, você está sendo...

A porta se abriu. Hermione disse:

— Já não era...! — e se calou, de repente, porque se viu cara a cara, não com Hagrid, mas com Alvo Dumbledore.

— Boa-tarde — disse ele agradavelmente, sorrindo para os garotos.

— Nós... hum... nós gostaríamos de ver o Hagrid — disse Hermione, baixinho.

— Claro, imaginei isso — disse Dumbledore, os olhos cintilando. — Por que não entram?

— Ah... hum... OK.

Ela, Rony e Harry entraram na cabana. Canino se atirou sobre Harry no instante em que o garoto entrou, latindo feito louco e tentando lamber as orelhas dele. Harry afastou Canino e olhou à volta.

Hagrid estava sentado à mesa, onde havia duas canecas de chá. Estava pavoroso. O rosto manchado, os olhos inchados e tinha passado ao outro extremo em termos de cabelos; em lugar de tentar amansá-los, deixara-os agora parecidos com uma peruca de arame embaraçado.

– Oi, Hagrid – disse Harry.

Hagrid ergueu os olhos.

– Lô – disse ele, com a voz rouca.

– Mais chá, acho – disse Dumbledore, que fechou a porta depois que Harry, Rony e Hermione entraram, puxou a varinha e girou-a; apareceu no ar uma bandeja giratória de chá acompanhado por um prato de bolos. Ainda por magia, Dumbledore levou a bandeja até a mesa e todos se sentaram. Houve uma ligeira pausa e então o diretor disse:

"Você por acaso ouviu o que a Srta. Granger estava gritando, Hagrid?"

Hermione corou ligeiramente, mas Dumbledore sorriu para ela e continuou:

– Hermione, Harry e Rony parecem que ainda querem continuar a conhecer você, a julgar pela maneira com que tentavam derrubar a porta.

– Claro que ainda queremos conhecer você! – exclamou Harry fitando Hagrid. – Você não acha que alguma coisa que aquela vaca da Skeeter... desculpe, professor – acrescentou ele depressa, olhando para Dumbledore.

– Fiquei temporariamente surdo e não faço ideia do que foi que você disse, Harry – disse Dumbledore, girando os polegares e olhando para o teto.

– Hum... certo – disse Harry, envergonhado. – Eu só quis dizer, Hagrid, como é que você pôde pensar que ligaríamos para o que aquela "mulher" escreveu sobre você?

Duas grossas lágrimas saltaram dos olhos de Hagrid, pretos como besouros, e caíram lentamente sobre sua barba desgrenhada.

– A prova viva do que estive lhe dizendo, Hagrid – disse Dumbledore, ainda contemplando atentamente o teto. – Já lhe mostrei as cartas dos inúmeros pais que se lembram de você do tempo em que estiveram aqui, dizendo em termos bastante claros que se eu o despedisse eles não iriam ficar calados...

– Nem todos – disse Hagrid, rouco. – Nem todos querem que eu fique...

– Francamente, Hagrid, se você está esperando obter aprovação universal, receio que vá ficar trancado na cabana muito tempo – disse o diretor, agora olhando severamente por cima dos oclinhos de meia-lua. – Ainda não houve uma semana, desde que me tornei diretor desta escola, em que eu não recebesse ao menos uma coruja reclamando da maneira como eu a dirijo. Mas o que é que eu deveria fazer? Me entrincheirar no escritório e me recusar a falar com as pessoas?

— Mas... mas o senhor não é meio gigante! — crocitou Hagrid.

— Hagrid, olha só quem são os meus parentes! — disse Harry, furioso. — Olha só os Dursley!

— Muito bem lembrado! — disse o diretor. — Meu próprio irmão, Aberforth, foi acusado de praticar feitiços impróprios em um bode. Apareceu em todos os jornais, mas ele se escondeu? Não, não se escondeu! Manteve a cabeça erguida e continuou a trabalhar como sempre! Naturalmente, não tenho muita certeza de que ele saiba ler, por isso talvez não tenha tido tanta coragem assim...

— Volte a ensinar, Hagrid — disse Hermione em voz baixa —, por favor, volte, nós realmente sentimos sua falta.

Hagrid engoliu em seco. Mais lágrimas escorreram por suas bochechas e penetraram a barba embaraçada. Dumbledore se levantou.

— Eu me recuso a aceitar o seu pedido de demissão, Hagrid, e espero que esteja de volta ao trabalho na segunda-feira — disse ele. — Você tomará café em minha companhia às oito e meia no Salão Principal. Nada de desculpas. Boa-tarde para todos vocês.

Dumbledore se retirou da cabana, parando apenas para dar uma coçada atrás da orelha de Canino. Quando a porta se fechou atrás dele, Hagrid começou a soluçar com o rosto nas mãos do tamanho de uma tampa de lata de lixo. Hermione deu palmadinhas em seu braço e finalmente Hagrid ergueu a cabeça, os olhos de fato muito vermelhos e disse:

— Um grande homem o Dumbledore... grande homem...

— É — concordou Rony. — Posso comer um desses bolos, Hagrid?

— Sirva-se — disse ele, enxugando os olhos nas costas da mão. — Arre, ele tem razão, é claro, vocês têm razão... tenho sido idiota... meu velho pai teria se envergonhado do meu comportamento nesses últimos dias... — Mais lágrimas escorreram, mas ele as enxugou com mais firmeza e continuou: — Nunca mostrei a vocês uma foto do meu velho pai, não é? Olhem...

Hagrid se levantou, foi até a cômoda, abriu a gaveta e tirou uma foto de um bruxo baixinho com os mesmos olhos pretos rodeados de rugas do filho, sentado sorridente no ombro dele. Hagrid tinha bem uns dois metros mais do que o pai, a julgar pela macieira ao lado deles, mas seu rosto era imberbe, jovem, redondo e liso — parecia não ter mais que uns onze anos de idade.

— Foi tirada logo depois que vim para Hogwarts — disse Hagrid, rouco. — Papai morreu muito feliz... achava que eu talvez não fosse bruxo, entende, porque mamãe.... bem, em todo o caso. É claro que, sinceramente, nunca fui grande coisa em magia... mas pelo menos ele não me viu ser expulso. Morreu, entende, eu estava no segundo ano...

"Dumbledore foi quem me apoiou depois que meu pai morreu. Me arranjou o lugar de guarda-caça... confia nas pessoas, ele. Dá uma segunda oportunidade... é isso que diferencia ele de outros diretores, entendem. Aceita qualquer pessoa em Hogwarts, desde que tenha talento. Sabe que as pessoas podem ser legais mesmo que as famílias delas não tenham sido... bem... tão respeitáveis assim. Mas tem gente que não entende isso. Tem gente que sempre usa a família contra a pessoa... tem até gente que finge que tem ossos grandes em lugar de se levantar e dizer 'eu sou o que sou e não me envergonho disso'. 'Nunca se envergonhe', meu velho pai costumava dizer, 'tem gente que vai usar isso contra você, mas não vale a pena se preocupar com eles.' E ele tinha razão. Fui um idiota. Não vou me incomodar mais com *ela*, prometo a vocês. Ossos graúdos, eu vou mostrar a ela os ossos graúdos."

Harry, Rony e Hermione se entreolharam nervosos; Harry preferia levar cinquenta explosivins para passear do que admitir para Hagrid que entreouvira a conversa dele com Madame Maxime, mas Hagrid continuava falando, aparentemente inconsciente de que tivesse dito alguma coisa estranha.

— Sabe de uma coisa, Harry? — disse ele tirando os olhos da foto do pai, os olhos muito brilhantes. — Quando o conheci, você me lembrou um pouco de mim. Mãe e pai desaparecidos e você sentindo que não ia se adaptar a Hogwarts, lembra? Não tinha muita certeza de que estava à altura... e agora, olha só você, Harry! Campeão da escola!

Ele fitou o garoto um instante e então disse, muito sério:

— Sabe o que eu adoraria, Harry? Eu adoraria ver você vencer, realmente adoraria. Você iria mostrar a eles todos... não é preciso ser puro-sangue para fazer isso. Você não tem que se envergonhar do que é. Mostraria a eles que Dumbledore é quem tem razão quando deixa qualquer um entrar desde que seja capaz de fazer mágica. Como é que você está indo com aquele ovo, Harry?

— Ótimo — disse Harry. — Realmente ótimo.

O rosto infeliz de Hagrid se abriu num grande sorriso lacrimoso.

— É o meu garoto... Mostre a eles, Harry, mostre a eles. Derrote eles todos.

Mentir para Hagrid não era bem o mesmo que mentir para outras pessoas. Harry voltou para o castelo mais no finzinho da tarde com Rony e Hermione, sem ter coragem de varrer a expressão de felicidade do rosto barbudo de Hagrid ao imaginá-lo vencendo o torneio. O ovo incompreensível pesou mais que nunca na consciência de Harry naquela noite, e quando finalmente se deitou já tomara uma decisão – estava na hora de guardar o orgulho na prateleira e ver se a dica de Cedrico valia alguma coisa.

25

O OVO
E O OLHO

Uma vez que Harry não fazia ideia de quanto tempo deveria gastar no banho para decifrar o segredo do ovo de ouro, ele resolveu tomá-lo à noite, quando poderia demorar o quanto quisesse. Embora relutasse em aceitar mais favores de Cedrico, ele resolveu também usar o banheiro dos monitores-chefes; muito menos gente tinha permissão de entrar lá, por isso era muito menos provável que ele fosse incomodado.

Harry planejou sua excursão cuidadosamente, porque já fora uma vez apanhado por Filch, o zelador, no meio da noite, fora da cama e dos limites estabelecidos, e não tinha vontade de repetir a experiência. A Capa da Invisibilidade seria, naturalmente, essencial, e como precaução extra Harry pensou em levar o Mapa do Maroto, que, depois da capa, era o recurso mais útil para infringir regulamentos que Harry possuía. O mapa mostrava toda a propriedade de Hogwarts, inclusive seus muitos atalhos e passagens secretas e, o que era mais importante, mostrava as pessoas no interior do castelo como minúsculos pontinhos identificados por legendas que se deslocavam pelos corredores, de modo que Harry seria alertado se alguém se aproximasse do banheiro.

Na noite de quinta-feira, ele subiu discretamente ao dormitório, vestiu a capa, voltou à sala e, exatamente como fizera na noite em que Hagrid lhe mostrara os dragões, esperou que o buraco do retrato se abrisse. Desta vez foi Rony quem esperou do lado de fora para dar a senha à Mulher Gorda (*Pastéis de Banana*).

— Boa sorte — murmurou Rony, entrando pelo buraco comunal na mesma hora em que Harry saía.

Estava incômodo andar coberto pela capa hoje, porque Harry levava debaixo de um braço o ovo de ouro e, com o outro, segurava o mapa diante do nariz. No entanto, os corredores banhados de luar estavam desertos e silenciosos, e, consultando o mapa a intervalos estratégicos, Harry pôde ter certeza de não encontrar ninguém que quisesse evitar. Quando chegou à estátua de Boris, o Pasmo, um bruxo com cara de desorientado com as luvas nas mãos trocadas, ele localizou a porta certa, encostou-se nela e murmurou a senha Frescor de Pinho, conforme Cedrico o instruíra.

A porta se abriu com um rangido. Harry entrou, trancou-a ao passar e despiu a Capa da Invisibilidade, olhando ao redor.

Sua reação imediata foi que valia a pena ser monitor-chefe só para poder usar aquele banheiro. Tinha uma iluminação suave fornecida por um esplêndido lustre de muitas velas e tudo era feito de mármore branco, inclusive o que parecia ser uma piscina retangular e vazia rebaixada no meio do piso. Tinha umas cem torneiras de ouro em volta da borda, cada uma com uma pedra preciosa de cor diferente engastada na parte superior. Havia também um trampolim. Longas cortinas de linho protegiam as janelas; havia uma montanha de toalhas brancas e macias a um canto e um único quadro com moldura de ouro na parede. Era uma sereia loura, profundamente adormecida sobre um rochedo, cujos longos cabelos esvoaçavam sobre o rosto toda vez que ela ressonava.

Harry pôs a capa, o ovo e o mapa de lado e avançou, olhando para os lados, seus passos ecoando nas paredes. Por mais magnífico que o banheiro fosse – e por mais desejoso que estivesse de experimentar algumas daquelas torneiras –, agora que estava ali, ele não pôde reprimir de todo a sensação de que Cedrico podia estar gozando a cara dele. Como é que aquilo poderia ajudá-lo a resolver o mistério do ovo? Mesmo assim, ele deixou uma das toalhas macias, a capa, o mapa e o ovo a um lado da banheira – que mais parecia uma piscina –, depois se ajoelhou e abriu algumas torneiras.

Percebeu imediatamente que havia diferentes tipos de espuma de banho misturados à água, embora não fosse um banho de espuma que Harry já tivesse experimentado. Uma torneira jorrava bolhas rosas e azuis do tamanho de bolas de futebol; outra, uma espuma branca gelada tão densa que Harry achou que poderia sustentar seu peso se ele a quisesse experimentar; uma terceira despejava nuvens perfumadíssimas na superfície da água. Harry divertiu-se durante algum tempo abrindo e fechando torneiras, curtindo particularmente o efeito de uma, cujo jorro ricocheteava na superfície da água e subia em grandes arcos. Então, quando a piscina funda se encheu de água, espuma e bolhas (que, considerando seu tamanho, duravam pouquíssimo tempo), Harry fechou todas as torneiras, despiu o pijama, os chinelos e o roupão e entrou na água.

Era tão funda que seus pés mal tocavam o piso, e ele chegou a nadar duas vezes o comprimento da piscina antes de voltar à borda, pingando água, e examinar atentamente o ovo. Por mais prazeroso que fosse nadar na água quente e espumosa com nuvens de vapor de cores variadas fumegando a toda volta, nenhuma intuição genial lhe ocorreu, nenhum súbito clarão de compreensão.

Harry esticou os braços, ergueu o ovo nas mãos molhadas e abriu-o. O som agudo do choro encheu o banheiro, ecoou, ressoou no mármore, mas continuou a lhe parecer tão incompreensível quanto antes, se não até mais incompreensível com todos os ecos que produzia. Ele tornou a fechá-lo com um estalido, preocupado que o som pudesse atrair Filch, se perguntando se aquilo não teria sido o que Cedrico planejara – e, então, alguém falou, dando-lhe um susto tão grande que ele deixou cair o ovo que saiu quicando pelo chão do banheiro.

– Eu tentaria colocá-lo *dentro* da água, se fosse você.

Harry engoliu uma quantidade considerável de bolhas com o choque. Ficou em pé, cuspindo água, e viu o fantasma de uma garota de aspecto muito tristonho sentado de pernas cruzadas em cima de uma das torneiras. Era a Murta Que Geme, cujos soluços em geral eram ouvidos na tubulação de um vaso sanitário em um banheiro três andares abaixo.

– Murta! – exclamou Harry, indignado. – Eu... eu não estou usando nada!

A espuma era tão densa que isso não fazia a menor diferença, mas ele teve a sensação desagradável de que a Murta o estivera espionando de uma das torneiras desde que ele chegara.

– Fechei os olhos quando você entrou – disse ela, pestanejando para ele por trás dos grossos óculos. – Faz *séculos* que você não vai me ver.

– É... bem... – disse Harry, dobrando ligeiramente os joelhos, só para ter certeza absoluta de que a Murta não pudesse ver nada além da sua cabeça. – Não posso ficar entrando no seu banheiro, não é? É de garotas.

– Você não costumava se importar – respondeu a Murta, infeliz. – Você costumava passar um tempão lá.

Era verdade, mas apenas porque ele, Rony e Hermione tinham descoberto que o banheiro interditado da Murta era um lugar conveniente para preparar em segredo a Poção Polissuco – uma poção proibida que transformara Harry e Rony em réplicas vivas de Crabbe e Goyle durante uma hora, para que eles pudessem entrar escondidos na sala comunal da Sonserina.

– Fui repreendido por entrar lá – disse Harry, o que era uma meia verdade; certa vez Percy o apanhara saindo do banheiro da Murta. – Depois disso, achei melhor não voltar.

— Ah... entendo... — disse a Murta, cutucando uma pinta no queixo de um jeito tristonho. — Bom... em todo o caso... eu experimentaria pôr o ovo na água. Foi o que Cedrico Diggory fez.

— Você andou espionando ele também? — indignou-se Harry. — Que é que você faz, entra aqui à noite para ver os monitores tomarem banho?

— Às vezes — disse a Murta com um ar sonso —, mas nunca apareci para falar com ninguém antes.

— Que grande honra — disse Harry, aborrecido. — Fica de olhos fechados!

Ele verificou se Murta tampara bem os óculos antes de se içar para fora do banho, enrolando bem a toalha no corpo e indo apanhar o ovo.

Depois que ele entrou de novo na água, a Murta espiou entre os dedos e disse:

— Anda, então... abre ele debaixo da água!

Harry mergulhou o ovo sob a superfície espumosa e abriu-o... e, desta vez, não ouviu nenhum grito. Saía dele um som gorgolejante, uma música cujas palavras ele não conseguia distinguir através da água.

— Você precisa mergulhar a cabeça também — disse a Murta, que parecia estar adorando a ideia de dar ordens ao garoto. — Anda!

Harry tomou fôlego e escorregou para dentro da água — e agora, sentado no fundo da banheira de mármore cheia de espuma, ouviu um coro inquietante de vozes que cantavam para ele e que vinham do ovo em suas mãos:

> Procure onde nossas vozes parecem estar,
> Não podemos cantar na superfície,
> E, enquanto nos procura, pense bem:
> Levamos o que lhe fará muita falta,
> Uma hora inteira você deverá buscar,
> Para recuperar o que lhe tiramos,
> Mas passada a hora — adeus esperança
>   de achar.
> Tarde demais, foi-se, ele jamais voltará.

Harry soltou o corpo e emergiu à superfície espumosa, sacudindo os cabelos para longe dos olhos.

— Ouviu? — perguntou a Murta.

— Ouvi... "Procure onde nossas vozes parecem estar..." e se eu precisar que me convençam... aguenta aí, preciso ouvir de novo... — Ele voltou a afundar na água.

Foi preciso ouvir a música do ovo mais três vezes para decorá-la; depois Harry caminhou um pouco dentro da piscina, concentrando o pensamento, enquanto a Murta continuava sentada a observá-lo.

— Preciso procurar pessoas que não podem usar a voz na superfície... — disse o garoto lentamente. — Hum... quem poderia ser?

— Você é meio devagar, não é não?

Harry nunca vira a Murta tão animada, a não ser no dia em que a dose da Poção Polissuco de Hermione deixara a garota com a cara coberta de pelos e um rabo de gato.

Harry deixou seu olhar vagar pelo banheiro, refletindo... se as vozes só podiam ser ouvidas embaixo da água, então fazia sentido que pertencessem a criaturas subaquáticas. Ele passou essa teoria pelo fantasma da Murta, que riu dele.

— Bem, isso foi o que o Diggory pensou. Ficou deitado aí falando sozinho um tempão. E põe tempão nisso... quase até a espuma toda desaparecer...

— Subaquáticas... — disse Harry lentamente. — Murta... quem mais mora no lago, além da lula gigante?

— Ah, todo o tipo de coisa. Às vezes eu vou até lá... às vezes não tenho escolha, quando alguém puxa a descarga do meu vaso sem eu estar esperando...

Fazendo força para não pensar na Murta Que Geme descendo veloz por um cano até o lago, misturada ao conteúdo de um vaso, Harry falou:

— Bem, alguma coisa lá tem voz humana? Calma aí...

Os olhos de Harry tinham pousado sobre o quadro da sereia sonolenta na parede.

— Murta, tem *sereias* lá?

— Aaah, muito bem — disse ela, com os grossos óculos cintilando. — Diggory levou muito mais tempo para sacar! E olha que *ela* estava acordada — a Murta acenou com a cabeça em direção à sereia, com uma expressão de grande desagrado no rosto tristonho — dando risadinhas, se exibindo e fazendo cintilar as barbatanas...

— É isso então, não é? — perguntou Harry, animado. — A segunda tarefa é ir procurar as sereias no lago e... e...

Mas ele subitamente percebeu o que estava dizendo e sentiu a animação se esvair como se alguém tivesse acabado de puxar uma tomada de sua barriga. Ele não era bom nadador; nunca pudera praticar muito. Duda recebera aulas quando os dois eram menores, mas tia Petúnia e tio Válter, sem dúvida na esperança de que Harry um dia se afogasse, não tinham se incomodado de lhe ensinar. Nadar duas vezes essa banheira não era problema, mas aquele lago era muito grande e muito fundo... e as sereias com certeza viviam lá embaixo...

— Murta — perguntou Harry, lentamente —, como é que eu vou *respirar*?

Ao ouvir isso, os olhos da Murta se encheram de lágrimas inesperadas.

— Que falta de tato! — resmungou ela, procurando um lenço nas vestes.

— Que é que é falta de tato? — perguntou Harry, espantado.

— Falar de respirar na *minha* frente! — disse ela com uma voz aguda que ecoou muito alta pelo banheiro. — Quando eu não posso... quando eu não respiro... há séculos... — Ela escondeu o rosto no lenço e fungou alto.

Harry se lembrou como a Murta sempre fora sensível com essa questão de estar morta, mas nenhum dos outros fantasmas que ele conhecia criava caso por isso.

— Desculpe — disse com impaciência. — Eu não quis... me esqueci...

— Ah, é, é muito fácil esquecer que a Murta está morta — disse ela, engolindo em seco e fitando o garoto com os olhos inchados. — Ninguém nunca sentiu falta de mim, nem quando eu estava viva. Levou horas para encontrarem o meu corpo, eu sei, fiquei sentada lá dentro esperando alguém aparecer. Olívia Hornby entrou no banheiro e perguntou: "Você está aí emburrada outra vez, Murta? Porque o Prof. Dippet me pediu para procurá-la..." Aí ela viu o meu corpo... aaaah, isso ela não esqueceu até o dia da morte, eu fiz questão de garantir... eu a seguia para todo o lado para lembrar, me lembro de que no dia do casamento do irmão dela...

Mas Harry não estava escutando, voltara a pensar na música das sereias: "*Levamos o que lhe fará muita falta.*" Pelo jeito, elas iam roubar alguma coisa dele, alguma coisa que ele ia precisar recuperar. Que é que elas iam levar?

— ... então, é claro, ela foi ao Ministério da Magia para me obrigar a parar de persegui-la, então tive que voltar para cá, viver no meu banheiro.

— Ótimo — disse Harry vagamente. — Bem, já cheguei bem mais longe do que estava... quer fechar os olhos outra vez, eu vou sair da água.

Ele apanhou o ovo no fundo da banheira, saiu, se enxugou e tornou a vestir o pijama e o roupão.

— Você vai vir um dia desses me visitar no meu banheiro? — perguntou a Murta Que Geme em tom lamurioso, quando Harry apanhou a Capa da Invisibilidade.

— Hum... vou tentar — prometeu Harry, embora intimamente pensasse que a única maneira de tornar a visitar o banheiro da Murta seria se os outros banheiros do castelo estivessem interditados. — Até outro dia, Murta... obrigado pela ajuda.

— Tchauzinho — disse ela, tristonha, e quando Harry se cobriu com a capa ele a viu disparar de volta à torneira.

Já do lado de fora, no corredor escuro, Harry examinou o Mapa do Maroto para verificar se o caminho continuava livre. Sim, os pontinhos que pertenciam a Filch e à Madame Nor-r-ra estavam seguros na sala do zelador... nada mais parecia estar se mexendo à exceção do Pirraça, que andava saltitando pela sala de troféus no andar de cima... Harry acabara de dar o primeiro passo de volta à Torre da Grifinória, quando uma outra coisa no mapa chamou sua atenção... uma coisa decididamente estranha.

Pirraça *não* era a única coisa que estava se mexendo. Um pontinho isolado esvoaçava por uma sala no canto inferior à esquerda — a sala de Snape. Mas o ponto não estava identificado como "Severo Snape"... era Bartolomeu Crouch.

Harry arregalou os olhos para o ponto. Todos supunham que o Sr. Crouch estava doente demais para trabalhar ou vir ao Baile de Inverno — então, que é que ele estava fazendo secretamente em Hogwarts à uma hora da manhã? Harry observou com atenção o ponto se mexer para um lado e outro da sala, detendo-se aqui e ali...

O garoto hesitou, pensando... então, sua curiosidade levou a melhor. Ele deu meia-volta e saiu na direção oposta, para a escada mais próxima. Ia ver o que Crouch andava aprontando.

Harry desceu as escadas o mais silenciosamente que pôde, embora os rostos em alguns quadros se virassem cheios de curiosidade ao ouvir o rangido do soalho, o atrito do pijama no seu roupão. Ele seguiu, sorrateiro, pelo corredor, empurrou uma tapeçaria mais ou menos a meio caminho e desceu por uma escada estreita, um atalho que o levaria dois andares abaixo. Harry mantinha os olhos no mapa, pensando... não parecia coisa do Sr. Crouch, um homem correto e cumpridor das leis, andar xeretando a sala de alguém a essa hora da noite...

Então, no meio da escada, sem pensar no que estava fazendo, sem se concentrar em nada exceto no estranho comportamento do Sr. Crouch, sua perna de repente afundou pelo degrau defeituoso que Neville sempre se esquecia de pular. Ele se desequilibrou, e o ovo de ouro, ainda molhado do banho, escorregou debaixo do seu braço — ele se atirou à frente para tentar agarrá-lo, mas tarde demais: o ovo caiu pela longa escada batendo e ecoando como um tambor em cada degrau – a Capa da Invisibilidade escorregou – Harry agarrou-a, mas o Mapa do Maroto escapuliu de sua mão e escorregou seis degraus, onde, com a perna enterrada até o joelho, o garoto não pôde alcançá-lo.

O ovo de ouro atravessou a tapeçaria ao pé da escada, se abriu e soltou o seu lamento alto no corredor embaixo. Harry puxou a varinha e se esticou para bater com ela no Mapa do Maroto, para apagá-lo, mas o pergaminho estava fora do seu alcance...

Cobrindo-se de novo com a capa, Harry se endireitou, escutando com atenção, os olhos apertados de medo... e, quase imediatamente...

– PIRRAÇA!

Era o inconfundível grito de Filch caçando o *poltergeist*. Harry ouviu os passos rápidos e arrastados se aproximarem cada vez mais, a voz asmática berrando de fúria.

– Que estardalhaço é esse? Quer acordar o castelo inteiro? Vou pegar você Pirraça, vou pegar, você vai... e o que é isso?

Os passos de Filch pararam; ouviu-se um estalido metálico e o lamento parou – Filch apanhara o ovo e o fechara. Harry ficou muito quieto, a perna ainda entalada no degrau mágico, à escuta. A qualquer momento agora, Filch iria afastar a tapeçaria, esperando ver Pirraça... e não haveria Pirraça algum... e, se ele subisse as escadas, encontraria o Mapa do Maroto... e, com ou sem Capa da Invisibilidade, o mapa mostraria "Harry Potter" parado exatamente onde estava.

– Ovo? – exclamou Filch, baixinho, ao pé da escada. – Minha queridinha! – Madame Nor-r-ra obviamente o acompanhava. – Isto é uma pista do Tribruxo! Isto pertence a um campeão de escola!

Harry se sentiu enjoado; seu coração batia forte e depressa...

– PIRRAÇA! – rugiu Filch com satisfação. – Você andou furtando!

O zelador empurrou a tapeçaria embaixo e Harry viu seu rosto balofo e feio, seus olhos claros esbugalhados espiarem para o alto da escada escura (e para Filch) deserta.

– Se escondendo, é? – perguntou baixinho. – Estou indo pegar você, Pirraça... você foi roubar uma pista do Tribruxo, Pirraça... Dumbledore vai expulsar você daqui por isso, seu poltergeist gatuno e mau caráter...

Filch começou a subir a escada, a gata magricela, cor de serragem, em seus calcanhares. Os olhos de Madame Nor-r-ra iguais a lanternas, tão semelhantes aos do dono, estavam fixos diretamente em Harry. O garoto já tivera antes ocasião de se perguntar se a Capa da Invisibilidade funcionava para os gatos... doente de apreensão, ele observou Filch se aproximar cada vez mais, trajando seu velho roupão de flanela – tentou desesperadamente soltar a perna entalada, mas só conseguiu que ela afundasse mais alguns centímetros –, a qualquer segundo agora, Filch iria ver o mapa ou pisar bem em cima dele...

– Filch? Que é que está havendo?

O zelador parou a poucos degraus abaixo de Harry e se virou. Ao pé da escada estava a única pessoa que poderia piorar a situação de Harry – Snape. Estava usando um longo camisão cinzento e parecia lívido.

– É o Pirraça, professor – murmurou Filch maldosamente. – Ele atirou este ovo escada abaixo.

Snape galgou depressa os degraus e parou ao lado de Filch. Harry cerrou os dentes, convencido de que as marteladas do seu coração o denunciariam a qualquer minuto...

– Pirraça? – exclamou Snape, baixinho, olhando para o ovo nas mãos de Filch. – Mas Pirraça não poderia ter entrado na minha sala...

– Esse ovo estava na sua sala, professor?

– Claro que não – retorquiu Snape. – Ouvi batidas e lamentos...

– Foi, professor, isso foi o ovo...

– ... vim investigar...

– ... Pirraça atirou o ovo, professor...

– ... e quando passei pela minha sala vi que os archotes estavam acesos e a porta de um armário estava entreaberta! Alguém o andou revistando!

– Mas Pirraça não poderia...

– Eu sei que não poderia, Filch! – respondeu Snape com rispidez. – Lacro a minha sala com um feitiço que somente um bruxo poderia desfazer! – Snape olhou para o alto da escada, diretamente através de Harry, depois para o corredor embaixo. – Quero que você venha me ajudar a procurar o intruso, Filch.

– Eu... claro, professor... mas...

Filch mirou as escadas, o olhar desejoso atravessando Harry, e o garoto percebeu claramente que o homem relutava em deixar passar uma oportunidade de encurralar Pirraça. *Vai*, suplicou Harry a ele silenciosamente, *vai com o Snape... vai...* Madame Nor-r-ra espiava em volta das pernas do dono... Harry teve a nítida impressão de que a gata o farejava... por que ele enchera aquela banheira com tanta espuma perfumada?

— A questão, professor, é que — disse Filch com voz queixosa — o diretor vai ter que me escutar desta vez. Pirraça andou furtando de um estudante, talvez seja a minha chance de o ver expulso do castelo para sempre...

— Filch, estou me lixando para esse desgraçado desse poltergeist, é a minha sala que...

Toque. Toque. Toque.

Snape parou de falar muito abruptamente. Ele e Filch, os dois, olharam para o pé da escada. Harry viu Olho-Tonto Moody aparecer mancando pela estreita abertura entre as cabeças deles. Moody estava usando sua velha capa de viagem por cima do camisão e se apoiava na bengala como sempre.

— É uma festa em que todos vão de pijama? — rosnou ele para os dois na escada.

— O Prof. Snape e eu ouvimos ruídos, professor — informou Filch imediatamente. — Pirraça, o poltergeist, atirando coisas pelo castelo, como sempre, e Prof. Snape descobriu que alguém tinha invadido a sal...

— Cale a boca! — sibilou Snape.

Moody deu mais um passo em direção à escada. Harry viu seu olho mágico passar por Snape e, depois, inconfundivelmente, por ele.

O coração de Harry deu um solavanco horrível. *Moody via através das Capas da Invisibilidade...* somente ele era capaz de apreender toda a estranheza da cena... Snape de camisão, Filch agarrado ao ovo e ele, Harry, entalado na escada às costas dos dois. A boca torta e rasgada de Moody se abriu com a surpresa. Por alguns segundos, ele e Harry se encararam nos olhos. Então, Moody fechou a boca e tornou a virar seu olho azul para Snape.

— Eu ouvi isso direito, Snape? — perguntou ele lentamente. — Alguém invadiu sua sala?

— Não tem importância — disse Snape com frieza.

— Muito ao contrário — rosnou Moody —, é muito importante. Quem iria querer invadir sua sala?

— Um estudante, eu diria. — Harry podia ver uma veia latejar medonhamente na têmpora gordurosa de Snape. — Já aconteceu antes. Desapareceram ingredientes para poções do meu estoque particular... sem dúvida estudantes tentando fazer misturas ilegais...

— Acha que eles andavam atrás de ingredientes para poções, eh? — perguntou Moody. — Não está escondendo mais nada em sua sala, está?

Harry viu o contorno do rosto macilento de Snape ficar cor de tijolo, a veia em sua têmpora pulsar mais rápida.

— Você sabe que não estou escondendo nada, Moody — respondeu ele em um tom de voz suave e perigoso —, porque você revistou pessoalmente a minha sala, e exaustivamente.

O rosto de Moody se contorceu em um sorriso.

— Privilégio de auror, Snape. Dumbledore me mandou ficar vigilante...

— Acontece que Dumbledore confia em mim — disse Snape por entre os dentes cerrados. — Recuso-me a acreditar que tenha dado ordens para revistar minha sala!

— Claro que Dumbledore confia em você — rosnou Moody. — Ele é um homem de boa-fé, não é? Acredita em dar uma segunda oportunidade. Mas eu... eu digo que certos traços de uma pessoa não mudam nunca, Snape. Traços que não mudam nunca, entende o que eu quero dizer?

Snape subitamente fez uma coisa muito estranha. Segurou o braço esquerdo convulsivamente com a mão direita, como se alguma coisa nele o incomodasse.

Moody deu uma risada.

— Volte para a cama, Snape.

— Você não tem autoridade para me mandar a lugar algum! — sibilou Snape, soltando o braço como se estivesse zangado consigo mesmo. — Tenho tanto direito de andar por esta escola depois do anoitecer quanto você!

— Então ande o quanto quiser — disse Moody, mas sua voz estava carregada de ameaça. — Espero um dia desses encontrá-lo num corredor escuro... a propósito, você deixou cair uma coisa...

Com uma pontada de horror, Harry viu Moody apontar para o Mapa do Maroto, que continuava caído na escada, uns seis degraus abaixo dele. Quando Snape e Filch se viraram para olhar, Harry mandou para o ar toda a cautela; ergueu os braços por baixo da capa e acenou furiosamente para atrair a atenção de Moody, falando sem emitir nenhum som: "É meu! Meu!"

Snape estendera a mão para apanhar o mapa, uma medonha expressão de compreensão se desenhando em seu rosto...

— *Accio* pergaminho!

O mapa voou para o alto, escapando dos dedos estendidos de Snape, e mergulhou em direção à mão de Moody.

— Me enganei — disse ele calmamente. — É meu, devo ter deixado cair hoje mais cedo...

Mas os olhos pretos de Snape correram do ovo nos braços de Filch para o mapa na mão de Moody e Harry percebeu que o professor estava somando dois mais dois, como só ele era capaz de fazer...

— Potter — disse, ele baixinho.

— Que foi que você disse? — perguntou Moody calmamente, dobrando o mapa e embolsando-o.

— Potter! — rosnou Snape e ele chegou mesmo a virar a cabeça para o lugar em que Harry estava, como se de repente pudesse vê-lo. — Esse ovo é o ovo de Potter. Esse pergaminho pertence ao Potter. Já o vi antes e estou reconhecendo! Potter está aqui! Potter está coberto pela Capa da Invisibilidade!

Snape estendeu as mãos para a frente como um cego e começou a subir a escada; Harry poderia jurar que as narinas enormes do professor estavam se dilatando, tentando farejá-lo — com a perna presa, o garoto se deitou para trás, tentando evitar as pontas dos dedos de Snape, mas a qualquer momento...

— Não há nada aí, Snape! — disse Moody com rispidez. — Mas terei prazer em contar ao diretor como os seus pensamentos rapidamente voaram para Harry Potter!

— Está querendo dizer o quê com isso? — rosnou Snape, voltando-se mais uma vez para encarar Moody, as mãos ainda estendidas, a centímetros do peito de Harry.

— Quero dizer que Dumbledore está muito interessado em saber quem é que está querendo acabar com aquele garoto! — respondeu Moody, mancando mais para junto da escada. — E eu também estou, Snape... muito interessado... — A luz dos archotes iluminou brevemente seu rosto mutilado, de modo que as cicatrizes e o pedaço que faltava do seu nariz pareceram mais fundos e mais escuros que nunca.

Snape estava olhando para baixo, para Moody, e Harry não pôde ver a expressão do seu rosto. Por um instante, ninguém se mexeu nem disse nada. Então Snape lentamente baixou as mãos.

— Eu meramente pensei — disse Snape, com uma voz de forçada calma — que se Potter anda outra vez passeando por aí a altas horas da noite... é um hábito indesejável que ele tem... deviam obrigá-lo a parar. Para... para sua própria segurança.

— Ah, entendo — disse Moody brandamente. — Você sempre tem em mente o que é melhor para Potter, não é mesmo?

Houve uma pausa. Snape e Moody continuaram a se encarar. Madame Nor-r-ra miou alto, ainda espiando por trás das pernas de Filch, procurando a fonte do banho de espuma de Harry.

— Acho que vou voltar para a cama — disse Snape secamente.

— A melhor ideia que você já teve esta noite — comentou Moody. — Agora Filch, se me fizer o favor de me entregar este ovo...

— Não — exclamou Filch agarrando o ovo como se fosse um filho primogênito. — Prof. Moody, ele é a prova do comportamento traiçoeiro do Pirraça!

— É a propriedade do campeão de quem ele roubou — disse Moody. — Entregue-o, agora.

Snape desceu com arrogância e passou por Moody sem dizer mais nada. Filch fez um som de chilreio para Madame Nor-r-ra, que continuou vidrada em Harry por mais alguns segundos antes de se virar para acompanhar o dono. Ainda ofegando, Harry ouviu Snape se afastar pelo corredor; Filch entregou o ovo a Moody e também desapareceu de vista, resmungando para a gata:

— Tudo bem, doçura... veremos Dumbledore amanhã de manhã... contaremos a ele o que o Pirraça andou fazendo...

Uma porta bateu. Harry ficou olhando para Moody, que apoiou a bengala no primeiro degrau da escada e começou a subi-la em direção ao garoto, penosamente, uma batida surda a cada segundo passo.

— Essa foi por pouco, Potter.

— Foi... eu... hum... obrigado — disse Harry com a voz fraca.

— Que é isso? — perguntou o professor, tirando o Mapa do Maroto do bolso e desdobrando-o.

— Mapa de Hogwarts — respondeu o garoto, desejando que Moody não demorasse muito a soltá-lo da escada; sua perna estava realmente doendo.

— Pelas barbas de Merlim! — sussurrou Moody, examinando o mapa, seu olho mágico endoidando. — É um senhor mapa, Potter!

— É, é... muito útil. — Os olhos de Harry estavam começando a marejar de dor. — Hum... Prof. Moody, o senhor acha que poderia me dar uma mãozinha...?

— Quê? Ah! É... claro...

Moody segurou os braços de Harry e puxou-o; a perna do garoto se soltou do degrau defeituoso e ele subiu para o degrau acima.

Moody continuou observando o mapa.

— Potter... — perguntou ele lentamente — não lhe aconteceu, por acaso, ver quem invadiu a sala de Snape? Neste mapa, quero dizer?

— Hum... vi, vi sim... — admitiu Harry. — Foi o Sr. Crouch.

O olho mágico de Moody perpassou toda a superfície do mapa. De repente ele pareceu assustado.

— Crouch? Você... você tem certeza, Potter?

— Absoluta.

— Bem, ele não está mais aqui — disse o professor, seu olho ainda percorrendo o mapa. — Crouch... isso é muito... muito interessante...

O professor ficou calado quase um minuto, ainda fitando o mapa. Harry percebeu que aquela notícia significava alguma coisa para Moody, e quis muito saber o quê. Ficou em dúvida se teria coragem de perguntar. Moody lhe dava um pouco de medo... no entanto, acabara de ajudá-lo a evitar uma grande confusão...

– Hum... Prof. Moody... por que o senhor acha que o Sr. Crouch queria dar uma olhada na sala de Snape?

O olho mágico de Moody abandonou o mapa e se fixou, trêmulo, em Harry. Era um olhar penetrante e o garoto teve a impressão de que Moody o avaliava, pensando se deveria lhe responder ou o quanto lhe dizer.

– Vamos pôr a coisa desta maneira, Potter – murmurou ele finalmente –, dizem que o velho Olho-Tonto é obcecado em apanhar bruxos das trevas... mas Olho-Tonto não é nada, *nadinha*, comparado a Bartô Crouch.

Ele continuou a examinar o mapa. Harry estava ardendo de vontade de ouvir mais.

– Prof. Moody? – perguntou ele outra vez. – O senhor acha... isso poderia ter alguma ligação com... talvez o Sr. Crouch pense que tem alguma coisa acontecendo...

– O quê, por exemplo? – perguntou Moody energicamente.

Harry se perguntou o quanto se atreveria a dizer. Não queria que Moody adivinhasse que tinha uma fonte de informação fora de Hogwarts; isto poderia levar a perguntas perigosas sobre Sirius.

– Não sei – murmurou Harry –, tem coisas estranhas acontecendo ultimamente, não é? Tem saído no *Profeta Diário*... A Marca Negra na Copa Mundial, os Comensais da Morte e todo o resto...

Os dois olhos desiguais de Moody se arregalaram.

– Você é um menino perspicaz, Potter. – Seu olho mágico voltou a percorrer o Mapa do Maroto. – Crouch poderia estar pensando mais ou menos nesse sentido – disse ele lentamente. – Muito possível... tem havido boatos esquisitos circulando por aí ultimamente, com a ajuda de Rita Skeeter, é claro. Eu reconheço que isso está deixando muita gente nervosa. – Um sorriso amargo torceu sua boca enviesada. – Ah, se tem uma coisa que detesto – murmurou ele, mais para si mesmo do que para Harry, e seu olho mágico se fixou no canto inferior esquerdo do mapa – é um Comensal da Morte que continuou em liberdade...

Harry encarou o professor. Seria possível que Moody estivesse dizendo o que Harry achava que estava dizendo?

— E agora sou eu que quero fazer a *você* uma pergunta, Potter — disse Moody, num tom mais profissional.

Harry sentiu o coração encolher; tinha achado que aquilo não iria demorar. Moody ia perguntar onde ele arranjara o mapa, que era um objeto mágico muito duvidoso — e a história de como o mapa viera ter às suas mãos incriminava não somente a ele, mas ao seu próprio pai, a Fred e Jorge Weasley e ao Prof. Lupin, seu professor anterior de Defesa Contra as Artes das Trevas. Moody agitou o mapa diante de Harry, que se preparou...

— Posso pedir isso emprestado?

— Ah! — exclamou Harry. Gostava muito do mapa, mas, por outro lado, sentia-se extremamente aliviado de que Moody não estivesse perguntando onde o obtivera e não havia dúvida de que ele ficara devendo um favor ao professor. — Claro, tudo bem.

— Bom menino — rosnou Moody. — Posso fazer bom uso disso... pode ser *exatamente* do que eu estava precisando... certo, para a cama, Potter, vamos, agora...

Os dois subiram juntos a escada, Moody ainda examinando o mapa como se fosse um tesouro como ele jamais vira igual. Seguiram em silêncio até a porta da sala de Moody, onde o professor parou e encarou Harry.

— Você já pensou em seguir a carreira de auror, Potter?

— Não — respondeu Harry, surpreso.

— Devia pensar nisso — disse Moody, acenando a cabeça e mirando Harry pensativo. — Sem dúvida devia... e incidentalmente... estou achando que você não estava simplesmente levando esse ovo para passear hoje à noite?

— Hum... não — respondeu Harry sorrindo. — Estive tentando decifrar a pista.

Moody piscou para o garoto, seu olho mágico endoidando outra vez.

— Nada como um passeio noturno para se ter ideias, Potter... vejo você amanhã de manhã... — E, entrando na sala, voltou sua atenção para o Mapa do Maroto e fechou a porta ao passar.

Harry caminhou lentamente até a Torre da Grifinória, perdido em pensamentos sobre Snape, Crouch e o que significava tudo aquilo... Por que Crouch estava fingindo estar doente, se podia vir a Hogwarts quando quisesse? Que é que ele achava que Snape estava ocultando no escritório?

E Moody achando que ele, Harry, devia ser auror! Que ideia interessante... mas quando Harry se enfiou silenciosamente em sua cama de colunas, dez minutos mais tarde, o ovo e a capa já guardados em segurança em seu malão, por alguma razão ele achou que gostaria de ver se os outros aurores também eram cheios de cicatrizes, antes de escolher essa carreira.

26

A SEGUNDA TAREFA

— Você disse que já tinha decifrado a pista daquele ovo! — exclamou Hermione, indignada.

— Fala baixo! — disse Harry, aborrecido. — Só preciso... dar uns retoques, tá bem?

Ele, Rony e Hermione estavam no fundo da classe de Feitiços dividindo uma mesa. Deviam estar praticando o oposto do Feitiço Convocatório — o Feitiço Expulsório. Em vista do elevado potencial de acidentes graves, pois os objetos não paravam de voar pela sala, o Prof. Flitwick entregara a cada aluno uma pilha de almofadas com as quais praticarem, baseado na teoria de que não machucariam ninguém se errassem o alvo. Era uma boa teoria, mas não estava funcionando muito bem. A mira de Neville era tão ruim que a toda hora ele atirava acidentalmente pela sala objetos bem mais pesados — o Prof. Flitwick, por exemplo.

— Esqueçam o ovo um minuto, está bem? — sibilou Harry, quando o professor passou voando resignadamente e foi aterrissar no alto de um grande armário. — Estou tentando contar a vocês sobre o Snape e o Moody...

Essa aula era ideal para disfarçar uma conversa particular, porque todos se divertiam demais para dar atenção ao que eles faziam. Harry passou a última meia hora narrando suas aventuras aos cochichos e em prestações.

— Snape disse que Moody tinha revistado a sala dele também? — sussurrou Rony, seus olhos brilhando de interesse enquanto usava a varinha para expulsar uma almofada (ela subiu no ar e derrubou o chapéu de Parvati). — Quê?... então você acha que o Moody está aqui para ficar de olho no Snape e no Karkaroff?

— Bem, não sei se foi isso que Dumbledore pediu a ele para fazer, mas não tenho dúvida de que é isso que ele está fazendo — disse Harry agitando a varinha sem prestar muita atenção ao que sua almofada executou, uma estranha cambalhota antes de se erguer da mesa. — Moody falou que Dumbledore só deixa o Snape continuar aqui porque está dando a ele uma segunda chance ou uma coisa assim...

— Quê? — exclamou Rony, arregalando os olhos, e sua almofada seguinte rodopiou bem alto no ar, ricocheteou no lustre e caiu pesadamente sobre a escrivaninha de Flitwick. — Harry... vai ver Moody acha que foi *Snape* quem pôs o seu nome no Cálice de Fogo!

— Ah, Rony — disse Hermione, sacudindo a cabeça ceticamente —, já achamos que Snape estava tentando matar o Harry e acabou que estava tentando salvar a vida dele, lembra?

Hermione expulsou uma almofada que saiu voando pela sala e aterrissou dentro da caixa para a qual todos deviam estar mirando. Harry olhou para a amiga, pensando... era verdade que Snape uma vez salvara sua vida, mas o estranho era que Snape decididamente o detestava, da mesma forma que detestara o pai de Harry quando frequentaram a escola juntos. Snape adorava descontar pontos de Harry e certamente jamais perdera uma oportunidade de castigá-lo ou até de sugerir que ele fosse suspenso da escola.

— Não importa o que Moody diz — continuou Hermione —, Dumbledore não é burro. Teve razão em confiar no Hagrid e no Prof. Lupin, mesmo que um monte de gente não quisesse dar emprego aos dois, então por que não estaria certo a respeito de Snape, mesmo que Snape seja um pouco...

— ... maligno — completou Rony prontamente. — Ora, vamos, Hermione, então por que todos esses captores de bruxos das trevas estão revistando a sala dele?

— Por que o Sr. Crouch está fingindo que ficou doente? — perguntou Hermione, não dando atenção a Rony. — É meio estranho, não é, que ele não consiga comparecer ao Baile de Inverno, mas possa vir aqui no meio da noite quando dá na telha?

— Você não gosta do Crouch por causa daquele elfo doméstico, Winky — disse Rony, fazendo a almofada voar pela janela.

— *Você* quer pensar que Snape está armando alguma coisa — disse Hermione, mandando a almofada bem no fundo da caixa.

— Eu só queria saber o que foi que Snape fez com a primeira chance, se agora está na segunda — disse Harry sério, e, para sua grande surpresa, a almofada saiu voando pela sala e aterrissou bem em cima da de Hermione.

Harry, obedecendo ao desejo de Sirius de saber de qualquer coisa anormal que acontecesse em Hogwarts, lhe mandou, naquela noite, por uma coruja marrom, uma carta explicando toda a história da invasão da sala de Snape pelo Sr. Crouch e a conversa entre Moody e Snape. Depois, com seriedade, voltou sua atenção para o problema mais urgente que tinha diante de si: como sobreviver uma hora debaixo d'água no dia vinte e quatro de fevereiro.

Rony gostou da ideia de usar outra vez um Feitiço Convocatório — Harry lhe falara dos aqualungs, e Rony não via razão para o amigo não convocar um equipamento desses da cidade trouxa mais próxima. Hermione arrasou o plano mostrando que, no caso improvável de Harry conseguir aprender como operar um aqualung dentro da hora concedida, ele certamente seria desqualificado por violar o Código Internacional de Segredo em Magia — era demais esperar que nenhum trouxa visse o aqualung sobrevoando os campos a caminho de Hogwarts.

— Claro, a solução ideal seria você se transfigurar em submarino ou outra coisa assim — disse ela. — Se ao menos já tivéssemos dado Transfiguração Humana! Mas acho que só vamos ter essa matéria no sexto ano, e o resultado pode ser catastrófico se a pessoa não souber o que está fazendo...

— É, acho que não vou gostar de andar por aí com um periscópio saindo da cabeça — disse Harry. — Imagino que sempre é possível atacar alguém na frente de Moody, e, quem sabe, ele fizesse isso por mim...

— Mas acho que Moody não iria deixar você escolher a coisa em que quer ser transformado — comentou Hermione, séria. — Não, acho que a sua melhor chance é usar algum feitiço.

Então, Harry, achando que logo, logo, iria tomar um cansaço tão grande de biblioteca que ia durar para o resto da vida, enterrou-se mais uma vez entre os livros empoeirados, à procura de um feitiço que permitisse a um ser humano sobreviver sem oxigênio. Mas, embora ele, Rony e Hermione procurassem nas horas de almoço, noites e fins de semana inteiros — embora Harry pedisse à Prof.ª McGonagall uma permissão escrita para usar a Seção Reservada, e chegasse até a pedir ajuda à irritável Madame Pince, a bibliotecária que lembrava um urubu —, os garotos não encontraram nadinha que permitisse a Harry passar uma hora embaixo d'água e sobreviver para contar a história.

Episódios já familiares de pânico estavam começando a perturbar o garoto agora e, mais uma vez, ele sentia dificuldade de se concentrar nas aulas. O lago, que Harry sempre encarara como mais um elemento na paisagem dos jardins, atraía seu olhar sempre que ele se aproximava da janela de uma sala de aula, uma grande massa cinza-grafite de água friíssima, cujas profundezas sombrias e enregelantes começavam a parecer distantes como a lua.

Do mesmo jeito que acontecera antes, quando ele precisara enfrentar o Rabo-Córneo, o tempo estava correndo como se alguém tivesse enfeitiçado os relógios para andarem em alta velocidade. Faltava somente uma semana para o dia vinte e quatro de fevereiro (ainda havia tempo)... faltavam cinco dias (logo ele ia achar alguma coisa)... faltavam três dias (por favor, tomara que eu ache alguma coisa... *por favor*...).

Faltando apenas dois dias, Harry começou a perder o apetite. A única coisa boa do café da manhã de segunda-feira foi o regresso da coruja marrom que ele enviara a Sirius. Harry soltou o pergaminho, desenrolou-o e viu a menor carta que o padrinho já lhe escrevera.

Mande dizer a data do próximo fim de semana em Hogsmeade pela mesma coruja.

Harry virou e revirou o pergaminho, e olhou o verso na esperança de ver mais alguma coisa, mas estava em branco.

— Sem ser este, o próximo fim de semana — cochichou Hermione, que lera a carta por cima do ombro de Harry. — Toma aqui a minha pena e manda logo essa coruja de volta.

O garoto rabiscou a data no verso da carta de Sirius, amarrou-a na perna da ave e observou-a levantar voo. Que é que ele tinha esperado? Conselhos para sobreviver debaixo d'água? Estivera tão preocupado em contar a Sirius o que havia acontecido entre Snape e Moody que se esquecera completamente de mencionar a pista do ovo.

— Para que é que ele quer saber a data do próximo fim de semana de Hogsmeade? — perguntou Rony.

— Não sei — respondeu Harry, sem emoção. A felicidade momentânea que lampejara em seu peito ao ver a coruja se apagara. — Vamos... Trato das Criaturas Mágicas.

Fosse porque Hagrid estava tentando compensar o fiasco dos explosivins ou porque agora só restavam dois bichos, ou ainda porque ele estava tentando provar que era capaz de fazer tudo o que a Prof.ª Grubbly-Plank fazia, o fato é que ele deu continuidade às aulas dela sobre unicórnios, desde sua volta ao trabalho. Os alunos ficaram sabendo que Hagrid conhecia tanto a respeito de unicórnios quanto de monstros, embora ficasse evidente que parecia desapontado que os bichos não tivessem presas envenenadas.

Para hoje, ele conseguira capturar dois filhotes de unicórnio. Ao contrário dos animais adultos, estes eram absolutamente dourados. Parvati e

Lilá tiveram arroubos de prazer ao vê-los, e até Pansy Parkinson teve que se esforçar para esconder o quanto gostava dos filhotes.

— Mais fáceis de localizar que os adultos — disse Hagrid à turma. — Eles ficam prateados aí pelos dois anos de idade e ganham chifres por volta dos quatro. Só ficam branco-puro quando atingem a idade adulta, aí pelos sete anos. São um pouco mais confiantes quando filhotes... não se incomodam tanto com os garotos... vamos, cheguem mais perto para poderem fazer carinho neles se quiserem... deem a eles alguns torrões de açúcar...

— Você está bem, Harry? — murmurou Hagrid, afastando-se um pouco para o lado, enquanto a maioria dos alunos se aglomerava em torno dos bebês-unicórnios.

— Tô.

— Só nervoso, não é?

— Um pouco.

— Harry — disse Hagrid, fechando a mão maciça no ombro do garoto, fazendo seus joelhos cederam sob aquele peso —, estive preocupado antes de ver você enfrentar aquele Rabo-Córneo, mas agora sei que está à altura. Você vai se dar bem. Já decifrou a nova pista, não?

Harry confirmou com a cabeça, mas, ao fazer isso, se apoderou dele uma vontade louca de confessar que não tinha a menor ideia de como iria sobreviver no fundo do lago durante uma hora. Ele ergueu os olhos para Hagrid — quem sabe o amigo precisava entrar no lago algumas vezes para cuidar das criaturas que viviam lá? Afinal, ele cuidava de todo o resto na propriedade...

— Você vai vencer — rosnou Hagrid, dando mais algumas palmadinhas no ombro de Harry, que chegou a sentir que afundara alguns centímetros no chão lamacento. — Sei disso. Posso até sentir. *Você vai vencer, Harry.*

Harry simplesmente não teve coragem de apagar o sorriso feliz e confiante do rosto de Hagrid. Fingindo que estava interessado nos filhotes de unicórnio, forçou um sorriso para o amigo e se adiantou para acariciar os animais com os colegas.

Na noite que antecedeu a segunda tarefa, Harry já se sentia como se estivesse paralisado por um pesadelo. Tinha plena consciência de que se conseguisse, mesmo por milagre, encontrar um feitiço que servisse, seria um trabalho de Hércules aprendê-lo da noite para o dia. Como podia ter deixado isto acontecer? Por que não começara a trabalhar na pista do ovo mais cedo? Por que deixara seus pensamentos vagarem durante as aulas — e se um professor tivesse mencionado como respirar debaixo d'água?

Ele, Rony e Hermione estavam sentados na biblioteca quando o sol se pôs lá fora, virando febrilmente páginas e mais páginas de feitiços, escondidos um do outro por pilhas maciças de livros em cima das mesas de cada um. O coração de Harry dava um enorme salto cada vez que ele via a palavra "água" em uma página, mas um número bem maior de vezes era apenas "Meça um litro de água, duzentos e cinquenta gramas de folhas de mandrágora picadas e pegue um tritão..."

— Acho que não é possível — disse a voz de Rony do lado oposto da mesa. — Não tem nada. *Nadinha*. O mais próximo que chegamos foi aquela coisa para secar poças e poços, aquele Feitiço Secante, mas nem de longe teria potência para secar o lago.

— Tem que haver alguma coisa — murmurou Hermione, trazendo uma vela para mais perto. Seus olhos estavam tão cansados que ela estava lendo as letrinhas miúdas de *Feitiços e encantos caídos no olvido* com o nariz a dois centímetros da página. — Nunca teriam proposto uma tarefa que fosse inviável.

— Pois propuseram — disse Rony. — Harry, amanhã, vá até o lago, meta a cabeça dentro dele e grite para os sereianos devolverem o que afanaram, e vê se eles mandam a coisa de volta. É o melhor que você tem a fazer, companheiro.

— Existe uma maneira de fazer! — disse Hermione, zangada. — Simplesmente tem que existir!

Ela parecia estar tomando como ofensa pessoal o fato de a biblioteca não ter informações úteis sobre o assunto; a biblioteca jamais lhe falhara antes.

— Eu sei o que deveria ter feito — disse Harry, descansando a cabeça sobre o livro *Truques marotos para marotos de truz*. — Eu devia ter aprendido a virar um animago como Sirius.

— É, você poderia se transformar num peixinho dourado sempre que quisesse! — exclamou Rony.

— Ou num sapo — bocejou Harry. Estava exausto.

— Leva anos para alguém virar um animago, depois ele tem que se registrar e tudo o mais — disse Hermione vagamente, agora espremendo os olhos para ler o índice de *Estranhos dilemas da magia e suas soluções*. — A Prof.ª McGonagall falou para a gente, lembram... a pessoa tem que se registrar na Seção de Prevenção do Uso Indevido da Magia... dizer em que animal se transforma, quais as marcas características, por isso não pode abusar...

— Mione, eu estava brincando — disse Harry, exausto. — Eu sei que não tenho a menor chance de me transformar em sapo até amanhã de manhã...

— Ah, isto aqui não adianta nada — exclamou Hermione, fechando o livro com violência. — Quem é que vai querer que os pelos do nariz cresçam em cachinhos?

— Eu não me importaria — disse a voz de Fred Weasley. — Seria um grande tópico para estimular conversas, não acham não?

Harry, Rony e Hermione levantaram a cabeça. Fred e Jorge tinham acabado de sair de trás de umas estantes.

— Que é que vocês dois estão fazendo aqui? — perguntou Rony.

— Procurando vocês — disse Jorge. — McGonagall quer ver você, Rony. E você, Mione.

— Por quê? — perguntou a garota, parecendo surpresa.

— Sei lá... mas estava com a cara meio fechada — informou Fred.

— Disse que era para levarmos vocês à sala dela — disse Jorge.

Rony e Hermione olharam para Harry, que sentiu o estômago despencar. Será que a Profª McGonagall ia brigar com Hermione e Rony? Talvez ela tivesse notado que os dois o estavam ajudando à beça, quando ele devia estar procurando sozinho uma solução para realizar a tarefa?

— Encontramos você na sala comunal — disse Hermione a Harry, ao se levantar para acompanhar Rony, os dois pareciam muito ansiosos. — Leva o maior número de livros que puder, OK?

— OK — disse Harry, inquieto.

Lá pelas oito horas, Madame Pince apagara as luzes e apareceu para expulsar Harry da biblioteca. Cambaleando sob o peso do maior número de livros que pôde carregar, Harry voltou à sala comunal da Grifinória, puxou uma mesa para um canto e continuou a busca. Não havia nada em *Mágicas malucas para bruxos doidões*... nada em *Um guia para a feitiçaria medieval*... para não mencionar as proezas submarinas na *Antologia de feitiços do século XVIII*, ou em *Habitantes medonhos das profundezas* ou *Poderes que você desconhecia possuir e o que fazer com eles agora que os descobriu*.

Bichento subiu ao colo de Harry e se enroscou ronronando profundamente. A sala comunal foi se esvaziando aos poucos à volta de Harry. As pessoas não paravam de lhe desejar boa sorte para a manhã seguinte, com vozes animadas e confiantes como a de Hagrid, todos aparentemente convencidos de que ele estava prestes a fazer outra fantástica demonstração como a da primeira tarefa. Harry não conseguia responder aos colegas, simplesmente acenava com a cabeça, com a sensação de que havia uma bola de golfe entalada em sua garganta. Por volta da meia-noite, ele ficou sozinho na sala com Bichento. Procurara em todos os livros restantes e Rony e Hermione não tinham voltado.

Terminou tudo, disse ele a si mesmo. Você não vai dar conta. Simplesmente terá que ir até o lago de manhã e dizer aos juízes...

Imaginou-se explicando que não seria capaz de executar a tarefa. Visualizou os olhos de Bagman arregalados de surpresa, o sorriso cheio de dentes amarelos de Karkaroff expressando sua satisfação. Conseguiu até ouvir Fleur Delacour comentar: "*Eu sabia... ele é jóvan demais, é apenes uma crriança.*" Ele viu Malfoy fazendo o distintivo POTTER FEDE lampejar sentado bem na frente dos espectadores, viu o rosto incrédulo e cabisbaixo de Hagrid...

Esquecido de que Bichento estava em seu colo, Harry se levantou muito de repente; o gato bufou zangado ao aterrissar no chão, lançou ao garoto um olhar de desagrado e se retirou com o rabo de escova de garrafa no ar, mas Harry já ia correndo escada acima para o dormitório... apanharia a Capa da Invisibilidade e voltaria à biblioteca, ficaria lá a noite inteira se fosse preciso...

— Lumus — sussurrou ele quinze minutos depois, ao abrir a porta da biblioteca.

A ponta da varinha acesa, ele andou ao longo das estantes, apanhando mais livros — livros de azarações e feitiços, livros sobre sereianos e monstros aquáticos, livros sobre bruxas e bruxos famosos, sobre invenções mágicas, sobre qualquer coisa que pudesse incluir uma referência passageira à sobrevivência debaixo d'água. Carregou-os para uma mesa, então pôs mãos à obra, examinando-os com o feixe de luz fino de sua varinha, ocasionalmente consultando seu relógio...

Uma hora da manhã... duas horas... a única maneira de continuar era dizer a si mesmo, repetidamente: *Próximo livro... no próximo... no próximo...*

A sereia no quadro do banheiro dos monitores-chefes estava dando risadas. Harry flutuava como uma rolha na água borbulhante próximo ao rochedo do quadro, enquanto ela agitava a Firebolt dele na mão.

— Venha buscá-la! — riu a sereia maliciosamente. — Anda, salta!

— Não posso — ofegou Harry, tentando arrebatar a Firebolt ao mesmo tempo que lutava para não afundar. — Me dá a vassoura!

Mas a sereia apenas o cutucava dolorosamente do lado do corpo com o cabo da vassoura, caçoando dele.

— Isso dói, sai para lá, ai...

— Harry Potter precisa acordar, meu senhor!

— Para de me cutucar...

— Dobby tem que cutucar Harry Potter, meu senhor, ele tem que acordar!

Harry abriu um olho. Ainda estava na biblioteca; a Capa da Invisibilidade escorregara de sua cabeça e ele adormecera, e um lado do seu rosto estava colado na página de *Onde há uma varinha, há uma saída*. Ele se sentou, ajeitou os óculos, piscando para a intensa claridade do dia.

— Harry Potter precisa se apressar! — guinchou Dobby. — A segunda tarefa vai começar dentro de dez minutos e Harry Potter...

— Dez minutos? — grasnou Harry. — Dez... *dez minutos?*

Ele olhou para o relógio de pulso. Dobby tinha razão. Eram nove e vinte. Um enorme peso morto pareceu escorregar do peito de Harry para o seu estômago.

— Depressa, Harry Potter! — guinchou Dobby, puxando a manga do garoto. — O senhor devia estar lá embaixo no lago como os outros campeões, meu senhor!

— Tarde demais, Dobby — disse Harry, sem esperanças. — Não vou fazer a tarefa, não sei como...

— Harry Potter vai fazer a tarefa! Dobby soube que Harry não encontrou o livro certo, então Dobby encontrou para ele!

— Quê? — exclamou Harry. — Mas *você* não sabe qual é a segunda tarefa...

— Dobby sabe, meu senhor! Harry Potter tem que entrar no lago e procurar o *Wheezy* dele...

— Procurar o meu o quê?

— ... e recuperar o *Wheezy* dele que está com os sereianos!

— O que é um *Wheezy*?

— O seu *Wheezy*, meu senhor, o seu *Wheezy*, *Wheezy* que dá a Dobby o suéter!

Dobby deu uns puxões no suéter cor de tijolo, que fora encolhido, e que ele estava usando por cima dos calções.

— Quê! — ofegou Harry. — Eles estão... eles estão com o Rony?

— A coisa que mais fará falta a Harry Potter, meu senhor! — guinchou Dobby. — Mas passada a hora...

— *...adeus esperança de achar* — recitou Harry, arregalando os olhos para o elfo, horrorizado. — *Tarde demais, foi-se, ele jamais voltará...* Dobby, o que é que eu tenho que fazer?

— O senhor tem que comer isto, meu senhor! — guinchou o elfo, e levando a mão ao bolso dos calções retirou uma bola que parecia feita de rabos de rato, viscosos e verde-acinzentados. — Na hora em que for entrar no lago, meu senhor... guelricho!

— Que é que isso faz? — perguntou Harry olhando para a erva.

— Vai fazer Harry Potter respirar embaixo d'água, meu senhor!

— Dobby — disse Harry, histérico —, escuta aqui, você tem certeza?

O garoto não esquecera de todo que a última vez que Dobby tentara "ajudá-lo" ele acabara sem ossos no braço direito.

— Dobby tem absoluta certeza, meu senhor! — disse o elfo, sério. — Dobby escuta coisas, meu senhor, ele é um elfo doméstico, anda por todo o castelo quando acende as lareiras e limpa os pisos. Dobby ouviu a Prof.ª McGonagall e o Prof. Moody na sala de professores, conversando sobre a próxima tarefa... Dobby não pode deixar Harry Potter perder o *Wheezy* dele!

As dúvidas de Harry desapareceram. Pondo-se em pé de um salto, ele despiu a Capa da Invisibilidade, guardou-a na mochila, agarrou o guelricho, enfiou-o no bolso e saiu correndo da biblioteca com Dobby nos calcanhares.

— Dobby devia estar na cozinha, meu senhor! — guinchou o elfo quando desembestavam pelo corredor. — Vão dar falta de Dobby, boa sorte, Harry Potter, meu senhor, boa sorte!

— Vejo você depois, Dobby! — gritou Harry, e saiu desabalado pelo corredor, descendo as escadas três degraus de cada vez.

No saguão de entrada havia uns poucos retardatários, todos saindo do Salão Principal depois do café em direção às portas duplas de carvalho da entrada, para ir assistir à segunda tarefa. Ficaram olhando Harry passar correndo e mandar Colin e Dênis Creevey pelo ar ao saltar os degraus de acesso aos jardins ensolarados e frios.

Enquanto corria pelos gramados, viu que as arquibancadas que tinham rodeado o picadeiro dos dragões em novembro agora estavam dispostas ao longo da margem oposta do lago, quase explodindo de tão lotadas, e que se refletiam nas águas embaixo; a algazarra animada dos espectadores ecoava estranhamente pela superfície das águas enquanto Harry corria pela outra margem do lago em direção aos juízes, sentados a uma mesa coberta com tecido dourado. Cedrico, Fleur e Krum estavam parados ao lado da mesa, observando Harry se aproximar correndo.

— Estou... aqui... — ofegou Harry, derrapando na lama ao parar e, acidentalmente, sujando as vestes de Fleur.

— Onde é que você esteve? — disse uma voz autoritária censurando-o. — A tarefa vai começar.

Harry olhou para os lados. Percy Weasley estava sentado à mesa dos juízes — o Sr. Crouch mais uma vez não comparecera.

— Ora, vamos, Percy! — disse Ludo Bagman, que parecia extremamente aliviado de ver Harry. — Deixe-o recuperar o fôlego!

Dumbledore sorriu para Harry, mas Karkaroff e Madame Maxime não pareceram nem um pouco satisfeitos de vê-lo... Era óbvio, pela expressão dos seus rostos, que tinham pensado que o campeão não ia aparecer.

Harry dobrou o corpo, as mãos nos joelhos, procurando respirar; sentia uma pontada do lado do corpo que lhe dava a sensação de ter uma faca enfiada nas costelas, mas não havia tempo para se livrar dela; Ludo Bagman agora andava entre os campeões, espaçando-os pela margem a intervalos de três metros. Harry ficou bem no fim da fila, ao lado de Krum, que estava de calções de banho e segurava a varinha em posição.

– Tudo bem, Harry? – sussurrou Bagman, afastando Harry um pouco mais de Krum. – Sabe o que é que tem de fazer?

– Sei – ofegou o garoto, massageando as costelas.

Bagman lhe deu um breve aperto no ombro e voltou à mesa dos juízes; depois apontou a varinha para a própria garganta como fizera na Copa Mundial, disse "*Sonorus!*" e sua voz reboou sobre as águas escuras até as arquibancadas.

– Bem, os nossos campeões estão prontos para a segunda tarefa, que começará quando eu apitar. Eles têm exatamente uma hora para recuperar o que foi tirado deles. Então, quando eu contar três. Um... dois... três!

O apito produziu um som agudo no ar frio e parado; as arquibancadas explodiram em vivas e palmas; sem se virar para ver o que os outros campeões estavam fazendo, Harry descalçou os sapatos e as meias, tirou um punhado de guelricho do bolso, meteu-o na boca e entrou no lago.

O lago estava tão frio que ele sentiu a pele das pernas arder como se estivesse no fogo e não na água, à medida que ele foi se aprofundando no lago; agora a água lhe batia pelos joelhos, e seus pés, que rapidamente perdiam a sensibilidade, escorregavam pelo lodo e pelas pedras chatas e limosas. Harry mastigou o guelricho com mais força e pressa que pôde; era borrachudo e viscoso como tentáculos de polvo. Com a água gélida pela cintura, ele parou, engoliu a erva e esperou que alguma coisa acontecesse.

Ouviu os espectadores rirem e concluiu que devia estar com cara de idiota, entrando no lago sem dar sinal algum de poder mágico. A parte do seu corpo ainda seca se encheu de arrepios; semi-imerso na água gelada, uma brisa impiedosa levantando seus cabelos, Harry Potter começou a tremer violentamente. Evitou olhar para as arquibancadas; as risadas estavam mais altas e ele ouvia assobios e vaias de alunos da Sonserina...

Então, inesperadamente, Harry teve a sensação de que uma almofada invisível estava cobrindo sua boca e seu nariz. Ele tentou respirar, mas isto fez sua cabeça girar; seus pulmões se esvaziaram e ele sentiu uma dor súbita e lancinante dos dois lados do pescoço...

Harry levou as mãos à garganta e sentiu duas grandes aberturas abaixo das orelhas abanando no ar frio... *ganhara guelras*. Sem parar para pensar, ele fez a única coisa que lhe pareceu ajuizada – se atirou no lago.

O primeiro gole de água gelada do lago lhe pareceu um sopro de vida. Sua cabeça parou de girar; ele tomou mais um gole e sentiu-o passar suavemente pelas guelras e bombear oxigênio para o seu cérebro. Ele estendeu as mãos para a frente e olhou-as. Pareciam verdes e fantasmagóricas debaixo d'água e haviam nascido membranas entre os dedos. Ele se contorceu para ver os pés descalços – tinham se alongado e igualmente ganho membranas; parecia também que saíam nadadeiras do seu corpo.

A água não parecia mais gelada, tampouco... pelo contrário, se tornara agradavelmente fresca e muito leve... Harry recomeçou a bracejar, admirando-se como seus pés com nadadeiras o impeliam pela água e registrando que estava enxergando com muita clareza e não sentia mais necessidade de piscar. Logo nadara uma distância tão grande em direção ao meio do lago que deixara de ver seu leito. Deu uma cambalhota e mergulhou em suas profundezas.

O silêncio pesou em seus ouvidos ao nadar por uma paisagem estranha, escura e enevoada. Só conseguia ver três metros ao redor, por isso à medida que se deslocava novos cenários pareciam surgir repentinamente da escuridão à sua frente; florestas ondulantes de plantas emaranhadas e escuras, extensões de lodo coalhadas de pedras lisas e brilhantes. Ele nadava cada vez mais para o fundo e para o centro do lago, os olhos abertos, espiando, através da misteriosa claridade cinzenta que iluminava as águas, rumando para as sombras além, em que as águas se tornavam opacas.

Pequenos peixes passavam velozes por ele como flechas prateadas. Uma ou duas vezes ele viu um vulto maior nadando mais adiante, mas quando se aproximou descobriu que era apenas um grande tronco preto ou uma moita densa de plantas. Não viu sinal algum dos outros campeões, nem dos sereianos, nem de Rony – nem, graças a Deus, da lula gigante.

Plantas verde-claras se estendiam à sua frente até onde sua vista podia alcançar, como um prado coberto de relva muito crescida. Harry olhava para a frente sem piscar, tentando discernir as formas na obscuridade... e então, sem aviso, alguma coisa agarrou seu tornozelo.

Harry se virou e viu um *grindylow*, um pequeno demônio aquático de chifres, que saía do meio das plantas, seus dedos compridos apertando a perna de Harry, as presas pontiagudas à mostra – o garoto enfiou a mão palmada depressa dentro das vestes e procurou a varinha, até conseguir apanhá-la, mais dois grindylows tinham emergido das plantas, agarrado as vestes de Harry e tentavam arrastá-lo para o fundo.

– Relaxo! – disse ele, só que não produziu som algum... uma grande bolha saiu de sua boca, e sua varinha, em vez de atirar faíscas contra os grindylows, golpeou-os com algo que pareceu um jato de água fervendo, pois onde os atingiu surgiram manchas muito vermelhas em sua pele verde. Harry livrou o tornozelo do aperto dos demônios e nadou o mais rápido que pôde, ocasionalmente disparando, a esmo, mais jatos de água quente por cima do ombro; de vez em quando ele sentia um grindylow prender novamente seu pé e o chutava com força; por fim, seu pé fez contato com um crânio chifrudo e, olhando para trás, ele viu um grindylow se afastar boiando, vesgo, enquanto seus companheiros sacudiam os punhos para Harry e tornavam a submergir entre as plantas.

Harry diminuiu um pouco a velocidade, guardou a varinha nas vestes e olhou ao redor, apurando os ouvidos. Fez uma volta completa na água, o silêncio pesava mais que nunca em seus tímpanos. Sabia que devia estar bem mais fundo, mas nada se mexia, exceto as plantas ondulantes.

– Como é que você está indo?

Harry achou que estava tendo um ataque cardíaco. Virou-se depressa e viu a Murta Que Geme flutuando difusamente diante dele, fitando-o através dos grossos óculos perolados.

– Murta! – Harry tentou gritar, porém, mais uma vez, não saiu nenhum som de sua boca, apenas uma grande bolha. A Murta Que Geme chegou a dar risadinhas abafadas.

– Você vai precisar experimentar para aquele lado lá! – disse ela apontando. – Não vou acompanhar você... não gosto muito deles, sempre me perseguem quando me aproximo demais...

Harry levantou o polegar à guisa de agradecimento e recomeçou a nadar, tendo o cuidado de se colocar um pouco acima das plantas para evitar mais grindylows que por acaso estivessem escondidos ali.

Ele continuou a nadar por uns vinte minutos ou assim lhe pareceu. Atravessava agora grandes extensões de lodo escuro, que redemoinhavam sujando a água agitada por ele. Então, finalmente, ouviu um trecho da música misteriosa dos sereianos.

Uma hora inteira você deverá buscar,
Para recuperar o que lhe tiramos...

Harry nadou mais rápido e não tardou a ver um grande penhasco emergindo na água lodosa à frente. Nele havia pinturas de sereiano: carregavam lanças e caçavam algo que parecia ser a lula gigante. Harry deixou o penhasco para trás seguindo a música dos sereianos:

...já se passou meia hora, por isso não tarde
Ou o que você busca apodrecerá aqui...

Um punhado de casas toscas de pedra, manchadas de algas, tomou forma de repente no lusco-fusco que rodeava o garoto. Aqui e ali, às janelas escuras, Harry viu rostos... rostos que não tinham qualquer semelhança com o quadro da sereia no banheiro dos monitores-chefes...

Os sereianos tinham peles cinzentas e longos cabelos desgrenhados e verdes. Seus olhos eram amarelos, como seus dentes quebrados, e eles usavam grossas cordas de seixos ao pescoço. Lançaram olhares desconfiados quando Harry passou. Um ou dois saíram das tocas para examiná-lo melhor, seus fortes rabos de peixe prateados golpeando a água; as lanças nas mãos.

Harry continuou a nadar veloz, olhando para os lados, e logo as casas se tornaram mais numerosas: havia jardins de folhagens ao redor de algumas, e ele chegou a ver um *grindylow* amarrado a uma estaca do lado de fora de uma porta. Os sereianos apareciam por todos os lados agora, observando-o ansiosos, apontando para suas mãos palmadas e guelras, falando entre si, com a mão encobrindo a boca. Harry virou um canto e deparou com uma cena estranha.

Um grande número de sereianos flutuava diante de casas enfileiradas que pareciam uma versão local de uma praça de povoado. Um coro cantava no centro, chamando os campeões, e, por trás, erguia-se uma estátua tosca; um gigantesco sereiano esculpido em um pedregulho. Quatro pessoas estavam firmemente amarradas à cauda da estátua.

Rony estava amarrado entre Hermione e Cho Chang. Havia ainda uma garota que não aparentava ter mais de oito anos e cujas nuvens de cabelos prateados deu a Harry a certeza de que era irmã de Fleur Delacour. Os quatro pareciam profundamente adormecidos. Suas cabeças balançavam molemente sobre os ombros e um fluxo contínuo de pequenas bolhas saía de suas bocas.

Harry correu em direção aos reféns, meio que esperando os sereianos baixarem as lanças para o atacarem, mas eles nada fizeram. As cordas que atavam os reféns à estátua eram grossas, viscosas e muito fortes. Por um instante fugaz ele pensou no canivete que Sirius lhe presenteara no Natal – guardado em seu malão no castelo a uns quatrocentos metros de distância, não tinha a menor utilidade.

Harry olhou ao redor. Muitos sereianos que cercavam os reféns seguravam lanças. O garoto nadou rápido para um deles, com uns dois metros de altura, uma longa barba verde e uma gargantilha de dentes de tubarão, e tentou, por meio de mímica, pedir a lança emprestada. O sereiano riu e sacudiu a cabeça.

– Não ajudamos – disse ele numa voz áspera e rouca.

– Ora, VAMOS! – disse Harry com ferocidade (mas apenas bolhas saíram de sua boca), e ele tentou tirar a lança do sereiano, que a puxou para si, ainda sacudindo a cabeça e rindo.

Harry deu uma volta completa no corpo, olhando. Alguma coisa afiada, qualquer coisa...

Havia muitas pedras no leito do lago. Ele mergulhou e apanhou uma de aspecto afiado e voltou à estátua. Começou, então, a golpear a corda que prendia Rony e, depois de alguns minutos de esforço, elas se romperam. Rony flutuou, inconsciente, a alguns centímetros do leito do lago, acompanhando o movimento da água.

Harry correu o olhar à volta. Não viu sinal dos outros campeões. De que é que estavam brincando? Por que não se apressavam? Ele se virou para Hermione, ergueu a pedra afiada e começou a golpear as cordas dela também...

Na mesma hora, vários pares de fortes mãos cinzentas o seguraram. Meia dúzia de sereianos começaram a afastá-lo de Hermione, balançando as cabeças de cabelos verdes e dando risadas.

– Você leva o seu refém – disse um deles. – Deixe os outros...

– Nem pensar! – respondeu Harry, indignado, mas apenas duas bolhas saíram de sua boca.

– Sua tarefa é resgatar o seu amigo... deixe os outros...

– Ela é minha amiga, também! – berrou Harry, gesticulando em direção a Hermione, uma enorme bolha prateada desprendendo-se silenciosamente dos seus lábios. – E tampouco quero que os outros morram!

A cabeça de Cho descansava no ombro de Hermione; a garotinha de cabelos prateados parecia pálida e fantasmagoricamente esverdeada. Harry lutou para afastar os sereianos, mas eles riam com mais vontade que nunca, empurrando-o para trás. O garoto olhou alucinado para os lados. Onde estavam os outros campeões? Será que ele teria tempo de levar Rony até a superfície e voltar para buscar Hermione e as outras? Será que ele conseguiria encontrá-las de novo? Consultou o relógio para ver quanto tempo lhe sobrava — o relógio parara de trabalhar.

Mas, então, os sereianos que o rodeavam começaram a apontar, animados, para alguma coisa acima da cabeça dele. Harry ergueu os olhos e viu Cedrico nadando em direção ao grupo. Havia uma enorme bolha em torno de sua cabeça, que fazia suas feições parecerem estranhamente largas e esticadas.

— Me perdi! — disse ele silenciosamente, com uma expressão de pânico. — Fleur e Krum estão vindo agora!

Sentindo-se imensamente aliviado, Harry viu Cedrico puxar uma faca do bolso e libertar Cho. Ele a puxou para cima e desapareceu de vista.

Harry olhou para os lados, aguardando. Onde estavam Fleur e Krum? O tempo ia se esgotando e, segundo a música, os reféns jamais voltariam...

Os sereianos começaram a guinchar, animados. Os que seguravam Harry afrouxaram o aperto, olhando para trás. Harry se virou e viu algo monstruoso cortando as águas em direção a eles: um corpo humano de calções de banho com uma cabeça de tubarão... Era Krum. Parecia ter se transformado — mas de maneira incompleta.

O homem-tubarão nadou direto para Hermione e começou a puxar e a morder as cordas que a prendiam; o problema é que os novos dentes de Krum estavam posicionados de forma imprópria para morder qualquer coisa menor do que um golfinho, e Harry tinha quase certeza de que, se Krum não tivesse cuidado, ia cortar Hermione ao meio. Correndo para ele, Harry bateu com força em seu ombro e estendeu a pedra afiada. Krum agarrou-a e começou a libertar Hermione. Em segundos, ele terminou; agarrou Hermione pela cintura e, sem ao menos olhar para trás, começou a subir rapidamente com a garota para a superfície.

"E agora?", pensou Harry, desesperado. Se ele pudesse ter certeza de que Fleur estava a caminho... Mas não havia nem sinal. Não havia jeito...

Ele agarrou a pedra que Krum largara, mas os sereianos voltaram a se aproximar de Rony e da garotinha, balançando a cabeça para Harry.

O garoto puxou a varinha.

— Saiam da frente!

Somente bolhas voaram de sua boca, mas ele teve a nítida impressão de que os sereianos o haviam entendido, porque subitamente pararam de rir. Seus olhos amarelos se fixaram na varinha de Harry e eles revelaram medo.

Eram muitos e Harry era apenas um, mas o garoto percebeu, pela expressão dos seus rostos, que os sereianos conheciam tanta magia quanto a lula gigante.

— Vocês têm até três! — gritou Harry; um grande jorro de bolhas saiu de sua boca, e ele ergueu três dedos para ter certeza de que os sereianos tinham entendido a mensagem. — Um... — (ele ergueu um dedo) — dois... — (ergueu o segundo)...

Eles se dispersaram. Harry se adiantou depressa e começou a golpear as cordas que prendiam a garotinha à estátua; e finalmente libertou-a. Ele a agarrou pela cintura, agarrou a gola das vestes de Rony e deu impulso para a superfície.

Foi uma subida muito lenta. Ele já não podia usar as mãos palmadas para se impulsionar; bateu as nadadeiras furiosamente, mas Rony e a irmã de Fleur eram verdadeiros sacos de batatas que o arrastavam para o fundo... Harry firmou a vista em direção ao céu, embora soubesse que ainda devia estar muito fundo, as águas acima estavam tão escuras...

Os sereianos o seguiram na subida. Harry os via rodando à sua volta sem esforço, vendo-o lutar para vencer a força das águas... será que o puxariam de volta às profundezas quando seu tempo se esgotasse? Será que comiam seres humanos? As pernas de Harry se moviam lentamente com o esforço de nadar; seus ombros doíam horrivelmente com o esforço de arrastar Rony e a garota...

Ele inspirava com extrema dificuldade. Voltou a sentir a dor dos lados do pescoço... aos poucos foi se tornando consciente da umidade da água em sua boca... mas decididamente a obscuridade estava raleando agora... já conseguia ver a luz do dia no alto...

Bateu as nadadeiras com força e descobriu que já não havia nada além de pés... a água entrava aos borbotões em sua boca e invadia seus pulmões... ele estava começando a sentir tonteira, mas sabia que a luz e o ar estavam a apenas três metros acima... tinha que chegar lá... tinha que...

Harry sacudiu as pernas com tanta força e rapidez que teve a sensação de que seus músculos gritavam em protesto; o próprio cérebro parecia encharcado de água, ele não conseguia respirar, precisava de oxigênio, tinha que continuar, não podia parar...

Então sentiu sua cabeça varar a superfície do lago; um ar maravilhoso, frio, claro, fez seu rosto molhado arder; ele o engoliu, tendo a sensação de que jamais o respirara antes como devia e, ofegante, puxou Rony e a menininha com ele. A toda volta, cabeças com cabelos verdes emergiram da água, mas sorriam para ele.

Os espectadores nas arquibancadas faziam um estardalhaço; gritavam, berravam, todos pareciam estar de pé; Harry teve a impressão de que pensavam que Rony e a menininha poderiam estar mortos, mas tinham se enganado... os dois tinham aberto os olhos; a menina parecia apavorada e confusa, mas Rony meramente expeliu um grande jato de água, piscou para a claridade, virou-se para Harry e comentou:

— Um bocado molhado, não? — Depois viu a irmã de Fleur. — Para que foi que você trouxe a garota?

— Fleur não apareceu. Eu não podia largar ela lá — ofegou Harry.

— Harry, seu imbecil — disse Rony. — Você não levou aquela música a sério, levou? Dumbledore não teria deixado nenhum de nós morrer afogado!

— Mas a música dizia...

— Só para garantir que você voltasse dentro do prazo dado! Espero que você não tenha perdido tempo lá embaixo bancando o herói!

Harry se sentiu no mesmo instante idiota e chateado. Estava tudo muito bem para Rony, *ele estivera* adormecido, não sentira como era fantasmagórico lá no lago, cercado por sereianos armados de lanças com cara de que eram bem capazes de matar.

— Vamos — disse Harry com rispidez —, me ajude com a garota, acho que ela não sabe nadar muito bem.

Os dois puxaram a irmã de Fleur pela água, até a margem, onde os juízes aguardavam de pé observando-os, vinte sereianos acompanhavam os garotos como uma guarda de honra, cantando aquelas horríveis músicas agudas.

Harry viu Madame Pomfrey cuidando de Hermione, Krum, Cedrico e Cho, todos enrolados em grossos cobertores. Dumbledore e Ludo Bagman estavam parados na margem, e sorriram para Harry e Rony quando eles se aproximaram, mas Percy, que parecia muito pálido e, por alguma razão, mais jovem do que era, saiu espalhando água ao encontro deles. Entrementes, Madame Maxime tentava conter Fleur Delacour, que estava muito nervosa, lutando com unhas e dentes para voltar à água.

— Gabrielle! *Gabrielle! Ela está viva? Ela está machucada?*

— Ela está ótima! — Harry tentou lhe dizer, mas se sentia tão exausto que mal conseguia falar, quanto menos gritar.

Percy agarrou Rony e saiu arrastando-o para a margem ("Sai pra lá, Percy, eu estou bem!"); Dumbledore e Bagman ergueram Harry; Fleur se desvencilhara de Madame Maxime e abraçava a irmã.

— Forram os *grrindylows*... eles me atacarron... ah, Gabrrielle, pensei... pensei...

— Venha aqui, você — ouviu-se a voz de Madame Pomfrey; ela agarrou Harry e levou-o até Hermione e os outros, embrulhou-o num cobertor tão apertado que ele se sentiu preso numa camisa de força, e empurrou uma dose de uma poção muito quente pela garganta do garoto. Saiu vapor por suas orelhas.

— Muito bem, Harry! — exclamou Hermione. — Você conseguiu, você descobriu como conseguir, sozinho!

— Bem... — disse Harry. Ele teria contado a ela sobre Dobby, mas acabara de notar que Karkaroff o observava. Era o único juiz que não abandonara a mesa; o único juiz que não dava sinais de satisfação nem alívio de que Harry, Rony e a irmã de Fleur tivessem voltado sãos e salvos. — É, é verdade — disse Harry, levantando ligeiramente a voz para Karkaroff poder ouvi-lo.

— Você tem um besourro-de-água prreso nos cabelos, Hermi-ô-nini — disse Krum.

Harry teve a impressão de que Krum estava tentando fazer a garota voltar sua atenção para ele; talvez para lembrá-la que ele acabara de resgatá-la do lago, mas Hermione sacudiu o besouro para longe com impaciência.

— Mas você ultrapassou muito o tempo dado, Harry... Você levou muito tempo para nos encontrar?

— Não... encontrei vocês logo...

A sensação de burrice de Harry foi crescendo. Agora que estava fora da água, pareceu-lhe perfeitamente claro que as precauções de segurança tomadas por Dumbledore não teriam permitido a morte de um refém porque o campeão não aparecera. Por que ele simplesmente não apanhara Rony e viera embora? Teria sido o primeiro a voltar... Cedrico e Krum não tinham perdido tempo se preocupando com mais ninguém; não tinham levado a música dos sereianos a sério...

Dumbledore se encontrava agachado à beira da água, absorto em conversa com alguém que parecia ser o chefe dos sereianos, uma fêmea particularmente selvagem, de aspecto feroz. Emitia o mesmo tipo de guinchos que o de seus companheiros quando estavam embaixo da água; era óbvio que Dumbledore sabia falar serêiaco. Finalmente ele se ergueu, virou-se para os demais juízes e disse:

— Acho que precisamos conversar antes de dar as notas.

Os juízes se agruparam. Madame Pomfrey tinha ido salvar Rony dos abraços de Percy; ela o levou para onde estavam os outros garotos, deu-lhe um cobertor e um pouco de Poção Estimulante, depois foi buscar Fleur e a irmã. Fleur tinha muitos cortes no rosto e nos braços, e suas vestes estavam rasgadas, mas ela não parecia se importar, nem queria deixar Madame Pomfrey tratá-la.

— Cuide da Gabrrielle — disse a garota virando-se para Harry. — Você salvou minha irrmã — disse ofegante. — Mesmo ela não sendo sua rrefém.

— Foi — disse Harry, que agora desejava de todo o coração ter deixado as garotas amarradas à estátua.

Fleur se abaixou, beijou Harry nas duas bochechas (ele sentiu o rosto queimando e não ficaria surpreso se estivesse pondo vapor pelas orelhas outra vez), em seguida disse a Rony:

— E você, também... você ajudou...

— Foi — disse ele parecendo extremamente esperançoso —, foi, um pouquinho...

Fleur se curvou para ele, também, e o beijou. Hermione pareceu simplesmente furiosa, mas, naquele instante, a voz magicamente ampliada de Ludo Bagman reboou ao lado deles, pregando-lhes um susto e fazendo os espectadores nas arquibancadas mergulharem num grande silêncio.

— Senhoras e senhores, já chegamos a uma decisão. A chefe dos sereianos, Murcus, nos contou exatamente o que aconteceu no fundo do lago e, portanto, em um máximo de cinquenta, decidimos atribuir a cada campeão as seguintes notas...

"A Srta. Fleur Delacour, embora tenha feito uma excelente demonstração do Feitiço Cabeça-de-bolha, foi atacada por *grindylows* ao se aproximar do alvo e não conseguiu resgatar sua refém. Recebeu vinte e cinco pontos."

Aplausos das arquibancadas.

— Eu merrecia zerro — disse Fleur com uma voz gutural, sacudindo a magnífica cabeça.

— O Sr. Cedrico Diggory, que também usou o Feitiço Cabeça-de-bolha, foi o primeiro a voltar com a refém, embora tenha chegado um minuto depois da hora marcada. — Ouviram-se grandes aplausos dos alunos da Corvinal entre os espectadores; Harry viu Cho lançar um olhar feio a Cedrico. — Portanto, recebeu quarenta e sete pontos.

O ânimo de Harry despencou. Se Cedrico ultrapassara o limite de tempo, com certeza ele fizera o mesmo.

— O Sr. Vítor Krum usou uma forma de transformação incompleta, mas ainda assim eficiente, e foi o segundo a voltar com a refém. Recebeu quarenta pontos.

Karkaroff bateu palmas com especial entusiasmo, fazendo ar de superioridade.

— O Sr. Harry Potter usou guelricho com grande eficácia — continuou Bagman. — Ele voltou por último e ultrapassou em muito o prazo de uma hora. Contudo, a chefe dos sereianos nos informou que o Sr. Potter foi o primeiro a chegar aos reféns, e o atraso na volta se deveu à sua determinação de trazer todos os reféns à segurança e não apenas o seu.

Rony e Hermione lançaram a Harry olhares meio exasperados, meio penalizados.

— A maioria dos juízes — e aqui Bagman olhou com muita indignação para Karkaroff — acha que tal atitude revela fibra moral e merece o número máximo de pontos. Mas... o Sr. Potter recebeu quarenta e cinco pontos.

O estômago de Harry deu um solavanco — agora ia disputar o primeiro lugar com Cedrico. Rony e Hermione, apanhados de surpresa, olharam para Harry, começaram a rir e a aplaudir com entusiasmo com o resto dos espectadores.

— Lá vai você, Harry! — gritou Rony, sobrepondo-se ao tumulto. — Afinal, você não agiu como idiota, revelou fibra moral!

Fleur também o aplaudia freneticamente, mas Krum não pareceu nada feliz. Tentou puxar conversa com Hermione outra vez, mas ela estava ocupada demais aplaudindo Harry para lhe dar ouvidos.

— A terceira e última tarefa será realizada ao anoitecer do dia vinte e quatro de junho — continuou Bagman. — Os campeões serão informados do que os espera exatamente um mês antes. Agradecemos a todos o apoio dado aos campeões.

Terminou, pensou Harry atordoado, quando Madame Pomfrey começou a arrebanhar os campeões e reféns em direção ao castelo para trocarem por roupas secas... terminara, ele conseguira... não precisava se preocupar com coisa alguma agora até o dia vinte e quatro de junho...

Da próxima vez que estivesse em Hogsmeade, resolveu ele, ao subir os degraus de pedra do castelo, ia comprar para Dobby um par de meias para cada dia do ano.

27

A VOLTA DE ALMOFADINHAS

Uma das melhores consequências da segunda tarefa foi que todo mundo ficou muito interessado em saber os detalhes do que acontecera no fundo do lago, o que significou que, uma vez na vida, Rony estava conseguindo dividir as luzes da ribalta com Harry. Este reparou que a versão do seu amigo sobre os acontecimentos mudava sutilmente cada vez que ele os contava. A princípio, Rony narrava o que parecia ter sido a verdade; pelo menos batia com a história de Hermione – Dumbledore havia mergulhado os reféns em um sono encantado na sala da Prof.ª McGonagall, depois de garantir a todos que estariam seguros e que despertariam quando voltassem à superfície da água. Uma semana mais tarde, no entanto, Rony já estava contando uma história emocionante de sequestro, em que ele lutara sozinho contra cinquenta sereianos armados até os dentes que precisaram dominá-lo a pancada antes de amarrá-lo.

— Mas eu levei a minha varinha escondida na manga — Rony tranquilizou Padma Patil, que parecia bem mais interessada agora que o garoto andava recebendo tanta atenção, e fazia questão de falar com ele todas as vezes que se encontravam nos corredores. — Eu poderia ter enfrentado aqueles sereidiotas a qualquer hora que quisesse.

— Que é que você ia fazer, atacar os caras a roncos? — perguntou Hermione alfinetando-o. Tinham caçoado tanto dela por ser a coisa de que Vítor Krum mais sentiria falta que ela andava meio mal-humorada.

As orelhas de Rony ficaram vermelhas e dali em diante ele reverteu à versão do sono encantado.

Quando março começou, o tempo ficou mais seco, mas ventos cortantes esfolavam o rosto e as mãos todas as vezes que as pessoas saíam aos jardins. Havia atrasos no correio porque o vento não parava de tirar as corujas da rota. A coruja marrom que Harry enviara a Sirius com a data do fim de semana em Hogsmeade apareceu na hora do café da manhã de sexta-feira com metade das penas viradas pelo avesso; Harry mal acabara de desprender a resposta de Sirius, a coruja levantou voo, visivelmente receosa de que fosse ser despachada outra vez.

A carta de Sirius era quase tão curta quanto a anterior.

Esteja nos degraus no fim da estrada que sai de Hogsmeade (depois da Dervixes & Bangues) às duas horas da tarde de sábado. Traga o máximo de comida que puder.

— Ele não voltou a Hogsmeade? — perguntou Rony, incrédulo.

— É o que parece, não é? — disse Hermione.

— Não dá para acreditar — disse Harry, tenso. — Se ele for apanhado...

— Mas até agora não foi, não é? — disse Rony. — E agora o lugar nem está mais infestado de dementadores.

Harry dobrou a carta, pensativo. Se fosse honesto consigo mesmo, admitiria que queria realmente rever Sirius. Seguiu, portanto, para a última aula da tarde — os dois tempos de Poções — sentindo-se muitíssimo mais animado do que era o seu normal quando descia as escadas para as masmorras.

Malfoy, Crabbe e Goyle estavam parados à porta da sala de aula com o grupinho de garotas da Sonserina que andava com Pansy Parkinson. Todas estavam olhando alguma coisa que Harry não pôde ver e davam risadinhas animadas. A cara de buldogue de Pansy espiava animada por trás das largas costas de Goyle quando Harry, Rony e Hermione se aproximaram.

— Eles vêm vindo aí, eles vêm vindo aí! — disse ela entre risadinhas, e o ajuntamento de alunos da Sonserina se desfez. Harry viu que Pansy tinha nas mãos uma revista — o *Semanário das Bruxas*. A foto animada na capa mostrava uma bruxa de cabelos crespos, com um sorriso cheio de dentes, que apontava com a varinha para um grande bolo de claras.

— Talvez você encontre aí uma coisa do seu interesse, Granger! — disse Pansy em voz alta e atirou a revista para Hermione, que a aparou, fazendo cara de espanto. Naquele momento, a porta da masmorra se abriu e Snape fez sinal para todos entrarem.

Hermione, Harry e Rony se dirigiram a uma mesa no fundo da sala como de costume. Quando Snape deu as costas à turma para escrever no quadro-negro os ingredientes da poção do dia, Hermione folheou rapidamente a revista, por baixo da mesa. Finalmente, nas páginas centrais, ela encontrou o que estava procurando. Harry e Rony se aproximaram. Uma foto colorida de Harry encimava uma pequena notícia intitulada "A MÁGOA SECRETA DE HARRY POTTER":

Um garoto excepcional, talvez — mas um garoto que sofre todas as dores comuns da adolescência, escreve Rita Skeeter. Privado do amor desde o trágico falecimento dos pais, Harry Potter, catorze anos, pensou que tinha achado consolo com sua namorada firme em Hogwarts, a garota nascida trouxa, Hermione Granger. Mal sabia que em breve estaria sofrendo mais um revés emocional numa vida afligida por perdas pessoais.

A Srta. Granger, uma garota sem atrativos, mas ambiciosa, parece ter uma queda por bruxos famosos que somente Harry não basta para satisfazer. Desde que Vítor Krum, o apanhador búlgaro e herói da última Copa Mundial de Quadribol, chegou em Hogwarts, a Srta. Granger tem brincado com as afeições dos dois rapazes. Krum, que está visivelmente apaixonado pela dissimulada Srta. Granger, já a convidou para visitá-lo na Bulgária nas férias de verão e insiste que "nunca se sentiu assim com nenhuma outra garota".

Contudo, talvez não tenham sido os duvidosos encantos naturais da Srta. Granger que conquistaram o interesse desses pobres rapazes.

"Ela é realmente feia", diz Pansy Parkinson, uma estudante bonita e viva do quarto ano, "mas é bem capaz de preparar uma Poção do Amor, tem bastante inteligência para isso. Acho que foi isso que ela fez."

As poções do amor são naturalmente proibidas em Hogwarts, e sem dúvida Alvo Dumbledore irá querer apurar essas afirmações. Entrementes, os simpatizantes de Harry Potter fazem votos que, da próxima vez, ele entregue seu coração a uma candidata que o mereça.

— Eu disse a você! — sibilou Rony para Hermione, que continuava a olhar o artigo abobada. — Eu disse pra você não aborrecer Rita Skeeter! Ela fez você parecer uma espécie de... Jezabel!

Hermione desfez o ar perplexo e soltou uma risada abafada.

— Jezabel! — repetiu ela, sacudindo o corpo de tanto conter o riso e olhando para Rony.

— É o que mamãe diz que elas são — murmurou Rony, suas orelhas tornando a corar.

— Se isso é o melhor que Rita é capaz de escrever, então ela está perdendo o jeito — disse Hermione, ainda dando risadinhas e atirando o *Semanário das Bruxas* em uma cadeira vazia do lado. — Que monte de lixo.

Hermione olhou para os colegas da Sonserina, que observavam ela e Harry com atenção, do outro lado da sala, para ver se tinham se chateado com o artigo. A garota deu um sorriso irônico e acenou para o grupinho. Em seguida, ela, Harry e Rony começaram a desempacotar os ingredientes que iriam precisar para a Poção da Sagacidade.

— Mas tem uma coisa engraçada — disse Hermione dez minutos depois, segurando o pilão suspenso sobre uma tigela de escaravelhos. — Como é que a Rita Skeeter poderia ter sabido...?

— Sabido o quê? — perguntou Rony, depressa. — Você não andou preparando poções de amor, andou?

— Para de ser imbecil — retorquiu Hermione, recomeçando a pilar os escaravelhos. — Não, é só que... como foi que ela soube que Vítor me convidou para o visitar no verão?

Hermione ficou escarlate ao dizer isso e deliberadamente evitou os olhos de Rony.

— Quê? — exclamou Rony, deixando cair o pilão com estrépito.

— Ele me convidou logo depois de ter me tirado do lago — murmurou Hermione. — Assim que se livrou da cabeça de tubarão. Madame Pomfrey nos deu cobertores e então ele meio que me puxou para longe dos juízes, para eles não ouvirem, e me perguntou, se eu não estivesse fazendo nada no verão, se eu gostaria de...

— E o que foi que você respondeu? — perguntou Rony, que apanhara o pilão e estava amassando a mesa, a bem quinze centímetros do caldeirão, porque não tirava os olhos de Hermione.

— E ele *realmente* disse que nunca se sentira desse jeito com nenhuma garota — continuou ela, tão vermelha agora que Harry até podia sentir o calor que emanava do corpo dela —, mas como é que Rita Skeeter poderia ter ouvido? Ela não estava lá... ou estava? Vai ver ela *tem* uma Capa da Invisibilidade, vai ver entrou escondida na propriedade para assistir à segunda tarefa...

— E que foi que você *respondeu*? — repetiu Rony, batendo o pilão com tanta força que fez uma mossa na mesa.

— Bem, eu estava tão ocupada vendo se você e Harry estavam OK que...

— Por mais fascinante, sem dúvida, que seja sua vida social, Srta. Granger — disse uma voz gélida bem atrás deles —, devo lhe pedir para não discuti-la em minha aula. Dez pontos a menos para Grifinória.

Snape havia deslizado silenciosamente até a mesa dos garotos enquanto eles conversavam. A turma inteira agora foi se virando para olhá-los; Malfoy aproveitou a oportunidade para lampejar o POTTER FEDE lá do outro lado da masmorra.

— Ah... e lendo revistas embaixo da mesa? — acrescentou Snape, agarrando o exemplar do *Semanário das Bruxas*. — Outros dez pontos a menos para Grifinória... ah, mas naturalmente... — os olhos escuros de Snape brilharam ao recair sobre o artigo de Rita Skeeter. – Potter tem que manter em dia os seus recortes de jornais e revistas sobre ele...

A masmorra ecoou as risadas dos alunos da Sonserina, e um sorriso desagradável crispou a boca fina de Snape. Para fúria de Harry, o professor começou a ler o artigo em voz alta:

– *A mágoa secreta de Harry Potter...* ai, ai, ai, Potter, onde é que está doendo agora? *Um garoto excepcional, talvez...*

Harry sentia o rosto arder agora. Snape parava ao fim de cada frase para permitir aos alunos da Sonserina rirem à vontade. O artigo parecia dez vezes pior lido pelo professor.

– *... os simpatizantes de Harry Potter fazem votos que, da próxima vez, ele entregue seu coração a uma candidata que o mereça.* Que coisa comovente – debochou Snape, enrolando a revista ao som das gargalhadas dos garotos da Sonserina. – Bem, acho melhor separar vocês três, para que possam se concentrar nas poções em lugar dos desencontros de suas vidas amorosas. Weasley, fique onde está. Srta. Granger, lá, ao lado da Srta. Parkinson. Potter, naquela carteira em frente à minha escrivaninha. Mexam-se. Agora.

Furioso, Harry jogou seus ingredientes e a mochila no caldeirão e arrastou-o até uma mesa vazia na frente da sala. Snape o acompanhou, sentou-se à própria escrivaninha e observou Harry descarregar o caldeirão. Decidido a não olhar para Snape, Harry retomou a tarefa de pilar os escaravelhos, imaginando que cada um deles tinha a cara do professor.

– Toda essa atenção da imprensa parece ter inchado a sua cabeça que já é demasiado grande, Potter – disse Snape em voz baixa, depois que o restante da turma se aquietou.

Harry não respondeu. Sabia que o professor estava tentando provocá-lo; já fizera isso antes. Sem dúvida, esperava ter uma desculpa para descontar cinquenta pontos redondos da Grifinória antes do fim da aula.

– Você talvez esteja vivendo a ilusão de que o mundo da magia inteiro está impressionado com você – continuou Snape, em voz tão baixa que mais ninguém podia ouvi-lo (Harry continuou a pilar os escaravelhos, embora já os tivesse reduzido a um pó muito fino) –, mas eu não me impressiono com o número de vezes que sua foto aparece nos jornais. Para mim, Potter, você não passa de um menininho mau caráter que acha que está acima dos regulamentos.

Harry virou os escaravelhos pulverizados no caldeirão e começou a cortar as raízes de gengibre. Suas mãos tremiam levemente de raiva, mas ele mantinha os olhos baixos, como se nem ouvisse o que Snape dizia.

— Portanto, eu vou lhe dar um aviso, Potter — continuou o professor, num tom de voz mais suave e perigoso —, seja você uma celebridade mirim ou não, se eu o apanhar invadindo a minha sala outra vez...

— Eu não cheguei nem perto da sua sala! — disse Harry com raiva, esquecendo sua fingida surdez.

— Não minta para mim — sibilou Snape, seus abissais olhos pretos perfurando os de Harry. — Araramboia. Guelricho. Ambos saíram do meu estoque particular e eu sei quem foi que os roubou.

Harry sustentou o olhar de Snape, decidido a não piscar, nem fazer cara de culpado. Na verdade, ele não roubara nenhuma das duas coisas de Snape. Hermione tirara a araramboia no segundo ano — tinham precisado dela para a Poção Polissuco — e, embora Snape suspeitasse de Harry na ocasião, nunca pudera comprovar sua suspeita. Dobby, naturalmente, roubara o guelricho.

— Não sei do que o senhor está falando — mentiu Harry com frieza.

— Você estava fora da cama na noite em que a minha sala foi invadida! — sibilou Snape. — Eu sei disso, Potter! Agora talvez Olho-Tonto Moody tenha entrado para o seu fã-clube, mas eu não vou tolerar o seu comportamento! Mais um passeio noturno à minha sala, Potter, e você vai me pagar!

— Certo! — respondeu Harry calmamente, voltando sua atenção para as raízes de gengibre. — Me lembrarei disso se algum dia sentir um impulso de entrar lá.

Os olhos de Snape faiscaram. Ele mergulhou a mão nas vestes pretas. Por um segundo delirante Harry pensou que ele ia puxar a varinha e amaldiçoá-lo — então viu que o professor tirara um frasquinho de cristal com uma poção totalmente cristalina. Harry ficou olhando fixamente para o frasco.

— Sabe o que é isso, Potter? — perguntou Snape, com os olhos mais uma vez brilhando perigosamente.

— Não — respondeu Harry, desta vez com absoluta honestidade.

— É *Veritaserum*, uma Poção da Verdade tão potente que três gotas fariam você confessar os seus segredos mais íntimos para a turma inteira ouvir — disse Snape maldosamente. — Agora, o uso desta poção é controlado por rigorosas diretrizes do Ministério. Mas, a não ser que você tome cuidado com o que faz, vai acabar descobrindo que a minha mão pode *escorregar* sem querer — ele sacudiu de leve o frasquinho de cristal — bem em cima do seu suco de abóbora da noite. Então, Potter... então descobriremos se você esteve ou não na minha sala.

Harry não respondeu. Voltou mais uma vez sua atenção para as raízes de gengibre, apanhou uma faca e começou a cortá-las. Não gostou nem um pouco daquela história de Poção da Verdade, nem duvidou de que Snape fosse capaz de ministrá-la furtivamente. Conteve um tremor ao pensar no que poderia sair sem querer de sua boca se tomasse a poção... sem falar que deixaria um bocado de gente em apuros – Hermione e Dobby, para começar –, havia ainda todo o resto que ele estava escondendo... como o fato de estar em contato com Sirius... e – suas entranhas reviraram só de pensar – seus sentimentos por Cho... O garoto acrescentou as raízes de gengibre ao caldeirão e se perguntou se deveria se guiar pela cartilha de Moody e começar a beber apenas de um frasco de bolso só seu.

Houve uma batida na porta da masmorra.

– Entre – disse Snape, com a sua voz habitual.

A turma olhou quando a porta se abriu. O Prof. Karkaroff entrou. Todos o observaram se dirigir à escrivaninha de Snape. Estava enrolando o dedo na barbicha outra vez e parecia agitado.

– Precisamos conversar – disse Karkaroff abruptamente, ao chegar perto de Snape. Parecia tão decidido a não deixar ninguém ouvir o que estava dizendo que mal abria a boca; era como se fosse um ventríloquo medíocre. Harry manteve os olhos nas raízes de gengibre, mas apurou os ouvidos.

– Falarei com você quando terminar a aula, Karkaroff... – murmurou Snape, mas o colega o interrompeu.

– Quero falar agora, que você não pode fugir, Severo. Você tem me evitado.

– Depois da aula – retrucou Snape com rispidez.

Sob o pretexto de erguer uma xícara graduada e ver se medira suficiente bile de tatu, Harry arriscou um olhar de esguelha para os dois. Karkaroff parecia extremamente preocupado e Snape, aborrecido.

Karkaroff ficou rondando atrás da escrivaninha de Snape durante o resto da aula. Parecia decidido a impedir que o colega escapulisse no fim da aula. Interessado em ouvir o que Karkaroff queria dizer, Harry derrubou intencionalmente um frasco de bile de tatu dois minutos antes de tocar a sineta, o que lhe deu uma desculpa para se agachar atrás do caldeirão e limpar o chão, enquanto o restante da turma se deslocava ruidosamente para a porta.

– Que é que é tão urgente assim? – o garoto ouviu Snape sibilar para Karkaroff.

– Isto – disse Karkaroff, e Harry, espiando por cima do caldeirão, viu o bruxo levantar a manga esquerda das vestes e mostrar a Snape alguma coisa do lado interno do antebraço.

"Então?", disse Karkaroff, ainda fazendo esforço para não mexer a boca. "Está vendo? Nunca esteve tão nítida assim, nunca desde..."

— Cubra isso! — rosnou Snape, seus olhos escuros percorrendo a sala.

— Mas você deve ter reparado — começou Karkaroff com a voz agitada.

— Podemos conversar mais tarde, Karkaroff! — vociferou Snape. — Potter! Que é que você está fazendo?

— Limpando a minha bile de tatu, professor — disse o garoto inocentemente, se erguendo e mostrando o trapo encharcado que tinha nas mãos.

Karkaroff deu meia-volta e saiu da masmorra. Parecia ao mesmo tempo preocupado e aborrecido. Não querendo ficar sozinho com um Snape excepcionalmente raivoso, Harry atirou os livros e os ingredientes para dentro da mochila e saiu bem depressinha para contar a Rony e Hermione o que acabara de presenciar.

Os três saíram do castelo ao meio-dia no dia seguinte e depararam com um jardim iluminado por um sol fraco. O tempo estava mais ameno do que estivera o ano inteiro e na altura em que chegaram a Hogsmeade os garotos já haviam despido as capas e jogado-as sobre os ombros. A comida que Sirius pedira para eles trazerem ia na mochila de Harry; tinham surrupiado uma dúzia de coxas de galinha, um pão de fôrma e uma garrafa de suco de abóbora da mesa do almoço.

Foram até a Trapobelo Moda Mágica comprar um presente para Dobby, onde se divertiram escolhendo as meias mais espalhafatosas que conseguiram encontrar, inclusive um par com estrelas douradas e prateadas que piscavam, e outro que berrava quando ficava fedorento demais. Então, à uma e meia eles subiram a rua Principal, passaram a Dervixes & Bangues e saíram em direção aos arredores do povoado.

Harry nunca fora para aqueles lados antes. A estradinha serpeante os levou para os campos sem cultivo em torno de Hogsmeade. As casas ficavam mais espaçadas ali e os jardins, maiores; os garotos caminhavam em direção ao morro a cuja sombra se situava Hogsmeade. Então fizeram uma curva e viram a escada no fim da estradinha. À espera deles, as patas dianteiras apoiadas no degrau mais alto, havia um enorme cão preto, que segurava alguns jornais na boca e parecia bastante familiar...

— Olá, Sirius — disse Harry, quando chegaram mais perto.

O cachorro farejou, ansioso, a mochila de Harry, abanou uma vez o rabo, depois deu as costas e começou a se afastar atravessando o mato ralo que subia ao encontro do sopé rochoso do morro. Os garotos subiram os degraus e seguiram o cachorro.

Sirius levou-os exatamente para o sopé do morro, onde o terreno era coberto de pedras e pedregulhos. Era fácil para ele com suas quatro patas, mas os garotos logo ficaram sem fôlego. Continuaram a acompanhar Sirius, que começou a subir o morro propriamente dito. Durante quase meia hora escalaram uma trilha íngreme, serpeante e pedregosa, atrás de Sirius, que abanava o rabo, suando ao sol, as tiras da mochila de Harry cortando os ombros do garoto.

Então, finalmente, Sirius desapareceu de vista, e quando eles chegaram ao lugar em que ele desaparecera, viram uma fenda estreita na rocha. Espremeram-se por ela e se viram em uma caverna fresca e fracamente iluminada. Preso a um canto, uma ponta da corda passada em volta de um pedregulho, estava Bicuço, o hipogrifo. Metade cavalo cinzento, metade enorme águia, os olhos ferozes e alaranjados do animal brilharam ao ver os visitantes. Os três fizeram uma profunda reverência para Bicuço que, depois de fitá-los, imperiosamente, por um momento, dobrou o joelho escamoso e permitiu que Hermione corresse para acariciar o seu pescoço coberto de penas. Harry, porém, observava o cachorro preto que acabara de se transformar em seu padrinho.

Sirius estava usando vestes cinzentas rasgadas; as mesmas que usava quando deixara Azkaban. Os cabelos pretos estavam mais compridos do que da última vez que aparecera na lareira, e novamente malcuidados e embaraçados. Parecia muito magro.

— Galinha! — exclamou ele, rouco, depois de tirar os exemplares do *Profeta Diário* da boca e atirá-los ao chão da caverna.

Harry abriu depressa a mochila e lhe entregou o embrulho de coxas de galinha e pão.

— Obrigado — disse Sirius, abrindo-o, agarrando uma coxa, sentando-se no chão da caverna e cortando um bom pedaço com os dentes. — Quase que só tenho comido ratos. Não posso roubar muita comida de Hogsmeade; chamaria atenção para mim.

Ele sorriu para Harry, mas o garoto relutou a retribuir o sorriso.

— Que é que você está fazendo aqui, Sirius? — perguntou.

— Cumprindo minhas obrigações de padrinho — disse Sirius, mordendo o osso de galinha de um jeito muito canino. — Não se preocupe comigo, estou fingindo ser um adorável cão vadio.

Ele ainda sorria, mas, ao ver a ansiedade no rosto de Harry, continuou com mais seriedade:

— Quero estar em cima do lance. A sua última carta... bem, digamos que as coisas estão começando a cheirar pior. E tenho roubado jornais todas as vezes que alguém joga um fora e, pelo que parece, eu não sou o único que está ficando preocupado.

Ele indicou com a cabeça os exemplares amarelados do *Profeta Diário* no chão da caverna, e Rony apanhou uns e abriu-os.

Harry, no entanto, continuou a encarar o padrinho.

— E se eles pegarem você? E se virem você?

— Vocês três e Dumbledore são os únicos por aqui que sabem que eu sou um animago — disse Sirius sacudindo os ombros e continuando a devorar a galinha.

Rony cutucou Harry e lhe passou os exemplares do *Profeta Diário*. Havia dois; o primeiro tinha a manchete *Doença misteriosa de Bartolomeu Crouch*, e o segundo, *Bruxa do Ministério continua desaparecida — o Ministério da Magia agora está pessoalmente envolvido.*

Harry correu os olhos pelo artigo sobre Crouch. Frases soltas destacaram-se sob seus olhos: *não é visto em público desde novembro... casa parece deserta... O Hospital St. Mungus para Doenças e Acidentes Mágicos não quer comentar... Ministério se recusa a confirmar os boatos sobre doença grave...*

— Estão fazendo parecer que ele está à morte — disse Harry lentamente. — Mas não deve estar se conseguiu vir até aqui...

— Meu irmão é assistente pessoal de Crouch — informou Rony a Sirius. — Ele diz que o cara está sofrendo de estresse.

— Veja bem, ele *realmente* parecia doente na última vez que eu o vi de perto — disse Harry, devagar, ainda lendo o artigo. — Na noite que o meu nome foi escolhido pelo Cálice...

— Está recebendo o que merecia por despedir Winky, não? — comentou Hermione friamente. Ela acariciava Bicuço, que mastigava os ossos de galinha deixados por Sirius. — Aposto como gostaria de não ter feito isso, aposto como sente a diferença agora que ela não está mais lá para cuidar dele.

— Mione está obcecada por elfos domésticos — murmurou Rony para Sirius, lançando à garota um olhar aborrecido.

Sirius, no entanto, pareceu interessado.

— Crouch despediu o elfo doméstico dele?

— Despediu na Copa Mundial de Quadribol — disse Harry, e começou a contar a história do aparecimento da Marca Negra, de Winky ter sido encontrada com a varinha de Harry na mão e da fúria do Sr. Crouch.

Quando Harry terminou, Sirius se levantou novamente e começou a andar para cima e para baixo na caverna.

— Deixe-me entender isso direito — disse ele depois de algum tempo, brandindo mais uma coxa de galinha. — Primeiro você viu o elfo no camarote de honra. Estava guardando um lugar para Crouch, certo?

— Certo — disseram Harry, Rony e Hermione, juntos.

— Mas Crouch não apareceu para assistir ao jogo?

— Não — confirmou Harry. — Acho que ele disse que esteve ocupado demais.

Sirius deu outra volta na caverna em silêncio. Então disse:

— Harry, você procurou sua varinha nos bolsos depois que deixou o camarote de honra?

— Hum... — Harry se concentrou. — Não — respondeu finalmente. — Não precisei usá-la até chegarmos à floresta. Então meti a mão no bolso e só encontrei o meu onióculo. — Ele olhou para Sirius. — Você está dizendo que quem conjurou a Marca furtou minha varinha no camarote de honra?

— É possível — disse Sirius.

— Winky não furtou a varinha! — protestou Hermione com voz aguda.

— O elfo não era o único ocupante do camarote — disse Sirius, enrugando a testa e continuando a andar. — Quem mais estava sentado atrás de você?

— Um monte de gente — respondeu Harry. — Uns ministros búlgaros... Cornélio Fudge... os Malfoy...

— Os Malfoy! — exclamou Rony subitamente, tão alto que sua voz ecoou pelas paredes da caverna, o que fez Bicuço agitar a cabeça nervosamente. — Aposto como foi o Lúcio Malfoy!

— Mais alguém? — perguntou Sirius.

— Não.

— Ah, sim, tinha o Ludo Bagman — lembrou Hermione a Harry.

— Ah, foi...

— Não sei nada sobre o Bagman, exceto que costumava bater para os Wimbourne Wasps — disse Sirius, ainda andando. — Que tal é ele?

— OK — disse Harry. — Fica o tempo todo se oferecendo para me ajudar no Torneio Tribruxo.

— Fica, é? — perguntou Sirius, aprofundando as rugas na testa. — Por que será que ele faria isso?

— Disse que se afeiçoou a mim.

— Hum — murmurou Sirius, pensativo.

— Nós o vimos na floresta pouco antes da Marca Negra aparecer — contou Hermione a Sirius. — Vocês lembram? — perguntou ela a Harry e Rony.

— Lembramos, mas ele não ficou na floresta, não foi? — disse Rony. — Assim que falamos do tumulto, ele saiu para o acampamento.

— Como é que você sabe? — disparou Hermione. — Como é que você sabe para onde foi que ele desaparatou?

— Pode parar — disse Rony, incrédulo —, você está dizendo que acha que Ludo Bagman conjurou a Marca Negra?

— É mais provável que ele tenha feito isso do que Winky — retrucou a menina teimosamente.

— Eu lhe disse — falou Rony, dando um olhar significativo para Sirius —, eu lhe disse que ela está obcecada por elfos...

Mas Sirius ergueu a mão para calar Rony.

— Depois que a Marca Negra foi conjurada e o elfo descoberto segurando a varinha de Harry, que foi que o Crouch fez?

— Foi procurar no meio das moitas — disse Harry —, mas não havia mais ninguém lá.

— Claro — murmurou Sirius andando para cima e para baixo —, claro, ele teria querido pôr a culpa em qualquer um, menos no próprio elfo... e então o despediu?

— Foi — disse Hermione num tom acalorado —, despediu, só porque ela não tinha ficado na barraca esperando ser pisoteada...

— Hermione, será que você pode dar um tempo com esse elfo? — pediu Rony.

Mas Sirius balançou a cabeça e disse:

— Ela avaliou Crouch melhor do que você, Rony. Se você quer saber como um homem é, veja como ele trata os inferiores, e não os seus iguais.

O bruxo passou a mão pelo rosto barbudo, evidentemente se concentrando.

— Todas essas ausências de Bartô Crouch... ele se dá ao trabalho de garantir que seu elfo guarde um lugar para ele na Copa Mundial de Quadribol, mas não se importa de ir assistir. Ele trabalha com afinco para restabelecer o Torneio Tribruxo, e em seguida para de comparecer também... isto não se parece nada com o Crouch. Se ele alguma vez tiver faltado ao trabalho por causa de doença, eu como o Bicuço.

— Você conhece o Crouch, então? — perguntou Harry.

O rosto de Sirius ficou sombrio. Inesperadamente pareceu tão ameaçador quanto na noite em que Harry o viu pela primeira vez, quando o garoto ainda acreditava que o padrinho fosse um assassino.

— Ah, eu conheço Crouch, sim — disse ele em voz baixa. — Foi quem deu a ordem para me mandar para Azkaban, sem julgamento.

— Quê? — exclamaram Rony e Hermione, juntos.

— Você está brincando! — disse Harry.

— Não, não estou — respondeu Sirius, enchendo a boca de galinha. — Crouch costumava ser chefe do Departamento de Execução das Leis da Magia, vocês não sabiam?

Harry, Rony e Hermione balançaram as cabeças.

— Previa-se que ele fosse o próximo ministro da Magia. Ele é um grande bruxo, Bartô Crouch, de grande poder mágico, e de grande fome de poder. Ah, nunca foi partidário de Voldemort — acrescentou, ao ver a expressão no rosto de Harry. — Não, Bartô Crouch sempre foi abertamente contra o partido das trevas. Mas, por outro lado, muita gente que era contra o lado das trevas... bem, vocês não entenderiam... são muito jovens...

— Foi isso que papai me disse na Copa Mundial — disse Rony, com um quê de irritação na voz. — Experimente nos contar.

Um sorriso perpassou o rosto magro de Sirius.

— Está bem, vou experimentar...

Ele andou até um lado da caverna, voltou e então disse:

— Imaginem que Voldemort detivesse o poder agora. Vocês não sabem quem são os partidários dele, não sabem quem está e quem não está trabalhando para ele; vocês sabem que ele é capaz de controlar as pessoas para que façam coisas terríveis sem conseguir se conter. Vocês próprios estão apavorados, suas famílias e amigos, também. Toda semana vocês têm notícias de mais mortes, mais desaparecimentos, mais torturas... o Ministério da Magia está desestruturado, não sabe o que fazer, tenta ocultar dos trouxas o que está acontecendo, mas nesse meio-tempo os trouxas estão morrendo também. Terror por toda parte... pânico... confusão... era assim que costumava ser.

"Bem, tempos assim fazem vir à tona o que alguns têm de melhor e o que outros têm de pior. Os princípios de Crouch podem ter sido bons no início — eu não saberia dizer. Ele subiu rapidamente no Ministério e começou a mandar executar medidas muito severas contra os partidários de Voldemort. Os aurores receberam novos poderes — para matar em vez de capturar, por exemplo. E eu não fui o único a ser entregue diretamente aos dementadores sem julgamento. Crouch combateu violência com violência e autorizou o uso das Maldições Imperdoáveis contra os suspeitos. Eu diria que ele se tornou tão impiedoso e cruel quanto muitos do lado das trevas. Ele tinha os seus partidários, me entendam — muita gente achava que ele estava tratando o problema corretamente, e havia bruxas e bruxos exigindo que ele assumisse o Ministério da Magia. Quando Voldemort sumiu, pareceu que era apenas uma questão de tempo para Crouch assumir o posto maior no Ministério. Mas então aconteceu uma infelicidade..." Sirius sorriu amargurado. "O único filho de Crouch foi apanhado com um grupo de Comensais da Morte que tinham conseguido sair de Azkaban contando uma boa história. Aparentemente pretendiam encontrar Voldemort para reconduzi-lo ao poder."

— O filho de Crouch foi apanhado? — exclamou Hermione.

— Foi — disse Sirius, atirando o osso de galinha para Bicuço, e voltando a se sentar ao lado do pão de fôrma, que ele cortou ao meio. — Imagino que tenha sido um choque e tanto para o velho Bartô. Deveria ter passado mais tempo em casa com a família, não acham? Deveria ter saído do escritório mais cedo um dia... procurado conhecer o filho.

Sirius começou a devorar grandes bocados de pão.

— O filho dele *era* mesmo um Comensal da Morte? — perguntou Harry.

— Não faço ideia — respondeu o padrinho, enfiando mais pão na boca. — Eu próprio estava em Azkaban quando o trouxeram. Descobri a maior parte do que estou contando depois que saí. O rapaz foi sem a menor dúvida apanhado em companhia de gente que, posso apostar minha vida, era Comensal da Morte, mas ele talvez estivesse no lugar errado na hora errada, como esse elfo doméstico.

— Crouch tentou e conseguiu livrar o filho? — sussurrou Hermione.

Sirius deu uma risada que pareceu muito mais um latido.

— Crouch livrou o filho? Achei que você o tinha avaliado corretamente, Hermione. Qualquer coisa que ameaçasse manchar a reputação dele precisava ser afastada, ele dedicou a vida inteira a chegar a ministro da Magia. Vocês viram ele dispensar um dedicado elfo doméstico porque o associou com a Marca Negra, isso não diz a vocês que tipo de pessoa ele é? O máximo a que sua afeição paternal chegou foi dar ao filho um julgamento e, é voz geral, que isso não passou de uma desculpa para Crouch mostrar como detestava o rapaz... depois mandou-o direto para Azkaban.

— Ele entregou o próprio filho aos dementadores? — perguntou Harry em voz baixa.

— Isso mesmo — disse Sirius, e ele não parecia estar achando graça alguma então. — Eu vi os dementadores trazerem o rapaz preso, observei-os pelas grades da porta da minha cela. Não devia ter mais de dezenove anos. Foi encarcerado em uma cela perto da minha. Ao cair da noite ele já estava gritando pela mãe. Mas, depois de alguns dias, se calou... no fim, todos se calam... exceto quando gritam durante o sono...

Por um momento, a expressão mortiça nos olhos de Sirius se tornou mais acentuada que nunca, como se as janelas tivessem se fechado por trás deles.

— Então ele ainda está em Azkaban? — perguntou Harry.

— Não — disse Sirius, sem emoção. — Não, ele não está mais lá. Morreu um ano depois de o levarem para lá.

— *Morreu*?

— Ele não foi o único — disse Sirius, com amargura. — A maioria enlouquece lá, e muitos param de comer quando se aproximam do fim. Perdem a vontade de viver. A gente sempre sabia quando a morte estava próxima, porque os dementadores pressentiam e ficavam animados. O rapaz tinha um ar bem doentio quando chegou. Por ser um importante funcionário do Ministério, Crouch e a mulher receberam permissão para visitá-lo no leito de morte. Foi a última vez que vi Bartô Crouch, meio que carregando a mulher ao passar no corredor diante da minha cela. Parece que ela também morreu pouco depois. Tristeza. Definhou como o filho. Crouch nunca foi buscar o corpo do rapaz. Os dementadores o enterraram do lado de fora da fortaleza, eu fiquei assistindo.

Sirius pôs de lado o pão que acabara de levar à boca e, em lugar disso, apanhou a garrafa de suco de abóbora e a esvaziou.

— Então o velho Crouch perdeu tudo, quando achou que chegara ao topo — continuou ele, limpando a boca com as costas da mão. — Num momento, um herói, pronto a se tornar ministro da Magia... no momento seguinte, o filho morto, a mulher morta, o nome da família desonrado e, pelo que ouvi desde que fugi, uma grande queda na popularidade. Depois que o rapaz morreu, as pessoas começaram a sentir um pouco mais de simpatia por ele, e começaram a indagar como é que um rapaz de boa família tinha entortado daquele jeito. A conclusão foi de que o pai nunca se preocupara muito com ele. Então Cornélio Fudge ganhou o lugar de ministro e Crouch foi deslocado para o Departamento de Cooperação Internacional em Magia.

Houve um longo silêncio. Harry ficou pensando no jeito com que os olhos de Crouch tinham saltado quando ele encarou o elfo desobediente lá na floresta, no final da Copa Mundial de Quadribol. Isto então devia ter sido a razão da reação exagerada de Crouch ao saber que Winky fora encontrada embaixo da Marca Negra. A cena lhe trouxera lembranças do filho, do antigo escândalo e de sua queda no Ministério.

— Moody diz que Crouch é obcecado para caçar bruxos das trevas — disse Harry a Sirius.

— É, ouvi falar que se tornou uma espécie de mania nele — disse Sirius concordando com a cabeça. — Se você quer saber a minha opinião, ele ainda acha que pode recuperar a antiga popularidade capturando mais um Comensal da Morte.

— E ele veio escondido a Hogwarts para revistar a sala de Snape! — exclamou Rony com ar de triunfo, olhando para Hermione.

— É, e isso não faz o menor sentido — disse Sirius.

— Claro que faz! — disse Rony, animado.

Mas Sirius balançou a cabeça.

— Escute aqui, se Crouch quisesse investigar Snape, por que então não tem ido julgar o torneio? Seria a desculpa ideal para fazer visitas regulares à escola e ficar de olho em Snape.

— Então você acha que Snape pode estar aprontando alguma? — perguntou Harry, mas Hermione os interrompeu.

— Olhem, eu não acredito no que vocês estão dizendo, Dumbledore confia em Snape...

— Ah, corta essa, Hermione — disse Rony, impaciente. — Eu sei que Dumbledore é genial e tudo o mais, mas isto não significa que um bruxo das trevas realmente inteligente não possa enganar ele...

— Por que foi, então, que Snape salvou a vida de Harry no primeiro ano? Por que simplesmente não o deixou morrer?

— Não sei, vai ver pensou que Dumbledore lhe daria um chute...

— Que é que você acha, Sirius? — perguntou Harry em voz alta, e Rony e Hermione pararam de discutir para escutar.

— Acho que os dois têm uma certa razão — disse Sirius, olhando pensativo para Rony e Hermione. — Desde que descobri que Snape estava ensinando na escola, tenho pensado por que Dumbledore o contratou. Snape sempre foi fascinado pelas artes das trevas, era famoso por isso na escola. Um garoto esquivo, seboso, os cabelos gordurosos — acrescentou Sirius, e Harry e Rony se entreolharam rindo. — Snape conhecia mais feitiços quando chegou na escola do que metade dos garotos do sétimo ano e fazia parte de uma turma da Sonserina, que, na maioria, acabou virando Comensal da Morte.

Sirius ergueu a mão e começou a contar nos dedos.

— Rosier e Wilkes, os dois foram mortos por aurores um ano antes da queda de Voldemort. Os Lestranges se casaram, estão em Azkaban. Avery, pelo que ouvi dizer, livrou a cara dizendo que tinha agido sob o efeito da Maldição *Imperius*, continua solto. Mas, até onde sei, Snape nunca foi acusado de ser Comensal da Morte; não que isto signifique grande coisa. Muitos deles jamais foram presos. E Snape certamente é muito inteligente e astuto para conseguir ficar de fora.

– Snape conhece Karkaroff muito bem, mas não quer divulgar isso – disse Rony.

– É, você devia ver a cara de Snape quando Karkaroff apareceu na aula de Poções ontem! – disse Harry depressa. – Karkaroff queria falar com Snape, disse que o professor andava evitando ele. Karkaroff parecia realmente preocupado. Mostrou a Snape alguma coisa no braço, mas não pude ver o que era.

– Ele mostrou a Snape alguma coisa no braço? – exclamou Sirius, parecendo sinceramente espantado. Passou os dedos, distraído, pelos cabelos imundos, depois encolheu os ombros. – Bem, não faço ideia do que possa ser... mas, se Karkaroff está genuinamente preocupado, procurou Snape para obter respostas...

Sirius ficou olhando para a parede da caverna, depois fez uma careta de frustração.

– Mas ainda temos o fato de que Dumbledore confia em Snape, sei que Dumbledore confia no que muita gente não confiaria, mas não consigo vê-lo deixando Snape ensinar em Hogwarts se algum dia tivesse trabalhado para Voldemort.

– Então por que Moody e Crouch estão tão interessados em entrar na sala de Snape? – insistiu Rony.

– Bem – respondeu Sirius lentamente –, eu não duvidaria que Olho-Tonto tivesse revistado as salas de todos os professores quando chegou em Hogwarts. Ele leva a sério a Defesa Contra as Artes das Trevas, o Moody. Não tenho certeza de que *ele* confie em alguém, e depois das coisas que tem visto isto não é surpresa. Mas vou dizer uma coisa a favor do Moody, ele nunca matou ninguém se pudesse evitar. Sempre capturou as pessoas vivas, quando era possível. Ele é durão, mas nunca desceu ao nível dos Comensais da Morte. Já Crouch é outra conversa... ele está mesmo doente? Se está, por que fez o esforço de se arrastar até o escritório de Snape? E se não está... o que é que ele anda tramando? Que é que ele estava fazendo de tão importante durante a Copa Mundial que não apareceu no camarote de honra? Que é que ele está fazendo enquanto devia estar julgando o torneio?

Sirius caiu em silêncio, ainda fitando a parede da caverna. Bicuço fuçava o chão empedrado à procura de ossos que pudesse ter deixado passar.

Finalmente Sirius ergueu os olhos para Rony.

– Você disse que seu irmão é assistente pessoal do Crouch? Você tem jeito de perguntar se ele tem visto Crouch ultimamente?

– Posso tentar – disse Rony em dúvida. – Mas é melhor não parecer que desconfio que Crouch esteja fazendo alguma coisa escondido. Percy adora Crouch.

– E poderia, ao mesmo tempo, tentar descobrir se encontraram alguma pista da Berta Jorkins – disse Sirius, apontando para o segundo exemplar do *Profeta Diário*.

– Bagman me disse que não tinham – informou Harry.

– É, ele é citado no artigo do *Profeta*. Alardeando que a memória de Berta é bem ruizinha. Bem, talvez ela tenha mudado desde que eu a conheci, mas a Berta que conheci não era nada desmemoriada, muito ao contrário. Era um pouco obtusa, mas tinha uma excelente memória para fofocas. Isso costumava metê-la em muita confusão, nunca sabia quando ficar de boca calada. Posso entender que representasse um certo risco para o Ministério da Magia... talvez tenha sido por isso que Bagman não se importou de procurar por ela tanto tempo...

Sirius deu um enorme suspiro e esfregou os olhos contornados de sombras escuras.

– Que horas são?

Harry consultou o relógio, então se lembrou de que não estava funcionando desde que passara uma hora dentro do lago.

– São três e meia – informou Hermione.

– É melhor vocês voltarem para a escola – disse Sirius, se levantando. – Agora, escutem aqui... – E olhou mais insistentemente para Harry. – Não quero vocês saindo escondidos da escola para me ver, certo? Me mandem bilhetes para cá. Continuo querendo saber de qualquer coisa estranha. Mas vocês não devem sair de Hogwarts sem permissão, seria uma oportunidade ideal para alguém atacá-los.

– Até agora ninguém tentou me atacar, exceto o dragão e uns dois *grindylows* – disse Harry.

Mas Sirius amarrou a cara para ele.

– Não quero saber... Vou respirar outra vez em paz quando esse torneio terminar, o que não vai acontecer até junho. E não se esqueçam, se estiverem falando de mim entre vocês, me chamem de Snuffles, OK?

Ele devolveu a Harry a garrafa e o guardanapo vazios e foi dar uma palmadinha de despedida em Bicuço.

— Acompanho vocês até a entrada do povoado — disse Sirius —, vou ver se consigo catar mais um jornal.

Ele se transformou no enorme cão preto antes de deixarem a caverna, e juntos desceram a encosta do morro, atravessaram o terreno pedregoso e voltaram à escada. Ali ele deixou cada um dos garotos lhe acariciar a cabeça e, em seguida, virou as costas e saiu correndo pela periferia do povoado.

Harry, Rony e Hermione voltaram para Hogsmeade e dali para Hogwarts.

— Será que o Percy conhece toda essa história sobre o Crouch? — comentou Rony quando subiam a estrada do castelo. — Mas vai ver ele não se importa... provavelmente ia admirar o Crouch ainda mais. É, o Percy adora regulamentos. Ia dizer que o Crouch se recusou a infringir os regulamentos em favor do próprio filho.

— Percy não atiraria nenhuma pessoa da família dele aos dementadores — disse Hermione com severidade.

— Não sei, não — respondeu Rony. — Se achasse que estávamos atrapalhando a carreira dele... Percy é realmente ambicioso, sabem...

Eles subiram os degraus de pedra e entraram no saguão do castelo, onde vieram ao seu encontro os cheiros gostosos do jantar no Salão Principal.

— Coitado do velho Snuffles — disse Rony inspirando profundamente. — Ele deve realmente gostar de você, Harry... imagine ter que comer ratos para sobreviver.

28

A LOUCURA DO SR. CROUCH

No domingo, Harry, Rony e Hermione subiram ao corujal depois do café da manhã, para enviar uma carta a Percy, perguntando, conforme Sirius sugerira, se ele tinha visto o Sr. Crouch ultimamente. Usaram Edwiges, porque fazia muito tempo que ela não recebia uma tarefa. Depois que a viram desaparecer no horizonte pela janela do corujal, desceram à cozinha para dar a Dobby as meias novas.

Os elfos domésticos receberam os garotos com grande alegria, fazendo mesuras e reverências e se apressando em preparar um chá. Dobby ficou extasiado com o presente.

— Harry Potter é bom demais para Dobby! — guinchou ele, secando as grossas lágrimas que marejavam seus olhos enormes.

— Você salvou minha vida com aquele guelricho, Dobby, verdade — disse Harry.

— Alguma chance de terem sobrado bombas de creme? — perguntou Rony, olhando para os elfos sorridentes e cheios de mesuras.

— Você acabou de tomar café! — exclamou Hermione, irritada, mas uma grande travessa de prata contendo bombas de creme já vinha voando na direção do garoto, trazida por quatro elfos.

— Devíamos arranjar alguma coisa para mandar a Snuffles — murmurou Harry.

— Boa ideia — aprovou Rony. — Dar a Píchi o que fazer. Vocês poderiam nos dar um pouco mais de comida? — perguntou Rony aos elfos que os rodeavam, e eles se inclinaram prazerosamente e correram a apanhar alguma coisa.

— Dobby, onde está Winky? — perguntou Hermione, olhando para os lados.

— Winky está ali adiante junto ao fogo, senhorita — respondeu Dobby em voz baixa, suas orelhas caindo ligeiramente.

— Essa, não! — exclamou Hermione ao localizar Winky.

Harry também olhou para o fogo. Winky estava sentada no mesmo banquinho que da última vez, mas ficara tão imunda que não se conseguia distingui-la imediatamente dos tijolos escurecidos pela fumaça atrás dela. Suas roupas estavam rasgadas e sujas. Segurava uma garrafa de cerveja amanteigada e cambaleava um pouco no banquinho, olhando fixamente para as chamas do fogão. Enquanto eles a observavam, ela soltou um imenso soluço.

— Winky está entornando seis garrafas por dia agora — Dobby cochichou a Harry.

— Bem, não é uma bebida muito forte — ponderou Harry.

Mas Dobby sacudiu a cabeça.

— É forte para um elfo doméstico, meu senhor.

Winky soltou outro soluço. Os elfos que tinham trazido as bombas de creme lançaram a ela um olhar de censura antes de voltarem aos seus afazeres.

— Winky está definhando, Harry Potter — disse Dobby tristemente. — Winky quer ir para casa. Winky ainda acha que o Sr. Crouch é o amo dela, meu senhor, e nada que Dobby diga consegue convencer ela de que o Prof. Dumbledore é o novo amo da gente.

— Oi, Winky — disse Harry, tomado de súbita inspiração, indo até o fogão e se abaixando para falar com ela —, você por acaso saberia me dizer o que é que o Sr. Crouch pode estar fazendo? Porque ele parou de aparecer para julgar o Torneio Tribruxo.

Os olhos de Winky pestanejaram. Suas enormes pupilas focalizaram Harry. Ela cambaleou ligeiramente e perguntou:

— M-meu amo parou, hic, de vir?

— Foi — confirmou Harry —, não o vemos desde a primeira tarefa. O *Profeta Diário* diz que ele está doente.

Winky balançou mais um pouco, encarando Harry com os olhos baços.

— M-meu amo, hic, doente?

O lábio inferior do elfo começou a tremer.

— Mas não temos certeza de que seja verdade — acrescentou Hermione depressa.

— Meu amo está precisando da, hic, Winky dele! — choramingou o elfo. — Meu amo não, hic, sabe, hic, se cuidar sozinho...

— Outras pessoas conseguem fazer o trabalho de casa sozinhas, sabe, Winky — lembrou Hermione com severidade.

— Winky, hic, não faz só, hic, trabalho de casa para o Sr. Crouch! — guinchou Winky, indignada, cambaleando mais que nunca e derramando cerveja amanteigada na blusa já bastante suja. — Meu amo, hic, confiou a Winky, hic, o segredo dele, hic, mais importante, o mais secreto...

— Quê? — exclamou Harry.

Mas Winky sacudiu a cabeça com força, derramando mais cerveja amanteigada pela roupa.

— Winky guarda, hic, os segredos do amo dela — disse com rebeldia, oscilando fortemente para os lados agora, franzindo a testa para Harry com os olhos vesgos. — Você está, hic, bisbilhotando, está sim.

— Winky não deve falar assim com Harry Potter! — disse Dobby, aborrecido. — Harry Potter é corajoso e nobre e Harry Potter não é bisbilhoteiro!

— Ele está metendo o nariz, hic, nos segredos e particulares, hic, do meu amo, hic, Winky é um bom elfo doméstico, hic, Winky fica calada, hic, gente querendo, hic, tirar informações, hic... — As pálpebras de Winky se fecharam e, de repente, sem aviso, ela escorregou do banquinho e caiu no fogão, roncando alto. A garrafa vazia de cerveja amanteigada rolou pelo chão lajeado.

Meia dúzia de elfos domésticos se adiantaram correndo, com ar de repugnância. Um deles apanhou a garrafa, os outros cobriram Winky com uma grande toalha xadrez de mesa e prenderam os lados e pontas por baixo do corpo para escondê-la de vista.

— A gente lamenta que os senhores e a senhorita tenham que assistir a isso! — guinchou um elfo próximo, balançando a cabeça e parecendo muito envergonhado. — A gente espera que os senhores não julguem a gente pela Winky!

— Ela está infeliz! — exclamou Hermione, exasperada. — Por que vocês não tentam animar Winky em vez de a esconder?

— Me perdoa, senhorita — disse um elfo fazendo uma grande reverência —, mas elfos domésticos não têm o direito de ficar infelizes quando têm trabalho a fazer e amos para servir.

— Ora, francamente! — exclamou Hermione, enraivecida. — Escutem aqui, vocês todos! Vocês têm tanto direito de se sentir infelizes quanto os bruxos! Vocês têm direito a salário, férias e roupas decentes, não têm que fazer tudo o que mandam, olhem só o Dobby!

— Senhorita, por favor, deixa o Dobby fora disso — murmurou o elfo, com uma expressão amedrontada. Os sorrisos alegres desapareceram dos rostos dos elfos na cozinha. De repente fitaram Hermione como se ela fosse louca e perigosa.

— A gente separou a comida extra! — guinchou um elfo ao cotovelo de Harry empurrando um grande presunto, uma dúzia de bolos e umas frutas nos braços do garoto. — Tchau.

Os elfos domésticos se aglomeraram ao redor de Harry, Rony e Hermione e começaram a levar os garotos lentamente para fora da cozinha, muitas mãozinhas os empurraram pela cintura.

— Obrigado pelas meias, Harry Potter! — gritou Dobby, desalentado, lá do fogão, onde se achava parado ao lado da toalha que cobria as formas de Winky.

— Você não podia ter ficado calada, não é, Mione? — exclamou Rony enraivecido quando a porta da cozinha se fechou às costas deles. — Agora eles não vão querer receber visitas nossas! Poderíamos ter tentado extrair de Winky mais alguma coisa sobre o Crouch!

— Ah, como se você se importasse com isso! — desdenhou Hermione. — Você só gosta de vir aqui embaixo para comer!

Foi um dia meio irritante depois disso. Harry ficou tão cansado de Rony e Hermione se agredirem durante o dever de casa, na sala comunal, que, naquela noite, levou sozinho a comida de Sirius para o corujal.

Pichitinho era demasiado pequeno para transportar sozinho um presunto inteiro até a montanha, por isso Harry recrutou a ajuda de mais duas corujas-das-torres. Quando o grupo de aves saiu pelo crepúsculo, parecendo esquisitíssimo com aquele enorme pacote entre elas, Harry se apoiou no parapeito da janela para contemplar os jardins ao anoitecer, as copas farfalhantes das árvores da Floresta Proibida, as velas enfunadas no navio de Durmstrang. Um mocho atravessou a serpentina de fumaça que saía da chaminé de Hagrid, voou em direção ao castelo, contornou o corujal e desapareceu de vista. Olhando para baixo, Harry viu Hagrid cavando energicamente a terra diante de sua cabana. E se perguntou o que o amigo estaria fazendo; parecia estar preparando mais um canteiro de hortaliças. Enquanto ele observava, Madame Maxime saiu da carruagem da Beauxbatons e se dirigiu a Hagrid. Pelo jeito, estava tentando puxar conversa. Hagrid se apoiou na pá, mas não pareceu estar muito interessado em prolongar o diálogo, porque a bruxa voltou à carruagem pouco depois.

Sem vontade de voltar à Torre da Grifinória e ouvir Rony e Hermione rosnarem um para o outro, o garoto ficou observando Hagrid cavar até a escuridão engoli-lo e as corujas ao seu redor começarem a acordar, passarem por ele e desaparecerem na noite.

* * *

No dia seguinte, à hora do café da manhã, o mau humor de Rony e Hermione já se desgastara e, para alívio de Harry, as previsões sombrias de Rony de que os elfos domésticos mandariam comida de qualidade abaixo do normal para a mesa da Grifinória, porque Hermione os ofendera, se provaram falsas; o bacon com ovos e o peixe defumado estavam bons como sempre.

Quando o correio-coruja chegou, Hermione ergueu os olhos, ansiosa; parecia estar à espera de alguma coisa.

– Ainda não deu tempo para Percy responder – disse Rony. – Só despachamos a Edwiges ontem.

– Não, não é isso – falou Hermione. – Fiz uma nova assinatura do *Profeta Diário*, estou cheia de descobrir o que acontece pela boca da turma da Sonserina.

– Bem pensado! – exclamou Harry, também erguendo os olhos para as corujas. – Ei, Mione, acho que você está com sorte...

Uma coruja cinzenta vinha descendo em direção à garota.

– Mas, ela não está trazendo nenhum jornal – comentou Hermione, com ar de desapontamento. – É...

Mas, para seu espanto, a coruja cinzenta pousou diante do seu prato acompanhada de perto por mais quatro corujas-de-igreja, uma coruja parda e uma avermelhada.

– Quantas assinaturas você fez? – perguntou Harry, agarrando a taça de Hermione antes que ela fosse derrubada pelo ajuntamento de corujas, todas se empurrando para chegar mais perto e entregar as cartas que traziam primeiro.

– Que diabo...? – exclamou Hermione, tirando a carta da coruja cinzenta e abrindo-a para ler.

"Ora, francamente!", disse ela com veemência, corando.

– Que é? – perguntou Rony.

– É, ora, que ridículo... – A garota empurrou a carta para Harry, que observou que não era manuscrita, mas composta por letras aparentemente recortadas do *Profeta Diário*.

Você não PresTA. HaRRy PottEr meREce umA gaRotA melhoR. Volte paRa o seu lugAR, trOUxa.

— São todas iguais! — exclamou Hermione, desesperada, abrindo uma carta atrás da outra. — "Harry Potter pode arranjar uma namorada melhor do que alguém da sua laia..." "Você merece ser cozida com ovas de rã..." *Ai*!

Hermione abrira o último envelope e um líquido verde-amarelado, que cheirava fortemente a gasolina, derramou-se em suas mãos, fazendo irromper nelas grandes tumores amarelos.

— Pus de bubotúbera puro! — disse Rony, apanhando, desajeitado, o envelope e cheirando-o.

— Ai! — exclamou Hermione, as lágrimas enchendo seus olhos quando tentou limpar as mãos em um guardanapo, mas seus dedos agora estavam tão cobertos de feridas dolorosas que ela parecia até estar usando um par de grossas luvas com bolotas.

— É melhor você ir depressa à ala hospitalar — disse Harry, quando as corujas ao redor da amiga levantaram voo —, diremos à Prof.ª Sprout aonde é que você foi...

— Eu avisei a ela! — disse Rony quando Hermione saiu correndo do Salão Principal aninhando as mãos no colo. — Avisei a ela para não aborrecer Rita Skeeter! Olhe só esta aqui... — Ele leu uma das cartas que Hermione tinha deixado para trás. — "*Li no Semanário das Bruxas como você está enganando o Harry Potter, um garoto que já teve uma vida bastante atribulada, por isso no próximo correio vou lhe mandar um feitiço, é só eu encontrar um envelope suficientemente grande.*" Caracas, é melhor ela se cuidar!

Hermione não apareceu na aula de Herbologia. Quando Harry e Rony deixaram a estufa para a aula de Trato das Criaturas Mágicas, viram Malfoy, Crabbe e Goyle descendo os degraus da entrada do castelo. Pansy Parkinson cochichava e ria atrás deles com a turminha de garotas da Sonserina. Ao avistar Harry, ela gritou:

— Potter, você já brigou com a sua namorada? Por que ela estava tão perturbada no café da manhã?

Harry ignorou-a; não queria dar a Pansy a satisfação de saber quanto mal o artigo do *Semanário das Bruxas* causara.

Hagrid, que avisara na aula anterior que haviam terminado com os unicórnios, estava aguardando os alunos à frente da cabana, com um estoque recém-chegado de caixotes, abertos aos seus pés. O ânimo de Harry afundou ao avistar os caixotes — com certeza não era outra ninhada de explosivins? —, mas quando se aproximou o suficiente para ver dentro, deparou com uma quantidade de bichos peludos e pretos com longos focinhos. As patas dianteiras eram curiosamente chatas como pás, e eles erguiam os olhos piscando para a classe, parecendo educadamente intrigados com toda aquela atenção.

— São pelúcios — anunciou Hagrid, quando a turma se agrupou ao seu redor. — São encontrados principalmente em minas. Gostam de coisas brilhantes... aí vêm eles, olhem.

Um dos bichos tinha saltado repentinamente e tentado arrancar o relógio de ouro de Pansy Parkinson do pulso. Ela gritou e deu um pulo para trás.

— São bastante úteis para procurar pequenos tesouros — disse Hagrid, satisfeito. — Achei que podíamos nos divertir com eles hoje. Estão vendo ali adiante? — Ele apontou para um terreno em que a terra fora recentemente revolvida e que Harry o vira preparar da janela do corujal. — Enterrei ali algumas moedas de ouro. Tenho um prêmio para quem apanhar o pelúcio que encontrar mais moedas. Guardem as coisas valiosas que estiverem usando, escolham um bicho e se preparem para soltá-lo.

Harry tirou o relógio que ele continuava usando só por hábito, porque não funcionava mais, e enfiou-o no bolso. Depois apanhou um pelúcio. O bicho enfiou o longo focinho na orelha de Harry e cheirou-a entusiasmado. Era realmente muito fofo.

— Esperem um instante — disse Hagrid olhando para dentro do caixote —, tem um pelúcio sobrando aqui... quem está faltando? Onde está Hermione?

— Ela precisou ir à ala hospitalar — informou Rony.

— A gente explica mais tarde — murmurou Harry; Pansy Parkinson estava escutando.

Foi sem dúvida a maior diversão que já tinham tido em Trato das Criaturas Mágicas. Os pelúcios entravam e saíam da terra como se fossem água, cada qual correndo de volta ao aluno que o soltara e cuspindo ouro em suas mãos. O de Rony foi particularmente eficiente; não tardou a encher seu colo de moedas.

— Pode se comprar um desses como bicho de estimação, Hagrid? — perguntou o garoto, animado, quando o pelúcio dele tornou a mergulhar no solo sujando suas vestes de lama.

— Sua mãe não iria ficar feliz, Rony — disse Hagrid sorrindo —, eles destroem uma casa, esses pelúcios. Calculo que agora eles já encontraram tudo que enterrei — acrescentou, andando pelo terreno, enquanto os bichos continuavam a mergulhar. — Só enterrei cem moedas. Ah, aí está você, Hermione!

A garota vinha atravessando o gramado em direção à turma. Tinha as mãos enfaixadas e parecia bem infeliz. Pansy Parkinson a observou com desconfiança.

— Bem, vamos verificar como foi que vocês se saíram! — disse Hagrid.
— Contem suas moedas! E não adianta tentar roubar nenhuma, Goyle — acrescentou ele, estreitando os olhos escuros de besouro. — É ouro de duende irlandês, de *leprechaun*. Desaparece depois de algumas horas.

Goyle esvaziou os bolsos, emburradíssimo. O resultado final foi que o pelúcio de Rony tinha sido o mais bem-sucedido, então Hagrid entregou ao garoto o prêmio: uma enorme barra de chocolate da Dedosdemel. A sineta ecoou pelos jardins anunciando o almoço; o restante da turma saiu em direção ao castelo, mas Harry, Rony e Hermione ficaram para ajudar Hagrid a guardar os pelúcios nos caixotes. Harry notou que Madame Maxime os observava da janela da carruagem.

— Que foi que você fez com as suas mãos, Mione? — perguntou Hagrid, com o ar preocupado.

A garota lhe contou sobre as cartas anônimas que recebera àquela manhã e sobre o envelope cheio de pus de bubotúberas.

— Aaah, não se preocupe — disse Hagrid brandamente, fitando-a. — Recebo cartas assim desde que a Rita escreveu sobre minha mãe. "Você é um monstro e devia ser morto." "Sua mãe matou gente inocente e se você tivesse alguma decência se atiraria no lago."

— Não! — exclamou Hermione, chocada.

— Sim! — respondeu Hagrid, erguendo os caixotes de pelúcios para guardá-los junto à parede da cabana. — É gente que não bate bem, Mione. Não abra mais cartas quando as receber. Jogue todas direto na lareira.

— Você perdeu uma aula realmente boa — comentou Harry com Hermione quando regressavam ao castelo. — São legais, os pelúcios, não são, Rony?

Rony, porém, estava franzindo a testa para o chocolate dado por Hagrid. Parecia absolutamente desapontado com alguma coisa.

— Que foi? — perguntou Harry. — Sabor errado?

— Não — disse Rony com rispidez. — Por que você não me falou do ouro?

— Que ouro? — perguntou Harry.

— O ouro que lhe dei na Copa Mundial de Quadribol — disse Rony. — O ouro de *leprechaun* que lhe paguei pelos meus onióculos. No camarote de honra. Por que você não me contou que ele desapareceu?

Harry teve que pensar um instante para entender do que é que Rony estava falando.

— Ah... — disse, quando finalmente se lembrou. — Não sei... nunca reparei que tinha desaparecido. Eu estava mais preocupado com a minha varinha, não era?

Os três subiram os degraus para o saguão de entrada e foram para o Salão Principal almoçar.

— Deve ser legal — falou Rony abruptamente, depois que se sentaram e começaram a se servir de rosbife e pudim de Yorkshire, massa assada embaixo de carne sangrenta. — Ter tanto dinheiro que nem se repara que os galeões guardados no bolso desapareceram.

— Escuta aqui, eu tinha outras preocupações na cabeça aquela noite! — retrucou Harry com impaciência. — Todos tínhamos, lembra?

— Eu não sabia que ouro de *leprechaun* desaparecia — murmurou Rony. — Achei que estava lhe pagando. Você não devia ter me dado aquele boné do Chudley Cannon no Natal.

— Esquece isso, tá? — disse Harry.

Rony espetou uma batata assada com o garfo e ficou olhando para ela. Depois disse:

— Detesto ser pobre.

Harry e Hermione se entreolharam. Nenhum dos dois sabia realmente o que dizer.

— É uma droga — disse Rony, ainda encarando a batata. — Não posso culpar o Fred e o Jorge por tentarem ganhar um dinheirinho extra. Gostaria de saber fazer o mesmo. Gostaria de ter um pelúcio.

— Bem, então já sabemos o que comprar para você no próximo Natal — disse Hermione, animada. Mas vendo que o amigo continuava chateado acrescentou: — Vamos, Rony, podia ser pior. Pelo menos os seus dedos não estão cheios de pus. — Hermione estava encontrando muita dificuldade para usar os talheres, de tão inchados e duros que seus dedos estavam. — *Odeio* aquela Skeeter! — explodiu a garota com raiva. — Vou me vingar dela nem que seja a última coisa que eu faça!

As cartas anônimas continuaram a chegar para Hermione nas semanas seguintes e, embora ela tivesse seguido o conselho de Hagrid e parado de abri-las, vários remetentes odiosos mandaram berradores, que explodiam à mesa da Grifinória gritando-lhe ofensas que o salão inteiro podia ouvir. Até as pessoas que não liam o *Semanário das Bruxas* agora sabiam tudo sobre o suposto triângulo Harry-Krum-Hermione. Harry estava ficando farto de explicar a todo mundo que Hermione não era sua namorada.

— Mas isso vai passar — disse ele à amiga —, é só a gente ignorar... as pessoas já acharam um tédio o último artigo que ela escreveu sobre mim...

— Quero saber como é que ela está conseguindo escutar conversas particulares se supostamente foi banida dos terrenos da escola! — disse Hermione, zangada.

Ela continuou na sala quando terminou a aula seguinte de Defesa Contra as Artes das Trevas para fazer uma pergunta ao Prof. Moody. O restante da turma estava ansioso para sair; o professor lhes dera uma prova tão difícil sobre deflexão de feitiços que alguns alunos estavam cuidando de pequenos ferimentos. Harry teve um caso grave de Comichão nas Orelhas e precisou tampá-las com as mãos ao sair da sala.

— Bem, decididamente Rita não está usando uma Capa da Invisibilidade! — ofegou Hermione ao alcançar Harry e Rony cinco minutos mais tarde, no saguão de entrada, e puxar a mão de Harry para afastá-la de uma orelha que se contorcia sozinha, para que o garoto pudesse ouvi-la. — Moody disse que não viu Skeeter nas proximidades da mesa dos juízes no dia da segunda tarefa, nem em lugar algum perto do lago!

— Hermione, será que adianta lhe dizer para deixar isso para lá? — perguntou Rony.

— Não! — exclamou a garota teimosamente. — Quero saber como foi que ela me ouviu falando com o Vítor! E como foi que ela descobriu a história da mãe de Hagrid!

— Talvez ela tenha posto um grampo em você — disse Harry.

— Um grampo? — perguntou Rony sem entender. — O quê... pôs um prendedor no cabelo dela ou outra coisa assim?

Harry começou a explicar os microfones escondidos e os equipamentos de gravação.

Rony ficou fascinado, mas Hermione os interrompeu.

— Será que vocês nunca vão ler *Hogwarts: uma história*?

— Para quê? — respondeu Rony. — Você conhece o livro de cor, é só a gente lhe perguntar.

— Todas as alternativas para a magia que os trouxas usam, eletricidade, computadores, radar etc., entram em pane perto de Hogwarts, tem magia demais no ar. Não, Rita está usando magia para escutar conversas, se eu ao menos conseguisse descobrir o que é... aah, se for ilegal, eu pego ela...

— Será que a gente já não tem bastante preocupação? — perguntou Rony à amiga. — Temos que começar também uma vendeta contra a Rita?

— Não estou pedindo a você para ajudar! — retrucou Hermione. — Vou fazer isso sozinha!

E subiu a escadaria de mármore sem sequer olhar para trás. Harry tinha certeza absoluta de que ela estava indo à biblioteca.

— Quer apostar que ela volta com uma caixa cheia de distintivos *Odeio Rita Skeeter*?!

Hermione, porém, não pediu a Harry e Rony para ajudá-la a se vingar de Rita Skeeter, pelo que os dois ficaram muito gratos, porque a carga de deveres dos garotos aumentou muito nos dias que antecederam as férias da Páscoa. Harry ficou maravilhado que Hermione pudesse pesquisar métodos mágicos para a pessoa escutar sem ser vista e ainda dar conta de todas as tarefas que tinha que fazer. Ele mesmo estava trabalhando sem descanso só para conseguir terminar todos os deveres, embora fizesse questão de mandar, regularmente, pacotes de comida para a caverna de Sirius, no morro; depois das férias de verão Harry ainda não esquecera o que era ficar continuamente esfomeado. Incluía neles bilhetes a Sirius informando que não acontecera nada de extraordinário e que continuavam aguardando uma resposta de Percy.

Edwiges só voltou no fim das férias da Páscoa. A carta de Percy veio acompanhando um pacote de ovos de Páscoa enviado pela Sra. Weasley. Os de Harry e Rony eram do tamanho de ovos de dragão e cheios de caramelos caseiros. O de Hermione, porém, era menor do que um ovo de galinha. A garota ficou desapontada ao recebê-lo.

— Por acaso sua mãe lê o *Semanário das Bruxas*, Rony? — perguntou ela, baixinho.

— Lê — disse Rony, que tinha a boca cheia de caramelos. — Tem assinatura por causa das receitas de comida.

Hermione ficou olhando tristemente o ovinho recebido.

— Não quer ver o que Percy escreveu? — perguntou Harry a ela, depressa.

A carta de Percy era curta e irritada.

> *Conforme canso de dizer ao Profeta Diário, o Sr. Crouch está tirando um merecido descanso. Ele me manda, regularmente, corujas trazendo instruções. Não, na realidade não o tenho visto, mas acho que podem acreditar que conheço a caligrafia do meu superior. Tenho muito que fazer no momento, sem precisar estar desmentindo esses boatos ridículos. Por favor, não me incomodem mais a não ser que seja para alguma coisa importante. Feliz Páscoa.*

O início do trimestre de verão normalmente significava que Harry estaria treinando com vontade para a última partida de quadribol da temporada. Este ano, porém, era para a terceira e última tarefa do Torneio Tribruxo que ele precisava se preparar, mas o garoto ainda não sabia qual ia ser. Finalmente, na última semana de maio, a Profª McGonagall o reteve depois da aula de Transfiguração.

— Você deve ir ao campo de quadribol hoje à noite, às nove horas, Potter — disse ela. — O Sr. Bagman vai estar lá para falar aos campeões sobre a terceira tarefa.

Então, às oito e meia da noite, Harry deixou Rony e Hermione na Torre da Grifinória e desceu a escada. Quando atravessou o saguão de entrada, Cedrico vinha subindo da sala comunal da Lufa-lufa.

— Que é que você acha que vai ser? — perguntou ele a Harry, quando desciam juntos os degraus para o jardim e para a noite nebulosa. — Fleur não para de falar em túneis subterrâneos, acha que vamos ter que encontrar um tesouro.

— Isso não seria nada mau — comentou Harry, pensando que bastaria pedir a Hagrid um pelúcio para realizar sua tarefa.

Eles caminharam pelos gramados escuros até o estádio de quadribol, atravessaram uma abertura sob as arquibancadas e saíram no campo.

— Que foi que fizeram com o campo? — exclamou Cedrico, indignado, parando de chofre.

O campo de quadribol deixara de ser plano e liso. Parecia que alguém andara construindo por todo ele muretas longas, que seguiam em meandros e o cruzavam em todas as direções.

— São sebes! — exclamou Harry, se curvando para examinar a mais próxima.

— Alô, vocês aí! — gritou uma voz animada.

Ludo Bagman estava parado no meio do campo em companhia de Krum e Fleur. Harry e Cedrico procuraram chegar até o grupo, saltando por cima das sebes. Fleur abriu um grande sorriso para Harry quando ele se aproximou. Sua atitude para com o garoto mudara completamente desde que ele tirara sua irmã do lago.

— Bem, que é que vocês acham? — perguntou Bagman, alegre, quando Harry e Cedrico transpuseram a última sebe. — Estão crescendo bem, não? Deem mais um mês e Hagrid vai fazê-las alcançar cinco metros de altura. Não se preocupem — acrescentou ele ao ver as expressões pouco satisfeitas no rosto de Harry e Cedrico —, vocês vão ter o seu campo de quadribol normal depois que terminarem a tarefa! Agora, imagino que podem adivinhar o que estamos fazendo aqui?

Ninguém falou por um momento. Depois...

— Labirinto — resmungou Krum.

— Acertou! — disse Bagman. — Um labirinto. A terceira tarefa na realidade é muito simples. A Taça do Torneio Tribruxo será colocada no centro do labirinto. O primeiro campeão que puser a mão nela recebe a nota máxima.

— Temes samplement que atrravessar o labirrinto? — perguntou Fleur.

— Haverá obstáculos — disse Bagman alegremente, balançando-se sobre a sola dos pés. — Hagrid está providenciando algumas criaturas... e haverá também feitiços que vocês precisarão desfazer... essas coisas que vocês já conhecem. Agora, os campeões que estão liderando a contagem de pontos entrarão primeiro no labirinto. — Bagman sorriu para Harry e Cedrico. — Depois entrará o Sr. Krum... depois a Srta. Delacour. Mas todos terão a mesma possibilidade de vencer, dependendo da perícia com que superarem os obstáculos. Será divertido, não acham?

Harry, que sabia muito bem que tipo de criaturas Hagrid iria arranjar para um evento de tal porte, achou muito improvável que fosse divertido. Contudo, concordou educadamente com a cabeça, como os demais campeões.

— Muito bem... se não tiverem nenhuma pergunta a fazer, vamos voltar para o castelo, está meio frio...

Bagman apressou-se a caminhar ao lado de Harry quando começaram a deixar o labirinto em crescimento. O garoto teve a impressão de que o bruxo ia começar a oferecer ajuda novamente, mas nesse instante Krum bateu em seu ombro.

— Posso falarr com focê?

— Claro que sim — disse Harry, ligeiramente surpreso.

— Focê pode andarr um pouco comigo?

— OK — disse o garoto, curioso.

Bagman pareceu ligeiramente perturbado.

— Esperarei por você, Harry, está bem?

— Não, está tudo OK, Sr. Bagman — disse Harry contendo um sorriso. — Acho que posso encontrar o caminho para o castelo sozinho, obrigado.

Harry e Krum saíram juntos do estádio, mas Krum não tomou o rumo do navio de Durmstrang. Em vez disso, dirigiu-se à Floresta.

— Para que estamos indo nesta direção? — perguntou Harry, ao passarem pela cabana de Hagrid e a carruagem iluminada da Beauxbatons.

— Non querro que me ouçam — disse o rapaz secamente.

Quando finalmente chegaram a um trecho sossegado, a poucos passos do picadeiro dos cavalos da Beauxbatons, Krum parou à sombra de um grupo de árvores e se virou para encarar Harry.

— Querro saberr — disse ele amarrando a cara — que é que há entre focê e Hermi-ô-nini.

Harry, que pela maneira sigilosa de Krum esperara algo muito mais sério que aquilo, ergueu os olhos para Krum, admirado.

— Nada — disse ele. Mas Krum amarrou a cara, e Harry, mais uma vez admirado com o tamanho de Krum, explicou melhor. — Somos amigos. Ela não é minha namorada nem nunca foi. Aquela tal da Skeeter está inventando coisas.

— Hermi-ô-nini fala muito de focê — disse Krum, olhando desconfiado para Harry.

— Claro, porque somos amigos.

Ele não estava conseguindo acreditar muito bem que estivesse tendo aquela conversa com Vítor Krum, o famoso jogador internacional de quadribol. Era como se o Krum, com seus dezoito anos, achasse que ele, Harry, fosse seu igual — um rival de verdade...

— Focê nunca... focê non...

— Não — disse Harry com firmeza.

Krum pareceu um tantinho mais feliz. Fitou Harry durante alguns segundos, depois disse:

— Focê foa muito bem. Fiquei assistindo a focê durante a primeira tarefa.

— Obrigado — disse Harry com um grande sorriso, se sentindo subitamente muito maior. — Vi você na Copa Mundial de Quadribol. Naquela Finta de Wronski, você realmente...

Mas alguma coisa se mexeu às costas de Krum, entre as árvores, e Harry, que tinha alguma experiência com coisas que rondam a Floresta, instintivamente agarrou Krum pelo braço e o puxou para um lado.

— Que foi?

Harry balançou a cabeça, examinando com atenção o lugar em que percebera o movimento. Meteu a mão dentro das vestes à procura da varinha.

No momento seguinte um homem saiu cambaleando de trás de um alto carvalho. Por um instante Harry não o reconheceu... depois percebeu que era o Sr. Crouch.

Tinha a aparência de quem estava viajando há dias. Os joelhos de suas vestes estavam rasgados e ensanguentados; seu rosto estava arranhado; e, ele, barbudo e cinzento de exaustão. Os cabelos e bigodes sempre impecáveis estavam precisando de um xampu e de um corte. Sua estranha aparência, porém, não era nada comparada à maneira como estava agindo. Resmungava e gesticulava, parecia estar falando com alguém que somente ele conseguia ver. Lembrava a Harry vividamente um velho vagabundo que o garoto vira quando fora às compras com os Dursley. O tal homem também conversava, alterado, com o vento; tia Petúnia agarrara Duda pela mão e o arrastara para o outro lado da rua para evitar o homem; tio Válter então brindara a família com um longo discurso sobre o que gostaria de fazer com mendigos e vagabundos.

— Ele non erra um dos juízes? — perguntou Krum, de olhos arregalados, para o Sr. Crouch. — Non é do seu Ministérrio?

Harry confirmou com um aceno de cabeça, hesitou por um instante, depois se dirigiu lentamente ao Sr. Crouch, que não olhou para ele, mas continuou a falar com uma árvore próxima:

— ... e depois que fizer isso, Weatherby, mande uma coruja a Dumbledore confirmando o número de estudantes de Durmstrang que virão ao torneio, Karkaroff acabou de mandar uma mensagem dizendo que serão doze...

— Sr. Crouch? — chamou Harry cautelosamente.

— ... e depois mande outra coruja à Madame Maxime, porque ela talvez queira aumentar o número de estudantes que vai trazer, agora que Karkaroff arredondou para uma dúzia... faça isso, Weatherby, por favor? Por favor? Por... — Os olhos do Sr. Crouch estavam saltados. Ele continuou encarando a árvore, resmungando silenciosamente para ela. Então, cambaleou para os lados e caiu de joelhos.

— Sr. Crouch? — chamou Harry em voz alta. — O senhor está bem?

Os olhos de Crouch reviravam nas órbitas. Harry olhou para os lados procurando Krum, que o seguira até as árvores e olhava para Crouch assustado.

— Que é que ele tem?

— Não faço ideia — murmurou Harry. — Escuta aqui, é melhor você ir buscar alguém...

— Dumbledore! — arquejou o Sr. Crouch. Ele esticou a mão e agarrou com firmeza as vestes de Harry e arrastou-o para perto, embora seus olhos estivessem olhando por cima da cabeça de Harry. — Preciso... ver... Dumbledore.

— OK — disse Harry —, se o senhor se levantar, Sr. Crouch, podemos ir até...

— Fiz... uma... idiotice... — murmurou o Sr. Crouch. Parecia completamente insano. Revirava os olhos esbugalhados e um fio de saliva escorria pelo seu queixo. Cada palavra que ele dizia parecia custar um esforço terrível.

— Preciso... falar... Dumbledore...

— Levante, Sr. Crouch — disse Harry em alto e bom som. — Levante e eu levo o senhor a Dumbledore!

Os olhos de Crouch giraram focalizando Harry.

— Quem é você? — sussurrou o bruxo.

— Sou aluno da escola — disse Harry, olhando para Krum à procura de ajuda, mas o outro mantinha-se um pouco afastado, parecendo extremamente nervoso.

— Você não é... *dele*? — sussurrou Crouch, deixando o queixo cair.

— Não — respondeu Harry, sem ter a menor ideia do que Crouch estava falando.

— De Dumbledore?

— Isso mesmo — disse Harry.

Crouch puxou o garoto mais para perto; Harry tentou soltar a mão do bruxo que agarrava suas vestes, mas ele era demasiado forte.

— Avise... Dumbledore...

— Vou buscar Dumbledore se o senhor me largar — disse Harry. — Me largue, Sr. Crouch, e eu vou buscar o diretor...

— Obrigado, Weatherby, e quando você terminar isso eu gostaria de tomar uma xícara de chá. Minha mulher e meu filho vão chegar daqui a pouco, vamos assistir a um concerto hoje à noite com o Sr. e a Sra. Fudge. — Crouch voltara a falar fluentemente com a árvore e parecia completamente despercebido da presença de Harry, o que surpreendeu o garoto de tal modo que ele nem reparou que Crouch o soltara. — Meu filho recentemente obteve doze N.O.M.s com boas notas, obrigado, claro, realmente muito orgulhosos. Agora, se você puder me trazer aquele memorando do Ministério da Magia de Andorra, acho que terei tempo de preparar uma resposta...

— Você fica aqui com ele! — disse Harry a Krum. — Eu vou buscar Dumbledore, faço isso mais rápido, sei onde é o escritório dele...

— Ele está doido — disse Krum, hesitante, olhando para Crouch, que ainda tagarelava com a árvore, aparentemente convencido de que falava com Percy.

— Só precisa ficar aqui com ele — falou Harry começando a se levantar, mas seu movimento pareceu disparar outra mudança súbita no Sr. Crouch, que o agarrou com força pelos joelhos e o puxou de volta ao chão.

— Não... me... deixe! — sussurrou ele, os olhos se esbugalhando outra vez. — Eu... fugi... preciso avisar... preciso contar... ver Dumbledore... minha culpa... tudo minha culpa... Berta... morta... tudo minha culpa... meu filho... minha culpa... diga a Dumbledore... Harry Potter... o Lorde das Trevas... mais forte... Harry Potter...

— Vou buscar Dumbledore se o senhor me deixar ir, Sr. Crouch! — disse Harry. Ele olhou indignado para Krum. — Quer me ajudar, por favor?

Com um ar extremamente apreensivo, Krum se adiantou e se acocorou ao lado do Sr. Crouch.

— Não deixa ele sair daqui — disse Harry se desvencilhando do Sr. Crouch. — Eu volto com Dumbledore.

— Non demorre, por favorr — Krum gritou quando Harry se afastou correndo da Floresta e já ia subindo os gramados na escuridão. Estavam desertos; Bagman, Cedrico e Fleur haviam desaparecido. Harry galgou aos saltos os degraus da entrada, passou pelas portas de carvalho e continuou pela escadaria de mármore acima em direção ao segundo andar.

Cinco minutos depois precipitava-se em direção a uma gárgula de pedra que ficava no meio de um corredor vazio.

— *Gota de limão!* — ofegou ele.

Essa era a senha para a escada oculta que levava ao escritório de Dumbledore — ou pelo menos tinha sido dois anos atrás. Porém, a senha evidentemente mudara, porque a gárgula de pedra não criou vida nem saltou para o lado, mas continuou imóvel encarando Harry com malevolência.

— Mexa-se! — Harry gritou para o ornamento. — Anda!

Mas nada em Hogwarts jamais se mexia só porque alguém mandava; ele sabia que não adiantava. Olhou para um lado e outro do corredor. Quem sabe Dumbledore estaria na sala dos professores? Ele começou a correr o mais rápido que pôde em direção à escada...

— POTTER!

Harry parou derrapando e olhou para trás.

Snape acabara de emergir da escada oculta atrás da gárgula de pedra. A parede ia outra vez se fechando atrás dele, na hora exata em que mandou Harry voltar.

— Que é que você está fazendo aqui, Potter?

— Preciso ver o Prof. Dumbledore! — disse Harry, correndo de volta, e novamente derrapando até parar diante de Snape. — É o Sr. Crouch... ele acabou de aparecer... está na Floresta... está pedindo...

— Que tolice é essa? — exclamou Snape, seus olhos pretos faiscando. — Do que é que você está falando?

— O Sr. Crouch — gritou Harry. — Do Ministério! Ele está doente ou outra coisa qualquer, está na Floresta, quer ver Dumbledore! Me diga qual é a senha para entrar...

— O diretor está ocupado, Potter — informou Snape, sua boca fina se crispando num sorriso desagradável.

— Tenho que informar a Dumbledore! — berrou Harry.

— Você não escutou o que eu disse, Potter?

Harry podia perceber que Snape estava se divertindo intensamente em recusar o que ele queria ao vê-lo em pânico.

— Olhe — disse Harry, com raiva —, Crouch não está bem... ele está... ele está delirando... diz que precisa prevenir...

A parede de pedra às costas de Snape se abriu. Dumbledore surgiu à entrada, trajando longas vestes verdes, e tinha uma expressão de curiosidade no rosto.

— Algum problema? — perguntou ele, olhando de Harry para Snape.

— Professor! — disse Harry, dando um passo para o lado antes que Snape pudesse responder. — O Sr. Crouch está aqui, está lá na Floresta, diz que quer falar com o senhor!

Harry esperava que Dumbledore fizesse perguntas, mas, para seu alívio, ele não fez nada disso.

— Leve-me até lá — disse o diretor prontamente, e saiu para o corredor acompanhando Harry e deixando Snape parado ao lado da gárgula com uma cara duas vezes mais feia.

— Que foi que o Sr. Crouch disse, Harry? — perguntou Dumbledore enquanto desciam apressados a escadaria de mármore.

— Disse que quer prevenir o senhor... disse que fez uma coisa horrível... mencionou o filho... e Berta Jorkins... e... e Voldemort... alguma coisa sobre Voldemort estar ficando mais forte...

— De fato — disse Dumbledore e apertou o passo quando saíram para a escuridão de breu.

— Ele não está agindo normalmente — disse Harry, correndo ao lado de Dumbledore. — Parece que não sabe onde está. Fala o tempo todo como se achasse que Percy Weasley está lá e depois muda e diz que precisa ver o senhor. Deixei-o com Vítor Krum.

— Deixou? — exclamou Dumbledore com severidade e começou a dar passadas ainda maiores, de modo que Harry precisou correr para acompanhá-lo. — Você sabe se mais alguém viu o Sr. Crouch?

— Não — respondeu Harry. — Krum e eu estávamos conversando, o Sr. Bagman tinha acabado de nos falar sobre a terceira tarefa, ficamos para trás e então vimos o Sr. Crouch saindo da Floresta...

— Onde é que eles estão? — perguntou Dumbledore ao ver a carruagem da Beauxbatons emergir da escuridão.

— Ali na frente — disse Harry, adiantando-se ao diretor Dumbledore e mostrando o caminho entre as árvores. Ele não ouvia mais a voz de Crouch, mas sabia aonde estava indo; não era muito além da carruagem... em algum lugar por aqui...

— Vítor? — chamou Harry.

Ninguém respondeu.

— Deixei os dois aqui — disse Harry a Dumbledore. — Decididamente estavam em algum lugar por aqui...

— *Lumus* — ordenou Dumbledore, acendendo sua varinha e erguendo-a.

O feixe fino de luz se deslocou de um tronco a outro, iluminando o chão. Então recaiu sobre dois pés.

Harry e Dumbledore acorreram. Krum estava estatelado no chão da Floresta. Parecia ter perdido os sentidos. Não havia nem sinal do Sr. Crouch. Dumbledore se curvou para Krum e gentilmente ergueu uma de suas pálpebras.

— Estuporado — comentou baixinho. Seus oclinhos de meia-lua cintilaram à luz da varinha quando ele examinou as árvores que os rodeavam.

— O senhor quer que eu vá buscar alguém? — perguntou Harry. — Madame Pomfrey?

— Não — disse Dumbledore na mesma hora. — Fique aqui.

O diretor ergueu a varinha e apontou-a para a cabana de Hagrid. Harry viu-a disparar uma coisa prateada que voou entre as árvores como um pássaro fantasmagórico. Então Dumbledore tornou a se curvar para Krum, apontou a varinha para o rapaz e murmurou:

— *Enervate*.

Krum abriu os olhos. Parecia atordoado. Quando viu Dumbledore, tentou se sentar, mas o diretor pousou a mão no ombro dele e o fez continuar deitado.

— Ele me atacou! — murmurou Krum, levando a mão à cabeça. — O velho doido me atacou! Eu estava olhando parra os lados parra verr onde Potterr tinha ido e ele me atacou pelas costas!

— Fique deitado um pouco — mandou Dumbledore.

Um reboar de fortes passadas chegou aos ouvidos do grupo e Hagrid apareceu ofegante com Canino nos calcanhares. Trazia o arco.

— Prof. Dumbledore! — disse ele arregalando os olhos. — Harry... que dia...?

— Hagrid, preciso que você vá buscar o Prof. Karkaroff — disse Dumbledore. — O aluno dele foi atacado. Quando terminar, por favor, alerte o Prof. Moody...

— Não é necessário, Dumbledore — ouviu-se um rosnado asmático —, já estou aqui. — Moody vinha mancando em direção a eles, apoiado na bengala, a varinha acesa.

— Porcaria de perna — reclamou furioso. — Teria chegado mais rápido... que foi que houve? Snape me disse alguma coisa sobre Crouch...

— Crouch? — repetiu Hagrid, sem entender.

— Karkaroff, por favor, Hagrid! — disse Dumbledore energicamente.

— Ah, sim... certo, professor... — disse Hagrid e, dando as costas, desapareceu entre as árvores escuras, Canino trotando ao seu lado.

— Não sei aonde foi parar Bartô Crouch — disse Dumbledore a Moody —, mas é essencial que o encontremos.

— Já estou indo — rosnou Moody e, puxando a varinha, saiu coxeando pela Floresta.

Nem Dumbledore nem Harry tornaram a falar até ouvirem os sons inconfundíveis de Hagrid e Canino voltando. Karkaroff seguia apressado atrás deles. Usava suas elegantes peles prateadas e parecia pálido e agitado.

— Que é isso? — exclamou, quando viu Krum no chão e Dumbledore e Harry ao lado do rapaz. — Que é que está acontecendo?

— Fui atacado! — informou Krum, agora se sentando e esfregando a cabeça. — O Sr. Crrouch ou que nome tenha...

— Crouch o atacou? *Crouch* atacou você? O juiz do Tribruxo?

— Igor — começou a falar Dumbledore, mas Karkaroff se erguera puxando as peles para perto do corpo, o rosto lívido.

— Traição! — urrou ele apontando para Dumbledore. — É uma conspiração! Você e o seu ministro da Magia me atraíram até aqui sob falsos pretextos, Dumbledore! Isto não é uma competição honesta! Primeiro você sorrateiramente inscreve Potter no torneio, embora ele seja menor de idade! Agora um dos seus amigos do Ministério tenta pôr o *meu* campeão fora de ação! Estou farejando falsidade e corrupção nesse torneio todo e você, Dumbledore, você, com a sua conversa de estreitar os vínculos entre os bruxos estrangeiros, de refazer velhos laços, de esquecer as velhas diferenças, isto é o que penso de *você*!

Karkaroff cuspiu no chão aos pés de Dumbledore. Com um movimento rápido, Hagrid agarrou o bruxo pela gola das peles, ergueu-o no ar e empurrou-o contra uma árvore próxima.

— Peça desculpas! — rosnou Hagrid, enquanto Karkaroff tentava respirar com aquele punho maciço em sua garganta, seus pés balançando no ar.

— Hagrid, *não*! — gritou Dumbledore, com os olhos faiscando.

Hagrid soltou a mão que prendia Karkaroff contra a árvore, o bruxo escorregou pelo tronco e desmontou numa massa informe aos seus pés; alguns gravetos caíram em sua cabeça.

— Tenha a bondade de acompanhar Harry até o castelo, Hagrid — disse Dumbledore energicamente.

Respirando ruidosamente, Hagrid lançou a Karkaroff um olhar carrancudo.

— Talvez seja melhor eu ficar aqui, diretor...

— Você vai levar Harry de volta ao castelo, Hagrid — repetiu Dumbledore com firmeza. — Leve-o diretamente à Torre da Grifinória. E Harry, quero que fique lá. Qualquer coisa que queira fazer, corujas que queira despachar, pode esperar até de manhã, está me entendendo bem?

— Hum, sim, senhor — aquiesceu Harry, com os olhos no diretor. Como Dumbledore soubera que naquele exato momento ele estava pensando em mandar Pichitinho direto a Sirius para lhe contar o que acontecera?

— Vou deixar Canino com o senhor, diretor — disse Hagrid, ainda olhando ameaçadoramente para Karkaroff, que continuava caído ao pé da árvore enredado em peles e raízes. — Parado, Canino. Vamos, Harry.

Eles passaram em silêncio pela carruagem da Beauxbatons e subiram em direção ao castelo.

— Como é que ele se atreve — rosnou Hagrid, quando margeavam o lago. — Como é que ele se atreve a acusar Dumbledore. Como se Dumbledore fosse capaz de uma coisa dessas. Como se Dumbledore quisesse que *você* participasse do torneio, para começar. Preocupado! Não me lembro de ter visto Dumbledore mais preocupado do que tem estado ultimamente. E você! — disse Hagrid voltando-se zangado para Harry, que ergueu os olhos para ele, espantado. — Que é que você estava fazendo andando por aí com esse desgraçado do Krum? Ele é aluno de Durmstrang, Harry! Podia ter azarado você ali mesmo, não podia? Será que Moody não lhe ensinou nada? Imagina deixar ele afastar você dos outros...

— Krum é legal! — interrompeu-o Harry, quando subiam os degraus para o saguão de entrada. — Ele não estava tentando me azarar, só queria conversar comigo sobre a Mione...

— Eu é que vou ter uma conversinha com ela — falou Hagrid, mal-humorado, subindo os degraus com estrondo. — Quanto menos vocês tiverem contato com esses estrangeiros, melhor vão ficar. Não se pode confiar em nenhum deles.

— Você parece que está se dando muito bem com a Madame Maxime — respondeu Harry, aborrecido.

— Não fale dela comigo! — disse Hagrid, e naquele instante parecia assustador. — Agora já sei quem ela é! Tentando voltar às minhas boas graças para eu contar a ela qual vai ser a terceira tarefa. Ah! Não se pode confiar em nenhum deles!

Hagrid estava tão mal-humorado que Harry ficou feliz de se despedir dele diante do quadro da Mulher Gorda. Passou pelo buraco do retrato, desembocando na sala comunal, e correu direto para o canto em que Rony e Hermione estavam sentados, para narrar aos dois o que acontecera.

29

O SONHO

— A coisa se resume no seguinte — disse Hermione, esfregando a testa —, ou o Sr. Crouch atacou Vítor ou outra pessoa atacou os dois, quando Vítor não estava olhando.

— Deve ter sido o Crouch — disse Rony na mesma hora. — É por isso que ele já tinha desaparecido quando Harry e Dumbledore chegaram lá. Deu no pé.

— Acho que não — disse Harry, balançando a cabeça. — Ele parecia realmente fraco, acho que não tinha forças para desaparatar nem nada.

— Ninguém *pode* desaparatar nas terras de Hogwarts; já não disse isso a vocês um montão de vezes? — reclamou Hermione.

— OK... então que tal esta outra teoria — propôs Rony, animado: — Krum atacou Crouch, não, peraí, então se estuporou!

— E o Sr. Crouch se evaporou, não é mesmo? — disse Hermione com frieza.

— Ah, é...

O dia estava amanhecendo. Harry, Rony e Hermione tinham saído muito cedo dos seus dormitórios e corrido até o corujal, juntos, a despachar um bilhete para Sirius. Agora estavam parados contemplando os jardins cobertos de névoa. Os três estavam pálidos, os olhos inchados, porque ficaram conversando até tarde sobre o Sr. Crouch.

— Vamos recapitular, Harry — disse Hermione. — Que foi que o Sr. Crouch realmente disse?

— Já falei que ele não estava fazendo muito sentido — repetiu Harry. — Disse que queria prevenir Dumbledore sobre alguma coisa. Tenho certeza de que ele mencionou Berta Jorkins e parecia achar que ela estava morta. Não parava de repetir que muita coisa era culpa dele... mencionou o filho.

— Bem, isso foi culpa dele — disse Hermione, irritada.

— Ele estava delirando — continuou Harry. — Metade do tempo dava a impressão de acreditar que a mulher e o filho ainda estavam vivos, e ele não parava de falar com Percy sobre serviço e de lhe dar instruções.

— E... o que foi mesmo que ele disse sobre Você-Sabe-Quem? – perguntou Rony, inseguro.

— Eu já contei – respondeu Harry, chateado. – Disse que ele está ficando mais forte.

Houve uma pausa.

Então Rony, num tom de falsa segurança, disse:

— Mas ele estava delirando, conforme você falou, portanto metade disso provavelmente era só delírio...

— Ele ficava mais sensato quando tentava falar de Voldemort – disse Harry, não dando atenção à careta de Rony. – Estava realmente com dificuldade para formar frases, mas isso era quando parecia que sabia onde estava e o que queria fazer. Ele não parava de dizer que queria ver Dumbledore.

Harry se afastou da janela e olhou para os caibros do telhado. Metade dos numerosos poleiros estava vazia; de vez em quando, mais uma coruja entrava voando por uma das janelas, voltando de uma caçada noturna com um rato no bico.

— Se Snape não tivesse me atrasado – comentou Harry –, talvez a gente tivesse chegado lá a tempo. "O diretor está ocupado, Potter... Que tolice é essa, Potter?" Por que ele simplesmente não saiu do caminho?

— Talvez não quisesse que vocês chegassem lá! – disse Rony depressa. – Talvez, calma aí, com que rapidez você acha que ele poderia ter ido até a Floresta? Você acha que ele podia ter chegado lá antes de você e Dumbledore?

— Não, a não ser que ele seja capaz de se transformar num morcego ou outra coisa do gênero.

— Eu não duvido nada – murmurou Rony.

— Precisamos ver o Prof. Moody – disse Hermione. – Precisamos descobrir se ele encontrou o Sr. Crouch.

— Se tivesse levado o Mapa do Maroto com ele, teria sido fácil – disse Harry.

— A não ser que Crouch já tivesse saído de Hogwarts – lembrou Rony –, porque o mapa só mostra o que está dentro dos limites, não...

— Psiu! – exclamou Hermione de repente.

Alguém estava subindo a escada para o corujal. Harry ouviu duas vozes discutindo, cada vez mais próximas.

— ... isso é chantagem, é o que é, e poderíamos nos meter em uma baita enrascada por causa disso...

— ... tentamos ser gentis, está na hora de jogar sujo com o cara. Ele não ia gostar que o Ministério da Magia soubesse o que ele fez...

— Estou falando, se você puser isto por escrito, será chantagem!

— É, mas você não ia reclamar se conseguíssemos um bom pagamento por isso, ia?

A porta do corujal se abriu com estrondo. Fred e Jorge apareceram no portal e em seguida congelaram ao verem Harry, Rony e Hermione.

— Que é que vocês estão fazendo aqui? — perguntaram Rony e Fred ao mesmo tempo.

— Despachando uma carta — responderam Harry e Jorge em uníssono.

— Quê, a esta hora? — se admiraram Hermione e Fred.

Fred sorriu.

— Ótimo, nós não perguntamos o que vocês estão fazendo, se vocês não nos perguntarem — disse ele.

Ele segurava um envelope fechado na mão. Harry deu uma olhada, mas Fred, fosse por acaso ou de propósito, escorregou a mão, tampando o nome do destinatário.

— Bem, não se prendam por nós — disse ele, fazendo uma reverência cômica e indicando a porta.

Rony não se mexeu.

— Quem é que vocês estão chantageando? — perguntou.

O sorriso desapareceu do rosto de Fred. Harry viu Jorge olhar Fred de relance antes de sorrir para Rony.

— Não seja idiota, eu só estava brincando — disse ele à vontade.

— Não parecia — insistiu Rony.

Fred e Jorge se entreolharam.

Então Fred disse abruptamente:

— Já lhe avisamos antes, Rony, não meta o nariz se gosta do feitio que ele tem. Não vejo por que você iria meter, mas...

— Mas é da minha conta se vocês estiverem chantageando alguém. Jorge tem razão, vocês poderiam acabar numa baita enrascada.

— Já lhe disse, eu estava brincando — disse Jorge. Ele foi até Fred, tirou a carta das mãos do irmão e começou a prendê-la à perna da coruja-de-igreja mais próxima. — Você está começando a falar como o nosso querido irmão mais velho, sabe, Rony. Continue assim e vai acabar monitor-chefe.

— Não, não vou, não! — protestou Rony, indignado.

Jorge levou a coruja até a janela e deixou-a levantar voo.

Ele se virou e sorriu para Rony.

— Bem, então pare de dizer às pessoas o que fazer. Até mais tarde.

Ele e Fred saíram do corujal. Harry, Rony e Hermione ficaram se entreolhando.

— Vocês não acham que eles sabem alguma coisa dessa história toda, acham? — sussurrou Hermione. — Do Crouch e todo o resto?

— Não — disse Harry. — Se fosse uma coisa séria assim, eles contariam a alguém. Contariam a Dumbledore.

Rony, no entanto, estava com um ar constrangido.

— Que foi? — perguntou Hermione.

— Bem... — respondeu Rony lentamente — não sei se contariam. Eles... ultimamente estão obcecados com a ideia de fazer dinheiro, notei isso quando estava andando com eles, quando... vocês sabem...

— Nós dois não estávamos nos falando — Harry terminou a frase para ele.

— É, mas chantagem...

— É essa ideia deles de abrirem uma loja de logros. Pensei que estivessem falando nisso só para aborrecer mamãe, mas estão realmente falando sério, querem abrir uma loja. Só falta um ano para eles terminarem Hogwarts, eles não param de falar que está na hora de pensar no futuro e papai não pode ajudá-los, precisam de ouro para começar um negócio.

Agora era Hermione que estava com um ar constrangido.

— Sei, mas... eles não fariam nada contra a lei para conseguir ouro. Fariam?

— Se fariam? — disse Rony com uma expressão de ceticismo. — Não sei... eles não se importam muito de desrespeitar o regulamento, não é mesmo?

— É, mas estamos falando da Lei — disse Hermione, parecendo amedrontada. — Não é de um simples regulamento de escola... vão receber muito mais que detenção por uma chantagem! Rony... talvez seja melhor você contar ao Percy...

— Você ficou maluca? — exclamou Rony. — Contar ao Percy? Ele provavelmente ia fazer como o Crouch, e entregaria os dois. — Ele ficou olhando a janela por onde partira a coruja de Fred e Jorge, depois disse:

"Vamos gente, vamos tomar café."

— Vocês acham que é muito cedo para procurar o Prof. Moody? — perguntou Hermione quando desciam a escada circular.

— Acho — respondeu Harry. — Ele provavelmente nos detonaria pela porta se nós o acordássemos com o dia nascendo. Ia pensar que estamos querendo atacá-lo dormindo. Vamos esperar até a hora do intervalo.

A aula de História da Magia jamais transcorrera tão lentamente. Harry não parava de consultar o relógio de Rony, tendo finalmente jogado fora o seu, mas o do amigo estava andando tão devagar que ele poderia jurar que parara de funcionar também. Os três garotos estavam tão cansados que teriam gostado de descansar as cabeças nas carteiras e dormir; nem Hermione estava fazendo as anotações de costume, sentava-se com a cabeça apoiada na mão, mirando o Prof. Binns com os olhos fora de foco.

Quando a sineta finalmente tocou, eles saíram correndo pelo corredor em direção à sala de Defesa Contra as Artes das Trevas e encontraram o Prof. Moody de saída. Ele parecia tão cansado quanto os três se sentiam. A pálpebra do seu olho normal estava caída, dando ao seu rosto uma aparência ainda mais torta do que a habitual.

– Prof. Moody? – chamou Harry, enquanto atravessavam o ajuntamento de alunos até o professor.

– Olá, Potter – rosnou Moody. Seu olho mágico acompanhou uns alunos de primeiro ano que iam passando e que aceleraram o passo demonstrando nervosismo; depois o olho girou para a nuca do professor e observou-os virar o canto, só então ele voltou a falar: – Entrem.

Afastou-se, então, para deixá-los entrar em sua sala de aula vazia, entrou em seguida mancando e fechou a porta.

– O senhor o encontrou? – perguntou Harry sem preâmbulos. – O Sr. Crouch?

– Não – respondeu Moody. Ele foi até a escrivaninha, sentou-se, esticou a perna de pau com um breve gemido e puxou um frasco de bolso.

– O senhor usou o mapa? – perguntou Harry.

– Naturalmente – disse o professor, tomando um gole do frasco. – Fiz igualzinho a você, Potter. Convoquei o mapa do meu escritório para a Floresta. O homem não estava em lugar algum.

– Então ele desaparatou? – perguntou Rony.

– *Não se pode desaparatar nos terrenos da escola, Rony!* – disse Hermione. – Não existem outras maneiras que ele poderia ter usado para desaparecer, existem, professor?

O olho mágico de Moody estremeceu ao pousar em Hermione.

– Você é outra que poderia pensar numa carreira de auror – disse ele à garota. – Sua cabeça funciona na direção certa, Granger.

Hermione corou de prazer.

– Bem, ele não estava invisível – falou Harry –, o mapa mostra pessoas invisíveis. Então ele deve ter deixado Hogwarts.

— Mas com as próprias pernas? — perguntou Hermione, ansiosa. — Ou alguém o fez deixar?

— É, alguém poderia ter feito isso, montar o Crouch numa vassoura e levar ele embora, não poderia? — perguntou Rony depressa, olhando esperançoso para Moody, como se também quisesse ouvir que tinha talento para auror.

— Não podemos excluir um sequestro — rosnou Moody.

— Então — disse Rony — o senhor acha que ele está em algum lugar de Hogsmeade?

— Poderia estar em qualquer lugar — respondeu Moody balançando a cabeça. — A única coisa de que temos certeza é que ele não está aqui.

O professor deu um grande bocejo, suas cicatrizes se esticaram e sua boca torta deixou entrever que lhe faltavam vários dentes.

Então disse:

— Agora, Dumbledore me contou que vocês três se imaginam investigadores, mas não há nada que possam fazer por Crouch. O Ministério vai procurá-lo agora, Dumbledore já mandou uma notificação. Potter, e você se concentre na terceira tarefa.

— Quê? — disse Harry. — Ah, sim...

Ele ainda não parara um instante sequer para pensar no labirinto desde que deixara Krum na noite anterior.

— Deve ser bem a sua praia, essa — disse o professor, erguendo os olhos para Harry e coçando o queixo barbado e cheio de cicatrizes. — Pelo que Dumbledore me contou, você já conseguiu fazer coisas parecidas muitas vezes. Venceu uma série de obstáculos que guardavam a Pedra Filosofal no primeiro ano, não foi?

— Nós ajudamos — disse Rony depressa. — Eu e Mione ajudamos.

Moody se riu.

— Bem, então ajude-o a treinar para esse e ficarei muito surpreso se ele não vencer. Nesse meio-tempo... vigilância constante, Potter. Vigilância constante. — Ele tomou mais um longo gole do frasco de bolso e seu olho mágico girou para a janela. Por ali via-se a vela principal do navio de Durmstrang.

— Vocês dois — seu olho normal estava posto em Rony e Hermione —, fiquem colados no Potter, sim? Eu estou de olho nas coisas, mas assim mesmo... nunca há olhos demais para se vigiar.

Sirius devolveu a coruja dos garotos na manhã seguinte. Ela esvoaçou ao lado de Harry no mesmo instante em que uma coruja castanho-amarelada pousou diante de Hermione, trazendo um exemplar do *Profeta Diário* no bico. Ela apanhou o jornal, deu uma olhada nas primeiras páginas e disse:

— Ela não ouviu falar do Crouch! — comentou antes de se juntar a Rony e Harry para ler o que Sirius mandara dizer sobre os misteriosos acontecimentos da antevéspera.

Harry — que brincadeira é essa de sair para a Floresta Proibida com Vítor Krum? Quero que você jure, na volta deste correio, que não vai sair andando com mais ninguém à noite. Há alguém perigosíssimo em Hogwarts. Para mim, está muito claro que esse alguém queria impedir Crouch de ver Dumbledore e você provavelmente esteve a poucos passos dele no escuro. Poderia ter sido morto.

O seu nome não foi parar no Cálice de Fogo por acaso. Se alguém está tentando atacá-lo, essa é a última chance. Fique perto de Rony e Hermione, não saia da Grifinória tarde da noite e se prepare para a terceira tarefa. Pratique estuporamento e desarmamento. Algumas azarações viriam a calhar. Não há nada que você possa fazer por Crouch. Não se exponha e se cuide. Estarei esperando a carta em que me dará sua palavra de que não vai mais ultrapassar os limites da escola.

Sirius

— Quem é ele para me fazer sermão por ultrapassar os limites da escola? — disse Harry, ligeiramente indignado, enquanto dobrava a carta de Sirius e a guardava no bolso interno das vestes. — Depois de tudo que ele aprontou na escola!

— Ele está preocupado com você! — lembrou Hermione com rispidez. — E o mesmo se aplica a Moody e Hagrid! Por isso escute o que eles estão lhe dizendo!

— Ninguém nem tentou me atacar este ano — disse Harry. — Ninguém nem me fez absolutamente nada...

— Exceto colocarem o seu nome no Cálice de Fogo — disse Hermione. — E devem ter tido um bom motivo para isso, Harry. Snuffles tem razão. Talvez estejam esperando a hora certa. Talvez a terceira tarefa seja a que vão pegar você.

— Olhem — disse Harry, impaciente —, digamos que Snuffles tenha razão e alguém estuporou Krum para sequestrar Crouch. Bem, ele estaria escondido entre as árvores perto de nós, certo? Mas esperou eu estar fora do caminho para agir, não foi? Portanto, não está parecendo que eu seja o alvo deles, não é?

— Eles não poderiam fazer parecer um acidente se tivessem matado você na Floresta. Mas se você morresse durante a tarefa...

— Eles não se importaram de atacar Krum, não foi? Por que não aproveitaram para acabar comigo também? Poderiam ter feito parecer que Krum e eu tínhamos duelado ou outra coisa qualquer.

— Harry, eu também não entendo — disse Hermione, desesperada. — Só sei que há um monte de coisas estranhas acontecendo e que não estou gostando nada... Moody está certo, Snuffles está certo, você tem que começar a treinar logo para a terceira tarefa. E não se esqueça de responder a Sirius e prometer que não vai sair por aí sozinho outra vez.

Os jardins de Hogwarts nunca pareceram mais convidativos do que quando Harry foi obrigado a permanecer no castelo. Nos dias que se seguiram ele passou quase todo o tempo livre na biblioteca com Hermione e Rony, consultando livros sobre azarações ou então em salas de aula desocupadas, em que eles entravam às escondidas para praticar. Harry se concentrou no Feitiço Estuporante, que ele nunca usara antes. O problema era que sua prática exigia certos sacrifícios de Rony e Hermione.

— Não podíamos sequestrar Madame Nor-r-ra? — sugeriu Rony durante a hora de almoço na segunda-feira, ainda deitado de barriga para cima no meio da sala de Feitiços, onde acabara de ser estuporado e reanimado por Harry pela quinta vez seguida. — Vamos estuporar a gata para variar. Ou quem sabe você podia usar o Dobby, Harry, aposto que ele faria qualquer coisa para ajudar você. Não estou reclamando nem nada — o garoto se levantou esfregando as costas —, mas estou todo doído...

— Bem, você sempre sai de cima das almofadas, não é? — disse Hermione com impaciência, rearrumando a pilha de almofadas usadas para o Feitiço Expulsório que Flitwick deixara guardadas em um armário. — Experimente cair de costas!

— Quando a gente está sendo estuporado, não consegue mirar muito bem, Hermione! — defendeu-se Rony, aborrecido. — Por que você não experimenta uma vez?

— Bem, acho que Harry já pegou o jeito — disse a garota, apressada. — E não precisamos nos preocupar com o desarmamento, porque ele já sabe fazer isso há séculos... Acho que hoje à noite devíamos começar algumas azarações.

A garota percorreu com os olhos a lista que tinham feito na biblioteca

— Gosto da cara desta aqui — disse ela —, da Azaração de Impedimento.

Deve retardar qualquer coisa que esteja tentando atacar você, Harry. Vamos começar por ela.

A sineta tocou. Apressadamente eles enfiaram as almofadas no armário de Flitwick e saíram com cautela da sala de aula.

— Vejo vocês no jantar! — disse Hermione, e foi para a aula de Aritmancia, enquanto Harry e Rony seguiam para a aula de Adivinhação na Torre Norte. Grandes feixes de sol, radiosamente dourados, vindos das altas janelas, cortavam o corredor. O céu lá fora estava tão intensamente azul que parecia esmaltado.

— Vai estar uma sauna na sala da Trelawney, ela nunca apaga aquela lareira — comentou Rony, quando começaram a subir a escada circular que levava à escada prateada e ao alçapão.

E ele estava certo. A sala mal iluminada estava incomodamente quente. A fumaça da lareira perfumada estava mais densa que nunca. Harry sentiu a cabeça tontear ao se dirigir a uma das janelas de cortinas corridas. Enquanto a Prof.ª Sibila estava olhando para o outro lado, tentando soltar o xale de um abajur, ele abriu a janela uns dois dedinhos e tornou a se sentar em sua cadeira forrada de chintz, de modo que uma brisa suave correu pelo seu rosto. Ele se sentiu muitíssimo confortável.

— Meus queridos — disse a professora, sentando-se em sua bergère diante da turma e percorrendo-a com seus olhos estranhamente aumentados —, estamos quase no fim dos nossos estudos sobre adivinhação planetária. Hoje, no entanto, teremos uma excelente oportunidade de examinar os efeitos de Marte, porque ele está em uma posição muitíssimo interessante neste momento. Se vocês todos olharem para cá, eu vou diminuir a luz...

Ela acenou com a varinha e as luzes se apagaram. A lareira ficou sendo a única fonte de claridade. A Prof.ª Sibila se curvou e tirou debaixo da poltrona um modelo do sistema solar, protegido por uma redoma de vidro. Era uma bela peça; cada uma das luas cintilantes estavam dispostas em torno dos nove planetas e do sol esbraseado, todos suspensos no ar sob o vidro. Harry acompanhou indolentemente a professora começar a apontar o ângulo fascinante que Marte formava com Netuno. A fumaça muito perfumada o envolveu e a brisa vinda da janela brincou pelo seu rosto. Ele ouviu um inseto zumbir suavemente em algum lugar atrás da cortina. Suas pálpebras começaram a pesar...

Ele estava cavalgando às costas de um corujão, voando por um claro céu azul em direção a uma casa velha e coberta de hera, situada no alto de uma encosta. Eles foram voando cada vez mais baixo, o vento passando agradavelmente pelo rosto de Harry, até chegarem a uma janela escura e desmantelada no primeiro andar da casa, pela qual entraram. Agora estavam voando por um corredor sombrio e chegaram a um quarto bem no final... cruzaram a porta e entraram nesse quarto escuro cujas janelas estavam pregadas...

Harry desmontara das costas do corujão... e observou-o esvoaçar pelo quarto e pousar em uma poltrona virada de costas para ele... havia duas formas escuras no chão ao lado da cadeira... as duas se mexiam...

Uma era uma enorme cobra... a outra, um homem... um homem baixo, meio careca, um homem com olhos aquosos e um nariz pontudo... ele arfava e soluçava no tapete diante da lareira...

— Você está com sorte, Rabicho — disse uma voz fria e aguda do fundo da poltrona em que o corujão pousara. — Você tem de fato muita sorte. O seu erro não chegou a arruinar tudo. Ele está morto.

— Milorde! — ofegou o homem no chão. — Milorde, estou... estou tão satisfeito... e tão arrependido...

— Nagini — disse a voz fria —, você está sem sorte. Afinal, não é hoje que vou lhe dar Rabicho para comer... mas não se incomode, não se incomode... ainda tem o Harry Potter...

A cobra sibilou. Harry viu a língua dela se agitar.

— Agora, Rabicho — disse a voz fria —, talvez mais um lembrete de por que não vou tolerar mais nenhum erro seu...

— Milorde... não... eu suplico...

A ponta de uma varinha ergueu-se do fundo da poltrona. Mirou Rabicho.

— *Crucio* — disse a voz fria.

Rabicho berrou, berrou como se cada nervo do seu corpo estivesse em fogo, os berros encheram os ouvidos de Harry, ao mesmo tempo que a cicatriz em sua testa queimou de dor; ele estava berrando, também... Voldemort iria ouvi-lo, saberia que ele estava ali...

— Harry! *Harry!*

Harry abriu os olhos. Estava caído no chão da sala da Prof.ª Sibila, cobrindo o rosto com as mãos. Sua cicatriz ardia com tanta intensidade que seus olhos chegavam a lacrimejar. A dor fora real. A turma inteira estava parada à volta dele, e Rony se ajoelhara de um lado, com uma expressão de terror no rosto.

— Você está bem? — perguntou.

— É claro que não está! — disse a professora, parecendo alvoroçadíssima. Seus grandes olhos miraram Harry, ameaçadores. — Que foi, Potter? Uma premonição? Uma aparição? Que foi que você viu?

— Nada — mentiu Harry. Ele se sentou. Sentia os próprios tremores. Não conseguia parar de olhar para todo lado, para as sombras às suas costas. A voz de Voldemort soara tão próxima...

— Você estava apertando sua cicatriz! — disse a professora. — Você estava rolando no chão, apertando sua cicatriz! Ora vamos, Potter, eu tenho experiência nesses assuntos!

Harry levantou a cabeça para olhá-la.

— Preciso ir à ala hospitalar, acho. Dor de cabeça muito forte.

— Meu querido, sem dúvida você foi estimulado pelas extraordinárias vibrações premonitórias da minha sala! Se você sair agora, poderá perder a oportunidade de ver mais longe do que jamais...

— Eu não quero ver nada, a não ser um remédio para minha dor de cabeça.

Harry se levantou. A turma recuou. Todos pareciam nervosos.

— Vejo você mais tarde — murmurou ele para Rony e, apanhando a mochila, rumou para o alçapão, sem dar atenção à Prof.ª Sibila, que revelava no rosto uma grande frustração, como se alguém a tivesse privado de um prazer real.

Quando Harry chegou ao fim da escada, porém, não rumou para a ala hospitalar. Não tinha a menor intenção de ir até lá. Sirius lhe dissera o que fazer se a cicatriz tornasse a doer e ele ia seguir o conselho do padrinho: ir direto ao escritório de Dumbledore. Ele atravessou os corredores, decidido, pensando no que vira no sonho... fora tão vívido como o outro que o despertara na rua dos Alfeneiros... ele repassou mentalmente os detalhes, procurando se certificar de que não os esqueceria... ouvira Voldemort acusar Rabicho de cometer um erro... mas a coruja trouxera boas notícias, o erro fora consertado, alguém estava morto... por isso Rabicho não ia servir de alimento para a cobra... em seu lugar, Harry é quem iria...

O garoto passou direto pela gárgula que guardava a entrada do escritório de Dumbledore sem reparar. Ele piscou, olhou em volta, percebeu a distração, refez seus passos e parou diante do ornato. Então se lembrou que não conhecia a senha.

— *Gota de limão?* — experimentou.

A gárgula não se moveu.

— OK — disse Harry encarando-a. — Drops de pera. Varinha de alcaçuz. Delícia gasosa. Chicle de baba-bola. Feijõezinhos de todos os sabores... ah, não, ele não gosta desses, ou gosta?... Ah, abra logo, será que não pode? — exclamou o garoto, aborrecido. — Eu realmente preciso ver o diretor, é urgente!

A gárgula continuou imóvel.

Harry chutou-a, mas não conseguiu nada, exceto sentir uma dor excruciante no dedão do pé.

– Sapo de chocolate! – berrou com raiva, parado num pé só. – Pena de açúcar! Torrão de barata!

A gárgula ganhou vida e saltou para o lado. Harry piscou os olhos.

– Torrão de barata! – exclamou, admirado. – Eu estava só brincando...

Ele passou depressa pela abertura nas paredes e pisou no patamar de uma escada em espiral, que se deslocou lentamente para o alto, ao mesmo tempo que as portas se fechavam às suas costas, levando-o até uma porta de carvalho polido com uma maçaneta de latão.

Ele ouviu vozes no escritório. Saltou da escada em movimento e hesitou, escutando.

– Dumbledore, receio não ver a relação, não a vejo mesmo! – Era a voz do ministro da Magia, Cornélio Fudge. – Ludo diz que Berta é perfeitamente capaz de se perder. Concordo que era de esperar que, a esta altura, ela já tivesse sido encontrada, mas mesmo assim não temos evidência alguma de crime, Dumbledore, nenhuma. Quanto ao desaparecimento dela estar ligado ao de Bartô Crouch!

– E o que é que o senhor acha que aconteceu com Bartô Crouch, ministro? – perguntou Moody num rosnado.

– Vejo duas possibilidades, Alastor – disse Fudge. – Ou Crouch finalmente enlouqueceu, o que é muito provável e tenho certeza de que você concorda, dada a sua história pessoal, perdeu o juízo e saiu vagando por aí...

– Ele vagou muitíssimo depressa, se esse for o caso, Cornélio – comentou Dumbledore calmamente.

– Ou então, bem... – Fudge pareceu constrangido. – Bem, não vou julgar até depois de ver o local onde ele foi encontrado, mas você diz que foi um pouco além da carruagem da Beauxbatons? Dumbledore, você sabe quem é aquela mulher?

– Considero-a uma diretora competente e uma excelente dançarina – acrescentou Dumbledore rapidamente.

– Ora, vamos Dumbledore! – disse Fudge, irritado. – Você não acha que pode estar predisposto a favorecê-la por causa de Hagrid? Nem todos eles são inofensivos, se é que se pode chamar Hagrid de inofensivo, com aquela fixação monstruosa que ele tem...

– Tenho tantas suspeitas de Madame Maxime quanto tenho de Hagrid – disse Dumbledore com a mesma calma. – Acho que é possível que você esteja predisposto a condená-la, Cornélio.

— Será que podemos fechar esta discussão? — rosnou Moody.

— Sim, sim, vamos descer aos jardins, então — disse Cornélio, impaciente.

— Não, não é isso — falou Moody —, é que Potter quer dar uma palavra com você, Dumbledore. Ele está aí do outro lado da porta.

30

A PENSEIRA

A porta do escritório se abriu.
— Olá, Potter — disse Moody. — Então, entre.

Harry entrou. Já estivera uma vez no escritório de Dumbledore; era uma bela sala circular, coberta de retratos de diretores e diretoras que o antecederam em Hogwarts, os quais dormiam a sono solto, o peito arfando suavemente.

Cornélio Fudge estava de pé ao lado da escrivaninha de Dumbledore, usando sua habitual capa listrada e segurando seu chapéu-coco verde-limão.

— Harry! — cumprimentou o ministro jovialmente, adiantando-se. — Como vai?

— Ótimo — mentiu Harry.

— Estávamos justamente falando da noite em que o Sr. Crouch apareceu nos terrenos da escola — disse Fudge. — Foi você quem o encontrou, não foi?

— Foi — confirmou Harry. Depois, sentindo que não adiantava fingir que não escutara o que eles estavam dizendo, acrescentou: — Mas não vi Madame Maxime em lugar nenhum, e ela teria uma trabalheira para se esconder, não?

Dumbledore sorriu para Harry pelas costas de Fudge, com os olhos cintilantes.

— Bem, teria — respondeu Fudge, constrangido —, íamos sair para dar uma volta pelos terrenos da escola, Harry, se você nos der licença... quem sabe você volta às suas aulas...

— Eu queria falar com o senhor, professor — disse Harry depressa, olhando para Dumbledore, que lhe lançou um olhar breve e penetrante.

— Espere por mim aqui, Harry — disse. — Nosso exame da propriedade não vai demorar.

Os três passaram por ele em silêncio e fecharam a porta. Mais ou menos um minuto depois, Harry ouviu o toque-toque da perna de pau de Moody desaparecendo no corredor embaixo. Olhou para os lados.

— Alô, Fawkes — cumprimentou ele.

Fawkes, a fênix de Dumbledore, estava parada em seu poleiro de ouro ao lado da porta. Do tamanho de um cisne, uma magnífica plumagem vermelha e dourada, a ave balançou sua longa cauda e piscou bondosamente para Harry.

Harry se sentou em uma cadeira diante da escrivaninha de Dumbledore. Durante vários minutos, ficou sentado contemplando os velhos diretores e diretoras cochilando em seus quadros, pensando no que acabara de ouvir e acariciando a cicatriz. Parara de doer agora.

O garoto se sentia muito mais calmo agora que se achava no escritório de Dumbledore, pois em breve estaria lhe contando seu sonho. Harry ergueu os olhos para as paredes atrás da escrivaninha. O Chapéu Seletor, remendado e esfiapado, estava pousado em uma prateleira. Ao seu lado, uma redoma protegia uma magnífica espada de prata, com o punho cravejado de grandes rubis, em que Harry reconheceu a que ele próprio tirara do Chapéu Seletor no segundo ano. A espada pertencera outrora a Godrico Gryffindor, fundador da Casa de Harry. Ele a examinava, lembrando como a espada viera em seu auxílio em um momento em que pensara que não havia mais esperanças, quando notou uma malha de luz prateada que dançava e refulgia sobre a redoma. Ele procurou a fonte da luz e viu uma nesga de luz branco-prateada que saía de um armário escuro às suas costas, cuja porta não fora bem fechada. Harry hesitou, olhou para Fawkes, depois se levantou, atravessou a sala e escancarou a porta do armário.

Havia ali uma bacia de pedra rasa, com entalhes estranhos na borda; runas e símbolos que Harry não reconheceu. A luz prateada vinha do conteúdo da bacia, que não lembrava nada que Harry tivesse visto antes. Ele não sabia dizer se a substância era líquida ou gasosa. Era brilhante, branco-prateada e se movia sem cessar; sua superfície se encapelava como água sob a ação do vento e, então, como uma nuvem, se dividia e girava lentamente. Parecia luz liquefeita — ou vento solidificado —, Harry não conseguia decidir.

Teve vontade de tocá-la, de descobrir como era ao tato, mas quase quatro anos de experiência no mundo da magia lhe diziam que meter a mão em uma bacia cheia de uma substância desconhecida era uma grande burrice. Ele, portanto, puxou a varinha de dentro das vestes, lançou um olhar nervoso pelo escritório, tornou a olhar para o conteúdo da bacia e tocou-a.

A superfície da substância prateada dentro da bacia começou a girar muito depressa.

Harry se curvou mais para perto, enfiando a cabeça no armário. A substância prateada se tornara transparente; parecia vidro. Ele espiou dentro dela, esperando ver o fundo de pedra da bacia – mas, em vez disso, viu uma sala enorme sob a superfície da misteriosa substância, uma sala para a qual ele aparentemente espiava por uma janela circular no teto.

A sala era mal iluminada; o garoto achou que talvez fosse subterrânea, pois não havia janelas, apenas archotes presos às paredes como os que iluminavam Hogwarts. Baixando o rosto de modo a ficar com o nariz a apenas dois centímetros da substância vítrea, Harry viu que havia filas e mais filas de bruxos e bruxas sentados ao redor das paredes no que lhe pareceram bancos escalonados. Uma cadeira vazia fora colocada bem no centro da sala. Alguma coisa nela produziu em Harry um mau pressentimento. Havia correntes envolvendo seus braços, como se quem a ocupasse sempre estivesse preso a ela.

Onde seria esse lugar? Certamente não era em Hogwarts, ele nunca vira uma sala igual àquela no castelo. Além do mais, as pessoas reunidas na misteriosa sala no fundo da bacia eram, em sua maioria, adultos e Harry sabia que não havia tantos professores assim em Hogwarts. E pareciam estar aguardando alguma coisa; e, embora o garoto só pudesse ver a ponta dos seus chapéus cônicos, todos davam a impressão de estar olhando para o mesmo lado e ninguém falava com ninguém.

Uma vez que a bacia era redonda e a sala que ele observava, quadrada, Harry não conseguia divisar o que estaria acontecendo nos cantos. Ele se curvou para mais perto ainda, inclinou a cabeça, procurou enxergar...

A ponta do seu nariz tocou a estranha substância que ele estava mirando.

O escritório de Dumbledore deu um tremendo solavanco – Harry foi projetado para a frente e mergulhou de cabeça na substância da bacia...

Mas a cabeça do garoto não bateu no fundo de pedra. Ele foi caindo por alguma coisa gelada e escura; era como se estivesse sendo sugado por um redemoinho sombrio...

E inesperadamente ele se viu sentado em um banco no fundo da sala dentro da bacia, um banco mais acima dos outros. Ergueu os olhos para o alto teto de pedra, esperando ver a janela circular pela qual estivera espiando, mas não havia nada lá exceto a pedra sólida e escura.

Respirando com força e depressa, Harry olhou ao seu redor. Nenhum dos bruxos nem bruxas na sala (e havia pelo menos uns duzentos) estava olhando para ele. Nenhum deles parecia ter reparado que um garoto de catorze anos acabara de cair do teto no meio da reunião. Harry se virou para o bruxo mais próximo no banco e soltou um grito de surpresa que ecoou pela sala silenciosa.

Sentara-se bem ao lado de Alvo Dumbledore.

– Professor! – exclamou Harry, numa espécie de sussurro estrangulado. – Sinto muito, não tive intenção, estava apenas olhando dentro da bacia no seu armário, eu... onde estamos?

Mas Dumbledore não se mexeu nem falou. Ignorou Harry completamente. Como os demais bruxos sentados nos bancos, o diretor tinha os olhos fixos no canto mais afastado da sala, onde havia uma porta.

Harry olhou, confuso, para Dumbledore, depois para os bruxos atentos e silenciosos, e tornou a olhar para Dumbledore. Então compreendeu...

Já tinha havido uma vez em que Harry se vira em um lugar em que ninguém podia vê-lo ou ouvi-lo. Naquela ocasião, ele entrara nas páginas de um diário enfeitiçado, diretamente na memória de alguém... e, a não ser que estivesse muito enganado, alguma coisa assim estava acontecendo de novo...

Harry ergueu a mão direita, hesitou, depois agitou-a energicamente diante do rosto de Dumbledore. O diretor não piscou nem olhou para ele e tampouco se mexeu de modo algum. E isso, na opinião de Harry, resolvia a questão. Dumbledore não o ignoraria daquela maneira. Ele estava dentro de uma lembrança e aquele não era o Dumbledore atual. Contudo, não poderia ter sido há muito tempo... o Dumbledore sentado ao seu lado tinha cabelos prateados, igualzinho ao Dumbledore dos dias de hoje. Mas que lugar era este? Que é que todos aqueles bruxos estavam aguardando?

Harry olhou para os lados mais detidamente. A sala, como ele suspeitara quando a observara do alto, era quase certamente subterrânea – mais uma masmorra do que uma sala, pensou o garoto. A atmosfera era desolada e hostil naquele lugar; não havia quadros nas paredes, nem decorações; apenas as filas de bancos, que subiam em níveis escalonados ao redor da sala, dispostos de maneira a proporcionar uma visão clara da cadeira com correntes nos braços.

Antes que Harry pudesse chegar a alguma conclusão sobre o lugar em que se encontravam, ele ouviu passos. A porta no canto da masmorra se abriu e três pessoas entraram – ou pelo menos um homem, ladeado por dois dementadores.

As entranhas de Harry gelaram. Os dementadores, altos, encapuzados, os rostos ocultos, deslizaram lentamente em direção à cadeira no centro da sala, cada um segurando um braço do homem com suas mãos de cadáver, de aspecto podre. O homem entre os dois parecia prestes a desmaiar e Harry não poderia culpá-lo... sabia que os dementadores não poderiam tocá-lo dentro de uma lembrança, mas se lembrava muito bem do poder que tinham. Os bruxos se encolheram ligeiramente quando os dementadores sentaram o homem na cadeira com correntes e deslizaram para fora da sala. A porta se fechou ao passarem.

Harry olhou para o homem que agora estava sentado na cadeira e viu que era Karkaroff.

Ao contrário de Dumbledore, Karkaroff parecia muito mais novo, seus cabelos e barba eram pretos. Não estava vestido com peles elegantes, mas com vestes ralas e esfarrapadas. Tremia. Bem na hora em que Harry o observava, as correntes nos braços da cadeira produziram um reflexo dourado e se enroscaram pelos seus braços, prendendo-os ali.

— Igor Karkaroff — disse uma voz ríspida à esquerda de Harry. O garoto olhou e viu o Sr. Crouch se levantar no meio do banco ao lado. Seus cabelos eram escuros, seu rosto muito menos enrugado, ele parecia em boa forma e lúcido. — Você foi trazido de Azkaban para prestar depoimento ao Ministério da Magia. Você nos deu a entender que tem importantes informações para nos dar.

Karkaroff se endireitou o melhor que pôde, firmemente preso à cadeira.

— Tenho, sim, senhor — respondeu ele e, embora sua voz soasse muito temerosa, Harry pôde perceber o quê de untuosidade que tão bem conhecia. — Quero ser útil ao Ministério. Quero ajudar. Sei que o Ministério está tentando prender os últimos seguidores do Lorde das Trevas. Estou ansioso para cooperar de todas as maneiras que puder...

Um murmúrio percorreu os bancos. Alguns bruxos e bruxas examinaram Karkaroff com interesse, outros com acentuada desconfiança. Então Harry ouviu, muito claramente, do outro lado de Dumbledore, uma voz rosnada e familiar exclamar "Gentalha".

Harry se curvou à frente para poder ver além de Dumbledore. Olho-Tonto Moody estava sentado ali — embora houvesse uma nítida diferença em sua aparência. Ele não tinha um olho mágico, mas dois normais. Ambos fixavam Karkaroff e ambos estavam apertados revelando intenso desagrado.

— Crouch vai soltá-lo — murmurou Moody, baixinho, a Dumbledore. — Fez um trato com ele. Levei seis meses para caçá-lo e Crouch vai soltá-lo se ele tiver um número suficiente de nomes novos. Vamos ouvir suas informações, digo eu, e atirá-lo de volta aos braços dos dementadores.

Dumbledore fez um barulhinho de discordância pelo nariz longo e torto.

– Ah, eu ia me esquecendo... você não gosta de dementadores, não é mesmo, Alvo? – disse Moody com um sorriso sardônico.

– Não – respondeu Dumbledore calmamente. – Receio que não. Há muito tempo venho achando que o Ministério faz mal em se aliar a essas criaturas.

– Mas para uma gentalha dessas... – disse Moody, baixinho.

– Você diz que tem nomes para nos informar, Karkaroff – recomeçou o Sr. Crouch. – Por favor, queremos ouvi-los.

– O senhor deve compreender – disse Karkaroff na mesma hora – que Aquele-Que-Não-Deve-Ser-Nomeado sempre operou no maior sigilo... ele preferia que nós, quero dizer, seus seguidores, e me arrependo agora, profundamente, de ter-me incluído entre eles...

– Ande logo com isso – disse Moody com desdém.

– ... nunca soubemos os nomes de todos os seus seguidores, somente ele sabia exatamente quem éramos...

– O que era uma atitude sensata não é, pois impedia que alguém como você, Karkaroff, entregasse todos – murmurou Moody.

– Contudo, você diz que tem *alguns* nomes para nos informar? – disse o Sr. Crouch.

– Tenho... tenho – respondeu Karkaroff, sem fôlego. – E note que eram seguidores importantes. Gente que eu vi com os meus próprios olhos cumprindo as ordens dele. Presto estas informações como prova de minha total renúncia a ele, e de que estou tão roído de remorsos que mal...

– Os nomes são? – tornou o Sr. Crouch com rispidez.

Karkaroff inspirou profundamente.

– Antônio Dolohov. Vi-o torturar inúmeros trouxas e... não seguidores do Lorde das Trevas.

– E ajudou-o a fazer isso – murmurou Moody.

– Já prendemos Dolohov – disse Crouch. – Foi capturado pouco depois de você.

– Verdade? – admirou-se Karkaroff arregalando os olhos. – Fico... fico satisfeito em saber!

Mas não parecia nada satisfeito. Harry percebeu que a notícia fora um verdadeiro golpe para ele. Esse nome era, portanto, inútil.

– Mais algum? – perguntou Crouch friamente.

– É claro que sim... havia Rosier – acrescentou Karkaroff depressa. – Evan Rosier.

— Rosier está morto. Foi capturado pouco depois de você, também. Preferiu lutar do que aceitar a prisão, e foi morto ao resistir.

— Mas levou um pedaço de mim com ele — sussurrou Moody, à direita de Harry. O garoto virou mais uma vez a cabeça para olhá-lo e viu que ele apontava o pedaço que lhe faltava no nariz para Dumbledore.

— Era... era o que Rosier merecia! — disse Karkaroff, agora com uma perceptível nota de pânico na voz. Harry percebeu que ele estava começando a se preocupar que nenhuma de suas informações tivesse utilidade para o Ministério. Os olhos de Karkaroff correram para a porta no canto, atrás da qual sem dúvida os dementadores continuavam parados à espera.

— Mais algum? — perguntou Crouch.

— Sim! Havia o Travers, ele ajudou a assassinar os McKinnons! Mulciber era especialista na Maldição *Imperius*, forçou inúmeras pessoas a fazerem coisas horrendas! Rookwood, que era espião e passava Àquele-Que-Não-Deve-
-Ser-Nomeado informações úteis de dentro do Ministério!

Harry percebeu que, desta vez, Karkaroff encontrara ouro. Todos os bruxos presentes começaram a murmurar ao mesmo tempo.

— Rookwood? — disse o Sr. Crouch à bruxa que estava sentada à sua frente e que começou a tomar notas em um pergaminho. — Augusto Rookwood do Departamento de Mistérios?

— Esse mesmo — confirmou Karkaroff, pressuroso. — Creio que ele usava uma rede de bruxos bem colocados, tanto dentro quanto fora do Ministério, para colher informações...

— Mas Travers e Mulciber nós já prendemos. Muito bem, Karkaroff, se são só esses, você será reconduzido a Azkaban enquanto decidimos...

— Ainda não! — gritou Karkaroff, parecendo bastante desesperado. — Espere, tenho mais!

Harry observou que ele suava à luz dos archotes, sua pele branca contrastava fortemente com o preto dos cabelos e da barba.

— Snape! — exclamou ele. — Severo Snape!

— Snape já foi inocentado por este conselho — disse Crouch friamente. — Dumbledore testemunhou em favor dele.

— Não! — gritou Karkaroff, forçando as correntes que o prendiam à cadeira. — Garanto ao senhor! Severo Snape é um Comensal da Morte!

Dumbledore se erguera.

— Eu já prestei depoimento sobre esse caso — disse calmamente. — Severo Snape foi de fato um Comensal da Morte. Porém, voltou para o nosso lado antes da queda de Lorde Voldemort e virou nosso espião, se expondo a grande perigo. Hoje ele é tão Comensal da Morte quanto eu.

Harry se virou para olhar Olho-Tonto Moody. Revelava no rosto uma expressão de profundo ceticismo, por trás de Dumbledore.

— Muito bem, Karkaroff — disse Crouch friamente —, você ajudou. Vou rever o seu caso. Entrementes voltará para Azkaban...

A voz do Sr. Crouch foi morrendo. Harry olhou para os lados; a masmorra estava desaparecendo gradualmente como se fosse feita de fumaça; tudo estava desaparecendo, ele só conseguia ver o próprio corpo, todo o resto era um redemoinho de escuridão...

Então, a masmorra reapareceu. Harry estava sentado em outro lugar; ainda no banco mais alto, mas agora à esquerda do Sr. Crouch. A atmosfera parecia bem diferente; descontraída, quase animada. As bruxas e bruxos ao redor conversavam entre si, quase como se estivessem assistindo a um evento esportivo. Uma bruxa no meio dos bancos defronte a Harry chamou a atenção do garoto. Tinha cabelos louros e curtos, usava vestes magenta, e chupava a ponta de uma pena verde-ácido. Era, inconfundivelmente, uma Rita Skeeter mais moça. Harry olhou para os lados; Dumbledore estava outra vez sentado ao seu lado, usando outras vestes. O Sr. Crouch parecia mais cansado, mais feroz, mais descarnado... O garoto compreendeu. Era uma lembrança diferente, um dia diferente... um julgamento diferente.

A porta ao canto se abriu e Ludo Bagman entrou na sala.

Não era, porém, um Ludo Bagman envelhecido, mas um Ludo Bagman que visivelmente se achava no auge de sua forma de jogador de quadribol. Seu nariz não estava quebrado; ele era alto, magro e musculoso. Bagman parecia nervoso quando se sentou na cadeira com as correntes, mas elas não o prenderam, como haviam feito com Karkaroff, e Bagman, talvez animado por isso, correu os olhos pelos bruxos reunidos, acenou para alguns e até deu um sorrisinho.

— Ludo Bagman, você foi trazido perante o Conselho das Leis da Magia para responder às acusações relacionadas com as atividades dos Comensais da Morte — disse o Sr. Crouch. — Já ouvimos as provas contra você e estamos prestes a alcançar um veredicto. Você tem algo mais a acrescentar ao seu depoimento antes de lavrarmos a sentença?

Harry não conseguiu acreditar no que estava ouvindo. *Ludo Bagman, um Comensal da Morte?*

— Apenas que — respondeu o bruxo, sorrindo sem graça —, bem, sei que estive agindo como um idiota...

Uns espectadores nos bancos sorriram com indulgência. O Sr. Crouch não parecia compartir esse sentimento. Encarou Ludo Bagman com uma expressão de grande severidade e desagrado.

— Você nunca disse nada mais verdadeiro, moleque — murmurou alguém secamente a Dumbledore, atrás de Harry. Ele virou a cabeça e viu Moody sentado ali de novo. — Se eu não soubesse que ele sempre foi idiota, eu diria que alguns balaços devem ter afetado permanentemente o cérebro dele...

— Ludovico Bagman, você foi apanhado passando informações aos seguidores de Lorde Voldemort — disse o Sr. Crouch. — Por isso, proponho que cumpra sentença de prisão em Azkaban com uma duração mínima de...

Ouviram-se protestos zangados para todos os lados. Vários bruxos e bruxas se levantaram, balançando a cabeça e até mesmo erguendo os punhos contra o Sr. Crouch.

— Mas eu já declarei que não fazia ideia! — disse Bagman com veemência, sobrepondo-se à balbúrdia vinda dos bancos, arregalando seus redondos olhos azuis. — Nenhuma! O velho Rookwood era amigo do meu pai... jamais me passou pela cabeça que ele estivesse com Você-Sabe-Quem! Pensei que estava colhendo informações para o nosso lado! E Rookwood falava o tempo todo em me arranjar um emprego no Ministério mais tarde... quando terminassem meus dias de quadribol, sabem... quero dizer, não podia ficar levando balaços o resto da vida, podia?

Ouviram-se risinhos nervosos entre os presentes.

— Vou levar isso à votação — disse o Sr. Crouch friamente. E, virando-se para o lado direito da masmorra. — Jurados, por favor, ergam a mão... os que forem a favor da prisão...

Harry olhou para a direita da masmorra. Ninguém levantou a mão. Muitos bruxos e bruxas nos bancos começaram a bater palmas. Uma das bruxas no júri se levantou.

— Pois não? — ladrou Crouch.

— Gostaríamos de cumprimentar o Sr. Bagman por seu esplêndido desempenho no jogo de quadribol da Inglaterra contra a Turquia no sábado passado — disse a bruxa, ofegante.

O Sr. Crouch fez uma cara furiosa. A masmorra agora ressoava de aplausos. Bagman se levantou e fez uma reverência, sorrindo.

— Desprezível — vociferou o Sr. Crouch para Dumbledore, sentando-se na hora em que Bagman saía da masmorra. — Rookwood ia lhe arranjar um emprego, francamente... o dia que Ludo Bagman se juntar a nós será um dia muito triste para o Ministério...

E a masmorra tornou a se dissolver. Quando reapareceu, Harry olhou para os lados. Ele e Dumbledore continuavam sentados ao lado do Sr. Crouch, mas a atmosfera não poderia ser mais diferente. Havia um silêncio absoluto, interrompido apenas pelos soluços de uma bruxa miudinha ao lado do Sr. Crouch. Apertava um lenço contra a boca com as mãos trêmulas. Harry ergueu os olhos para Crouch e viu que ele parecia mais descarnado e grisalho que nunca. Um nervo tremia em sua têmpora.

— Pode trazê-los — disse, e sua voz ecoou pela masmorra silenciosa.

A porta no canto abriu-se mais uma vez. E desta entraram seis dementadores, ladeando um grupo de quatro pessoas. Harry viu os bruxos presentes erguerem os olhos para o Sr. Crouch. Alguns cochicharam entre si.

Os dementadores sentaram cada uma das quatro pessoas nas quatro cadeiras de braços com correntes agora no centro da masmorra. Havia um homem corpulento que fixava Crouch com o olhar parado, outro mais magro e mais nervoso, cujos olhos percorriam ligeiros a assembleia, uma mulher, com cabelos espessos e brilhantes e olhos grandes e semicerrados, sentada à cadeira como se esta fosse um trono, e um rapaz adolescente, que parecia no mínimo petrificado. Ele tremia, tinha os cabelos cor de palha espalhados pelo rosto, a pele sardenta e branca como o leite. A bruxa miudinha ao lado de Crouch começou a se balançar para a frente e para trás no banco, abafando o choro com um lenço.

Crouch se levantou. Olhou para os quatro prisioneiros e havia ódio absoluto em seu rosto.

— Vocês foram trazidos aqui perante o Conselho das Leis da Magia — disse ele com clareza — para serem julgados por um crime tão hediondo...

— Pai — disse o rapaz de cabelos cor de palha. — Pai... por favor...

— ... de que raramente se ouviu falar neste tribunal — disse Crouch, alteando a voz, abafando as palavras do filho. — Ouvimos as provas contra vocês. E vocês foram acusados de capturar o auror, Frank Longbottom, e de submetê-lo à Maldição *Cruciatus*, acreditando que ele tivesse conhecimento do paradeiro atual do seu amo exilado, Aquele-Que-Não-Deve-Ser-Nomeado...

— Pai, eu não fiz isso! — gritou o rapaz acorrentado à cadeira. — Eu não fiz isso, pai, não me mande de volta aos dementadores...

— Vocês são ainda acusados — berrou o Sr. Crouch — de usar a Maldição *Cruciatus* contra a mulher de Frank Longbottom, quando ele se recusou a dar informações. Vocês planejaram reconduzir Aquele-Que-Não-Deve-Ser-Nomeado ao poder e de retomar a vida de violência que presumivelmente levavam quando ele detinha o poder. Agora peço aos jurados...

— Mãe! — gritou o rapaz, e a bruxa miudinha ao lado de Crouch começou a soluçar, se balançando para a frente e para trás. — Mãe, faz ele parar, mãe, eu não fiz isso, não fui eu!

— Eu agora peço aos jurados — gritou o Sr. Crouch — que levantem as mãos se acreditarem, como eu, que estes crimes merecem uma sentença de prisão perpétua em Azkaban.

Unânimes, as bruxas e os bruxos do lado direito da masmorra ergueram as mãos. A assembleia ao redor começou a aplaudir como fizera no julgamento de Bagman, seus rostos expressavam selvagem triunfo. O rapaz começou a gritar.

— Não! Mãe, não! Eu não fiz isso, eu não fiz isso, eu não sabia! Não me mande para lá, não deixe o pai me mandar!

Os dementadores voltaram a deslizar pela sala. Os três companheiros do rapaz se levantaram silenciosamente das cadeiras; a mulher de olhos grandes e semicerrados olhou para Crouch e gritou:

— O Lorde das Trevas voltará a se erguer, Crouch! Joguem-nos em Azkaban, nós esperaremos! Ele se reerguerá e virá nos buscar e nos recompensará mais que aos seus outros seguidores! Somente nós permanecemos fiéis! Somente nós tentamos encontrá-lo.

Mas o rapaz procurava se desvencilhar dos dementadores, embora Harry percebesse que o desumano poder de sugar energia daquelas criaturas começava a afetá-lo. Os bruxos presentes riam e caçoavam, alguns de pé, enquanto a mulher saía majestosamente da masmorra e o rapaz continuava a se debater.

— Sou seu filho! — berrava ele para Crouch. — Sou seu filho!

— Você não é meu filho! — berrou o Sr. Crouch, os olhos saltando subitamente das órbitas. — Não tenho filho!

A bruxa miudinha ao lado de Crouch ficou sem ar e desabou na cadeira. Desmaiara, o marido pareceu não ter notado.

— Levem-nos embora! — berrou para os dementadores, o cuspe saltando de sua boca. — Levem-nos embora, que eles apodreçam lá!

— Pai, eu não estava envolvido! Não! Não! Pai, por favor!

— Acho, Harry, que já é hora de voltar ao meu escritório — disse baixinho uma voz ao ouvido do garoto.

Ele se assustou. Olhou para um lado. Depois para o outro.

Havia um Alvo Dumbledore sentado à sua direita observando o filho de Crouch sair arrastado pelos dementadores — e havia um Alvo Dumbledore à sua esquerda, olhando bem para ele.

— Venha — disse o Dumbledore à sua esquerda, segurando o cotovelo de Harry. O garoto sentiu que o erguiam no ar; a masmorra desapareceu à sua volta; por um momento tudo ficou escuro, então teve a impressão de que estava dando uma cambalhota em câmara lenta e, repentinamente, caiu de pé, no que concluiu ser a claridade ofuscante do escritório do diretor. A bacia de pedra tremeluzia no armário à sua frente e Alvo Dumbledore estava parado ao seu lado.

– Professor – exclamou Harry –, eu sei que eu não devia ter... não tive intenção, a porta do armário estava entreaberta e...

– Eu compreendo – disse Dumbledore. E, erguendo a bacia, levou-a até a escrivaninha, pousou-a sobre sua superfície reluzente e se sentou na cadeira à escrivaninha. Fez sinal ao garoto para que se sentasse defronte dele.

Harry obedeceu, com os olhos postos na bacia de pedra. O conteúdo voltara ao seu estado original branco-prateado, girando e ondulando ao seu olhar.

– Que é isso? – perguntou Harry, trêmulo.

– Isso? Chama-se Penseira, às vezes eu acho, e tenho certeza de que você conhece a sensação, que simplesmente há pensamentos e lembranças demais enchendo minha cabeça.

– Hum – fez Harry, que não podia realmente dizer que já tivesse sentido nada igual.

– Nessas ocasiões – continuou Dumbledore indicando a bacia de pedra – uso a Penseira. Escoo o excesso de pensamentos da mente, despejo-os na bacia e examino-os com vagar. Assim fica mais fácil identificar padrões e ligações, compreende, quando estão sob esta forma.

– O senhor quer dizer... que isso aí são os seus *pensamentos*? – disse Harry, olhando a substância branca que redemoinhava na bacia.

– Sem dúvida. Deixe-me mostrar.

Dumbledore puxou a varinha de dentro das vestes e pousou sua ponta sobre seus cabelos prateados, próximos à têmpora. Quando afastou a varinha, os cabelos pareciam estar grudados nela – mas Harry viu que eram, na realidade, fios brilhantes da mesma substância estranha e branco-prateada que enchia a Penseira. Dumbledore acrescentou novos pensamentos à bacia, e Harry, espantado, viu seu próprio rosto boiando na superfície da substância.

Dumbledore colocou suas longas mãos dos lados da Penseira e sacudiu-a, como faria um garimpeiro à procura de pepitas de ouro... e o garoto viu o próprio rosto se transformar suavemente no de Snape, que abriu a boca, e falou para o teto, fazendo sua voz ecoar levemente: "Está voltando... a de Karkaroff também... mais clara e forte que nunca..."

— Uma ligação que eu teria feito sem ajuda de ninguém — suspirou Dumbledore —, mas não faz mal. — Por cima dos seus oclinhos de meia-lua, ele mirou Harry, que acompanhou boquiaberto o rosto de Snape girar continuamente na bacia. — Eu estava usando a Penseira quando o Sr. Fudge chegou para a reunião e guardei-a apressado. Com certeza não fechei o armário direito. É natural que ela tenha atraído sua atenção.

— Me desculpe — murmurou Harry.

Dumbledore balançou a cabeça.

— A curiosidade não é um pecado — disse ele. — Mas devemos ser cautelosos com a nossa curiosidade... sem dúvida...

Enrugando ligeiramente a testa, o diretor tornou a empurrar seus pensamentos para dentro da bacia com a ponta da varinha. Instantaneamente, emergiu dela um vulto, uma menina gordinha de cara mal-humorada de uns dezesseis anos, que começou a girar lentamente, com os pés ainda na bacia. Ela não prestou a menor atenção a Harry nem ao Prof. Dumbledore. Quando falou, sua voz ecoou como fizera a de Snape, como se viesse das profundezas da bacia de pedra: "Ele me azarou, Prof. Dumbledore, e eu só estava brincando, só disse que o tinha visto beijando Florência atrás das estufas na quinta-feira passada..."

— Mas por que, Berta — disse Dumbledore tristemente, fitando a menina que agora girava silenciosamente —, por que você teve que segui-lo, para começar?

— Berta? — sussurrou Harry, olhando para a garota. — Ela é... era a Berta Jorkins?

— Era — disse Dumbledore mais uma vez revolvendo os pensamentos na bacia; Berta voltou a afundar neles, e tudo se tornou mais uma vez prateado e opaco. — É a Berta como me lembro dela na escola.

A claridade prateada da Penseira iluminou o rosto de Dumbledore e ocorreu a Harry, repentinamente, que o diretor parecia velhíssimo. Ele sabia, era claro, que Dumbledore estava envelhecendo, mas por alguma razão nunca pensara no diretor como um velho.

— Então, Harry — disse Dumbledore, baixinho. — Antes de se perder nos meus pensamentos, você queria me contar alguma coisa.

— Verdade. Professor, eu estava na aula de Adivinhação agorinha e... hum... cochilei.

Ele hesitou neste ponto, imaginando se iria levar uma bronca, mas Dumbledore apenas disse:

— Muito compreensível. Continue.

— Bem, eu tive um sonho. Um sonho com Lorde Voldemort. Ele estava torturando Rabicho... o senhor sabe quem é Rabicho...
— Sei — disse Dumbledore, prontamente. — Por favor, continue.
— Voldemort recebeu uma carta levada por uma coruja. E falou uma coisa mais ou menos assim: que o erro de Rabicho tinha sido reparado. Falou que alguém estava morto. Depois falou que ia atirar Rabicho para servir de comida à cobra, tinha uma cobra ao lado da poltrona dele. Falou também que, em vez do Rabicho, ele ia jogar a mim. Depois lançou a Maldição *Cruciatus* em Rabicho, e a minha cicatriz doeu. Doeu tanto que me acordou.

Dumbledore apenas fitou Harry.

— Hum, foi só isso — disse Harry.

— Entendo — disse Dumbledore em voz baixa. — Agora, a sua cicatriz já doeu alguma outra vez este ano, além daquela em que o acordou durante as férias de verão?

— Não, eu... como foi que o senhor soube que ela me acordou no verão? — perguntou Harry, espantado.

— Você não é o único que se corresponde com Sirius — disse Dumbledore. — Também tenho estado em contato com ele desde que fugiu de Hogwarts no ano passado. Fui eu quem sugeriu a caverna na encosta da montanha como o lugar mais seguro para ele se esconder.

Dumbledore se levantou e começou a andar para cima e para baixo atrás da escrivaninha. De vez em quando, levava a varinha à têmpora, retirava mais um pensamento prateado e o acrescentava à Penseira. Os pensamentos dentro dela começaram a girar tão rápido que Harry não conseguia distinguir nada muito claramente; apenas um borrão de cor.

— Professor? — disse Harry, baixinho, depois de uns minutos.

Dumbledore parou de andar e encarou Harry.

— Perdão — disse ele em voz baixa. E tornou a se sentar em sua cadeira.

— Professor, o senhor sabe por que minha cicatriz dói?

O diretor fitou Harry com muita atenção por um momento, depois disse:

— Eu tenho uma teoria, não é nada mais que isso... Acredito que a sua cicatriz dói quando Lorde Voldemort anda por perto ou quando tem um assomo particularmente intenso de ódio.

— Mas... por quê?

— Porque você e ele estão ligados pelo feitiço que falhou. Isto não é uma cicatriz comum.

— Então o senhor acha... esse sonho... ele realmente aconteceu?

— É possível. Eu diria, provavelmente, Harry, você viu Voldemort?

— Não — respondeu Harry. — Somente as costas da poltrona dele. Mas... não haveria muita coisa que ver, haveria? Quero dizer, ele não tem corpo, tem? Mas... mas por outro lado como é que ele poderia ter segurado a varinha? — disse Harry lentamente.

— Como, não é mesmo? — murmurou o diretor. — Como mesmo...

Nem Dumbledore nem Harry falaram por algum tempo. O diretor tinha o olhar perdido no outro lado da sala, de vez em quando apoiava a ponta da varinha na têmpora e acrescentava mais um pensamento de prata refulgente à massa que fervilhava na Penseira.

— Professor — disse Harry finalmente —, o senhor acha que ele está ficando mais forte?

— Voldemort? — indagou ele, olhando para o garoto por cima da Penseira. Era o olhar penetrante e característico que Dumbledore já lhe dera em outras ocasiões, e sempre fizera o garoto ter a sensação de que o diretor estava enxergando através dele, de uma maneira que nem o olho mágico de Moody seria capaz. — Mais uma vez, Harry, só posso expressar suspeitas.

Dumbledore suspirou outra vez e seu rosto pareceu mais velho e mais cansado que nunca.

— A ascensão de Voldemort ao poder — disse ele — foi marcada por desaparições. Berta Jorkins desapareceu sem deixar vestígio no lugar em que se sabe que Voldemort esteve por último. O Sr. Crouch, também, desapareceu... aqui nos terrenos da escola. E houve uma terceira desaparição, uma que o Ministério, lamento dizer, não considera ser importante, porque diz respeito a um trouxa. O nome dele era Franco Bryce, vivia na aldeia em que o pai de Voldemort se criou, e os habitantes do lugar não o veem desde agosto. Como vê, leio os jornais dos trouxas, ao contrário da maioria dos meus amigos do Ministério.

Dumbledore encarou Harry muito sério.

— Essas desaparições me parecem estar interligadas. O Ministério discorda, como você deve ter ouvido, enquanto esperava do lado de fora do meu escritório.

Harry confirmou com a cabeça. Fez-se novo silêncio entre os dois, Dumbledore extraindo pensamentos de quando em quando. Harry achou que estava na hora de ir, mas sua curiosidade o segurava sentado.

— Professor? — falou ele outra vez.

— Sim, Harry?

— Hum... será que eu posso perguntar ao senhor sobre... aquela cena do tribunal em que eu estive na... Penseira?

— Pode — disse Dumbledore com um peso no coração. — Estive presente muitas vezes, mas alguns julgamentos voltam à lembrança mais claramente que outros... particularmente agora...

— O senhor sabe, o senhor sabe o julgamento em que me encontrou? O do filho de Crouch? Bem... era dos pais de Neville que eles estavam falando?

Dumbledore lançou um olhar muito sagaz a Harry.

— Neville nunca lhe contou por que foi criado pela avó?

Harry balançou a cabeça, imaginando ao mesmo tempo por que jamais perguntara isso a Neville em quase quatro anos de conhecimento.

— Era, estavam falando dos pais de Neville. O pai, Frank, era auror como o Prof. Moody. Ele e a mulher foram torturados para darem informações sobre o paradeiro de Voldemort depois que ele perdeu os poderes, conforme você ouviu.

— Então estão mortos? — perguntou Harry, baixinho.

— Não — disse Dumbledore, a voz cheia de uma amargura que Harry nunca ouvira nele antes —, enlouqueceram. Os dois estão no Hospital St. Mungus para Doenças e Acidentes Mágicos. Creio que Neville os visita, com a avó, durante as férias. Os pais não o reconhecem.

Harry ficou sentado ali, horrorizado. Nunca soubera... nunca, em quatro anos, se preocupara em descobrir...

— Os Longbottom eram um casal muito querido — disse Dumbledore. — Os ataques a eles começaram depois da queda de Voldemort, quando todos pensavam que estavam a salvo. Os ataques causaram uma onda de fúria nunca vista. O Ministério ficou sob grande pressão para capturar quem tinha feito aquilo. Infelizmente, o depoimento dos Longbottom não foi, dada a condição em que estavam, nada confiável.

— Então, talvez o filho do Sr. Crouch não estivesse envolvido? — perguntou Harry lentamente.

Dumbledore balançou a cabeça.

— Quanto a isso, não faço ideia.

Harry quedou em silêncio mais uma vez, observando o conteúdo da Penseira redemoinhar. Havia mais duas perguntas que estava em cócegas para fazer... mas diziam respeito à culpa de gente viva...

— Hum — começou ele —, o Sr. Bagman...

— ... nunca mais foi acusado de nenhuma atividade maligna deste então — disse Dumbledore calmamente.

— Certo — apressou-se Harry a dizer, fitando novamente o conteúdo da Penseira, que girava mais lentamente agora que Dumbledore parara de lhe acrescentar pensamentos. — E... hum...

Mas a Penseira parecia estar fazendo a pergunta por ele. O rosto de Snape apareceu novamente flutuando à superfície. Dumbledore olhou para dentro da bacia e depois ergueu os olhos para Harry.

— Tampouco o Prof. Snape — disse.

Harry fitou os olhos azul-claros de Dumbledore e a coisa que realmente queria saber escapou de sua boca antes que ele pudesse se refrear.

— Que foi que levou o senhor a pensar que ele realmente parou de apoiar Voldemort, professor?

Dumbledore sustentou o olhar de Harry por alguns segundos e então disse:

— Isto, Harry, é um assunto entre mim e o Prof. Snape.

Harry percebeu que a entrevista terminara; Dumbledore não parecia zangado, contudo havia um tom conclusivo em sua voz que informou ao garoto que era hora de se retirar. Ele se levantou e o diretor também.

— Harry — disse ele, quando o garoto chegou à porta. — Por favor, não comente sobre os pais de Neville com mais ninguém. Ele tem o direito de informar às pessoas quando estiver preparado para isso.

— Sim, senhor, professor — disse Harry virando-se para ir embora.

— E...

Harry virou a cabeça para trás.

Dumbledore estava parado diante da Penseira, seu rosto iluminado pelos pontos de luz prateada, parecendo mais velho que nunca. O diretor fitou Harry por um momento e em seguida disse:

— Boa sorte na terceira tarefa.

31

A TERCEIRA TAREFA

— Dumbledore também acha que Você-Sabe-Quem está se fortalecendo outra vez? — sussurrou Rony.

Tudo que Harry vira na Penseira, e quase tudo que Dumbledore lhe contara e mostrara depois, ele agora estava dividindo com Rony e Hermione — e, é claro, com Sirius, a quem Harry enviara uma coruja assim que saíra do escritório do diretor. Mais uma vez os três garotos ficaram acordados até tarde na sala comunal, discutindo os acontecimentos até que a cabeça de Harry começou a rodar, até que ele compreendeu o que Dumbledore quisera dizer quando falara em uma cabeça ficar tão cheia de pensamentos que era um alívio esvaziá-la com um sifão.

Rony ficou olhando fixamente para as chamas na lareira. Harry achou que o viu estremecer levemente, embora a noite não estivesse fria.

— E ele confia em Snape? — tornou a perguntar Rony. — Confia realmente em Snape, mesmo que o cara tenha sido um Comensal da Morte?

— Sim — disse Harry.

Hermione não falava havia dez minutos. Estava sentada com a testa apoiada nas mãos, fitando os joelhos. Harry pensou que ela também faria bom uso de uma Penseira.

— Rita Skeeter — murmurou ela finalmente.

— Como é que você pode estar preocupada com ela agora? — indagou Rony, incrédulo.

— Não estou preocupada com ela — respondeu Hermione para os próprios joelhos. — Só estou pensando... lembra o que ela me disse no Três Vassouras? "Sei coisas sobre Ludo Bagman que a deixariam de cabelo em pé." Era a isso que ela estava se referindo, não é? Ela fez a cobertura do julgamento, sabia que ele tinha passado informações para os Comensais da Morte. E Winky, também, lembra... "O Sr. Bagman é um bruxo malvado."

O Sr. Crouch provavelmente ficou furioso quando Bagman se livrou da prisão, e provavelmente comentou isso em casa.

— É, mas Bagman não passou informações de propósito, passou? Hermione deu de ombro.

— E Fudge acha que *Madame Maxime* atacou Crouch? — perguntou Rony se virando para Harry outra vez.

— É — respondeu Harry —, mas só está dizendo isso porque o Sr. Crouch desapareceu perto da carruagem da Beauxbatons.

— Nunca pensamos nela, não é mesmo? — disse Rony, lentamente. — E olhem que ela positivamente tem sangue de gigante, e não quer nem admitir...

— Claro que não — disse Hermione secamente, erguendo os olhos. — Olha só o que aconteceu com o Hagrid quando a Rita descobriu quem era a mãe dele. Olha só o Fudge tirando conclusões apressadas sobre ela, só porque a mãe é meio giganta. Quem precisa desse tipo de preconceito? Eu provavelmente diria que tinha ossos grandes se soubesse o que me esperava por dizer a verdade.

Hermione consultou seu relógio de pulso.

— Não praticamos nada! — exclamou, chocada. — Íamos fazer a Azaração de Impedimento! Amanhã temos que meter as caras nela pra valer! Vamos, Harry, você precisa descansar.

Os dois garotos subiram lentamente para o dormitório. Enquanto vestia o pijama, Harry olhou para a cama de Neville. Fiel à palavra dada a Dumbledore, não falara a Rony e Hermione sobre os pais do garoto. Depois que tirou os óculos e se meteu na cama, ficou imaginando como devia ser a pessoa ter pais vivos, mas incapazes de reconhecê-la. Ele sempre despertava simpatia nos estranhos por ser órfão, mas ao escutar os roncos de Neville concluiu que o colega a merecia mais do que ele. Deitado no escuro, Harry sentiu um assomo de raiva e ódio contra as pessoas que haviam torturado o Sr. e a Sra. Longbottom... lembrou-se dos risos e caçoadas dos espectadores quando o filho de Crouch e os companheiros foram arrastados para fora do tribunal pelos dementadores... compreendeu o que sentiram... então lembrou-se do rosto extremamente branco do garoto que gritava e percebeu, com um sobressalto, que ele morrera no ano seguinte...

Fora Voldemort, pensou Harry fitando, no escuro, o dossel da cama, tudo acabava apontando para Voldemort... ele é quem tinha separado aquelas famílias, quem tinha arruinado todas aquelas vidas...

* * *

Rony e Hermione precisavam estar revisando as matérias para os exames, que terminariam no dia da terceira tarefa; em lugar disso, estavam devotando todas as energias a ajudar Harry a se preparar.

— Não se preocupe — disse Hermione brevemente, quando Harry comentou isso com eles, e disse que não se importava de continuar a praticar sozinho. — Pelo menos vamos tirar notas máximas em Defesa Contra as Artes das Trevas, nunca teríamos descoberto tantas azarações em aula.

— Bom treinamento para quando formos aurores — comentou Rony, animado, experimentando uma Azaração de Impedimento em uma vespa que entrara zumbindo na sala e fazendo-a estacar no ar.

Quando entrou o mês de junho, a atmosfera do castelo se tornou mais uma vez elétrica e tensa. Todos aguardavam com ansiedade a terceira tarefa, que se realizaria uma semana antes do fim do trimestre. Harry praticava azarações em todos os momentos de folga. Sentia-se mais confiante com relação a esta tarefa do que a qualquer das anteriores. Mas, apesar de difícil e perigosa, como certamente seria, Moody tinha razão: Harry conseguira passar por criaturas monstruosas e atravessar barreiras mágicas antes e, desta vez, recebera aviso, tivera a chance de se preparar para aquilo que o aguardava.

Cansada de surpreendê-los por toda a escola, a Profª Minerva dera a Harry permissão para usar a sala de Transfiguração vazia à hora do almoço. Ele não tardou a dominar a Azaração de Impedimento, um feitiço para retardar e obstruir atacantes, o Feitiço Redutor lhe permitiria explodir objetos sólidos em seu caminho e o Feitiço dos Quatro Pontos, uma descoberta útil de Hermione, que faria sua varinha apontar para o norte, permitindo-lhe, assim, verificar se estava se deslocando na direção certa dentro do labirinto. Mas ele ainda estava tendo problemas com o Feitiço Escudo. Este lançava uma parede temporária e invisível em torno dele e o protegia de pequenos feitiços; Hermione conseguiu desfazê-la com uma bem colocada Azaração das Pernas Bambas. Harry bambeou pela sala uns bons dez minutos, até a garota ter tido tempo para achar a contra-azaração.

— Mas você continua se saindo realmente bem — disse Hermione, encorajando Harry e consultando a lista que fizera para riscar o que ele já aprendera. — Alguns desses devem ser uma mão na roda.

— Venham só dar uma espiada nisso — disse Rony, que estava parado junto à janela. Contemplava os jardins. — Que será que o Malfoy está aprontando?

Harry e Hermione foram ver. Malfoy, Crabbe e Goyle estavam parados à sombra de uma árvore lá embaixo. Crabbe e Goyle pareciam estar vigiando alguma coisa; os dois abafavam risinhos. Malfoy tampava a boca com a mão e falava para dentro dela.

– Parece até que ele está usando um *walkie-talkie* – disse Harry, curioso.

– Não pode estar – lembrou Hermione. – Já disse a vocês dois que esse tipo de coisa não funciona em Hogwarts. Vamos, Harry – acrescentou ela energicamente, dando as costas à janela e voltando ao meio da sala –, vamos experimentar outra vez o Feitiço Escudo.

Sirius agora mandava corujas diariamente. Do mesmo modo que Hermione, ele parecia querer se concentrar em fazer Harry concluir a última tarefa, antes de se preocupar com outra coisa. Em cada carta ele lembrava ao afilhado que fosse o que fosse que acontecesse fora dos muros de Hogwarts não era responsabilidade do garoto, nem estava em seu poder influenciar nada.

> *Se Voldemort está realmente voltando a se fortalecer* (escreveu ele), *minha prioridade é garantir a sua segurança. Ele não pode sequer alimentar esperanças de pegá-lo enquanto você estiver sob a proteção de Dumbledore, mas mesmo assim não corra riscos: concentre-se em atravessar esse tal labirinto em segurança, depois poderemos voltar nossa atenção para outros assuntos.*

O nervosismo de Harry foi crescendo à medida que o dia vinte e quatro de junho se aproximava, mas nem tanto quanto nas tarefas anteriores. Por um lado, ele se sentia confiante de que, desta vez, fizera tudo que pudera para se preparar para a tarefa. Por outro, esse era o último esforço e, independentemente de se dar bem ou mal, o torneio enfim terminaria, o que seria um enorme alívio.

O café foi uma reunião barulhenta à mesa da Grifinória, na manhã da terceira tarefa. O correio-coruja apareceu, trazendo para Harry um cartão de boa sorte de Sirius. Era apenas um pedaço de pergaminho, dobrado com a impressão de uma pata enlameada, mas Harry gostou assim mesmo. Uma coruja-das-torres chegou trazendo para Hermione seu exemplar do *Profeta Diário*, como habitualmente. Ela abriu o jornal, deu uma olhada na primeira página e cuspiu a boca cheia de suco de abóbora, sujando todo o jornal.

– Que foi? – exclamaram Harry e Rony juntos, olhando para a garota.

— Nada — disse Hermione depressa, tentando esconder o jornal, mas Rony agarrou-o.

Ele arregalou os olhos para a manchete e disse:

— Nem pensar. Hoje não. Essa vaca velha.

— Que foi? — perguntou Harry. — Rita Skeeter de novo?

— Não — respondeu Rony, e do mesmo modo que Hermione tentou esconder o jornal.

— Fala de mim, não é? — perguntou Harry.

— Não — disse Rony, num tom que não convencia ninguém.

Mas antes que Harry pudesse pedir para ver o jornal Draco Malfoy gritou lá da mesa da Sonserina, do outro lado do salão:

— Ei, Potter! Potter! Como é que está a sua cabeça? Você está se sentindo legal? Tem certeza de que não vai endoidar para cima da gente?

Malfoy segurava um exemplar do Profeta Diário, também. Os alunos ao redor da mesa da Sonserina deram risadinhas e se viraram nas cadeiras para ver a reação de Harry.

— Me deixa ver isso — pediu Harry a Rony. — Me dá isso aqui.

Com muita relutância, Rony entregou o jornal. Harry virou-o e deparou com a própria foto, sob uma gigantesca manchete.

HARRY POTTER "PERTURBADO E PERIGOSO"

O garoto que derrotou Aquele-Que-Não-Deve-Ser-Nomeado encontra-se instável e possivelmente perigoso, escreve nossa repórter especial Rita Skeeter. Há poucos dias vieram à luz provas assustadoras do estranho comportamento de Harry Potter, que lançam dúvidas sobre suas qualificações para competir em um torneio rigoroso como o Tribruxo, ou até mesmo para frequentar a Escola de Hogwarts.

O Profeta Diário está em condições de afirmar, com exclusividade, que Potter regularmente desmaia na escola, e com frequência se queixa de dor na cicatriz que tem na testa (relíquia de um feitiço com que Você-Sabe-Quem tentou matá-lo). Na última segunda-feira, no meio de uma aula de Adivinhação, a repórter do Profeta Diário presenciou a saída intempestiva de Potter da sala de aula, dizendo que sua cicatriz o incomodava em demasia para que pudesse continuar em classe.

É possível, dizem os maiores especialistas do Hospital St. Mungus para Doenças e Acidentes Mágicos, que o cérebro de Potter tenha sido afetado pelo ataque que sofreu de Você-Sabe-Quem, e que sua insistência em dizer que a cicatriz continua a doer seja uma expressão de sua arraigada confusão.

"Talvez até esteja fingindo", opinou um especialista, "o que poderia ser um mecanismo para receber atenção."

O Profeta Diário, no entanto, descobriu fatos preocupantes sobre Harry Potter, que Alvo Dumbledore, diretor de Hogwarts, tem cuidadosamente ocultado do público bruxo.
"Potter é ofidioglota", revela Draco Malfoy, um quartanista de Hogwarts. "Há uns dois anos, houve uma série de ataques a estudantes, e quase todos pensaram que Potter era o responsável depois que o viram perder a cabeça em um Clube de Duelos e açular uma cobra contra um colega. O episódio foi abafado. Mas ele também faz amizade com lobisomens e gigantes. Achamos que ele é capaz de qualquer coisa para ter algum poder."
Ofidioglossia, ou a capacidade de conversar com as cobras, é tradicionalmente considerada uma Arte das Trevas. Com efeito, o ofidioglota mais famoso dos nossos tempos não é outro senão Você-Sabe-Quem. Um membro da Liga de Defesa Contra as Artes das Trevas, que prefere se manter anônimo, declarou que consideraria qualquer bruxo ofidioglota "merecedor de investigação. Pessoalmente, eu encararia com muita suspeita qualquer pessoa que conversasse com cobras, pois esses animais em geral são usados nos piores tipos de magia das trevas e, historicamente, são associados com bruxos malignos". Da mesma forma "qualquer um que procure a companhia de criaturas selvagens como lobisomens e gigantes me parece ter inclinação para a violência".
Alvo Dumbledore deveria, sem dúvida, refletir se um garoto desses pode realmente competir no Torneio Tribruxo. Há quem receie que Potter possa apelar para as Artes das Trevas em seu desespero de vencer o torneio, cuja terceira tarefa será realizada hoje à noite.

— Acho que ela está deixando de gostar de mim, não? — comentou Harry, despreocupado, dobrando o jornal.

Na mesa da Sonserina, Malfoy, Crabbe e Goyle riam-se dele, davam pancadinhas na cabeça, faziam caretas grotescas imitando loucos e agitavam as línguas como cobras.

— Como foi que ela soube que a sua cicatriz doeu na aula de Adivinhação? — perguntou Rony. — Não havia como ela ter estado presente, não havia como poder ter ouvido...

— A janela estava aberta — disse Harry. — Eu a abri para respirar.

— Você estava no alto da Torre Norte — lembrou Hermione. — Sua voz não podia ter sido ouvida lá embaixo nos jardins!

— Bem, você é quem anda pesquisando métodos mágicos de grampear! — disse Harry. — Me diga você como foi que ela conseguiu!

— Estou tentando — defendeu-se Hermione. — Mas eu... mas...

Uma expressão estranha e sonhadora subitamente apareceu no rosto de Hermione. Ela ergueu uma das mãos e correu os dedos pelos cabelos.

— Você está legal? — perguntou Rony, erguendo as sobrancelhas para a amiga.

— Estou — respondeu Hermione, sem fôlego. Ela tornou a correr os dedos pelos cabelos e levou a mão à boca, como se estivesse falando para um *walkie-talkie* invisível. Harry e Rony se entreolharam.

— Tive uma ideia — disse Hermione, olhando para o espaço. — Acho que sei... porque desse jeito ninguém poderia ver... nem Moody... e ela poderia ter chegado até o peitoril da janela... mas isso é proibido... *decididamente* é proibido... acho que a pegamos! Me deem dois segundinhos na biblioteca, só para ter certeza!

Dizendo isso, Hermione agarrou a mochila e saiu correndo do Salão Principal.

— Oi! — gritou Rony para ela. — Temos exame de História da Magia dentro de dez minutos! Caracas — disse o garoto tornando a se virar para Harry —, ela deve realmente odiar aquela Skeeter para se arriscar a perder o início do exame. Que é que você vai fazer na sala do Binns, reler livros?

Dispensado dos testes de fim de trimestre por ser campeão no torneio, até ali Harry se sentara no fundo das salas de exame, pesquisando novas azarações para a terceira tarefa.

— Acho que sim — respondeu Harry para Rony; mas nesse instante a Prof[a] Minerva vinha contornando a mesa da Grifinória em direção a ele.

— Potter, os campeões vão se reunir na câmara vizinha ao salão depois do café — anunciou ela.

— Mas a tarefa só vai ser à noite! — exclamou Harry, derramando, sem querer, ovos mexidos na roupa, receoso de que tivesse se enganado na hora.

— Eu sei disso, Potter. As famílias dos campeões foram convidadas para assistir à última tarefa, entende. É apenas uma oportunidade para você cumprimentá-los.

Ela se afastou. Harry acompanhou-a com o olhar, boquiaberto.

— Ela não está esperando que os Dursley apareçam, está? — perguntou a Rony sem entender.

— Sei lá. Harry, é melhor eu me apressar ou vou chegar tarde na sala de Binns. A gente se vê depois.

Harry terminou o café da manhã num salão que ia lentamente se esvaziando. Viu Fleur Delacour se levantar da mesa da Corvinal e se juntar a Cedrico, na hora em que o rapaz atravessava o salão para entrar na câmara. Krum saiu daquele seu jeito curvado para se reunir a eles logo depois. Harry continuou onde estava. Na realidade não queria entrar na câmara. Não tinha família — ou pelo menos nenhuma família que fosse aparecer para vê-lo arriscar a vida. Mas no instante em que começou a se levantar, pensando que seria melhor ir à biblioteca reler mais algumas azarações, a porta da câmara se abriu e Cedrico pôs a cabeça para fora.

— Harry, anda, eles estão esperando por você!

Absolutamente perplexo, Harry se levantou. Não era possível que os Dursley estivessem ali, era? O garoto atravessou o salão e abriu a porta que levava à câmara.

Cedrico e os pais estavam logo à entrada. Vítor Krum, a um canto, falava muito depressa em búlgaro com o pai e a mãe de cabelos escuros. Herdara o nariz adunco do pai. Do outro lado da sala, Fleur algaraviava em francês com a mãe. Sua irmãzinha, Gabrielle, segurava a mão da mãe. Ela acenou para Harry, que retribuiu o aceno. Então ele viu a Sra. Weasley e Gui parados diante da lareira, sorrindo para ele.

— Surpresa! — disse animada a Sra. Weasley, quando Harry, todo sorriso, se encaminhou para eles. — Pensamos em vir ver você, Harry! — Ela se curvou e lhe deu um beijo na bochecha.

— Você está bem? — cumprimentou Gui, sorrindo para o garoto e apertando sua mão. — Carlinhos queria vir, mas não pôde tirar licença. Ele me contou que você esteve incrível na tarefa com o Rabo-Córneo húngaro.

Fleur Delacour, Harry notou, espiava Gui, com grande interesse, por cima do ombro da mãe. O garoto percebeu que ela não fazia objeção alguma a cabelos compridos e brincos com dentes pendurados.

— Foi muita gentileza da senhora — murmurou Harry à Sra. Weasley. — Pensei por um momento... os Dursley...

— Hum — resmungou a Sra. Weasley contraindo os lábios. Ela sempre se abstinha de criticar os Dursley diante de Harry, mas seus olhos faiscavam sempre que eles eram mencionados.

— Estou achando o máximo voltar aqui — comentou Gui, correndo os olhos pela câmara (Violeta, a amiga da Mulher Gorda, piscou para ele lá do seu quadro). — Não revejo a escola há cinco anos. Aquele quadro do cavaleiro doidão ainda está por aí? Sir Cadogan?

— Ah, está — respondeu Harry, que conhecera Sir Cadogan no ano anterior.

— E a Mulher Gorda? — indagou Gui.

— Ela já estava aqui no meu tempo — comentou a Sra. Weasley. — Ela me passou um carão daqueles uma noite em que eu vinha voltando para o dormitório às quatro horas da manhã...

— E o que é que a senhora estava fazendo fora do dormitório às quatro horas da manhã? — perguntou Gui olhando a Sra. Weasley, admirado.

Ela sorriu, os olhos cintilando.

— Seu pai e eu saímos para dar um passeio à noite. Ele foi pego por Apolíneo Pringle, era o zelador naquela época, seu pai ainda tem as marcas.

— Quer fazer o tour da escola com a gente, Harry? — perguntou Gui.

— Ah, OK — disse Harry e os três se dirigiram à porta que levava ao Salão Principal.

Ao passarem por Amos Diggory, o bruxo se virou.

— Aí está você, não é? — disse ele, olhando Harry de alto a baixo. — Aposto como não está se sentindo tão cheio de si agora que Cedrico superou a sua pontuação, não?

— Quê? — exclamou Harry.

— Não dê atenção a ele — pediu Cedrico a Harry, em voz baixa, erguendo as sobrancelhas para o pai. — Ele anda aborrecido desde o artigo da Rita Skeeter sobre o Torneio Tribruxo, sabe, porque ela fez de conta que você era o único campeão de Hogwarts.

— Mas ele não se deu ao trabalho de corrigi-la, não é? — disse Amos Diggory, em voz suficientemente alta para Harry ouvir quando ia se encaminhando para a porta com a Sra. Weasley e Gui. — Mas... você vai mostrar a ele, Ced. Já o venceu uma vez, não foi?

— Rita Skeeter sai do caminho dela para provocar confusões, Amos! — disse a Sra. Weasley, zangada. — Era de se esperar que você soubesse disso, já que trabalha no Ministério!

O Sr. Diggory pareceu que ia dizer alguma coisa, irritado, mas sua mulher pôs a mão em seu braço e ele simplesmente encolheu os ombros e virou as costas.

Harry teve uma manhã muito agradável passeando pela propriedade ensolarada com Gui e a Sra. Weasley, mostrando-lhes a carruagem de Beauxbatons e o navio de Durmstrang. A Sra. Weasley se mostrou intrigada com o Salgueiro Lutador, que fora plantado depois que ela terminara a escola, e lembrou-se longamente do guarda-caça antes de Hagrid, um homem chamado Ogg.

— Como vai o Percy? — perguntou Harry, quando davam a volta às estufas.

— Nada bem — respondeu Gui.

— Ele está muito aborrecido — disse a Sra. Weasley, baixando a voz e olhando para os lados. — O Ministério quer abafar o desaparecimento do Sr. Crouch, e Percy foi convocado para um interrogatório sobre as instruções que o Sr. Crouch tem-lhe mandado. Aparentemente o Ministério pensa que elas talvez não tenham sido escritas por Crouch. Percy está sob uma enorme tensão. Não vão deixá-lo substituir o chefe, como quinto juiz, hoje à noite. Cornélio Fudge virá fazer isso.

Os três voltaram ao castelo para almoçar.

— Mamãe... Gui! — exclamou Rony, fazendo cara de espanto, ao se reunir à mesa da Grifinória. — Que é que vocês estão fazendo aqui?

— Viemos assistir à última tarefa do Harry! — disse a Sra. Weasley, animada. — Devo confessar, é uma bela mudança não ter que cozinhar. Como foi o seu exame?

— Ah... OK. Não consegui me lembrar dos nomes de todos os duendes rebeldes, por isso inventei alguns. Tudo bem — acrescentou servindo-se de um pastel galês, sob o olhar severo da mãe —, todos eles têm nomes tipo Bodrode o Barbudo, Urgue o Impuro, não foi difícil.

Fred, Jorge e Gina vieram fazer companhia a eles também e Harry se divertiu tanto que quase se sentiu de volta a Toca; esquecera-se de se preocupar com a tarefa da noite e somente quando Hermione apareceu, já na metade do almoço, foi que ele se lembrou de que a garota tivera uma ideia sobre Rita Skeeter.

— Vai nos contar...?

Hermione balançou a cabeça num aviso e olhou para a Sra. Weasley.

— Olá, Hermione — disse a Sra. Weasley muito mais formalmente do que de costume.

— Olá — respondeu a garota, seu sorriso hesitante diante da expressão fria no rosto da senhora.

Harry olhou para as duas, em seguida disse:

— Sra. Weasley, a senhora não acreditou naquele besteirol que a Rita Skeeter escreveu no *Semanário das Bruxas*, acreditou? Porque Mione não é minha namorada.

— Ah! — exclamou a Sra. Weasley. — Não... é claro que não!

Mas ela se tornou bem mais calorosa para com Hermione depois disso.

Harry, Gui e a Sra. Weasley passaram a tarde em um longo passeio ao redor do castelo, depois voltaram ao Salão Principal para o banquete da noite. Ludo Bagman e Cornélio Fudge haviam se sentado à mesa dos professores. Bagman parecia bem animado, mas Cornélio Fudge, ao lado de Madame Maxime, estava sério e calado. Madame Maxime se concentrava no prato a sua frente, e Harry achou que seus olhos pareciam vermelhos. Hagrid não parava de olhar para os lados dela na mesa.

Havia mais pratos do que de costume, mas o garoto, que estava começando a se sentir realmente nervoso, não comeu muito. Quando o teto encantado no alto começou a desbotar de azul para um violáceo crepuscular, Dumbledore se ergueu à mesa dos professores e fez-se silêncio.

– Senhoras e senhores, dentro de cinco minutos, vou pedir a todos que se encaminhem para o estádio de quadribol para assistir à terceira e última tarefa do Torneio Tribruxo. Os campeões, por favor, queiram acompanhar o Sr. Bagman ao estádio agora.

Harry se levantou. Todos os colegas da Grifinória o aplaudiram; os Weasley e Hermione lhe desejaram boa sorte e ele se dirigiu à porta do Salão Principal com Cedrico, Fleur e Krum.

– Está se sentindo bem, Harry? – perguntou Bagman, quando desciam os degraus da entrada para os jardins. – Confiante?

– Estou OK. – Era um pouco verdade; estava nervoso, mas não parava de repassar mentalmente todas as azarações e feitiços que praticara enquanto andavam, e a ideia de que era capaz de lembrar de todos eles o fazia se sentir melhor.

Os campeões entraram no estádio de quadribol, que estava totalmente irreconhecível. Uma sebe de seis metros corria a toda volta. Havia uma abertura bem diante deles: a entrada para o imenso labirinto. A passagem além parecia escura e sinistra.

Cinco minutos mais tarde, as arquibancadas começaram a se encher; o ar vibrou com as vozes animadas e o ruído dos pés de centenas de estudantes que ocupavam seus lugares. O céu se tornara azul profundo e límpido, e as primeiras estrelas começavam a surgir. Hagrid, o Prof. Moody, a Prof.ª Minerva e o Prof. Flitwick entraram no estádio e se aproximaram de Bagman e dos campeões. Usavam grandes estrelas vermelhas e luminosas nos chapéus, todos, exceto Hagrid, que carregava a dele nas costas do colete de pele de toupeira.

– Vamos patrulhar o lado externo do labirinto – disse a professora aos campeões. – Se estiverem em apuros, e quiserem ser socorridos, disparem faíscas vermelhas para o ar e um de nós irá buscá-los, entenderam?

Os campeões confirmaram com um aceno de cabeça.

– Podem começar, então! – disse Bagman, animado, para os quatro patrulheiros.

– Boa sorte, Harry – sussurrou Hagrid, e os quatro saíram em diferentes direções para se postar em torno do labirinto. Bagman, então, apontou a varinha para a garganta e murmurou "*Sonorus*", e sua voz magicamente amplificada ressoou pelas arquibancadas.

"Senhoras e senhores, a terceira e última tarefa do Torneio Tribruxo está prestes a começar! Deixe-me lembrar a todos o placar atual! Empatados em primeiro lugar, com oitenta e cinco pontos cada – o Sr. Cedrico e o Sr. Harry Potter, os dois da Escola de Hogwarts!" Os vivas e as palmas fizeram os pássaros saírem voando da Floresta Proibida para o céu crepuscular. "Em segundo lugar, com oitenta pontos – o Sr. Vítor Krum, do Instituto Durmstrang!" Mais aplausos. "E, em terceiro lugar – a Srta. Fleur Delacour, da Academia de Beauxbatons!"

Harry conseguiu apenas reconhecer a Sra. Weasley, Gui, Rony e Hermione aplaudindo Fleur educadamente, mais ou menos no meio das arquibancadas. Ele acenou para os amigos que retribuíram o aceno, sorrindo.

"Então... quando eu apitar, Harry e Cedrico!", anunciou Bagman. "Três – dois – um..."

O bruxo soprou com força o apito e Harry e Cedrico correram para a entrada do labirinto.

As sebes altaneiras lançavam sombras escuras sobre a trilha e, talvez porque fossem tão altas e densas ou porque fossem encantadas, o barulho dos espectadores que as cercavam silenciou no instante em que os rapazes entraram no labirinto. Harry quase se sentiu novamente embaixo da água. Puxou a varinha, murmurou *"Lumus"* e ouviu Cedrico fazer o mesmo atrás dele.

Depois de andarem uns cinquenta metros, os garotos chegaram a uma bifurcação. Entreolharam-se.

— Até mais — disse Harry, e tomou a trilha da esquerda, enquanto Cedrico tomou a da direita.

Harry ouviu o apito de Bagman uma segunda vez. Krum acabara de entrar no labirinto. Harry se apressou. A trilha que escolhera parecia completamente deserta. Ele se virou à direita e continuou depressa, mantendo a varinha acima da cabeça, tentando ver o mais longe possível. Mesmo assim, não havia nada à vista.

O apito de Bagman soou ao longe uma terceira vez. Todos os campeões agora estavam no interior do labirinto.

Harry não parava de olhar para trás. Tinha a sensação familiar de que alguém o vigiava. O labirinto foi ficando mais escuro a cada minuto que se passava, porque o céu no alto ia ganhando um matiz azul-marinho. Ele chegou a uma segunda bifurcação.

— *Me oriente* — sussurrou ele à varinha, segurando-a deitada na palma da mão.

A varinha fez um giro completo e apontou para a direita, para a sebe maciça. Para ali ficava o norte, e ele sabia que precisava seguir para noroeste para chegar ao centro do labirinto. Faria melhor se tomasse a trilha da esquerda e tornasse a seguir para a direita assim que pudesse.

A trilha à frente também estava vazia e quando Harry chegou a uma curva à direita e entrou por ela encontrou mais uma vez o caminho livre. Harry não sabia o porquê, mas a falta de obstáculos começava a deixá-lo nervoso. Com certeza já deveria ter encontrado algum a essa altura? Tinha a impressão de que o labirinto o estava induzindo a uma falsa sensação de segurança. Então ouviu um movimento bem atrás dele. Ergueu a varinha, pronto a atacar, mas seu facho de luz recaiu sobre Cedrico, que acabara de sair correndo da trilha do lado direito. Cedrico parecia gravemente abalado. A manga de suas vestes fumegava.

— Os explosivins de Hagrid! — sibilou ele. — Estão enormes, escapei por um triz!

Cedrico sacudiu a cabeça e desapareceu de vista por outra trilha. Interessado em guardar uma boa distância entre ele próprio e os explosivins, Harry retomou depressa o seu caminho. Então, ao fazer uma curva ele viu...

Um dementador deslizava em sua direção. Três metros e meio de altura, o rosto oculto pelo capuz, as mãos podres e cobertas de feridas estendidas à frente, ele avançava às cegas, tateando em direção ao garoto. Harry ouviu sua respiração vibrante; sentiu um frio pegajoso se apoderar dele, mas sabia o que precisava fazer...

Chamou à mente o pensamento mais feliz que pôde, se concentrou com todas as forças no pensamento de sair do labirinto e comemorar com Rony e Hermione, ergueu a varinha e exclamou: *Expecto Patronum!*

Um veado prateado irrompeu da ponta da varinha de Harry e avançou à galope para o dementador, que recuou e tropeçou na barra das vestes... Harry nunca vira um dementador tropeçar.

— Espere aí! — gritou ele, avançando na cola do seu patrono prateado. — Você é um bicho-papão! *Riddikulus!*

Ouviu-se um grande estalo e o transformista explodiu, deixando atrás apenas uma fumacinha. O veado prateado desapareceu de vista. Harry desejou que ele tivesse podido ficar, seria agradável ter uma companhia... mas continuou o seu caminho o mais depressa e silenciosamente que pôde, apurando os ouvidos, a varinha, mais uma vez, erguida no alto.

Esquerda... direita... novamente à esquerda... em duas ocasiões ele foi dar em trilhas sem saída. Harry executou o Feitiço dos Quatro Pontos mais uma vez e descobriu que se afastara demais para leste. Retrocedeu, tomou a trilha à direita e viu uma estranha névoa dourada flutuando mais adiante.

Aproximou-se cautelosamente, apontando para a névoa o facho de luz da varinha. Parecia algum tipo de encantamento. Ele se perguntou se seria capaz de explodi-la para desimpedir o caminho.

— *Reducto!* — ordenou.

O feitiço atravessou a névoa, deixando-a intacta. O garoto concluiu que devia ter sabido: o Feitiço Redutor só servia para objetos sólidos. Que aconteceria se ele atravessasse a névoa? Valeria a pena arriscar ou deveria retroceder?

Ele ainda hesitava, quando um grito rompeu o silêncio.

— Fleur? — berrou Harry.

Silêncio. Ele olhou para todos os lados. Que acontecera com a garota? Seu grito parecia ter vindo de algum lugar à frente. O garoto inspirou profundamente e atravessou a névoa encantada.

O mundo virou de cabeça para baixo. Harry ficou pendurado no chão, os cabelos em pé, os óculos balançando fora do nariz, ameaçando cair no céu infinito. Ele os segurou na ponta do nariz e continuou pendurado ali, aterrorizado. Tinha a sensação de que seus pés estavam grudados na grama, que agora se transformara em teto. Abaixo, o céu pontilhado de estrelas se estendia infinitamente. Harry sentiu que se tentasse mexer um pé despencaria da terra de vez.

Pense, disse a si mesmo, enquanto todo o seu sangue afluía à cabeça, *pense...*

Mas nenhum dos feitiços que praticara se destinava a combater uma repentina inversão de terra e céu. Ousaria mexer um pé? Ele ouviu o sangue latejar com força em seus ouvidos. Tinha duas opções — tentar se mexer ou disparar faíscas vermelhas e ser socorrido e desqualificado da tarefa.

Harry fechou os olhos para evitar contemplar o espaço infinito abaixo dele e puxou o pé direito com toda a força que pôde do teto gramado.

Imediatamente o mundo se endireitou. Harry caiu para a frente de joelhos num chão maravilhosamente sólido. Sentiu-se por algum tempo mole de susto. Inspirou profundamente para se firmar, então tornou a se levantar e avançou correndo, lançando olhares para trás por cima do ombro, enquanto fugia da névoa dourada, que piscou para ele inocentemente ao luar.

O garoto parou na junção de duas trilhas e olhou para os lados à procura de algum sinal de Fleur. Tinha certeza de que fora a garota que ouvira gritar. Com que será que ela deparara? Estaria bem? Não havia faíscas vermelhas no alto – será que isto significava que conseguira se livrar do problema ou estaria em tal apuro que nem conseguira apanhar a varinha? Harry tomou a trilha à direita com uma sensação de crescente inquietação... mas, ao mesmo tempo, não conseguiu deixar de pensar, *menos um campeão*...

A Taça estava em algum lugar ali perto e, pelo jeito, Fleur não estava mais competindo. Ele chegara até ali, não chegara? E se, de fato, conseguisse vencer? Por um instante fugaz, e pela primeira vez desde que se fora feito campeão, ele reviu aquela imagem de si mesmo, erguendo a Taça do Tribruxo diante do resto da escola...

Por uns dez minutos não encontrou nada, exceto trilhas sem saída. Duas vezes tomou a mesma trilha errada. Finalmente encontrou um novo caminho e começou a andar depressa por ele, a luz da varinha oscilando, fazendo sua sombra bruxulear e se distorcer pelos lados da sebe. Então ele virou mais uma vez e deu de cara com um explosivim.

Cedrico tinha razão – *era* enorme. Três metros de comprimento, lembrava mais um escorpião gigante do que qualquer outra coisa. Seu longo ferrão estava revirado para trás. A grossa armadura refulgia à luz da varinha, que Harry apontava para ele.

– Estupefaça!

O feitiço bateu no escudo do explosivim e ricocheteou; Harry se abaixou bem a tempo, mas sentiu cheiro de cabelos queimados; chamuscara o cocuruto da cabeça. O explosivim soltou um jorro de chamas da cauda e voou para cima do garoto.

– *Impedimenta!* – berrou Harry. O feitiço bateu mais uma vez no escudo do explosivim e voltou; Harry cambaleou alguns passos para trás e caiu.

– IMPEDIMENTA!

O explosivim estava a centímetros dele quando se imobilizou – o garoto conseguira atingi-lo na barriga carnuda e sem escudo. Ofegando, Harry se impeliu para longe e correu, com todas as forças, na direção oposta – a Azaração de Impedimento não era permanente, o explosivim recobraria o uso das pernas a qualquer momento.

Harry seguiu pela trilha da esquerda e não encontrou saída, seguiu pela da direita e tampouco encontrou saída; obrigando-se a parar, com o coração acelerado, ele executou mais uma vez o Feitiço dos Quatro Pontos, retrocedeu e escolheu uma trilha que o levasse para noroeste.

Já ia caminhando apressado pela nova trilha havia alguns minutos, quando ouviu alguma coisa na trilha paralela à sua, que o fez estacar.

– Que é que você está fazendo? – berrou a voz de Cedrico. – Que diabo você pensa que está fazendo?

E então Harry ouviu a voz de Krum.

— *Crucio!*

O ar se encheu repentinamente com os gritos de Cedrico. Horrorizado, Harry avançou correndo por sua trilha, tentando encontrar uma passagem para a de Cedrico. Quando não apareceu nenhuma, ele tentou novamente o Feitiço Redutor. Não foi eficiente, mas queimou um buraquinho na sebe, pelo qual Harry enfiou a perna, chutando os galhos emaranhados até eles cederem deixando uma abertura; com esforço Harry a atravessou, rasgando as vestes e, ao olhar para a direita, viu Cedrico se debatendo e se contorcendo no chão, sob o olhar de Krum.

Harry se endireitou e apontou a varinha para Krum na hora em que o rapaz ergueu a cabeça. Krum deu as costas e começou a correr.

— *Estupefaça!* — berrou Harry.

O feitiço atingiu Krum pelas costas; ele parou instantaneamente, caiu de borco e ficou imóvel, com a cara na grama. Harry correu para Cedrico, que parara de se contorcer, mas continuava deitado no chão arfando, as mãos cobrindo o rosto.

— Você está bem? — perguntou Harry, rouco, agarrando Cedrico pelo braço.

— Estou — ofegou ele. — É... eu não acredito... ele se aproximou de mim pelas costas... eu o ouvi e, quando me virei, ele estava empunhando a varinha apontada para mim...

Cedrico se levantou. Ainda tremia. Ele e Harry olharam para Krum.

— Eu não acredito... achei que ele era legal — comentou Harry, contemplando Krum.

— Eu também.

— Você ouviu Fleur gritar há algum tempo?

— Ouvi. Você acha que Krum a pegou também?

— Não sei — disse Harry lentamente.

— Vamos deixá-lo aqui? — perguntou Cedrico.

— Não — disse Harry. — Acho que devíamos disparar faíscas vermelhas. Alguém virá apanhá-lo... do contrário, ele provavelmente será comido por um explosivim.

— E seria bem merecido — murmurou Cedrico, mas ainda assim ergueu a varinha e disparou uma chuva de faíscas vermelhas para o ar, que pairaram sobre Krum, marcando o local em que ele se encontrava.

Harry e Cedrico ficaram ali no escuro por um momento, olhando a toda volta. Então Cedrico falou:

— Bem... suponho que seja melhor a gente ir...

— Quê? Ah... sim... certo...

Foi um momento estranho. Ele e Cedrico unidos por breves instantes contra Krum — agora o fato de serem adversários ocorria a ambos. Eles continuaram pela trilha escura sem falar, então Harry virou-se para a esquerda e Cedrico para a direita. O ruído dos passos do rapaz não tardou a desaparecer.

Harry seguiu caminho, continuando a usar o Feitiço dos Quatro Pontos, para se certificar de que caminhava na direção correta. Agora a competição estava entre ele e Cedrico. O desejo de chegar à Taça primeiro ardia em seu peito como nunca antes, mas ele não conseguia acreditar no que acabara de ver Krum fazer. O uso de uma Maldição Imperdoável em um ser humano significava uma sentença de prisão perpétua em Azkaban, fora o que Moody dissera. Krum com certeza não poderia ter desejado a Taça Tribruxo tanto assim... Harry se apressou.

De vez em quando ele chegava a trilhas sem saída, mas a escuridão crescente lhe dava a certeza de que estava se aproximando do centro do labirinto. Então, quando seguia por uma trilha longa e reta, ele mais uma vez percebeu um movimento, e a luz de sua varinha incidiu sobre uma criatura extraordinária, uma que ele só vira sob a forma de ilustração no seu *O livro monstruoso dos monstros*.

Era uma esfinge. Tinha o corpo de um enorme leão; grandes patas com garras e um longo rabo amarelado que terminava em um tufo de pelos castanhos. A cabeça, porém, era de mulher. Ela virou os olhos amendoados para Harry quando ele se aproximou. O garoto ergueu a varinha, hesitante. A esfinge não estava agachada como se fosse saltar, mas andava de um lado para outro da trilha, bloqueando seu avanço.

Então falou, com uma voz profunda e rouca:

— Você está muito próximo do seu objetivo. O caminho mais rápido é passando por mim.

— Então... então será que a senhora podia se afastar, por favor? — disse Harry, sabendo qual seria a resposta.

— Não — disse ela, continuando a sua patrulha. — Não, a não ser que você decifre o meu enigma. Se acertar de primeira, deixo-o passar. Se errar, eu o ataco. Permaneça em silêncio, e eu o deixarei partir, ileso.

O estômago de Harry escorregou alguns centímetros. Hermione é que era boa nesse tipo de coisa e não ele. O garoto avaliou suas chances. Se o enigma fosse muito difícil, ele podia se calar, ir embora sem se machucar e tentar encontrar um caminho alternativo para o centro.

– OK – respondeu ele. – Pode me dizer o enigma?

A esfinge se sentou nos quartos traseiros, bem no meio da trilha, e recitou:

"*Primeiro pense no lugar reservado aos sacrifícios,*
Seja em que templo for.
Depois, me diga que é que se desfolha no inverno e torna a brotar na primavera?
E, finalmente, me diga qual é o objeto que tem som, luz e ar e flutua na superfície do mar?
Agora junte tudo e me responda o seguinte,
Que tipo de criatura você não gostaria de beijar?"

Harry encarou-a boquiaberto.

– Podia, por favor, repetir... mais devagar? – pediu hesitante.

A esfinge pestanejou, sorriu e repetiu o enigma.

– Todas as pistas levam ao nome da criatura que eu não gostaria de beijar? – perguntou Harry.

A esfinge meramente sorriu, aquele sorriso misterioso. Harry interpretou-o como um "sim". Começou a pensar. Havia muitos animais que ele não gostaria de beijar; seu pensamento imediato foi um explosivim, mas alguma coisa lhe disse que não era a resposta correta. Ele teria que tentar decifrar as pistas...

– O lugar reservado aos sacrifícios – murmurou Harry, encarando a esfinge –, seja em que templo for... hum... seria... um altar. Não, esta não seria a minha resposta! Uma... ara? Vou voltar a isso depois... poderia me dar a pista seguinte, por favor?

O animal fabuloso repetiu as linhas seguintes do enigma.

– A última coisa a desaparecer no inverno e a reaparecer na primavera nas árvores da floresta – repetiu Harry. – Hum... não faço ideia... árvores... galhos... rama... pode me dizer o último trecho outra vez?

Ela repetiu as últimas quatro linhas.

– O objeto que tem som, luz e ar e flutua na superfície do mar... – disse Harry. – Hum.... isso seria... hum... espere aí, uma boia?

A esfinge sorriu.

– Ara... hum... ara... rama... – disse Harry, agora era ele quem estava andando para lá e para cá. – Uma criatura que eu não gostaria de beijar... *uma araramboia!*

A esfinge abriu um sorriso maior. Levantou-se, esticou as pernas dianteiras e então se afastou para um lado e o deixou passar.

— Obrigado! — disse Harry e, admirado com a própria genialidade, prosseguiu correndo.

Tinha que estar perto agora, tinha que estar... a varinha lhe dizia que estava na direção exata; desde que não deparasse com nada horripilante, ele poderia ter uma chance...

À frente precisou escolher entre duas trilhas.

— Me oriente! — sussurrou mais uma vez à varinha, e ela deu um giro e apontou para a da direita. Harry saiu correndo por ela e viu uma luz adiante.

A Taça Tribruxo brilhava num pedestal a menos de cem metros à sua frente. Harry mal saíra correndo quando um vulto escuro se precipitou sobre a trilha à sua frente.

Cedrico ia chegar primeiro. O rapaz estava correndo o mais rápido que podia em direção à Taça, e Harry percebeu que nunca o alcançaria. Cedrico era muito mais alto, tinha pernas muito mais compridas...

Então, Harry viu um vulto imenso por cima da sebe à sua esquerda, deslocando-se ligeiro pela trilha que cortava a sua; ia tão depressa que Cedrico estava prestes a colidir com ele, e com os olhos na Taça o rapaz não vira o vulto...

— Cedrico! — berrou Harry. — À sua esquerda!

O garoto virou a cabeça em tempo de se atirar para além do vulto e evitar colidir com ele, mas, em sua pressa, tropeçou. Harry viu a varinha voar da mão dele, ao mesmo tempo que uma enorme aranha entrava na trilha e começava a avançar para o rapaz.

— *Estupefaça!* — berrou Harry; o feitiço atingiu o gigantesco corpo da aranha, preto e peludo, mas produziu tanto efeito quanto se o garoto tivesse atirado uma simples pedra nela; a aranha deu um estremeção, virou-se e correu para Harry. — *Estupefaça! Impedimenta! Estupefaça!*

Mas não adiantou — a aranha ou era demasiado grande ou tão mágica que os feitiços só conseguiam irritá-la —, Harry viu de relance, horrorizado, oito olhos pretos e brilhantes e pinças afiadas como navalhas, antes que a aranha estivesse sobre ele.

A aranha ergueu-o no ar com as patas dianteiras; debatendo-se como louco, Harry tentou chutá-la; sua perna fez contato com as pinças e no momento seguinte ele sentiu uma dor excruciante — ouviu Cedrico gritar *"Estupefaça!"* também, mas o feitiço do rapaz produziu tanto efeito quanto o de Harry — o garoto ergueu a varinha quando a aranha tornou a abrir as pinças e gritou *"Expelliarmus!"*.

Funcionou – o Feitiço para Desarmar fez a aranha largá-lo, o que significou que Harry caiu três metros e tanto sobre uma perna já machucada, que se dobrou sob seu corpo. Sem parar para pensar, ele mirou bem alto sob a barriga da aranha, como fizera com o explosivim, e gritou *"Estupefaça!"* na mesma hora em que Cedrico gritava o mesmo.

Os dois feitiços combinados fizeram o que um sozinho não conseguira – a aranha tombou de lado, achatando uma sebe próxima e espalhando na trilha um emaranhado de pernas peludas.

– Harry! – ele ouviu Cedrico gritar. – Você está bem? Ela caiu em cima de você?

– Não! – gritou Harry em resposta. Ele examinou a perna. Sangrava muito. Ele viu uma secreção grossa e pegajosa que saíra das pinças da aranha em suas vestes rasgadas. Então, tentou se levantar, mas a perna tremia demais e se recusava a sustentar seu peso. Ele se apoiou na sebe, tentando recuperar o fôlego, e olhou para os lados.

Cedrico estava a pouquíssima distância da Taça Tribruxo que refulgia às suas costas.

– Pega a Taça, então – disse Harry, arfante, para Cedrico. – Pega logo, apanha. Você chegou ao centro.

Mas Cedrico não se mexeu. Continuou parado olhando para Harry. Em seguida virou-se para olhar a Taça. Harry percebeu a expressão desejosa no rosto do rapaz à luz dourada do objeto. Cedrico se virou mais uma vez para Harry, que agora se amparava na sebe para se manter de pé.

Cedrico inspirou profundamente.

– Você pega. Você é que deveria vencer. Você salvou minha vida duas vezes neste labirinto.

– Não é assim que a coisa deve funcionar – disse Harry. Sentiu raiva; sua perna doía muito, seu corpo doía inteiro do esforço para se desvencilhar da aranha e, apesar de tudo isso, Cedrico o vencera, da mesma forma que o vencera na hora de convidar Cho para o baile. – Quem chegar à Taça primeiro ganha os pontos. E foi você. Estou lhe dizendo, não vou vencer nenhuma corrida com essa perna assim.

Cedrico deu alguns passos em direção à aranha estuporada, afastando-se da Taça, e balançou a cabeça.

– Não – disse.

– Pare de ser nobre – retrucou Harry, irritado. – Pega logo a Taça para a gente poder ir embora daqui.

Cedrico observou Harry se aprumar, segurando-se com força na sebe.

— Você me falou dos dragões — disse Cedrico. — Eu teria perdido a primeira tarefa se você não tivesse me prevenido sobre o que me esperava.

— Tive ajuda nisso — retorquiu Harry, tentando enxugar a perna ensanguentada com as vestes. — Você me ajudou com o ovo, estamos quites.

— Eu tive ajuda com o ovo para começar — disse Cedrico.

— Continuamos quites — repetiu Harry, experimentando a perna, desajeitado; ela tremeu violentamente quando o garoto se apoiou nela; tinha torcido o tornozelo quando a aranha o largara.

— Você devia ter ganhado mais pontos na segunda tarefa — teimou Cedrico. — Você ficou para trás para salvar todos os reféns. Eu é que deveria ter feito isso.

— Eu fui o único campeão suficientemente burro para levar aquela música a sério! — disse Harry com amargura. — Pega a Taça!

— Não.

Cedrico pulou por cima do emaranhado de pernas da aranha para se juntar a Harry, que o encarou. Cedrico falava sério. Estava dando as costas a uma glória que a Casa da Lufa-Lufa não experimentava havia séculos.

— Anda — disse o rapaz. Dava a perceber que aquela atitude estava lhe custando cada centímetro de determinação que possuía, mas havia firmeza em seu rosto, cruzara os braços, parecia decidido.

Harry olhou de Cedrico para a Taça. Por um momento fulgurante ele se viu saindo do labirinto, segurando-a. Viu-se erguendo a Taça Tribruxo no alto, ouviu os berros dos espectadores, viu o rosto de Cho iluminado de admiração, mais claramente do que jamais o vira... e então a imagem se dissolveu e ele se viu encarando o rosto teimoso e sombrio de Cedrico.

— Os dois — disse Harry.

— Quê?

— Levamos a Taça ao mesmo tempo. Ainda é uma vitória de Hogwarts. Empatamos.

Cedrico encarou Harry. Descruzou os braços.

— Você... você tem certeza?

— Tenho. Tenho... nós nos ajudamos, não foi? Nós dois chegamos aqui. Vamos levá-la, juntos.

Por um instante, Cedrico pareceu que não conseguia acreditar no que estava ouvindo; então seu rosto se abriu num sorriso.

— Negócio fechado. Venha até aqui.

Ele agarrou o braço de Harry pela axila e ajudou-o a mancar até o pedestal onde estava a Taça. Quando a alcançaram, os dois estenderam a mão para cada uma das asas.

– Quando eu disser três, certo? – disse Harry. – Um... dois... três...
Ele e Cedrico apertaram as asas.

Instantaneamente, Harry sentiu um solavanco dentro do umbigo. Seus pés deixaram o chão. Ele não conseguiu soltar a mão da Taça Tribruxo; ela o puxava para diante, num vendaval colorido, Cedrico ao seu lado.

32

OSSO, CARNE E SANGUE

Harry sentiu seus pés baterem no chão; a perna machucada cedeu e ele caiu para a frente; por fim, sua mão soltou a Taça Tribruxo. Ele ergueu a cabeça.

— Onde estamos? — perguntou.

Cedrico sacudiu a cabeça. Levantou-se, ajudou Harry a ficar de pé e os dois olharam a toda volta.

Estavam inteiramente fora dos terrenos de Hogwarts; era óbvio que tinham viajado quilômetros — talvez centenas de quilômetros — porque até as montanhas que rodeavam o castelo haviam desaparecido. Em lugar de Hogwarts, os garotos se viam parados em um cemitério escuro e cheio de mato; para além de um grande teixo à direita, podiam ver os contornos escuros de uma igrejinha. Um morro se erguia à esquerda. Muito mal, Harry conseguia discernir a silhueta escura de uma bela casa antiga na encosta do morro.

Cedrico olhou para a Taça Tribruxo e depois para Harry.

— Alguém lhe disse que a Taça era uma Chave de Portal? — perguntou.

— Não. — Harry examinou o cemitério. Estava profundamente silencioso e meio fantasmagórico. — Será que isto faz parte da tarefa?

— Não sei — respondeu Cedrico. Sua voz revelava um certo nervosismo. — Varinhas em punho, não acha melhor?

— É — disse Harry, satisfeito de que Cedrico tivesse sugerido isso por ele.

Os dois puxaram as varinhas. Harry não parava de olhar para todo lado. Tinha, mais uma vez, a estranha sensação de que estavam sendo observados.

— Vem alguém aí — disse de repente.

Apertando os olhos para enxergar na escuridão, eles divisaram um vulto que se aproximava, andando entre os túmulos sempre em sua direção. Harry não conseguia distinguir um rosto; mas pelo jeito que o vulto caminhava e mantinha os braços dava para ver que estava carregando alguma coisa. Fosse quem fosse, era baixo e usava um capuz que lhe cobria a cabeça e sombreava o rosto. E... vários passos depois a distância entre eles sempre mais curta — Harry viu que a coisa nos braços do vulto parecia um bebê... ou seria meramente um fardo de vestes?

Harry baixou ligeiramente a varinha e olhou para Cedrico ao seu lado. O rapaz lhe respondeu com um olhar intrigado. Os dois tornaram a se virar para observar o vulto que se aproximava.

Ele parou ao lado de uma lápide alta, a uns dois metros. Por um segundo, Harry, Cedrico e o vulto baixo apenas se entreolharam.

Então, inesperadamente, a cicatriz de Harry explodiu de dor. Foi uma agonia tão extrema como jamais sentira na vida; ao levar a mão ao rosto, a varinha lhe escapou dos dedos; seus joelhos cederam; ele caiu ao chão e não viu mais nada, sua cabeça pareceu prestes a rachar.

De muito longe, acima de sua cabeça, ele ouviu uma voz fria e aguda dizer: "*Mate o outro.*"

Um zunido, e uma segunda voz que arranhou o ar da noite:
— *Avada Kedavra!*

Um relâmpago verde perpassou as pálpebras de Harry e ele ouviu alguma coisa pesada cair no chão ao seu lado; a dor de sua cicatriz atingiu tal intensidade que ele teve ânsias de vomitar, em seguida diminuiu; aterrorizado com o que iria ver, ele abriu os olhos ardidos.

Cedrico estava estatelado no chão ao seu lado, os braços e pernas abertos. Morto.

Por um segundo que continha toda a eternidade, Harry fitou o rosto do colega, seus olhos cinzentos abertos, vidrados e inexpressivos como as janelas de uma casa deserta, a boca entreaberta num esgar de surpresa. Então, antes que a mente de Harry pudesse aceitar o que seus olhos viam, antes que pudesse sentir alguma coisa além de atônita incredulidade, ele sentiu que alguém o levantava.

O homem baixo de capa pousara o fardo que carregava no chão, acendeu a varinha e saiu arrastando Harry em direção à lápide de mármore. O garoto viu o nome ali gravado faiscar à luz da varinha, antes de ser virado e atirado contra a pedra.

TOM RIDDLE

O homem da capa agora estava conjurando cordas para prender Harry com firmeza, amarrando-o à lápide, do pescoço aos tornozelos. O garoto ouviu uma respiração rápida e rasa saindo do fundo do capuz; ele se debateu e o homem lhe deu uma bofetada – uma bofetada com uma mão à que faltava um dedo. E Harry percebeu quem estava sob o capuz. Era Rabicho.

– Você! – exclamou ele.

Mas Rabicho, que acabara de conjurar as cordas, não respondeu; estava ocupado verificando se estavam bem apertadas, seus dedos tremendo descontrolados, apalpando os nós. Uma vez convencido de que Harry estava amarrado à lápide sem a menor folga e que não conseguiria se mexer, Rabicho tirou um pano preto de dentro das vestes e enfiou-o com violência na boca de Harry; depois, sem dizer palavra, virou as costas e se afastou depressa; o garoto não podia emitir som algum nem ver aonde fora Rabicho; não podia virar a cabeça para ver além da lápide; só podia ver o que estava diretamente em frente.

O corpo de Cedrico se encontrava a uns seis metros de distância. Mais adiante, refulgindo à luz das estrelas, jazia a Taça Tribruxo. A varinha de Harry ficara caída no chão aos pés do rapaz. O fardo de roupas que Harry imaginara que fosse um bebê continuava ali perto, junto à lápide. Parecia estar se mexendo, incomodado. O garoto observou-o e sua cicatriz queimou de dor... e, de repente, ele concluiu que não queria ver o que estava naquelas roupas... não queria que o fardo se abrisse...

Harry ouviu, então, um ruído aos seus pés. Baixou os olhos e viu uma cobra gigantesca deslizando pelo capim, circulando em torno da lápide a que ele fora amarrado. A respiração asmática e rápida de Rabicho estava se tornando mais ruidosa agora. Parecia que arrastava alguma coisa pesada pelo chão. Então ele tornou a entrar no campo de visão de Harry e o garoto pôde ver que o bruxo empurrava um caldeirão de pedra para perto do túmulo. Continha alguma coisa que parecia água – Harry a ouviu sacudir – e era maior do que qualquer outro caldeirão que Harry já tivesse usado; sua circunferência era suficientemente grande para caber um adulto sentado.

A coisa embrulhada no fardo de vestes no chão se mexeu com mais insistência, como se estivesse tentando se desvencilhar. Agora Rabicho estava mexendo com uma varinha no fundo externo do caldeirão. De repente surgiram chamas sob a vasilha. A enorme cobra deslizou para longe mergulhando nas sombras.

O líquido no caldeirão parecia estar esquentando bem rápido. Sua superfície começou não somente a borbulhar, mas também a atirar para o alto faíscas incandescentes, como se estivesse em chamas. O vapor se adensou e borrou a silhueta de Rabicho, que cuidava do fogo. Seus movimentos sob a capa se tornaram mais agitados. E Harry ouviu mais uma vez a voz aguda e fria.

— *Ande depressa!*

Toda a superfície da água estava iluminada pelas faíscas. Parecia cravejada de diamantes.

— Está pronta, meu amo.

— Agora... — disse a voz fria.

Rabicho abriu o fardo de vestes no chão, revelando o que havia nele, e Harry deixou escapar um grito que foi estrangulado pelo chumaço de pano que arrolhava sua boca.

Era como se Rabicho tivesse virado uma pedra e deixado à mostra algo feio, pegajoso e cego — mas pior, cem vezes pior. A coisa que Rabicho andara carregando tinha a forma de uma criança humana encolhida, só que Harry nunca vira nada que se parecesse menos com uma criança. Era pelada, de aparência escamosa, de uma cor preta avermelhada e crua. Os braços e pernas eram finos e fracos e o rosto — nenhuma criança viva jamais tivera um rosto daqueles — era plano e lembrava o de uma cobra, com olhos vermelhos e brilhantes.

A coisa tinha uma aparência quase desamparada; ela ergueu os braços magros e passou-os pelo pescoço de Rabicho e este a ergueu. Ao fazer isso, seu capuz caiu para trás e Harry viu, à claridade do fogo, a expressão de repugnância em seu rosto fraco e pálido, enquanto transportava a criatura para a borda do caldeirão. Por um instante o garoto viu o rosto plano e maligno iluminar-se com as faíscas que dançavam na superfície da poção. Então Rabicho a depositou dentro do caldeirão; ouviu-se um silvo, e ela submergiu; Harry escutou aquele corpinho frágil bater no fundo do caldeirão com um baque suave.

Tomara que se afogue, pensou o garoto, a cicatriz doendo mais do que era possível suportar, *por favor... tomara que se afogue...*

Rabicho estava falando. Sua voz tremia, ele parecia assustadíssimo. Ergueu a varinha, fechou os olhos e falou para a noite:

— *Osso do pai, dado sem saber, renove filho!*

A superfície do túmulo aos pés do garoto rachou. Horrorizado, Harry observou um fiapo de poeira se erguer no ar à ordem de Rabicho, e cair suavemente no caldeirão. A superfície diamantífera da água se dividiu e chiou; disparou faíscas para todo o lado e ficou um azul vívido e peçonhento.

Rabicho choramingou. Tirou um punhal longo, fino e brilhante de dentro das vestes. Sua voz quebrou em soluços petrificados.

— Carne... do servo... da-da de bom grado... reanime... o seu amo.

Ele esticou a mão direita à frente — a mão em que faltava um dedo. Segurou o punhal com firmeza na mão esquerda e ergueu-o.

Harry percebeu o que Rabicho ia fazer um segundo antes de acontecer — fechou os olhos com toda força que pôde, mas não conseguiu bloquear o grito que cortou a noite, e que o atravessou como se ele tivesse sido apunhalado também. Ouviu alguma coisa cair ao chão, ouviu a respiração ofegante e aflita de Rabicho, depois o ruído nauseante de alguma coisa tombar dentro do caldeirão. Harry não suportou olhar... mas a poção ficou vermelho-vivo e sua claridade atravessou suas pálpebras fechadas...

Rabicho ofegava e gemia de agonia. Somente quando Harry sentiu sua respiração aflita no próprio rosto é que percebeu que o bruxo estava bem diante dele.

— S-sangue do inimigo... tirado à força... ressuscite... seu adversário.

Harry nada pôde fazer para impedir isso, estava muito bem amarrado... procurando ver mais embaixo, lutando inutilmente contra as cordas que o prendiam, ele viu o punhal de prata reluzente tremer na mão de Rabicho que restava. Sentiu a ponta da arma furar a dobra do seu braço direito e o sangue fluir pela manga de suas vestes rasgadas. Rabicho, ainda ofegando de dor, apalpou o bolso à procura de um frasquinho que ele aproximou do corte de Harry para recolher o sangue.

O bruxo cambaleou de volta ao caldeirão com o sangue do garoto. Despejou-o ali. O líquido no caldeirão ficou instantaneamente branco ofuscante. Concluída a tarefa, Rabicho se ajoelhou ao lado do caldeirão, depois deixou-se cair de lado e ficou deitado no chão, aninhando o toco sangrento de braço, arquejando e soluçando.

O caldeirão foi cozinhando, disparando faíscas em todas as direções, um branco tão branco que transformava todo o resto numa escuridão aveludada. Nada aconteceu...

Tomara que tenha se afogado, pensou Harry, tomara que tenha dado errado...

E então, de repente, as faíscas que subiam do caldeirão se extinguiram. Uma nuvem de vapor branco se ergueu, repolhuda e densa, tampando tudo que havia na frente de Harry, impedindo-o de continuar a ver Rabicho, Cedrico ou qualquer outra coisa exceto o vapor pairando no ar... melou, pensou... se afogou... tomara... tomara que tenha morrido...

Mas, através da névoa à sua frente, ele viu, com um assomo gelado de terror, a silhueta escura de um homem, alto e esquelético, emergindo do caldeirão.

—Vista-me — disse a voz aguda e fria por trás do vapor, e Rabicho, soluçando e gemendo, ainda aninhando o braço mutilado, correu a apanhar as vestes pretas no chão, levantou-se, ergueu o braço e colocou-as apenas com a mão existente por cima da cabeça do seu amo.

O homem magro saiu do caldeirão, com o olhar fixo em Harry... e o garoto mirou aquele rosto que assombrava seus pesadelos havia três anos. Mais branco do que um crânio, com olhos grandes e vermelhos, um nariz chato como o das cobras e fendas no lugar das narinas...

Lorde Voldemort acabara de ressurgir.

33

OS COMENSAIS DA MORTE

Voldemort desviou o olhar de Harry e começou a examinar o próprio corpo. Suas mãos eram como aranhas grandes e pálidas; seus longos dedos brancos acariciaram o próprio peito, os braços, o rosto; os olhos vermelhos, cujas pupilas eram fendas, como as de um gato, brilhavam ainda mais no escuro. Ele ergueu as mãos e flexionou os dedos com uma expressão arrebatada e exultante. Não deu a menor atenção a Rabicho, que continuou tremendo e sangrando no chão, nem à enorme cobra, que reapareceu em cena e recomeçou a descrever círculos em torno de Harry, sibilando. Voldemort enfiou um dos dedos anormalmente longos em um bolso fundo e tirou uma varinha. Acariciou-a gentilmente, também; depois ergueu-a e apontou-a para Rabicho, e ela o guindou do chão e atirou contra a lápide a que Harry estava amarrado; o bruxo caiu aos pés da lápide e ficou ali, encolhido, chorando. Voldemort voltou seus olhos vermelhos para Harry e soltou uma risada, aquela sua risada aguda, fria e sem alegria.

As vestes de Rabicho agora estavam manchadas de sangue brilhante; o bruxo enrolara nelas o toco de braço.

– Milorde... – disse ele com a voz embargada – milorde... o senhor prometeu... o senhor prometeu...

– Estique o braço – disse Voldemort indolentemente.

– Ah, meu amo... obrigado, meu amo...

Rabicho esticou o toco sangrento, mas Voldemort deu uma gargalhada.

– O outro braço, Rabicho.

– Meu amo, por favor... *por favor*...

Voldemort se curvou e puxou o braço esquerdo de Rabicho; empurrou a manga das vestes do servo acima do cotovelo e Harry viu que havia uma coisa na pele, uma coisa que lembrava uma tatuagem vermelho-vivo – um crânio, com uma cobra saindo da boca –, a mesma imagem que aparecera no céu na Copa Mundial de Quadribol: a Marca Negra. Voldemort examinou-a demoradamente, sem dar atenção ao choro descontrolado de Rabicho.

— Reapareceu — comentou ele, baixinho —, todos deverão ter notado... e agora, veremos... agora saberemos...

Ele comprimiu a marca no braço do servo com seu longo indicador branco.

A cicatriz na testa de Harry ardeu com uma dor aguda e Rabicho deixou escapar um uivo. Voldemort afastou o dedo da marca em Rabicho e Harry viu que ela se tornara muito preta.

Com uma expressão de cruel satisfação no rosto, Voldemort se endireitou, atirou a cabeça para trás e começou a examinar o escuro cemitério.

— Quantos terão suficiente coragem para voltar quando sentirem isso? — sussurrou ele, fixando seus olhos vermelhos e brilhantes nas estrelas. — E quantos serão bastante tolos para ficar longe de mim?

Ele começou a andar de um lado para outro diante de Harry e Rabicho, seus olhos percorrendo o cemitério todo o tempo. Decorrido pouco mais de um minuto, ele tornou a olhar para Harry, um sorriso cruel deformando seu rosto viperino.

— Você está em pé, Harry Potter, sobre os restos mortais do meu pai — sibilou ele, baixinho. — Um trouxa e um idiota... muito parecido com a sua querida mãe. Mas os dois tiveram sua utilidade, não? Sua mãe morreu tentando defendê-lo quando criança... e eu matei meu pai e veja como ele se provou útil, depois de morto...

Voldemort soltou outra gargalhada. Para cima e para baixo ele andava, olhando para os lados, e a serpente continuava a circular no meio do capim.

— Você está vendo aquela casa lá na encosta do morro, Potter? Meu pai morava ali. Minha mãe, uma bruxa que vivia no povoado, se apaixonou por ele. Mas foi abandonada quando lhe contou o que era... ele não gostava de magia, meu pai...

"Ele a abandonou e voltou para os pais trouxas antes de eu nascer, Potter, e ela morreu me dando à luz, me deixando para ser criado em um orfanato de trouxas... mas eu jurei encontrá-lo... vinguei-me dele, desse idiota que me deu seu nome... *Tom Riddle*..."

E andava sem parar, seus olhos correndo de um túmulo para outro.

— Me vejam só recordando minha história de família... — comentou ele, baixinho. — Ora, ora, estou ficando muito sentimental... Mas veja, Harry! A minha família *verdadeira* está chegando...

O ar se encheu repentinamente com o rumor de capas esvoaçantes. Entre os túmulos, atrás do teixo, em cada espaço escuro, havia bruxos aparatando. Todos usavam capuzes e máscaras. E, um por um, eles se adiantaram... lentamente, cautelosamente, como se mal conseguissem acreditar no que viam. Voldemort ficou parado em silêncio, esperando-os. Então um Comensal da Morte se prostrou de joelhos, arrastou-se até Voldemort e beijou a barra de suas vestes pretas.

— Meu amo... meu amo...

Os Comensais da Morte que vinham atrás o imitaram; um por um, eles se aproximaram de joelhos para beijar as vestes de Voldemort para depois recuar e se levantar, formando um círculo silencioso em torno do túmulo de Tom Riddle, Harry, Voldemort e o monte de vestes que soluçava e sacudia, que era Rabicho. Mas eles deixaram espaços vazios no círculo, como se esperassem mais gente. Voldemort, porém, não parecia esperar mais ninguém. Olhou os rostos encapuzados ao seu redor e, embora não houvesse vento, um rumorejo pareceu percorrer o círculo como se perpassasse por ele um arrepio.

— Bem-vindos, Comensais da Morte — disse Voldemort em voz baixa. — Treze anos... treze anos desde que nos encontramos pela última vez. Contudo, vocês atendem ao meu chamado como se fosse ontem... então continuamos unidos sob a Marca Negra! *Ou será que não?*

Ele retomou sua expressão ameaçadora e farejou, dilatando as narinas em forma de fenda.

— Sinto cheiro de culpa — disse ele. — Há um fedor de culpa no ar.

Um segundo surto de arrepios percorreu o círculo, como se cada membro tivesse o desejo, mas não a coragem, de se afastar dali.

— Vejo todos vocês, inteiros e saudáveis, com os seus poderes intactos, tão desenvoltos!, e me pergunto... por que esse bando de bruxos nunca foi socorrer seu amo, a quem jurou lealdade eterna?

Ninguém falou. Ninguém se mexeu, exceto Rabicho, que continuava no chão, chorando, o braço ensanguentado.

— E eu próprio respondo — sussurrou Voldemort —, porque devem ter acreditado que eu estava derrotado, pensaram que eu acabara. Voltaram a se misturar com os meus inimigos e alegaram inocência, ignorância e bruxaria...

"E então eu me pergunto, mas como é que vocês podem ter acreditado que eu não me reergueria? Vocês, que conheciam as providências que eu tomara, há muito tempo, para me proteger da morte humana? Vocês, que tiveram provas da imensidão do meu poder, na época em que fui mais poderoso do que qualquer bruxo vivente?

"E eu mesmo respondo, talvez acreditassem que poderia haver um poder ainda maior, um poder capaz de derrotar até Lorde Voldemort... talvez vocês agora prestem lealdade a outro... talvez àquele campeão da plebe, dos trouxas e sangues ruins, Alvo Dumbledore?"

À menção do nome de Dumbledore, os membros do círculo se inquietaram, alguns murmuraram e negaram sacudindo a cabeça.

Voldemort ignorou-os.

— É um desapontamento para mim... confesso que estou desapontado...

Um dos bruxos se atirou subitamente à frente, rompendo o círculo. Tremendo da cabeça aos pés, prostrou-se aos pés de Voldemort.

— Meu amo! — exclamou. — Meu amo, me perdoe! Nos perdoe a todos!

Voldemort começou a rir. Ergueu a varinha.

— Crucio!

O Comensal da Morte no chão contorceu-se e gritou; Harry teve certeza de que o som se propagava até as casas vizinhas... tomara que a polícia chegue, desejou ele, desesperado... alguém... alguma coisa...

Voldemort ergueu a varinha. O Comensal da Morte torturado se estatelou no chão, arfando.

— Levante-se, Avery — disse Voldemort, baixinho. — Ponha-se de pé. Você está me pedindo perdão? Eu não perdoo. Eu não esqueço. Treze longos anos... Quero um pagamento por esses treze anos antes de perdoar-lhes. Rabicho aqui já pagou parte da dívida, não foi, Rabicho?

Ele baixou os olhos para o bruxo mutilado, que continuava a soluçar.

— Você voltou para mim, não por lealdade, mas por medo dos seus antigos amigos. Você merece sentir dor, Rabicho. Você sabe disso, não sabe?

— Sei, meu amo — gemeu Rabicho —, por favor, meu amo... por favor...

— Contudo, você me ajudou a recuperar meu corpo — disse Voldemort friamente, observando o servo soluçar no chão. — Mesmo inútil e traiçoeiro como é, você me ajudou... e Lorde Voldemort recompensa quem o ajuda...

Voldemort tornou a erguer a varinha e girou-a no ar. Um fio que parecia feito de prata liquefeita prolongou-se da varinha e pairou no ar. Momentaneamente informe, o fio se agitou e em seguida se transformou na réplica brilhante de uma mão humana, clara como o luar, que saiu voando e foi se prender ao pulso sangrento de Rabicho.

Os soluços do bruxo pararam abruptamente. Com a respiração rascante e falha, ele levantou a cabeça e fitou, incrédulo, a mão prateada, agora ligada sem costura ao seu braço, como se ele estivesse usando uma luva luminosa.

O bruxo flexionou os dedos reluzentes, depois, trêmulo, apanhou um graveto no chão e pulverizou-o.

— Milorde — sussurrou ele. — Meu amo... é linda... muito obrigado... muito obrigado...

Ele avançou de joelhos e beijou a barra das vestes de Voldemort.

— Que a sua lealdade jamais volte a vacilar, Rabicho — disse Voldemort.

— Não, milorde... nunca, milorde...

Rabicho se levantou e tomou posição no círculo, sem tirar os olhos da mão nova e poderosa, seu rosto lavado de lágrimas. Voldemort se aproximou então do homem à direita de Rabicho.

— Lúcio, meu ardiloso amigo — murmurou ele se detendo diante do bruxo. — Ouço dizer que você não renunciou aos seus hábitos antigos, embora para o mundo você apresente uma imagem respeitável. Acredito que continue pronto para assumir a liderança de uma torturazinha de trouxas? No entanto, você nunca tentou me encontrar, Lúcio... as suas aventuras na Copa Mundial de Quadribol foram engraçadas, devo dizer... mas será que suas energias não teriam sido melhor empregadas em procurar ajudar seu amo?

— Milorde, sempre estive constantemente alerta — ouviu-se na mesma hora a voz de Lúcio Malfoy saindo por baixo do capuz. — Se tivesse havido algum sinal do senhor, algum rumor sobre seu paradeiro, eu teria ido imediatamente para o seu lado, nada teria me detido...

— Contudo, você correu da minha marca, quando um leal Comensal da Morte a projetou no céu no verão passado — comentou displicentemente Voldemort, e o Sr. Malfoy parou abruptamente de falar. — É, sei de tudo que aconteceu, Lúcio... você me desapontou... espero serviços mais leais no futuro.

— Naturalmente, milorde, naturalmente... o senhor é misericordioso, obrigado...

Voldemort continuou a andar e parou, reparando no espaço — suficientemente grande para duas pessoas — que separava Malfoy do comensal seguinte.

— Os Lestrange deveriam estar aqui — disse Voldemort, baixinho. — Mas estão enterrados vivos em Azkaban. Foram fiéis. Preferiram ir para Azkaban a renunciar a mim... quando Azkaban for aberta, os Lestrange receberão honras que ultrapassarão todos os seus sonhos. Os dementadores se unirão a nós... são nossos aliados naturais... chamaremos de volta os gigantes banidos... todos os meus servos devotados me serão devolvidos e um exército de criaturas que todos temem...

Ele continuou sua caminhada. Passou por alguns comensais em silêncio, mas parou diante de outros para lhes falar.

— Macnair... eliminando animais perigosos para o Ministério da Magia agora, segundo me conta Rabicho. Breve você terá melhores vítimas, Macnair. Lorde Voldemort irá providenciá-las...

— Obrigado, meu amo... obrigado — murmurou Macnair.

— E aqui — Voldemort prosseguiu dirigindo-se aos dois maiores vultos encapuzados — temos Crabbe... você vai trabalhar melhor desta vez, não vai, Crabbe? E você, Goyle?

Os dois fizeram uma reverência desajeitada, murmurando com uma certa lentidão:

— Sim, meu amo...

— Trabalharemos, meu amo...

— O mesmo se aplica a você, Nott — disse Voldemort, baixinho, ao passar pelo vulto curvado à sombra do Sr. Goyle.

— Milorde, eu me prostrei diante do senhor, sou o seu mais fiel...

— Basta — disse Voldemort.

Ele chegou, então, à maior lacuna no círculo e parou contemplando-a com aqueles seus olhos parados e vermelhos, como se pudesse ver pessoas em pé ali.

— E aqui temos seis Comensais da Morte ausentes... três mortos a meu serviço. Um demasiado covarde para voltar... ele me pagará. Um que eu acredito ter me deixado para sempre... este será morto, é claro... e um que continua sendo meu mais fiel servo, e que já reingressou no meu serviço.

Os Comensais da Morte se agitaram; Harry viu que eles se entreolhavam por trás das máscaras.

— Ele está em Hogwarts, esse servo fiel, e foi graças aos seus esforços que o nosso jovem amigo chegou aqui esta noite...

"Sim", disse Voldemort, um sorriso crispando sua boca sem lábios, quando os olhares do círculo convergiram para Harry. "Harry Potter teve a gentileza de se reunir a nós para comemorar a minha ressurreição. Poderíamos até chamá-lo de meu convidado de honra."

Fez-se silêncio. Em seguida o Comensal da Morte à direita de Rabicho deu um passo à frente, e a voz de Lúcio Malfoy falou por baixo da máscara:

— Meu amo, é grande o nosso desejo de saber... suplicamos que nos conte... como foi que o senhor conseguiu este... milagre... como conseguiu voltar para nós...

— Ah, que história extraordinária, Lúcio! — disse Voldemort. — E ela começa... e termina... com o meu jovem amigo aqui.

Ele caminhou descansadamente e parou ao lado de Harry, fazendo com que os olhos de todo o círculo se voltassem para os dois. A cobra continuava a rastejar em círculos.

– Vocês sabem, naturalmente, que muitos chamam este garoto de minha perdição! – disse Voldemort, baixinho, os olhos fixos em Harry, cuja cicatriz começou a arder tão ferozmente que ele quase gritou de agonia. – Vocês todos sabem que na noite em que perdi meus poderes e o meu corpo tentei matá-lo. A mãe dele morreu tentando salvá-lo, e, sem saber, o resguardou com uma proteção que, devo admitir, eu não havia previsto... Eu não pude tocar no rapaz.

Voldemort ergueu um longo dedo branco e levou-o até próximo do rosto de Harry.

– A mãe deixou nele os vestígios do seu sacrifício... isto é magia antiga, de que eu devia ter me lembrado, foi uma tolice tê-la esquecido... mas isso não importa. Eu agora posso tocá-lo.

Harry sentiu a ponta fria do longo dedo branco tocá-lo e pensou que sua cabeça ia explodir de dor.

Voldemort riu de mansinho na orelha do garoto, depois afastou o dedo e continuou a se dirigir aos Comensais da Morte.

– Eu calculei mal, meus amigos, admito. Minha maldição foi refratada pelo tolo sacrifício da mulher e ricocheteou contra mim. Ah... a dor que ultrapassa a dor, meus amigos; nada poderia ter me preparado para aquilo. Fui arrancado do meu corpo, me tornei menos que um espírito, menos que o fantasma mais insignificante... mas, ainda assim, continuei vivo. Em que me transformei, nem eu mesmo sei... eu que cheguei mais longe do que qualquer outro no caminho que leva à imortalidade. Vocês conhecem o meu objetivo, vencer a morte. E agora fui testado, e aparentemente uma, ou mais de uma, das minhas experiências foi bem-sucedida... pois eu não morri, embora a maldição devesse ter me matado. Contudo, fiquei tão impotente quanto a mais fraca criatura viva e sem meios de ajudar a mim mesmo... pois não possuía mais corpo, e qualquer feitiço que pudesse ter me ajudado exigia o uso da varinha...

"Só me lembro de me obrigar, sem dormir, sem cessar, segundo a segundo, a existir... fui morar em um lugar distante, numa floresta, e esperei... certamente um dos meus fiéis Comensais da Morte tentaria me encontrar... um deles viria e realizaria por mim a mágica necessária para eu recuperar meu corpo... mas esperei em vão..."

O arrepio tornou a perpassar o círculo de atentos Comensais da Morte. Voldemort deixou o silêncio espiralar de modo terrível antes de prosseguir:

— Só me restara um poder. Eu podia me apossar do corpo de outros. Mas eu não me atrevia a ir aonde viviam muitos humanos, pois eu sabia que os aurores continuavam a viajar pelo exterior à minha procura. Por vezes eu habitava animais, as cobras, é claro, eram minhas preferidas, mas eu não ficava muito melhor dentro delas do que como puro espírito, porque seus corpos eram mal equipados para realizar mágicas... e apossar-me delas encurtava suas vidas; nenhuma delas sobreviveu muito tempo...

"Então... há quatro anos... os meios para o meu retorno me pareceram garantidos. Um bruxo, jovem, tolo e crédulo, cruzou o meu caminho na floresta em que eu vivia. Ah, ele parecia exatamente a chance com que eu sonhara... porque era professor na escola de Dumbledore... era dócil à minha vontade... e me trouxe de volta a este país e, pouco depois, me apoderei do seu corpo para vigiá-lo de perto enquanto cumpria minhas ordens. Mas meu plano fracassou. Não consegui roubar a Pedra Filosofal. Não pude obter a vida eterna. Fui impedido... fui impedido, mais uma vez, por Harry Potter..."

Novamente o silêncio; nada se movia, nem mesmo as folhas do teixo. Os Comensais da Morte permaneceram muito quietos, os olhos cintilantes em suas máscaras fixos em Voldemort e Harry.

— Meu servo morreu quando abandonei seu corpo, e fiquei mais fraco do que jamais estive. Voltei ao meu esconderijo distante, e não vou fingir que não receei então que talvez jamais recuperasse meus poderes... sim, aquela talvez tenha sido a hora mais sombria da minha vida... Eu não poderia esperar que caísse do céu outro bruxo para eu me apoderar... e já perdera as esperanças de que algum Comensal da Morte se importasse com o que me acontecera...

Uns dois bruxos mascarados no círculo se mexeram constrangidos, mas Voldemort não lhes deu a menor atenção.

— Então, há menos de um ano, quando eu praticamente abandonara toda esperança, aconteceu... um servo voltou para mim: o Rabicho aqui, que simulara a própria morte para fugir à justiça, foi forçado a se expor por aqueles que no passado tinham sido seus amigos, e resolveu voltar para o seu amo. Ele me procurou no campo onde houvera boatos de que eu estaria escondido... ajudado, naturalmente, pelos ratos que encontrou em seu caminho. Rabicho tem uma curiosa afinidade por ratos, não é mesmo, Rabicho? Seus imundos amiguinhos lhe contaram que havia um lugar, no meio de uma floresta albanesa, que eles evitavam, onde pequenos animais como eles encontravam a morte pelas mãos de um vulto escuro que os possuía...

"Mas a viagem de regresso não correu tranquilamente para mim, não é, Rabicho? Certa noite, esfomeado, na orla da floresta em que esperava me encontrar, ele parou, tolamente, em uma estalagem para comer alguma coisa... e quem ele haveria de encontrar lá, senão Berta Jorkins, uma bruxa do Ministério da Magia?

"Agora vejam como o destino favorece Lorde Voldemort. Isto poderia ter sido o fim de Rabicho e da minha última chance de regeneração. Mas Rabicho – revelando uma presença de espírito que eu jamais esperaria dele – convenceu Berta Jorkins a acompanhá-lo em um passeio noturno. Ele a dominou... e a trouxe até mim. E Berta Jorkins, que poderia ter posto tudo a perder, em vez disso provou ser uma dádiva que superou as minhas expectativas mais extravagantes... pois, com um nadinha de persuasão, tornou-se uma verdadeira mina de informações.

"Ela me contou que este ano seria realizado um Torneio Tribruxo em Hogwarts. E que conhecia um Comensal da Morte fiel que teria muito prazer em me ajudar, se eu o procurasse. Ela me contou muitas coisas... mas os meios que usei para romper o Feitiço da Memória que a dominava foram fortes, e depois que extraí dela toda informação útil sua mente e seu corpo ficaram irrecuperavelmente danificados. Ela servira ao seu propósito. Mas eu não poderia me apossar do seu corpo. Descartei-a."

Voldemort sorriu, aquele sorriso medonho, seus olhos vermelhos vidrados e cruéis.

– O corpo de Rabicho, naturalmente, era pouco próprio para uma possessão, já que todos o presumiam morto e ele atrairia demasiada atenção se fosse visto. Contudo, era o servo fisicamente válido de que eu precisava. E, embora fosse um bruxo medíocre, foi capaz de seguir as instruções que lhe dei e que me devolveriam um corpo rudimentar e fraco, porém meu, um corpo que eu poderia habitar enquanto esperava os ingredientes essenciais para uma verdadeira ressurreição... uns feitiços de minha própria invenção... uma ajudazinha de Nagini – os olhos de Voldemort se voltaram para a cobra que circulava a lápide sem parar –, uma poção feita com sangue de unicórnio, veneno de cobra fornecido por Nagini... e logo eu recuperei uma forma quase humana e suficientemente forte para viajar.

"Não havia mais esperanças de roubar a Pedra Filosofal, pois eu sabia que Dumbledore teria tomado providências para destruí-la. Mas eu estava disposto a abraçar mais uma vez a vida mortal antes de perseguir a imortal.

Estabeleci objetivos mais modestos... aceitei ter o meu antigo corpo e a minha antiga força de volta.

"Eu sabia que para obter isso, que é uma velha peça de Magia Negra a poção que me reanimou hoje à noite, eu precisaria de três poderosos ingredientes. Bem, um deles já estava à mão, não é mesmo, Rabicho? A carne doada por um servo...

"O osso do meu pai, naturalmente, significava que eu teria que vir até aqui, onde ele estava enterrado. Mas o sangue de um inimigo... Rabicho queria que eu usasse um bruxo qualquer, não foi, Rabicho? Um bruxo qualquer que tivesse me odiado... como tantos ainda odeiam. Mas eu sabia do que precisava, se era para me reerguer mais poderoso do que tinha sido antes da queda. Eu queria o sangue de Harry Potter. Eu queria o sangue daquele que tinha me despojado do poder há treze anos, porque a proteção duradoura que a mãe dele tinha lhe dado circularia em minhas veias também...

"Mas como apanhar Harry Potter? Porque ele foi protegido muito mais do que acho que ele sabe, protegido de várias maneiras criadas por Dumbledore há muito tempo, quando recebeu o encargo de cuidar do futuro do garoto. Dumbledore invocou uma mágica antiga para garantir a proteção ao garoto enquanto estivesse aos cuidados dos parentes. Nem mesmo eu posso tocá-lo na casa deles... depois, naturalmente houve a Copa Mundial de Quadribol... achei que a proteção dele enfraqueceria ali, longe dos parentes e de Dumbledore, mas eu ainda não estava suficientemente forte para tentar sequestrá-lo em meio a uma horda de bruxos do Ministério. Depois, o garoto retornaria a Hogwarts, onde vive debaixo do nariz torto daquele tolo, amante de trouxas, de manhã à noite. Então, como poderia capturá-lo?

"Ora... aproveitando as informações de Berta Jorkins, é claro. Usando o meu fiel Comensal da Morte, baseado em Hogwarts, para garantir que o nome do garoto fosse inscrito no Cálice de Fogo. Usando o meu Comensal da Morte para garantir que o garoto ganhasse o torneio – que tocasse a Taça Tribruxo primeiro, Taça que o meu Comensal da Morte havia transformado em uma Chave de Portal para trazê-lo aqui, longe do socorro e proteção de Dumbledore, até o aconchego dos meus braços abertos para recebê-lo. E aqui está ele... o garoto que vocês todos acreditaram que tinha sido minha ruína..."

Voldemort avançou lentamente e se virou para encarar Harry. Ergueu a varinha.

— Crucio!

Foi uma dor que superou qualquer coisa que Harry já sofrera; seus próprios ossos pareciam estar em fogo; sua cabeça, sem dúvida alguma, estava rachando ao longo da cicatriz, seus olhos giravam descontrolados em sua cabeça; ele queria que tudo terminasse... que perdesse os sentidos... morresse...

Então passou. Ele ficou pendurado nas cordas que o prendiam à lápide do pai de Voldemort, olhando aqueles brilhantes olhos vermelhos através de uma espécie de névoa. A noite ressoava com o estrépito das risadas dos Comensais da Morte.

— Estão vendo a tolice que foi vocês suporem que este garoto algum dia pudesse ser mais forte que eu? — ponderou Voldemort. — Mas eu não quero que reste nenhum engano na mente de ninguém. Harry Potter me escapou por pura sorte. E vou provar o meu poder matando-o, aqui e agora, diante de todos vocês, onde não há Dumbledore para ajudá-lo nem mãe para morrer por ele. Vou dar a Harry uma oportunidade. Ele poderá lutar, e vocês não terão mais dúvida alguma sobre qual de nós é mais forte. Espere mais um pouquinho Nagini — sussurrou ele, e a cobra se afastou, deslizando pelo capim, até o local em que os Comensais da Morte estavam parados observando.

"Agora, desamarre-o Rabicho, e devolva sua varinha."

34

PRIORI INCANTATEM

Rabicho aproximou-se de Harry, que tentou se aprumar para sustentar o corpo antes que as cordas fossem desamarradas. Rabicho ergueu a nova mão prateada, puxou o chumaço de pano que amordaçava Harry e então, com um único movimento, cortou as cordas que prendiam o garoto à lápide.

Houve talvez uma fração de segundo em que Harry poderia ter pensado em fugir, mas sua perna machucada estremeceu sob o peso do corpo quando ele firmou os pés no túmulo malcuidado, ao mesmo tempo que os Comensais da Morte cerraram fileiras, apertando o círculo em torno dele e de Voldemort, e os claros que seriam dos Comensais da Morte ausentes se fecharam. Rabicho saiu do círculo e foi até onde jazia o corpo de Cedrico, e voltou trazendo a varinha de Harry, que ele enfiou com brutalidade na mão do garoto sem sequer olhá-lo. Depois, Rabicho retomou seu lugar no círculo de comensais que observavam.

— Você aprendeu a duelar, Harry Potter? — perguntou Voldemort suavemente, seus olhos vermelhos brilhando no escuro.

Ao ouvir a pergunta, Harry se lembrou, como se pertencesse a uma vida anterior, do Clube dos Duelos em Hogwarts que ele frequentara brevemente há dois anos... a única coisa que aprendera tinha sido o Feitiço para Desarmar, "*Expelliarmus*"... e de que adiantaria isso, mesmo que ele pudesse privar Voldemort de sua varinha, quando ele estava rodeado de Comensais da Morte e em desvantagem de, no mínimo, trinta a um? Ele jamais aprendera nada que o tivesse preparado minimamente para uma situação dessas. Sabia que estava enfrentando aquilo contra o qual Moody sempre o alertara... a Maldição *Avada Kedavra*, impossível de bloquear — e Voldemort tinha razão —, desta vez a mãe de Harry não estava ali para morrer por ele... não contava com proteção alguma...

— Nos cumprimentamos com uma curvatura, Harry — disse Voldemort, se inclinando ligeiramente, mas mantendo o rosto de cobra erguido para

Harry. – Vamos, as boas maneiras devem ser observadas... Dumbledore gostaria que você demonstrasse educação... curve-se para a morte, Harry...

Os Comensais da Morte deram novas gargalhadas. A boca sem lábios de Voldemort riu. Harry não se curvou. Não ia deixar o bruxo brincar com ele antes de matá-lo... não ia lhe dar essa satisfação...

– Eu disse, *curve-se* – repetiu Voldemort, erguendo a varinha, e Harry sentiu sua coluna se curvar como se uma mão enorme e invisível o empurrasse impiedosamente para a frente, e os Comensais da Morte riram com mais gosto que nunca.

"Muito bem", disse Voldemort suavemente, e quando ele baixou a varinha a pressão que empurrava Harry se aliviou também. "Agora você me enfrenta, como homem... de costas retas e orgulhoso, do mesmo modo que seu pai morreu...

"Agora... vamos ao duelo."

O bruxo ergueu a varinha antes que Harry pudesse fazer alguma coisa para se defender, antes que pudesse sequer se mexer, e ele foi atingido pela Maldição *Cruciatus*. A dor foi tão intensa, e tão devoradora, que Harry já nem sabia onde estava... facas em brasa perfuravam cada centímetro de sua pele, sua cabeça, sem dúvida alguma, ia explodir de dor; ele gritava mais alto do que jamais gritara na vida...

Então tudo parou. Harry se virou e tentou ficar em pé; tremeu descontrolado, como fizera Rabicho quando decepara a própria mão; cambaleou para os lados na direção dos Comensais da Morte ao redor, e eles o empurraram de volta a Voldemort.

– Uma pequena pausa – disse o bruxo, as narinas de cobra se dilatando de animação –, uma pequena pausa... isso doeu, não foi, Harry? Você não quer que eu faça isso outra vez, quer?

Harry não respondeu. Ia morrer como Cedrico, era o que aqueles olhos vermelhos e cruéis estavam lhe dizendo... ia morrer, e não havia nada que pudesse fazer para evitá-lo... mas não ia facilitar. Não ia obedecer a Voldemort... não ia suplicar...

– Perguntei se quer que eu faça isso outra vez – disse Voldemort gentilmente. – Responda! *Imperio!*

E Harry teve, pela terceira vez em sua vida, a sensação de que todos os pensamentos tinham se apagado de sua mente... ah, foi uma felicidade, não pensar, foi como se estivesse flutuando, sonhando... *apenas responda "não"... diga "não"... apenas responda "não"...*

Não direi, falou uma voz mais forte no fundo de sua cabeça, não responderei...

Apenas responda "não"...
Não vou responder, não vou dizer isso...
Apenas responda "não"...
— NÃO VOU RESPONDER!

E essas palavras explodiram da boca de Harry; ecoaram pelo cemitério, e o estado onírico em que mergulhara se dissolveu repentinamente como se tivessem lhe atirado um balde de água fria — renovaram-se as dores que a Maldição *Cruciatus* deixara por todo o seu corpo —, renovou-se a consciência de onde estava, do que estava enfrentando...

— Não vai? — disse Voldemort suavemente, e agora os Comensais da Morte não estavam rindo. — Não vai dizer "não"? Harry, a obediência é uma virtude que preciso lhe ensinar antes de você morrer... talvez mais uma dosezinha de dor?

Voldemort ergueu a varinha, mas desta vez Harry estava preparado; com os reflexos nascidos da prática de quadribol, ele se atirou para um lado no chão; rolou para trás da lápide de mármore do pai de Voldemort e a ouviu rachar quando o feitiço errou o alvo.

— Não estamos brincando de esconde-esconde, Harry — disse a voz suave e fria de Voldemort, aproximando-se, enquanto os Comensais da Morte riam. — Você não pode se esconder de mim. Será que isso significa que já se cansou do nosso duelo? Será que significa que você prefere que eu o encerre agora, Harry? Saia daí, Harry... saia e venha brincar, então... será rápido... talvez até indolor... Eu não saberia dizer... eu nunca morri...

Harry continuou agachado atrás da lápide e percebeu que chegara o seu fim. Não havia esperança... nenhuma ajuda de ninguém. Quando ouviu Voldemort chegar ainda mais perto, ele soube apenas uma coisa que transcendeu o medo e a razão — ele não ia morrer agachado ali como uma criança brincando de esconde-esconde; não ia morrer ajoelhado aos pés de Voldemort... ia morrer de pé como seu pai, e ia morrer tentando se defender, mesmo que não houvesse defesa alguma possível...

Antes que Voldemort pudesse meter a cara viperina atrás da lápide, Harry se levantou... agarrou a varinha com força, empunhou-a à frente e saiu rápido de trás da lápide para encarar Voldemort.

O bruxo estava pronto. Quando Harry gritou *"Expelliarmus!"*, Voldemort gritou *"Avada Kedavra!"*.

Um jorro de luz verde saiu da varinha de Voldemort na mesma hora em que um jorro de luz vermelha disparou da de Harry — e os dois se encontraram no ar —, e de repente a varinha de Harry começou a vibrar como se uma descarga elétrica estivesse entrando por ela; sua mão estava presa à varinha; ele não teria podido soltá-la se quisesse – e um fino feixe de luz agora ligava as duas varinhas, nem vermelha nem verde, mas um dourado intenso e rico –, e Harry, acompanhando o feixe com o olhar espantado, viu que os dedos longos e brancos de Voldemort também agarravam uma varinha que sacudia e vibrava.

E então – nada poderia ter preparado Harry para isso – ele sentiu seus pés se elevarem do chão. Ele e Voldemort estavam sendo erguidos no ar, as varinhas ainda ligadas por aquele fio de luz dourada e tremeluzente. Os dois estavam se afastando do túmulo do pai de Voldemort e por fim pousaram num trecho de terreno limpo e sem túmulos... Os Comensais da Morte gritavam, pedindo instruções a Voldemort; se aproximavam e se reagrupavam em um círculo em volta dos dois, a cobra em seus calcanhares, alguns bruxos sacando as varinhas...

O fio dourado que ligava Harry e Voldemort se fragmentou: embora as varinhas continuassem ligadas, mil outros fios brotaram e formaram um arco sobre os dois, e foram se entrecruzando a toda volta, até encerrá-los em uma teia dourada como uma redoma, uma gaiola de luz, para além da qual os Comensais da Morte rondavam como chacais, seus gritos estranhamente abafados...

– Não façam nada! – gritou Voldemort para os Comensais da Morte, e Harry viu os olhos vermelhos do bruxo se arregalarem para o que estava acontecendo, viu-o lutar para romper o fio de luz que continuava ligando sua varinha à de Harry; o garoto apertou a varinha com mais força, com as duas mãos, e o fio dourado continuou inteiro. – Não façam nada a não ser que eu mande! – gritou Voldemort para os Comensais da Morte.

Então um som belo e sobrenatural encheu o ar... vinha de cada fio de luz da teia que vibrava em torno de Harry e Voldemort. Era um som que o garoto reconhecia, embora só o tivesse ouvido uma vez na vida... a canção da fênix...

Era o som da esperança para Harry... o mais belo e mais bem-vindo que ele já ouvira na vida... o garoto teve a sensação de que o som estava dentro dele e não apenas à sua volta... era o som que ele associava a Dumbledore, e era quase como se um amigo estivesse falando em seu ouvido...

Não rompa a ligação.

Eu sei, Harry disse à música, eu sei que não devo... mas mal acabara de dizer isso e a coisa se tornou muito mais difícil de fazer. Sua varinha começou a vibrar mais violentamente do que antes... e agora o fio de luz entre ele e Voldemort mudou também... era como se grandes contas de luz estivessem deslizando para a frente e para trás no fio que ligava as varinhas – Harry sentiu a sua estremecer com força, quando as contas de luz começaram a deslizar lenta e continuamente em sua direção... agora o movimento do feixe de luz vinha de Voldemort para ele, e ele sentiu a varinha vibrar de indignação...

Quando a conta de luz mais à frente se aproximou da ponta da varinha de Harry, a madeira em seus dedos esquentou de tal forma que o garoto receou que ela fosse romper em chamas. Quanto mais perto chegava a conta, mais violentamente a varinha de Harry vibrava; ele tinha certeza de que sua varinha não sobreviveria a um contato direto com a conta; ela parecia prestes a se esfacelar sob seus dedos...

Harry concentrou cada partícula de sua mente em obrigar a conta a voltar para Voldemort, seus ouvidos tomados pela canção da fênix, seus olhos furiosos, fixos... e lentamente, muito lentamente, as contas estremeceram e pararam, e em seguida, de forma igualmente lenta, começaram a se deslocar para o lado oposto... e foi a varinha de Voldemort que começou a vibrar com muita violência... Voldemort, que parecia perplexo e quase temeroso...

Uma das contas de luz estremecia a centímetros da ponta da varinha de Voldemort. Harry não entendia por que estava fazendo aquilo, não sabia o que obteria... mas começou a se concentrar, como nunca fizera na vida, em forçar aquela conta de luz a voltar à varinha de Voldemort... e lentamente... muito lentamente... ela foi se deslocando pelo fio dourado... estremeceu por um momento... e então fez contato...

Na mesma hora, a varinha de Voldemort começou a emitir gritos ressonantes de dor... depois... os olhos vermelhos do bruxo se arregalaram de choque – uma mão, densa e fumegante, voou da ponta da varinha e desapareceu... o fantasma da mão que ele fizera para Rabicho... mais gritos de dor... e então algo muito maior começou a brotar da ponta da varinha de Voldemort, algo imenso e acinzentado, algo que parecia ser feito da mais sólida e densa fumaça... era uma cabeça, depois um peito e os braços... o tronco de Cedrico Diggory.

Se em algum momento Harry pudesse ter soltado a varinha de susto, teria sido então, mas o instinto o fez continuar segurando-a com força, de modo que o fio de luz dourada permaneceu intacto, embora o fantasma cinzento e denso de Cedrico Diggory (*seria* um fantasma? Parecia tão sólido) emergisse em sua inteireza da ponta da varinha de Voldemort, como se estivesse se espremendo para fora de um túnel muito estreito... e esta sombra de Cedrico ficou de pé e examinou o fio de luz dourada de uma ponta a outra e falou:

— Aguenta firme, Harry.

Era uma voz distante como um eco, Harry olhou para Voldemort... os olhos vermelhos e arregalados do bruxo ainda expressavam choque... tal qual Harry, ele não esperara uma coisa daquelas... e, muito indistintamente, Harry ouviu os gritos amedrontados dos Comensais da Morte, rodeando a redoma dourada...

Novos gritos de dor da varinha... então mais uma coisa surgiu em sua ponta... a sombra densa de uma segunda cabeça, rapidamente seguida de braços e tronco... um velho que Harry vira uma vez em sonho tentava agora sair da ponta da varinha do mesmo modo que Cedrico o fizera... e seu fantasma, ou sua sombra, ou o que fosse, caiu ao lado do de Cedrico, examinou Harry e Voldemort, a teia dourada e as varinhas que se tocavam, levemente surpreso, apoiando-se em uma bengala...

— Então ele era um bruxo de verdade? — perguntou o velho, com os olhos em Voldemort. — Me matou, esse aí... enfrenta ele, moleque...

Mas já outra cabeça vinha surgindo... e esta, grisalha como uma estátua de fumaça, era de uma mulher... Harry, os dois braços trêmulos com o esforço para manter a varinha parada, viu a mulher cair ao chão e se aprumar como tinham feito os outros, examinando tudo com atenção...

A sombra de Berta Jorkins contemplou a luta diante dela de olhos arregalados.

— Não solte! — exclamou, e sua voz ecoou como a de Cedrico, como se viesse de muito longe. — Não deixe ele pegar você, Harry, não solte a varinha!

Ela e as outras duas sombras começaram a rodear as paredes da teia dourada ao mesmo tempo que os Comensais da Morte se moviam rapidamente pelo lado de fora... e, enquanto rodeavam os duelistas, as vítimas de Voldemort sussurravam palavras de estímulo a Harry e sibilavam outras, que Harry não podia ouvir, para Voldemort.

Agora, outra cabeça vinha emergindo da ponta da varinha do bruxo... e Harry soube, ao vê-la, quem seria... ele sabia, como se esperasse isso desde o momento em que Cedrico saíra da varinha... soube porque a mulher que apareceu era aquela em quem ele pensara mais do que em qualquer outra pessoa esta noite...

A sombra esfumaçada de uma mulher jovem de cabelos longos caiu no chão como fizera Berta, se endireitou e olhou para ele... e Harry, com os braços tremendo loucamente agora, retribuiu o olhar do rosto fantasmagórico de sua mãe.

– Seu pai está vindo... – disse ela baixinho. – Ele quer ver você... vai dar tudo certo... aguente firme...

E ele veio... primeiro a cabeça, depois o corpo... alto, os cabelos rebeldes como os de Harry, a sombra esfumaçada de Tiago Potter brotou da ponta da varinha de Voldemort, caiu ao chão e se levantou como havia feito sua mulher. Ele se aproximou de Harry, fitando o filho, e falou na mesma voz distante e ressonante como os demais, mas em tom baixo, de modo que Voldemort, agora com o rosto lívido de medo ao ver suas vítimas a rodeá-lo, não pudesse ouvir...

– Quando a ligação for interrompida, permaneceremos apenas uns momentos... mas vamos lhe dar tempo... você precisa chegar à Chave de Portal, ela o levará de volta a Hogwarts... entendeu, Harry?

– Entendi – ofegou Harry; lutando para manter firme a varinha, que agora começava a escapar e a escorregar sob seus dedos.

– Harry... – sussurrou a figura de Cedrico –, por favor, leva o meu corpo com você? Leva o meu corpo para os meus pais...

– Levo – prometeu Harry, seu rosto contraído com o esforço de aguentar a varinha.

– Faça isso agora – sussurrou seu pai. – Prepare-se para correr... faça isso agora...

– AGORA! – berrou Harry; de qualquer modo, ele não achava que pudesse continuar segurando a varinha nem mais um instante, ergueu-a no ar, com um puxão violento, e o fio dourado se rompeu; a gaiola de luz desapareceu, a música da fênix silenciou, mas as sombras das vítimas de Voldemort não desapareceram, avançaram para o bruxo, escudando Harry do seu olhar...

E Harry correu como nunca correra na vida, derrubando dois Comensais da Morte abobados ao passar; depois ziguezagueou por trás de lápides, sentindo maldições acompanharem-no, ouvindo-as bater nas lápides – evitou maldições e túmulos, correndo em direção ao corpo de Cedrico, sem sequer sentir a perna doer, todo o seu ser se concentrando no que precisava fazer...

– *Estupore-o!* – ele ouviu Voldemort gritar.

A dez passos de Cedrico, Harry mergulhou atrás de um anjo de mármore para evitar os jorros de luz vermelha e viu a ponta da asa do anjo desmoronar ao ser atingida pelos feitiços. Apertando com mais força a varinha, ele saiu ligeiro de trás do anjo...

— *Impedimenta!* — berrou ele, apontando a varinha de qualquer jeito por cima do ombro na direção geral dos Comensais da Morte que corriam em seu encalço.

Por um grito abafado que ouviu, ele achou que conseguira fazer parar pelo menos um, mas não havia tempo para se deter e olhar; ele saltou por cima da Taça e mergulhou ao ouvir mais explosões saírem das varinhas às suas costas; mais jorros de luz voaram por cima de sua cabeça quando ele caiu, esticando a mão para agarrar o braço de Cedrico...

— Afastem-se! Eu o matarei! Ele é meu! — gritou a voz aguda de Voldemort.

A mão de Harry se fechou no pulso de Cedrico; havia uma lápide entre ele e Voldemort, mas Cedrico era demasiado pesado para carregar, e a Taça estava fora do seu alcance...

Os olhos vermelhos de Voldemort chispavam no escuro. Harry viu a boca do bruxo se crispar num sorriso e viu-o erguer a varinha.

— *Accio!* — berrou Harry, apontando a própria varinha para a Taça Tribruxo.

A Taça voou pelo ar em sua direção — Harry agarrou-a pela asa...

Ele ouviu o grito de fúria de Voldemort no mesmo instante em que sentiu o solavanco no umbigo que significava que a Chave de Portal fora acionada... ele se afastou em alta velocidade num turbilhão de vento e cor, levando Cedrico junto... os dois estavam voltando...

35

VERITASERUM

Harry sentiu que caía chapado no chão; seu rosto comprimiu a grama, cujo cheiro invadiu suas narinas. Ele fechara os olhos enquanto a Chave de Portal o transportava, e os mantinha fechados até aquele momento. Não se mexeu. Todo o ar parecia ter sido expulso dos seus pulmões; sua cabeça rodava tanto que ele sentia o chão balançar sob seu corpo como se fosse o convés de um navio. Para se firmar, apertou com mais força as duas coisas que continuava a segurar – a asa lisa e fria da Taça Tribruxo e o corpo de Cedrico. Tinha a sensação de que ia deslizar para a escuridão que se formava na periferia do seu cérebro se largasse qualquer das duas. O choque e a exaustão o mantiveram no chão, inspirando o cheiro de grama, esperando... esperando que alguém fizesse alguma coisa... que alguma coisa acontecesse... e, todo o tempo, sua cicatriz ardia surdamente em sua testa...

Uma enxurrada de sons o ensurdeceu e confundiu, havia vozes por toda parte, passos, gritos... ele continuou onde estava, o rosto contraído contra o barulho, como se aquilo fosse um pesadelo que ia passar...

Então duas mãos o agarraram com uma certa violência e o viraram de barriga para cima.

– Harry! *Harry!*

O garoto abriu os olhos.

Estava olhando para o céu estrelado e Alvo Dumbledore se debruçava sobre ele. As sombras escuras das pessoas que se aglomeravam ao seu redor se aproximavam; Harry sentiu o chão sob sua cabeça vibrar com a aproximação dos seus passos.

Ele voltara ao exterior do labirinto. Via as arquibancadas no alto, os vultos das pessoas que se movimentavam nelas, as estrelas no céu.

Harry largou a Taça, mas segurou Cedrico mais junto dele e com mais força. Ergueu a mão livre e agarrou o pulso de Dumbledore, enquanto o rosto do bruxo saía de foco e tornava a entrar.

— Ele voltou — sussurrou Harry. — Ele voltou. Voldemort.

— Que está acontecendo? Que está acontecendo?

O rosto de Cornélio Fudge apareceu invertido sobre Harry; parecia pálido e perplexo.

— Meu Deus, Diggory! — murmurou. — Dumbledore, ele está morto!

Essas palavras foram repetidas, as sombras que se comprimiam ao redor deles as exclamaram para as mais próximas... depois outras as gritaram — guincharam — para a noite "Ele está morto!", "Ele está morto!", "Cedrico Diggory! Morto!".

— Harry, solte-o — ele ouviu Fudge dizer, e sentiu dedos que tentavam forçar os seus a se abrirem para soltar o corpo inerte de Cedrico, mas Harry resistiu.

Então o rosto de Dumbledore, que continuava borrado e difuso, se aproximou.

— Harry, você não pode mais ajudá-lo. Terminou. Solte-o.

— Ele queria que eu o trouxesse de volta — murmurou Harry, pareceu-lhe importante explicar isso. — Ele queria que eu o trouxesse de volta para os pais...

— Certo, Harry... agora solte-o...

Dumbledore se curvou e, com uma força extraordinária para um homem tão velho e magro, ergueu Harry do chão e o pôs de pé. Harry oscilou. Sua cabeça latejava com força. Sua perna machucada não queria mais sustentar o seu peso. As pessoas aglomeradas ao redor se acotovelavam, tentando chegar mais próximo, empurrando sombriamente — "Que foi que houve?", "Que aconteceu com ele?", "*Diggory está morto!*".

— Ele precisa ir para a ala hospitalar! — dizia Fudge em voz alta. — Ele está mal, está ferido, Dumbledore, os pais de Diggory estão aqui, estão nas arquibancadas...

— Eu levo Harry, Dumbledore, eu o levo...

— Não, eu prefiro...

— Dumbledore, Amos Diggory está correndo... está vindo para cá... você não acha que deve lhe contar... antes que ele veja...?

— Harry, fique aqui...

Garotas gritavam, soluçavam, histéricas... a cena lampejava estranhamente diante dos olhos de Harry...

— Está tudo bem, filho, estou com você... vamos... ala hospitalar...

— Dumbledore disse para eu ficar — disse Harry com a fala pastosa, a palpitação na cicatriz fazendo-o sentir vontade de vomitar; sua visão mais borrada que nunca.

— Você precisa se deitar... vamos, agora...

Alguém maior e mais forte do que ele meio que o puxou, meio que o carregou entre os espectadores assustados; Harry ouvia as pessoas exclamarem, gritarem e berrarem à medida que o homem que o segurava abria caminho por elas, levando o garoto para o castelo. Atravessaram o gramado, passaram o lago e o navio de Durmstrang; Harry não ouvia nada, exceto a respiração ruidosa do homem que o ajudava a caminhar.

— Que aconteceu, Harry? — perguntou o homem finalmente, erguendo-o para galgar os degraus de pedra da entrada. *Toque. Toque. Toque.* Era Olho-Tonto Moody.

— A Taça era uma Chave de Portal — disse Harry ao atravessarem o saguão de entrada. — Nos levou para um cemitério... e Voldemort estava lá... Lorde Voldemort...

Toque. Toque. Toque. Escadaria de mármore acima...

— O Lorde das Trevas estava lá? Que aconteceu depois?

— Matou Cedrico... mataram Cedrico...

— E então?

Toque. Toque. Toque. Pelo corredor...

— Preparou uma poção... recuperou o corpo dele...

— O Lorde das Trevas recuperou o corpo? Ele voltou?

— E os Comensais da Morte vieram... depois nós duelamos...

— Você duelou com o Lorde das Trevas?

— Escapei... minha varinha... fez uma coisa engraçada... vi meu pai e minha mãe... eles saíram da varinha dele...

— Aqui dentro, Harry... aqui dentro, e sente-se... você vai ficar bom agora... beba isso...

Harry ouviu uma chave girar na fechadura e sentiu que empurravam um copo em suas mãos.

— Beba isso... você vai se sentir melhor... vamos Harry, preciso saber exatamente o que aconteceu...

Moody ajudou a virar a poção na boca de Harry; o garoto tossiu, um gosto apimentado queimou sua garganta. A sala de Moody entrou em foco, bem como o próprio Moody... ele parecia tão pálido quanto Fudge, e seus dois olhos estavam fixos, sem piscar, no rosto de Harry.

— Voldemort voltou, Harry? Você tem certeza de que voltou? Como foi que ele fez isso?

— Ele apanhou uma coisa no túmulo do pai dele, depois do Rabicho e de mim. — Sua cabeça estava clareando; sua cicatriz já não doía tanto; agora conseguia ver o rosto de Moody nitidamente, embora a sala estivesse escura. Ainda se ouviam berros e gritos vindos do distante campo de quadribol.

– Que foi que o Lorde das Trevas tirou de você? – perguntou Moody.

– Sangue – respondeu Harry erguendo o braço. A manga estava rasgada no lugar em que o punhal de Rabicho a cortara.

Moody deixou escapar um assobio longo e baixo.

– E os Comensais da Morte? Voltaram?

– Voltaram. Montes deles...

– Como foi que ele os tratou? – perguntou Moody, baixinho. – Ele lhes perdoou?

Mas Harry de repente se lembrou. Devia ter contado a Dumbledore, devia ter dito logo de saída...

– Tem um Comensal da Morte em Hogwarts! Tem um Comensal da Morte aqui, ele pôs o meu nome no Cálice de Fogo, certificou-se de que eu chegasse até o fim...

Harry tentou se levantar, mas Moody o obrigou a sentar-se outra vez.

– Eu sei quem é o Comensal da Morte – disse ele em voz baixa.

– Karkaroff? – disse Harry, agitado. – Onde é que ele está? O senhor o pegou? Ele está preso?

– Karkaroff? – disse Moody com uma risada estranha. – Karkaroff fugiu esta noite, quando sentiu a Marca Negra arder no braço. Ele traiu um número grande demais de seguidores fiéis do Lorde das Trevas para querer reencontrá-los... mas duvido que chegue muito longe. O Lorde das Trevas tem maneiras de seguir seus inimigos.

– Karkaroff foi *embora*? Fugiu? Mas então... ele não pôs o meu nome no Cálice de Fogo?

– Não – disse Moody lentamente. – Não, não pôs. Fui eu quem pôs.

Harry ouviu, mas não acreditou.

– Não, o senhor não pôs. O senhor não fez isso... não pode ter feito...

– Garanto a você que fiz – disse Moody, e seu olho mágico deu uma volta completa e se fixou na porta, e Harry percebeu que ele estava se certificando de que não havia ninguém do lado de fora. Ao mesmo tempo, Moody puxou a varinha e apontou-a para o garoto.

"E ele lhes perdoou, então? Os Comensais da Morte continuaram livres? Os que escaparam de Azkaban?"

– Quê? – exclamou Harry.

Ele olhou a varinha que Moody apontava para ele. Aquilo era uma piada de mau gosto, tinha que ser.

— Eu lhe perguntei — disse Moody calmamente — se ele perdoou a ralé que jamais foi procurá-lo. Aqueles traidores covardes que sequer arriscaram ser mandados para Azkaban por ele. Os porcos desleais e imprestáveis que tiveram coragem suficiente para desfilar de máscaras na Copa Mundial de Quadribol, mas fugiram ao ver a Marca Negra quando eu a projetei no céu.

— O senhor projetou... do que é que o senhor está falando...?

— Eu já lhe disse, Harry... Eu já lhe disse. Se tem uma coisa que eu detesto mais no mundo é um Comensal da Morte que foi absolvido. Viraram as costas ao meu amo quando ele mais precisava deles. Eu esperei que ele os castigasse. Esperei que ele os torturasse. Me diga que ele os machucou, Harry... — O rosto de Moody se iluminou de repente com um sorriso louco. — Me diga que ele disse a todos que eu, somente eu, permaneci fiel... preparado para arriscar tudo para entregar em suas mãos o que ele mais queria... *você*.

— O senhor não fez... isso, não pode ser o senhor...

— Quem pôs o seu nome no Cálice de Fogo com o nome de uma escola diferente? Fui eu, sim. Quem afugentou cada pessoa que julguei que poderia machucá-lo ou impedir que você ganhasse o torneio? Fui eu, sim. Quem encorajou Hagrid a lhe mostrar os dragões? Fui eu, sim. Quem fez você ver a única maneira de vencer o dragão? *Fui eu, sim*.

O olho mágico de Moody se desviou então da porta. Fixou-se em Harry. Sua boca torta ria mais desdenhosa e abertamente que nunca.

— Não foi fácil, Harry, orientá-lo durante aquelas tarefas sem despertar suspeitas. Tive de usar cada grama de astúcia que possuo para não deixar transparecer o meu dedo no seu sucesso. Dumbledore teria ficado desconfiadíssimo se você conseguisse tudo com muita facilidade. Desde que você entrasse no labirinto, de preferência com uma boa dianteira, então, eu sabia que teria uma chance de me livrar dos outros campeões e deixar o seu caminho desimpedido. Mas tive também de lutar contra a sua burrice. A segunda tarefa... foi a que tive mais medo que você fracassasse. Eu fiquei vigiando-o, Potter. Eu sabia que você não tinha decifrado a pista do ovo, por isso tive que lhe dar mais uma sugestão...

— O senhor não deu — disse Harry, rouco. — Cedrico me deu a pista...

— Quem disse a Cedrico para abrir o ovo dentro da água? Fui eu. Confiei que ele passaria a informação a você. Gente decente é tão fácil de manipular, Potter. Eu tinha certeza de que Cedrico iria querer retribuir o favor de tê-lo informado sobre os dragões, e foi o que ele fez. Mas, mesmo assim, Potter, parecia que você ia fracassar. Fiquei vigiando-o o tempo todo... todas aquelas horas na biblioteca. Você não percebeu que o livro de que precisava estava no seu dormitório o tempo todo? Eu o coloquei lá mais cedo, dei-o ao garoto Longbottom, não se lembra? *Plantas mediterrâneas e suas propriedades mágicas.* Ele teria lhe informado tudo que você precisava saber sobre o guelricho. Eu esperava que você pedisse ajuda a qualquer um e a todos. Longbottom teria lhe dito na mesma hora. Mas você não pediu... você não pediu... você tem um traço de orgulho e independência que poderia ter estragado tudo.

"Então o que é que eu podia fazer? Mandar-lhe a informação por intermédio de outra fonte inocente. Você me contou no Baile de Inverno que um elfo doméstico, chamado Dobby, lhe dera um presente de Natal. Eu chamei o elfo à sala dos professores para apanhar umas vestes para lavar. Encenei uma conversa em voz alta com a Prof.ª McGonagall sobre os reféns que seriam usados na tarefa e se Potter pensaria em comer guelricho. E o seu amiguinho elfo correu direto para o armário de Snape e foi depressa procurar você..."

A varinha de Moody continuava apontada diretamente para o coração de Harry. Por cima do ombro do professor, sombras indistintas se moviam no Espelho-de-Inimigos pendurado na parede.

— Você ficou tanto tempo no lago, Potter, que eu pensei que tinha se afogado. Mas, por sorte, Dumbledore tomou a sua burrice por nobreza e lhe deu uma nota alta. Eu respirei mais uma vez aliviado.

"Esta noite, você teve uma tarefa mais fácil no labirinto do que deveria, é claro", disse Moody. "Isto foi porque eu estava patrulhando do lado de fora, e podia ver as sebes mais externas, e pude destruir muitos obstáculos no seu caminho. Eu estuporei Fleur Delacour quando ela passou. Lancei a Maldição Imperius em Krum para ele acabar com Diggory e deixar o seu caminho livre até a Taça."

Harry encarava Moody. Não conseguia entender como podia ser aquilo... o amigo de Dumbledore, o famoso auror... aquele que capturara tantos Comensais da Morte... não fazia sentido... nem um pingo...

As sombras no Espelho-de-Inimigos se acentuavam, se tornando mais nítidas. Harry via, por cima do ombro de Moody, o contorno de três pessoas, que se aproximavam cada vez mais. Mas o professor não as vigiava. Seu olho mágico estava fixo em Harry.

— O Lorde das Trevas não conseguiu matá-lo, Potter, e ele queria *tanto*! — sussurrou Moody. — Imagine a recompensa que me dará quando descobrir que fiz isso por ele. Entreguei-o a ele, a coisa de que ele mais precisava para se regenerar, e depois matei-o para ele. Vou receber mais honrarias do que todos os outros Comensais da Morte. Serei seu seguidor mais querido, mais chegado... mais próximo do que um filho...

O olho normal de Moody estava esbugalhado, o olho mágico fixo em Harry. A porta continuava trancada e Harry sabia que jamais pegaria a própria varinha a tempo...

— O Lorde das Trevas e eu — disse Moody, e agora parecia completamente enlouquecido, agigantando-se sobre Harry, olhando-o com desdém — temos muito em comum. Nós dois, por exemplo, tivemos pais que nos desapontaram muito... muito mesmo. Nós dois sofremos a indignidade, Harry, de receber o nome desses pais. E nós dois tivemos o prazer... o imenso prazer... de matar nossos pais para garantir a ascensão contínua da Ordem das Trevas!

— O senhor enlouqueceu — disse Harry, o garoto não conseguiu se conter —, o senhor enlouqueceu!

— Enlouqueci, eu? — a voz de Moody se alteou descontrolada. — Veremos! Veremos quem enlouqueceu, agora que o Lorde das Trevas voltou, comigo ao seu lado! Ele voltou, Harry Potter, você não o derrotou, e agora eu derroto você!

Moody ergueu a varinha, abriu a boca, Harry mergulhou a mão nas vestes...

— *Estupefaça!* — Houve um lampejo ofuscante de luz vermelha, e, com grande fragor de madeira estilhaçada, a porta da sala de Moody rachou ao meio...

Moody foi atirado de costas ao chão. Harry, ainda fitando o lugar em que estivera o rosto de Moody, viu Alvo Dumbledore, o Prof. Snape e a Prof.ª McGonagall mirando-o do Espelho-de-Inimigos. O garoto virou-se para os lados e viu os três parados à porta, o diretor à frente, a varinha em punho.

Naquele momento, Harry compreendeu totalmente, pela primeira vez, por que as pessoas diziam que Dumbledore era o único bruxo que Voldemort temia. A expressão no rosto dele quando olhou para a forma inconsciente de Olho-Tonto Moody era mais terrível do que Harry poderia jamais imaginar. Não havia sorriso bondoso no rosto do diretor, não havia cintilação nos olhos atrás dos óculos. Havia uma fúria gelada em cada ruga daquele rosto velho; ele irradiava uma aura de poder como se Dumbledore desprendesse um calor de brasas vivas.

O diretor entrou na sala, enfiou um pé sob o corpo inconsciente de Moody e virou-o de barriga para cima, de modo que seu rosto ficasse visível. Snape entrou em seguida, olhando o Espelho-de-Inimigos, no qual seu próprio rosto ainda era visível, examinando a sala.

A Prof.ª McGonagall dirigiu-se imediatamente a Harry.

— Vamos, Potter — sussurrou ela. A linha fina de seus lábios tremia como se ela estivesse à beira das lágrimas. — Vamos... ala hospitalar...

— Não — disse Dumbledore energicamente.

— Dumbledore, ele precisa, olhe só para ele, já sofreu bastante esta noite...

— Ele fica, Minerva, porque precisa compreender — respondeu o diretor secamente. — Compreender é o primeiro passo para aceitar, e somente aceitando ele pode se recuperar. Precisa saber o que o fez passar pela provação desta noite e o porquê.

— Moody — disse Harry. Ele continuava num estado da mais completa descrença. — Como pode ter sido Moody?

— Este não é Alastor Moody — disse Dumbledore em voz baixa. — Você jamais conheceu Alastor Moody. O verdadeiro Moody não teria retirado você das minhas vistas depois do que aconteceu hoje à noite. No instante em que ele o levou, eu compreendi, e o segui.

Dumbledore se curvou para a forma inerte de Moody e meteu a mão nas vestes do bruxo. Tirou o frasco de bolso de Moody e uma penca de chaves numa argola. Depois se voltou para a Profª McGonagall e Snape.

— Severo, por favor, vá buscar a Poção da Verdade mais forte que você tiver, depois vá à cozinha e me traga aqui o elfo doméstico chamado Winky. Minerva, por favor, desça à casa de Hagrid, onde você encontrará um enorme cão preto sentado no canteiro de abóboras. Leve o cão ao meu escritório, diga-lhe que irei vê-lo daqui a pouco, depois volte aqui.

Se Snape ou Minerva acharam essas instruções estranhas, eles ocultaram sua confusão. Os dois se viraram na mesma hora e saíram da sala. Dumbledore aproximou-se do malão com as sete fechaduras, enfiou a primeira chave na fechadura e abriu-o. O malão continha uma profusão de livros de feitiços. Em seguida o diretor fechou-o, enfiou a segunda chave na segunda fechadura e tornou a abrir o malão. Os livros de feitiços haviam desaparecido; desta vez o malão continha uma variedade de bisbilhoscópios, algumas folhas de pergaminho e penas, e algo que lembrava uma Capa da Invisibilidade. Harry observou, espantado, Dumbledore enfiar a terceira, quarta, quinta e sexta chaves nas fechaduras e reabrir o malão que, a cada vez, revelava conteúdos diferentes. Por fim, enfiou a sétima chave na fechadura, escancarou a tampa e Harry deixou escapar um grito de assombro.

O garoto deparou com uma espécie de poço, uma sala subterrânea e, deitado no chão, bem um metro abaixo, aparentemente em sono profundo, magro e de aparência faminta, encontrava-se o verdadeiro Olho-Tonto Moody.

Faltava-lhe a perna de pau, e a órbita em que deveria estar o olho mágico parecia vazia sob a pálpebra e lhe faltavam chumaços de cabelos grisalhos. Harry correu os olhos arregalados e perplexos do Moody que dormia no malão para o Moody inconsciente caído no chão da sala.

Dumbledore entrou no malão, desceu o corpo e caiu de leve no chão ao lado do Moody adormecido. Curvou-se para ele.

— Estuporado, controlado pela Maldição *Imperius*, muito fraco – disse. — Naturalmente, precisariam mantê-lo vivo. Harry, me atire a capa do impostor, Alastor está congelando. Madame Pomfrey precisará examiná-lo, mas ele não parece correr perigo imediato.

Harry fez o que o diretor lhe pediu; Dumbledore cobriu Moody com a capa, prendeu-a em volta do corpo do bruxo e tornou a sair do malão. Em seguida apanhou o frasco de bolso que estava sobre a escrivaninha, tirou a tampa e virou-o. Um líquido espesso e viscoso se espalhou pelo chão da sala.

— Poção Polissuco, Harry. Vê a simplicidade e a genialidade da coisa. Porque Moody jamais bebe nada a não ser do frasco de bolso, todo mundo sabe disso. O impostor precisou, é claro, manter o verdadeiro Moody por perto para poder continuar a preparar a poção. Está vendo os cabelos dele... — Dumbledore olhou para o Moody no malão. — O impostor andou cortando-os o ano inteiro, está vendo as falhas? Mas acho que, na animação de hoje à noite, o falso Moody talvez tenha esquecido de tomar a poção com a necessária frequência... na hora certa... a cada hora... veremos.

Dumbledore puxou a cadeira atrás da escrivaninha e se sentou, os olhos fixos no Moody inconsciente no chão. Harry também ficou olhando. Os minutos se passaram em silêncio...

Então, diante dos olhos de Harry, o rosto do homem no chão começou a mudar. As cicatrizes foram desaparecendo, a pele foi se tornando lisa; o nariz mutilado ficou inteiro e começou a diminuir de tamanho. A longa juba de cabelos grisalhos foi se retraindo para o couro cabeludo e se alourando. De repente, com um forte baque, a perna de pau caiu e uma perna normal apareceu em seu lugar; no momento seguinte, o olho mágico saltou do rosto do homem e um olho verdadeiro o substituiu; o olho mágico saiu rolando pelo chão e continuou a girar em todas as direções.

Harry viu caído à sua frente um homem de pele muito clara, ligeiramente sardento, com cabelos bastos e louros. O garoto sabia quem era. Vira-o na Penseira de Dumbledore, assistira a ele ser retirado do tribunal pelos dementadores, tentando convencer o Sr. Crouch de que era inocente... mas agora tinha rugas em torno dos olhos, e parecia bem mais velho...

Ouviram-se passos apressados no corredor. Snape retornava com Winky em seus calcanhares. A Prof.ª McGonagall vinha logo atrás.

— Crouch! — exclamou Snape, parando de chofre à porta. — Bartô Crouch!

— Nossa! — exclamou a Prof.ª McGonagall, parando de chofre ao ver o homem no chão.

Imunda, descabelada, Winky espiou por entre as pernas de Snape. Ela abriu uma boca enorme e deixou escapar um grito esganiçado.

— Menino Bartô, menino Bartô, que é que o senhor está fazendo aqui?

Ela se atirou ao peito do rapaz.

— Vocês mataram ele! Vocês mataram ele! Vocês mataram o filho do meu amo!

— Ele está apenas estuporado, Winky — disse Dumbledore. — Afaste-se, por favor. Severo, trouxe a poção?

Snape entregou a Dumbledore um pequeno frasco com um líquido muito transparente; o *Veritaserum* que o professor ameaçara fazer Harry beber na sala dele. Dumbledore se levantou, se debruçou sobre o homem e o aprumou contra a parede sob o Espelho-de-Inimigos, no qual as imagens de Dumbledore, Snape e McGonagall continuavam a observar tudo. Winky permaneceu de joelhos, tremendo, as mãos cobrindo o rosto. Dumbledore abriu a boca do homem à força e despejou nela três gotas da poção. Depois, apontou a varinha para o peito do homem e disse:

— *Enervate!*

O filho de Crouch abriu os olhos. Seu rosto estava flácido, seu olhar desfocado. Dumbledore se ajoelhou diante dele, de modo que seus rostos ficassem no mesmo plano.

— Você está me ouvindo? — perguntou o diretor em voz baixa.

Os olhos do homem piscaram.

— Estou — murmurou.

— Gostaria que nos dissesse — pediu Dumbledore — como veio parar aqui. Como fugiu de Azkaban?

Crouch inspirou profundamente, estremecendo, e em seguida começou a falar numa voz sem inflexões nem emoção.

— Minha mãe me salvou. Ela sabia que estava morrendo. Convenceu meu pai a me tirar de lá como um último favor. Ele a amava como nunca me amara. E concordou. Os dois foram me visitar. Me deram uma dose da Poção Polissuco, contendo um fio de cabelo de minha mãe. Ela tomou uma dose da poção, contendo um fio de cabelo meu. Assumimos a forma um do outro.

Winky balançava a cabeça, tremendo.

— Não diga mais nada, Menino Bartô, não diga mais nada, você está metendo seu pai em confusão!

Mas Crouch inspirou mais uma vez profundamente e continuou com a mesma voz sem emoção.

— Os dementadores são cegos. Eles perceberam uma pessoa saudável e uma pessoa doente entrando em Azkaban. Depois, perceberam uma pessoa saudável e uma pessoa doente deixando a prisão. Meu pai me contrabandeou para fora, disfarçado de minha mãe, para o caso de algum prisioneiro estar observando da cela.

"Minha mãe morreu pouco depois em Azkaban. Teve o cuidado de beber a Poção Polissuco até o fim. Foi enterrada com o meu nome e a minha aparência. Todos acreditaram que ela era eu."

As pálpebras do homem piscaram.

— E o que foi que seu pai fez com você quando chegaram em casa? — perguntou Dumbledore.

— Encenou a morte de minha mãe. Um enterro discreto e íntimo. Aquele túmulo está vazio. O elfo doméstico cuidou de mim até eu ficar bom. Depois tive que ser escondido. Tive que ser controlado. Meu pai teve que usar vários feitiços para me dominar. Quando recuperei a saúde, só pensei em encontrar o meu amo... em voltar para o seu serviço.

— Como foi que seu pai o dominou? — perguntou Dumbledore.

— A Maldição *Imperius*. Fiquei sob o domínio do meu pai. Fui forçado a usar uma Capa da Invisibilidade dia e noite. Sempre em companhia do elfo doméstico. Era ela quem me cuidava e guardava. Tinha pena de mim. Convenceu meu pai a me dar regalias ocasionais. Prêmios pelo meu bom comportamento.

— Menino Bartô, Menino Bartô — soluçou Winky entre os dedos. — Você não devia contar a eles, está nos metendo em apuros...

— Alguém descobriu que você continuava vivo? — perguntou Dumbledore brandamente. — Alguém sabia disso, além do seu pai e do elfo doméstico?

— Sabia. — Suas pálpebras tornaram a piscar. — Uma bruxa do escritório do meu pai, Berta Jorkins. Ela veio um dia em casa trazer papéis para o meu pai assinar. Ele não estava. Winky mandou-a entrar e voltou para a cozinha, para mim. Mas Berta Jorkins ouviu o elfo conversando comigo. Foi investigar. Ouviu o suficiente para adivinhar que eu estava escondido sob uma Capa da Invisibilidade. Meu pai chegou em casa. Ela o confrontou. Ele lançou nela um Feitiço da Memória fortíssimo para fazê-la esquecer o que descobrira. Forte demais. Ele disse que danificou permanentemente a memória dela.

— Por que ela foi bisbilhotar os negócios particulares do meu amo? — soluçou Winky. — Por que não deixou a gente em paz?

— Fale-me sobre a Copa Mundial de Quadribol — ordenou Dumbledore.

— Winky convenceu meu pai — disse Crouch, ainda com a mesma voz monótona. — Passou meses persuadindo-o. Eu não saía de casa havia anos. Eu adorava quadribol. "Deixe o rapaz ir", dizia ela. "Ele vai usar a Capa da Invisibilidade." "Ele pode assistir. Deixe ele tomar um pouco de ar fresco uma vez." Ela disse que minha mãe teria gostado disso. Disse ao meu pai que minha mãe morrera para me devolver a liberdade. Não me salvara para viver preso. No fim ele concordou.

"Foi tudo cuidadosamente planejado. Meu pai subiu comigo e Winky ao camarote de honra mais cedo no dia do jogo. Winky devia dizer que estava guardando o lugar para o meu pai. Eu devia ficar sentado ali, invisível. Quando todos tivessem deixado o camarote, nós sairíamos. Winky iria parecer que estava sozinha. Ninguém jamais saberia.

"Mas Winky não sabia que eu estava bem mais forte. Estava começando a resistir à Maldição *Imperius* lançada por meu pai. Havia horas em que eu quase voltava a ser eu mesmo. Havia breves lapsos em que eu parecia me libertar do controle dele. Isto aconteceu lá, no camarote de honra. Foi como se eu estivesse saindo de um longo sono. Eu me vi em público, no meio de um jogo, e vi uma varinha saindo do bolso de um garoto na minha frente. Eu não tinha licença de usar uma varinha desde antes de Azkaban. Eu a roubei. Winky não viu. Ela tem medo de alturas. Ficou com o rosto tampado."

— Menino Bartô, que menino danado! — sussurrou Winky, as lágrimas escorrendo entre seus dedos.

— Então você se apoderou da varinha — disse Dumbledore —, e o que foi que fez com ela?

— Voltamos à barraca. Então ouvimos os gritos. Ouvimos os Comensais da Morte. Os que nunca tinham ido para Azkaban. Os que nunca tinham sofrido pelo meu amo. Os que tinham lhe virado as costas. Não estavam presos como eu. Estavam livres para ir procurá-lo, mas não fizeram isso. Estavam simplesmente se divertindo com os trouxas. As vozes deles me acordaram. Minha mente estava mais clara do que estivera em anos. Senti raiva. Tinha a varinha. Queria atacá-los pela deslealdade que fizeram ao meu amo. Meu pai saíra da barraca, tinha ido libertar os trouxas. Winky teve medo quando me viu tão furioso. Usou seu próprio tipo de mágica para me prender a ela. Me tirou da barraca, me levou para a floresta, para longe dos Comensais da Morte. Eu tentei impedi-la. Queria voltar para o acampamento. Queria mostrar àqueles Comensais da Morte o que significava lealdade ao Lorde das Trevas, e puni-los por não a terem. Usei a varinha roubada para projetar a Marca Negra no céu.

"Os bruxos do Ministério chegaram. Lançaram Feitiços Estuporantes para todo lado. Um dos feitiços atravessou as árvores até onde eu e Winky estávamos. O vínculo que nos unia se partiu. Nós dois caímos estuporados.

"Quando descobriram Winky, meu pai entendeu que eu devia estar por perto. Me procurou no mato em que ela fora encontrada e me descobriu caído no chão. Ele esperou até os outros funcionários do Ministério deixarem a floresta. Tornou a me sujeitar com a Maldição *Imperius* e me levou para casa. Despediu Winky. Traíra a confiança dele. Me deixara arranjar uma varinha. Quase me deixara fugir."

Winky deixou escapar um grito de desespero.

— Agora havia apenas meu pai e eu, sozinhos em casa. E, então... — a cabeça de Crouch girou molemente e um sorriso louco se espalhou por seu rosto. — Meu amo veio me buscar.

"Apareceu lá em casa tarde da noite, nos braços do servo dele, Rabicho. Meu amo descobrira que eu continuava vivo. Tinha capturado Berta Jorkins na Albânia. Torturou-a. Ela lhe contou muita coisa. Contou sobre o Torneio Tribruxo. Contou que o antigo auror Moody ia ensinar em Hogwarts. Ele a torturou até conseguir romper o Feitiço da Memória que meu pai lançara nela. Berta contou que eu fugira de Azkaban. Contou que meu pai me mantinha prisioneiro para me impedir de procurar meu amo. Então meu amo soube que eu continuava a ser um servo fiel — talvez o mais fiel de todos. Meu amo concebeu um plano baseado nas informações que Berta lhe dera. Precisava de mim. Chegou em nossa casa por volta da meia-noite. Meu pai atendeu a porta."

O sorriso no rosto de Crouch se alargou, como se ele recordasse o momento mais doce de sua vida. Os olhos castanhos e vidrados de Winky eram visíveis entre seus dedos. Ela parecia assombrada demais para falar.

— Foi muito rápido. Meu amo colocou meu pai sob a Maldição *Imperius*. Agora meu pai era o prisioneiro, o controlado. Meu amo o forçou a continuar a vida como sempre, a agir como se não houvesse nada errado. E eu fui libertado. Acordei. Voltei a ser eu mesmo, vivo, como não me sentia havia anos.

— E o que foi que Lorde Voldemort lhe pediu para fazer? — perguntou Dumbledore.

— Ele me perguntou se eu estava disposto a arriscar tudo por ele. Eu estava. Era o meu sonho, minha maior ambição, servi-lo, me pôr à prova. Ele me disse que precisava colocar um servo fiel em Hogwarts. Um servo que orientasse Harry Potter durante o Torneio Tribruxo sem parecer que estava fazendo isso. Um servo que vigiasse Harry Potter. Que garantisse que o garoto chegasse à Taça Tribruxo. Que transformasse a Taça em uma Chave de Portal, que levasse a primeira pessoa a tocá-la ao meu amo. Mas primeiro...

— Você precisava de Alastor Moody — disse Dumbledore. Seus olhos azuis faiscando, embora sua voz permanecesse calma.

— Rabicho e eu fizemos isso. Preparamos antes uma Poção Polissuco. Viajamos até a casa do auror. Moody resistiu. Houve uma grande confusão. Conseguimos dominá-lo a tempo. Nós o enfiamos à força no malão mágico. Tiramos alguns fios de cabelo e acrescentamos à poção. Eu a bebi e me transformei no duplo de Moody. Apanhei sua perna e seu olho. Estava pronto para enfrentar Arthur Weasley quando ele viesse resolver o caso com os trouxas que ouviram o estardalhaço. Espalhei as latas de lixo pelo quintal. Contei a Arthur Weasley que tinha ouvido intrusos em volta da casa e que pusera as latas de lixo em movimento. Então reuni as roupas e os detectores das trevas de Moody, guardei tudo no malão e parti para Hogwarts. Conservei-o vivo, dominado pela Maldição *Imperius*. Queria poder interrogá-lo. Descobrir o passado dele, aprender seus hábitos, de modo a enganar Dumbledore. Precisava também do cabelo dele para a Poção Polissuco. Os outros ingredientes foram fáceis de encontrar. Roubei pele de araramboia das masmorras. Quando o Prof. de Poções me encontrou na sala dele, eu disse que tinha ordens para revistá-la.

— E o que aconteceu com Rabicho depois que vocês atacaram Moody?

— Rabicho voltou para cuidar do meu amo, lá em casa, e para vigiar meu pai.

— Mas o seu pai fugiu — disse Dumbledore.

— Fugiu. Depois de algum tempo ele começou a resistir à Maldição *Imperius*, exatamente como eu tinha feito. Havia períodos em que ele sabia o que estava acontecendo. Meu amo achou que não era mais seguro o meu pai sair de casa. Forçou-o, então, a mandar cartas para o Ministério. Fez meu pai escrever dizendo que estava doente. Mas Rabicho não cumpriu seus deveres direito. Não o vigiou o bastante. Meu pai fugiu. Meu amo adivinhou que ele estaria vindo para Hogwarts. Ia admitir que me contrabandeara para fora de Azkaban.

"Meu amo mandou me avisar da fuga do meu pai. Mandou que eu o detivesse a qualquer custo. Então esperei e fiquei vigiando. Usei o mapa que pedira emprestado a Harry Potter. O mapa que quase pusera tudo a perder."

— Mapa? — perguntou Dumbledore imediatamente. — Que mapa é esse?

— O mapa que Potter tem de Hogwarts. Potter me viu nele. Potter me viu roubando ingredientes para a Poção Polissuco da sala de Snape certa noite. Achou que eu era meu pai porque temos o mesmo nome. Apanhei o mapa de Potter naquela mesma noite. Disse a ele que meu pai odiava bruxos das trevas. Potter acreditou que eu estava atrás de Snape.

"Durante uma semana esperei meu pai aparecer em Hogwarts. Finalmente, uma noite, o mapa me indicou que ele estava entrando na propriedade. Vesti a minha Capa da Invisibilidade e desci ao encontro dele. Ele estava andando pela orla da Floresta. Então chegaram Potter e Krum. Esperei. Não podia machucar Potter, meu amo precisava dele. Potter foi correndo buscar Dumbledore. Eu estuporei Krum. Matei meu pai."

— Nããããoo! — gritou Winky. — Menino Bartô, menino Bartô, o que é que você está dizendo?

— Você matou seu pai — repetiu Dumbledore, no mesmo tom brando. — Que foi que você fez com o corpo?

— Levei-o para a Floresta. Cobri-o com a Capa da Invisibilidade. Tinha o mapa comigo. Acompanhei Potter entrar correndo no castelo. Ele encontrou Snape. Dumbledore se juntou aos dois. Acompanhei Potter deixar o castelo com Dumbledore. Saí da Floresta, dei a volta por trás deles e fui reencontrá-los. Disse a Dumbledore que Snape me informara aonde vir.

"Dumbledore me mandou ir procurar meu pai. Voltei para onde deixara o corpo dele. Fiquei observando o mapa. Quando todos tinham ido embora, transformei o corpo do meu pai. Virei-o em osso... e, sempre vestindo a Capa da Invisibilidade, eu o enterrei na terra fofa diante da cabana de Hagrid."

Fez-se um silêncio profundo, exceto pelos soluços contínuos de Winky. Então Dumbledore falou:

— E hoje à noite...

— Eu me ofereci para levar a Taça Tribruxo para o labirinto antes do jantar — sussurrou Bartô Crouch. — Transformei-a em uma Chave de Portal. O plano do meu amo deu resultado. Ele voltou ao poder e eu vou receber honrarias que ultrapassam os sonhos de qualquer bruxo.

O sorriso louco iluminou mais uma vez suas feições e sua cabeça pendeu para o ombro, enquanto Winky continuava a se lamentar e a soluçar ao seu lado.

36

OS CAMINHOS SE SEPARAM

Dumbledore ficou de pé. Contemplou Bartô Crouch por um momento com uma expressão de desgosto. Então ergueu sua varinha mais uma vez e dela voaram cordas, cordas que se prenderam em torno do bruxo, amarrando-o apertado.

Ele se dirigiu, então, à Prof.ª McGonagall:

— Minerva, posso pedir a você que fique de guarda aqui enquanto levo Harry para cima?

— Naturalmente. — Ela parecia ligeiramente nauseada, como se tivesse acabado de ver alguém vomitar. Contudo, quando puxou a varinha e a apontou para Bartô Crouch, sua mão estava bem firme.

— Severo — virou-se Dumbledore para Snape —, por favor, peça a Madame Pomfrey para vir até aqui. Precisamos levar Alastor Moody para a ala hospitalar. Depois desça aos jardins, procure Cornélio Fudge e traga-o para esta sala. Com certeza ele vai querer interrogar Crouch pessoalmente. Diga-lhe que estarei na ala hospitalar dentro de meia hora, caso precise de mim.

Snape concordou silenciosamente com um aceno de cabeça e saiu da sala.

— Harry? — chamou Dumbledore gentilmente.

Harry se levantou e cambaleou; a dor na perna, que ele mal sentira todo o tempo em que estivera ouvindo Crouch, agora voltava com força total. O garoto também percebeu que estava tremendo. Dumbledore segurou-o pelo braço e ajudou-o a sair para o corredor escuro.

— Quero que venha primeiro ao meu escritório, Harry — disse ele, baixinho, enquanto seguiam pelo corredor. — Sirius está nos esperando lá.

Harry concordou com a cabeça. Uma sensação de dormência e de total irrealidade se apoderara dele, mas o garoto não ligou; ficou até feliz com isso. Não queria ter que pensar em nada que acontecera desde que pusera a mão, pela primeira vez, na Taça Tribruxo. Não queria ter que examinar as lembranças, frescas e nítidas como fotografias, que não paravam de lampejar em sua mente. Olho-Tonto Moody dentro do malão, Rabicho caído no chão, aninhando o toco do braço. Voldemort ressurgindo do caldeirão fumegante. Cedrico... morto... Cedrico pedindo para ele levar seu corpo para os pais...

— Professor — murmurou Harry —, onde estão o Sr. e a Sra. Diggory?

— Estão com a Prof.ª Sprout. — A voz de Dumbledore que estivera tão calma durante o interrogatório de Bartô Crouch tremeu levemente pela primeira vez. — Ela é a diretora da Casa de Cedrico e o conhecia melhor.

Tinham chegado à gárgula de pedra. Dumbledore disse a senha, ela saltou para o lado, e o diretor e Harry subiram a escada rolante circular até a porta de carvalho. Dumbledore abriu-a.

Sirius estava parado ali. Seu rosto branco e ossudo como estivera quando fugira de Azkaban. Num átimo, ele atravessou a sala.

— Harry, você está bem? Eu sabia... eu sabia que uma coisa assim... que aconteceu?

As mãos dele tremiam ao ajudar Harry a se sentar em uma cadeira diante da escrivaninha.

— Que aconteceu? — perguntou, mais pressuroso.

Dumbledore começou a contar a Sirius tudo que Bartô Crouch dissera. Harry ouvia apenas com metade de sua atenção. Tão cansado que cada osso do seu corpo doía, ele só tinha vontade de ficar sentado ali, sossegado, durante horas e horas, até adormecer e não precisar mais pensar nem sentir nada.

Ouviu-se um leve rumorejo de asas. Fawkes, a fênix, deixara o poleiro, voara pela sala e pousara no joelho de Harry.

— 'Lô, Fawkes — disse o garoto de mansinho. E alisou a bela plumagem vermelha e dourada da ave. Fawkes piscou sem medo para ele. Havia um certo consolo em seu peso morno.

Dumbledore parara de falar. Sentou-se diante de Harry, à escrivaninha. Encarou o menino, que procurou evitar os seus olhos. Dumbledore ia interrogá-lo. Ia fazer Harry desabafar tudo.

— Preciso saber o que foi que aconteceu depois que você tocou a Chave de Portal no labirinto, Harry — disse o diretor.

— Podemos esperar até de manhã para isso, não, Dumbledore? — disse Sirius com aspereza. Ele pousou a mão no ombro de Harry. — Deixe o garoto dormir. Deixe-o descansar.

Harry sentiu um assomo de gratidão com relação ao padrinho, mas Dumbledore não deu atenção às palavras de Sirius. Curvou-se para Harry. De má vontade, o garoto ergueu a cabeça e encarou aqueles olhos azuis.

— Se eu achasse que poderia ajudá-lo — disse Dumbledore brandamente —, mergulhar você em um sono encantado e permitir que adiasse o momento em que terá de pensar no que aconteceu esta noite, eu faria isso. Mas sei que não posso. Amortecer a dor por algum tempo apenas a tornará pior quando você finalmente a sentir. Você demonstrou uma coragem acima da que eu poderia ter esperado. Estou pedindo que a demonstre mais uma vez. Estou pedindo que nos conte o que aconteceu.

A fênix deixou escapar uma nota branda e trêmula. A nota estremeceu no ar, e Harry sentiu como se uma gota de líquido morno tivesse descido por sua garganta até o estômago, aquecendo-o e lhe dando forças.

Ele inspirou profundamente e começou a contar. Enquanto falava, visões de tudo que se passara àquela noite pareciam desfilar diante de seus olhos; ele viu a superfície borbulhante da poção que revivera Voldemort; viu os Comensais da Morte aparatando entre os túmulos em volta deles; viu o corpo de Cedrico caído no chão ao lado da Taça.

Uma ou duas vezes, Sirius emitiu um som como se fosse falar alguma coisa, sua mão ainda apertando o ombro do afilhado, mas Dumbledore ergueu a mão para fazê-lo calar, e Harry se sentiu grato por isso, porque era mais fácil continuar agora que já começara. Era até um alívio; o garoto teve a sensação de que alguma coisa venenosa estava sendo extraída dele, custava-lhe toda a determinação que possuía continuar falando, contudo, ele percebia que, uma vez que tivesse terminado, iria se sentir melhor.

Quando Harry contou que Rabicho espetara seu braço com o punhal, porém, Sirius deixou escapar uma exclamação veemente; e Dumbledore se levantou tão depressa que Harry se assustou. O diretor deu a volta à escrivaninha e pediu a Harry que esticasse o braço. O garoto mostrou aos dois o lugar em que suas vestes estavam rasgadas e o corte sob as mesmas.

— Ele falou que o meu sangue o tornaria mais forte do que se usasse o de outro — disse Harry a Dumbledore. — Falou que a proteção que minha... minha mãe tinha deixado em mim seria dele, também. E estava certo, ele pôde me tocar sem se machucar, ele tocou o meu rosto.

Por um instante fugaz, Harry viu um brilho que lembrava triunfo nos olhos do diretor. Mas no segundo seguinte teve certeza de que imaginara, porque quando Dumbledore voltou à cadeira atrás da escrivaninha pareceu velho e cansado como Harry jamais o vira.

— Muito bem — disse ao se sentar. — Voldemort superou esta barreira. Continue, Harry, por favor.

Harry prosseguiu; explicou como Voldemort emergira do caldeirão e repetiu para eles tudo que conseguiu se lembrar do discurso do lorde aos Comensais da Morte. Então contou como Voldemort o desamarrara, devolvera sua varinha e se preparara para duelar.

Mas quando chegou à parte do raio de luz dourada que ligara sua varinha à de Voldemort ele descobriu que estava com a garganta embargada. Harry tentou continuar falando, mas as lembranças do que saíra da varinha do bruxo inundavam sua mente. Reviu Cedrico saindo, o velho, Berta Jorkins... sua mãe... seu pai...

Ele ficou feliz quando Sirius rompeu o silêncio.

— As varinhas se ligaram? — perguntou ele, olhando de Harry para Dumbledore. — Por quê?

Harry tornou a erguer os olhos para Dumbledore, em cujo rosto havia uma expressão tensa.

— *Priori Incantatem* — murmurou.

Seus olhos fitaram os de Harry e foi quase como se um raio invisível de compreensão passasse entre os dois.

— A reversão do feitiço? — perguntou Sirius, alerta.

— Exatamente — disse Dumbledore. — A varinha de Harry e a de Voldemort têm o mesmo cerne. Cada uma contém uma pena da cauda da mesma fênix. Com efeito, *desta* fênix — acrescentou ele, apontando para a ave vermelha e dourada, empoleirada tranquilamente no joelho de Harry.

— A pena da minha varinha veio de Fawkes? — perguntou Harry, admirado.

— Veio — disse Dumbledore. — O Sr. Olivaras me escreveu dizendo que você comprara a segunda varinha, no instante em que você saiu da loja dele, há quatro anos.

— Então o que acontece quando uma varinha encontra sua irmã? — perguntou Sirius.

— Elas não funcionam bem uma contra a outra. Se, no entanto, o dono de uma das varinhas forçar uma luta entre as varinhas... produzirá um efeito muito raro.

"Uma das varinhas forçará a outra a regurgitar os feitiços que realizou, na ordem inversa. O mais recente primeiro... depois os que o antecederam..."

O diretor olhou interrogativamente para Harry e o garoto confirmou com a cabeça.

— O que significa — disse Dumbledore lentamente, seus olhos no rosto de Harry — que alguma forma de Cedrico deve ter reaparecido.

Harry tornou a confirmar.

— Diggory voltou à vida? — perguntou Sirius abruptamente.

— Nenhum feitiço pode ressuscitar os mortos — disse Dumbledore em tom sentencioso. — Só o que pode ocorrer é uma espécie de eco inverso. Uma sombra do Cedrico vivente teria emergido da varinha... estou certo, Harry?

— Ele falou comigo — disse Harry. De repente o garoto voltou a tremer. — O... o fantasma de Cedrico, ou o que seja, falou.

— Um eco — disse Dumbledore — que reteve a aparência e o caráter de Cedrico. Imagino que outras formas semelhantes tenham aparecido... vítimas menos recentes da varinha de Voldemort...

— Um velho — respondeu Harry, com um aperto na garganta. — Berta Jorkins. E...

— Seus pais? — perguntou Dumbledore calmamente.

— Foi.

A mão de Sirius no ombro de Harry agora o apertava com tanta força que chegava a doer.

— As últimas mortes executadas pela varinha — confirmou Dumbledore com um aceno de cabeça. — Na ordem inversa. Mais teriam aparecido, é claro, se vocês continuassem a manter a ligação. Muito bem, Harry, esses ecos, essas sombras... que foi que elas fizeram?

O garoto descreveu como as figuras que haviam saído da varinha tinham ficado rondando o interior da teia dourada, como Voldemort pareceu temê-las, como a sombra do pai de Harry lhe disse o que fazer, como a de Cedrico fizera um último pedido.

Neste ponto, Harry descobriu que não conseguiria continuar. Olhou para Sirius e viu que o padrinho segurava o rosto nas mãos.

Harry de repente tomou consciência de que Fawkes deixara seu joelho. A ave voara para o chão. E descansou a bela cabeça na perna machucada do menino, grossas lágrimas peroladas caíram dos seus olhos sobre a ferida feita pela aranha. A dor desapareceu. A pele se recompôs. A perna ficou boa.

— Vou repetir mais uma vez — disse Dumbledore, quando a fênix levantou voo e tornou a se acomodar em seu poleiro junto à porta. — Esta noite você revelou uma bravura que ultrapassou o que eu teria esperado de você, Harry. Revelou uma bravura igual à daqueles que morreram combatendo Voldemort no auge do seu poder. Você carregou o fardo de um bruxo adulto e esteve à altura dele, e você agora nos deu tudo o que temos direito a esperar. Você vai me acompanhar à ala hospitalar. Não quero que volte para o dormitório esta noite. Uma Poção do Sono e algum sossego... Sirius, você gostaria de ficar com ele?

Sirius confirmou com a cabeça e se levantou. Tornou a se transformar no enorme cachorro preto e saiu com Harry e Dumbledore do escritório, acompanhando-os por um lance de escadas até a ala hospitalar.

Quando o diretor empurrou a porta, Harry viu a Sra. Weasley, Gui, Rony e Hermione reunidos em torno de uma atarantada Madame Pomfrey. Pareciam estar exigindo saber onde estava Harry e o que lhe acontecera.

Todos se viraram rapidamente quando Harry, Dumbledore e o cachorro preto entraram, e a Sra. Weasley deixou escapar um grito abafado:

— Harry! Ah, Harry!

Ela fez menção de correr para o garoto, mas Dumbledore se colocou entre os dois.

— Molly — disse ele, erguendo a mão —, por favor, ouça-me um momento. Harry passou uma provação terrível esta noite. Acabou de desabafá-la comigo. Do que ele precisa agora é de sono, paz e silêncio. Se ele quiser que vocês todos fiquem com ele — acrescentou o diretor, abrangendo com o olhar Rony, Hermione e Gui —, vocês podem ficar. Mas não quero que lhe façam perguntas até que ele esteja pronto para respondê-las e, certamente, não será hoje à noite.

A Sra. Weasley concordou com a cabeça. Estava muito pálida.

Ela se virou para Rony, Hermione e Gui, como se eles estivessem fazendo barulho, e sibilou:

— Vocês ouviram? Ele precisa de silêncio!

— Diretor — disse Madame Pomfrey, encarando o cachorro preto que era Sirius —, posso perguntar o que...

— Este cachorro vai ficar com Harry por algum tempo — disse Dumbledore com simplicidade. — Posso lhe assegurar que ele é muitíssimo bem treinado. Harry, vou esperar até você se deitar.

Harry sentiu uma inexprimível gratidão a Dumbledore por pedir aos outros que não lhe fizessem perguntas. Não é que não os quisesse ali; mas a ideia de explicar tudo mais uma vez, de reviver tudo mais uma vez, era mais do que ele poderia suportar.

— Voltarei para vê-lo assim que estiver com Fudge, Harry — disse Dumbledore. — Gostaria que você ficasse aqui amanhã também, até eu me dirigir à escola. — E saiu.

Quando Madame Pomfrey levou Harry a uma cama próxima, ele avistou o verdadeiro Moody deitado imóvel em uma cama no fundo da enfermaria. Sua perna de pau e o olho mágico estavam pousados na mesa de cabeceira.

— Ele está OK? — perguntou Harry.

— Ele vai ficar bom — respondeu Madame Pomfrey, entregando ao garoto um pijama e colocando os biombos à sua volta. Ele despiu as vestes, pôs o pijama e entrou na cama. Rony, Hermione, Gui, a Sra. Weasley e o cachorro preto contornaram o biombo e se sentaram em cadeiras dos lados da cama. Rony e Hermione espiaram o amigo quase cautelosamente, como se sentissem medo dele.

— Eu estou bem — disse Harry a eles. — Só cansado.

Os olhos da Sra. Weasley se encheram de lágrimas quando alisou as cobertas da cama sem a menor necessidade.

Madame Pomfrey, que acabara de sair apressada de sua sala, voltou segurando uma taça e um frasquinho contendo uma poção púrpura.

— Você vai precisar beber tudo isso, Harry. É uma poção para dormir sem sonhar.

O garoto tomou o cálice e bebeu alguns goles. Sentiu-se sonolento na mesma hora. Tudo ao seu redor ficou enevoado; as luzes na enfermaria pareceram piscar para ele de um jeito simpático através do biombo que circundava sua cama; ele teve a sensação de que seu corpo afundava cada vez mais no calor do edredom de penas. Antes que pudesse terminar a poção, antes que pudesse dizer mais alguma coisa, sua exaustão o adormeceu.

Harry acordou, tão quentinho, tão sonolento, que nem abriu os olhos, sentindo vontade de adormecer outra vez. A enfermaria continuava fracamente iluminada; acreditava que ainda era noite e tinha a impressão de que não poderia ter dormido muito tempo.

Então ouviu cochichos à sua volta.

— Vão acordá-lo se não calarem a boca!

— Por que é que estão gritando? Não pode ter acontecido mais nada ou pode?

Harry abriu os olhos borrados. Alguém tirara seus óculos. Viu os contornos difusos da Sra. Weasley e de Gui ali perto. A bruxa estava em pé.

— É a voz de Fudge — sussurrou ela. — E a outra é da Minerva McGonagall, não é? Mas por que estão discutindo?

Agora Harry os ouvia, também; gente gritando e correndo em direção à ala hospitalar.

— Lamentável, mas mesmo assim, Minerva... — dizia o ministro em voz alta.

— O senhor nunca deveria tê-lo trazido para o interior do castelo! — berrou a professora. — Quando Dumbledore descobrir...

Harry ouviu as portas da enfermaria se escancararem. Sem as pessoas ao redor de sua cama notarem, pois fixaram o olhar na porta quando Gui afastou os biombos, Harry se sentou e tornou a colocar os óculos.

Fudge entrou em grandes passadas pela enfermaria. Os Profs. McGonagall e Snape vinham em seus calcanhares.

— Onde está Dumbledore? — Fudge interpelou a Sra. Weasley.

— Não está aqui — disse a senhora, zangada. — Isto é uma enfermaria, ministro, o senhor não acha que faria melhor...

Mas a porta se abriu e Dumbledore entrou decidido.

— Que aconteceu? — perguntou energicamente, olhando de Fudge para McGonagall. — Por que estão incomodando estas pessoas? Minerva, você me surpreende, eu lhe pedi para ficar vigiando Bartô Crouch...

— Não há necessidade de vigiá-lo mais, Dumbledore! — gritou ela. — O ministro já providenciou isso!

Harry nunca vira a professora se descontrolar daquele jeito. Havia manchas vermelhas de raiva em seu rosto, as mãos estavam fechadas em punhos; ela tremia de fúria.

— Quando informei ao Sr. Fudge que tínhamos apanhado o Comensal da Morte responsável pelos acontecimentos desta noite — disse Snape, em voz baixa —, parece que ele achou que sua segurança pessoal estava ameaçada. Insistiu em chamar um dementador para acompanhá-lo até o castelo. Levou-o para a sala em que Bartô Crouch...

— Avisei a ele que você não concordaria, Dumbledore! — vociferou a Prof.ª Minerva. — Avisei a ele que você não permitiria que dementadores entrassem no castelo, mas...

— Minha cara senhora! — rugiu Fudge, que parecia igualmente mais zangado do que Harry jamais o vira. — Como ministro da Magia, sou eu quem decide se quero trazer uma proteção pessoal quando vou entrevistar alguém possivelmente perigoso...

Mas a voz da Prof.ª McGonagall abafou a de Fudge.

— No momento em que aquela... aquela coisa entrou na sala — berrou ela, apontando para Fudge, o corpo todo tremendo — o dementador avançou para Crouch e... e...

Harry sentiu um frio no estômago, enquanto a professora procurava encontrar palavras para descrever o que acontecera. Harry não precisou que ela terminasse a frase. Sabia o que o dementador devia ter feito. Aplicara o beijo fatal em Bartô Crouch. Sugara a alma do rapaz pela boca. Ele estava pior do que morto.

— Pelo que todos dizem, não se perdeu nada! — vociferou Fudge. — Ele parece ter sido responsável por várias mortes!

— Mas ele agora não pode prestar depoimento, Cornélio — disse Dumbledore, encarando Fudge com insistência, como se o visse direito pela primeira vez. — Ele não pode testemunhar por que matou essas pessoas.

— Por que ele as matou? Ora, isso não é mistério, é? — esbravejou o ministro. — Ele é doido de pedra! Pelo que Severo e Minerva me disseram, ele parecia pensar que tinha feito tudo isso seguindo instruções de Você-Sabe-Quem!

— E ele *estava* seguindo instruções de Lorde Voldemort, Cornélio — respondeu Dumbledore. — A morte dessas pessoas foi apenas um produto secundário do plano para restaurar as forças de Voldemort. O plano foi bem-sucedido. Voldemort recuperou seu corpo.

Fudge parecia ter levado uma pancada violenta no rosto. Atordoado e piscando, ele olhou para Dumbledore como se não conseguisse acreditar no que acabara de ouvir.

Começou a balbuciar, ainda de olhos arregalados para o diretor.

— Você-Sabe-Quem... retornou? Absurdo. Ora, vamos, Dumbledore...

— Conforme Minerva e Severo sem dúvida lhe contaram, ouvimos Bartô Crouch confessar. Sob a influência do *Veritaserum*, ele nos disse como foi contrabandeado para fora de Azkaban e como Voldemort, tendo sabido por Berta Jorkins que ele continuava vivo, foi libertá-lo da guarda do pai, e usou-o para capturar Harry. O plano funcionou, posso lhe garantir. Crouch ajudou Voldemort a retornar.

— Olhe aqui, Dumbledore — disse Fudge, e Harry ficou espantado de ver o sorrisinho que apareceu no rosto do ministro —, você... você não acredita seriamente nisso. Você-Sabe-Quem voltou? Ora, vamos, ora, vamos... com certeza Crouch deve ter *acreditado* que estava agindo sob as ordens de Você-Sabe-Quem, mas aceitar a palavra de um doido daqueles, Dumbledore...

— Quando Harry tocou na Taça Tribruxo esta noite, ele foi transportado diretamente até Voldemort — disse Dumbledore com firmeza. — Ele presenciou o renascimento de Lorde Voldemort. Explicarei tudo a você se quiser vir ao meu escritório.

Dumbledore olhou para Harry e viu que o garoto estava acordado, mas sacudiu a cabeça e disse:

— Receio que não possa permitir que você interrogue Harry hoje.

O curioso sorriso de Fudge perdurou.

Ele também olhou para Harry, depois se voltou para Dumbledore:

— Você está... hum... disposto a aceitar a palavra de Harry neste caso, Dumbledore?

Houve um momento de silêncio, interrompido por um rosnado de Sirius. Tinha os pelos do pescoço em pé e seus dentes se arreganharam para Fudge.

— Certamente que acredito em Harry — disse Dumbledore. Seus olhos brilharam de fúria. — Ouvi a confissão de Crouch e ouvi o relato de Harry sobre o que aconteceu quando ele tocou a Taça Tribruxo; as duas histórias fazem sentido, explicam tudo que tem acontecido desde que Berta Jorkins desapareceu no verão passado.

Fudge ainda conservava aquele sorriso estranho no rosto. Olhou mais uma vez para Harry antes de responder.

— Você está disposto a acreditar que Lorde Voldemort voltou, porque assim dizem um assassino louco e um garoto que... bem...

Fudge lançou a Harry mais um olhar, e o garoto subitamente compreendeu.

— O senhor tem andado lendo Rita Skeeter, Sr. Fudge — disse ele calmamente.

Rony, Hermione, a Sra. Weasley e Gui, todos se assustaram. Nenhum deles percebera que Harry estava acordado.

Fudge corou ligeiramente, mas surgiu em seu rosto uma expressão de desafio e obstinação.

— E se tiver? — perguntou, fitando Dumbledore. — E se descobri que você me tem ocultado certos fatos sobre o garoto? Ofidioglota, é? E tem desmaios esquisitos a toda hora?...

— Presumo que você esteja se referindo às dores que Harry tem sentido na cicatriz? — perguntou Dumbledore friamente.

— Você admite que ele tem tido dores, então? — perguntou Fudge depressa. — Dores de cabeça? Pesadelos? Possivelmente... alucinações?

— Escute aqui, Cornélio — disse Dumbledore dando um passo para perto de Fudge, e mais uma vez parecendo irradiar aquela indefinível aura de poder que Harry sentira quando estuporou o jovem Crouch. — Harry é tão mentalmente são quanto eu ou você. Aquela cicatriz na testa não afetou o cérebro dele. Acredito que doa quando Lorde Voldemort está por perto ou experimente sentimentos assassinos.

Fudge se afastara meio passo de Dumbledore, mas não parecia menos obstinado.

— Você vai me perdoar, Dumbledore, mas nunca ouvi falar em uma cicatriz deixada por um feitiço funcionar como uma campainha de alarme antes...

— Olhe, eu vi Voldemort ressurgir! — gritou Harry. Ele tentou novamente se levantar da cama, mas a Sra. Weasley forçou-o a deitar. — Eu vi os Comensais da Morte! Posso dar os nomes! Lúcio Malfoy...

Snape fez um movimento repentino, mas quando Harry se virou o olhar do professor retornara a Fudge.

— Malfoy foi inocentado! — disse Fudge, visivelmente afrontado. — Uma família muito antiga, doações para causas excelentes...

— Mcnair! — continuou Harry.

— Também inocentado! Agora trabalha para o Ministério!

— Avery, Nott, Crabbe, Goyle.

— Você está apenas repetindo os nomes dos que foram absolvidos da acusação de serem Comensais da Morte há treze anos! — disse Fudge, zangado. — Poderia ter achado esses nomes em relatórios antigos sobre os julgamentos! Pelo amor de Deus, Dumbledore, o garoto esteve com a cabeça cheia de histórias malucas no fim do ano passado, também, as invencionices dele estão cada vez mais mirabolantes, e você continua a engoli-las, o garoto é capaz de falar com cobras, Dumbledore, e você ainda acha que ele merece confiança?

— Seu tolo! — exclamou a Prof.ª McGonagall. — Cedrico Diggory! O Sr. Crouch! Estas mortes não foram o trabalho aleatório de um doido!

— Não vejo nenhuma evidência em contrário! — gritou Fudge agora equiparando sua raiva à da professora, o rosto roxo. — Parece-me que vocês estão decididos a começar uma onda de pânico que irá desestabilizar tudo pelo que trabalhamos nesses últimos treze anos!

Harry não conseguiu acreditar no que estava ouvindo. Sempre pensara em Fudge como uma pessoa bondosa, um pouco espalhafatosa, um pouco pomposa, mas de índole essencialmente boa. Mas agora via à sua frente um bruxo baixo e furioso, que se recusava terminantemente a aceitar a perspectiva de um esfacelamento do seu mundo confortável e ordeiro — a acreditar que Voldemort pudesse ter ressurgido.

— Voldemort retornou — repetiu Dumbledore. — Se você aceitar imediatamente este fato, Fudge, e tomar as medidas necessárias, talvez ainda possamos salvar a situação. O primeiro passo, e o mais essencial, é retirar Azkaban do controle dos dementadores...

— Que despropósito! — gritou outra vez Fudge. — Retirar os dementadores! Eu seria chutado do Ministério se sugerisse uma coisa dessas! Metade da população só se sente segura quando se deita à noite porque sabe que os dementadores estão guardando Azkaban!

— A outra metade não dorme tão bem, Cornélio, porque sabe que você deixou os seguidores mais perigosos de Lorde Voldemort aos cuidados de criaturas que irão se juntar a ele no momento em que ele pedir! — retorquiu Dumbledore. — Eles não irão permanecer leais a você, Fudge! Voldemort pode oferecer um espaço muito maior para os poderes e prazeres deles do que você! Com os dementadores a apoiá-lo, e a volta dos seus antigos seguidores, você vai ter muita dificuldade para impedi-lo de reconquistar o poder que tinha há treze anos!

Fudge abria e fechava a boca como se não tivesse palavras para expressar sua indignação.

— A segunda medida que você precisa tomar, e imediatamente — continuou Dumbledore —, é mandar enviados aos gigantes.

— Enviados aos gigantes! — gritou o ministro em tom agudo, afinal recuperando a fala. — Que loucura é essa?

— Estenda-lhes a mão da amizade, agora, antes que seja tarde demais ou Voldemort irá persuadi-los, como já fez antes, que somente ele entre os bruxos concederá aos gigantes direitos e liberdade!

— Você... você não pode estar falando sério! — exclamou Fudge, sacudindo a cabeça e se afastando um pouco mais de Dumbledore. — Se a comunidade mágica ouvir falar que eu procurei os gigantes, as pessoas os odeiam, Dumbledore... a minha carreira termina...

— Você está cego de amor — disse Dumbledore, sua voz elevando-se agora, a aura de poder palpável ao seu redor, seus olhos mais uma vez esbraseados — pelo cargo que ocupa, Cornélio! Você atribui demasiada importância, como sempre fez, à chamada pureza do sangue! Você não consegue reconhecer que não faz diferença quem a pessoa é ao nascer, mas o que ela vai ser ao crescer! O seu dementador acabou de destruir o último membro de uma família de sangue puro tão antiga quanto a de outros, e veja em que foi que ele transformou a própria vida! Digo-lhe agora, tome as medidas que sugeri e você será lembrado, no cargo ou fora dele, como um dos ministros da Magia mais corajosos e sábios que já conhecemos. Não faça nada, e a história irá lembrá-lo como o homem que se omitiu e permitiu que Voldemort tivesse uma segunda oportunidade de destruir o mundo que tentamos reconstruir!

— Está maluco — sussurrou Fudge, ainda se afastando. — Enlouqueceu...

E então todos se calaram. Madame Pomfrey estava postada, imóvel aos pés da cama de Harry, as mãos cobrindo a boca. A Sra. Weasley continuava curvada para Harry, a mão no ombro do garoto para impedi-lo de se levantar. Gui, Rony e Hermione tinham os olhos arregalados para Fudge.

– Se a sua determinação de fechar os olhos levou você a esse ponto, Cornélio – disse Dumbledore –, chegou o momento em que os nossos caminhos se separam. Você fará o que acha que deve. E eu agirei como acho que devo.

A voz de Dumbledore não continha sequer uma sugestão de ameaça; parecia fazer uma simples constatação, mas Fudge se encrespou como se Dumbledore estivesse avançando para ele com a varinha em punho.

– Agora, escute aqui, Dumbledore – disse sacudindo o dedo na cara do diretor. – Eu sempre o deixei agir livremente. Tenho muito respeito por você. Posso não ter concordado com algumas de suas decisões, mas fiquei calado. Não existe muita gente que deixaria você contratar lobisomens ou manter Hagrid ou decidir o que ensinar aos seus alunos, sem consultar o Ministério. Mas se você vai trabalhar contra mim...

– A única pessoa contra quem pretendo trabalhar é Lorde Voldemort. Se você é contra ele, então continuamos, Cornélio, do mesmo lado.

Aparentemente Fudge não conseguiu pensar que resposta dar a Dumbledore. Balançou-se para a frente e para trás sobre os pés diminutos por um momento, girando o chapéu-coco nas mãos.

Finalmente, disse, com um quê de súplica na voz:

– Ele não pode estar de volta, Dumbledore, simplesmente não pode...

Snape se adiantou, passou por Dumbledore, ao mesmo tempo que levantava a manga esquerda de suas vestes. Esticou o braço e mostrou-o a Fudge, que se retraiu.

– Olhe – disse Snape asperamente. – Olhe. A Marca Negra. Não está tão nítida quanto estava há pouco mais de uma hora, quando ficou bem escura, mas o senhor ainda pode vê-la. O Lorde das Trevas marcou com este sinal todos os Comensais da Morte. Era uma maneira de nos reconhecermos e um meio de nos convocar à presença dele. Quando ele tocava a Marca de qualquer comensal, devíamos desaparatar e aparatar instantaneamente ao seu lado. A Marca se tornou mais nítida durante esse ano. A de Karkaroff também. Por que o senhor acha que o professor fugiu esta noite? Nós dois sentimos a Marca queimar. Nós dois sabíamos que ele havia voltado. Karkaroff teme a vingança do Lorde das Trevas. Ele traiu muitos companheiros comensais para ter ilusões de ser bem recebido no seio do rebanho.

Fudge recuou para longe de Snape, também. Sacudiu a cabeça. Não parecia ter absorvido uma única palavra do que Snape dissera. Olhava, aparentemente repugnado, para a feia Marca no braço de Snape, depois ergueu os olhos para Dumbledore e murmurou:

— Não sei do que você e seus professores estão brincando, Dumbledore, mas já ouvi o bastante. Não tenho nada a acrescentar. Entro em contato com você amanhã para discutirmos a administração da escola. Preciso voltar ao Ministério.

Já chegara quase à porta quando parou. Virou-se, voltou para a enfermaria e se deteve junto à cama de Harry.

— Seu prêmio – disse brevemente, tirando uma grande bolsa de ouro do bolso e largando-a na mesa de cabeceira do garoto. – Mil galeões. Deveria ter havido uma cerimônia de premiação, mas nas circunstâncias...

E enfiando seu chapéu-coco na cabeça ele saiu da enfermaria, batendo a porta ao passar. No instante em que desapareceu, Dumbledore se voltou para o grupo ao redor da cama de Harry.

— Temos trabalho a fazer – disse. – Molly... estou certo em pensar que posso contar com você e Arthur?

— Claro que pode – disse a Sra. Weasley. Estava pálida até nos lábios, mas parecia decidida. – Ele sabe quem Fudge é. É a afeição de Arthur por trouxas que o tem mantido no Ministério todos esses anos. O ministro acha que falta a ele o orgulho que espera de um bruxo.

— Então preciso mandar uma mensagem a ele – disse Dumbledore. – Todos os que pudermos persuadir da verdade devem ser avisados imediatamente, e Arthur está bem colocado para entrar em contato com as pessoas no Ministério que não sejam tão míopes quanto o Cornélio.

— Vou procurar papai – disse Gui, levantando-se. – Vou agora.

— Excelente – exclamou Dumbledore. – Diga-lhe o que aconteceu. Diga-lhe que entrarei em contato com ele em breve. Mas que ele precisa ser discreto. Se Fudge achar que estou interferindo no Ministério...

— Pode deixar comigo – disse Gui.

O rapaz deu uma palmadinha no ombro de Harry, beijou a mãe no rosto, vestiu a capa e saiu rapidamente da enfermaria.

— Minerva – disse Dumbledore virando-se para a Profª McGonagall –, quero ver Hagrid no meu escritório o mais depressa possível. E também, se ela concordar em vir, Madame Maxime.

A professora aquiesceu com um aceno de cabeça e saiu sem dizer nada.

— Papoula – disse Dumbledore a Madame Pomfrey –, será que você me faria a gentileza de ir à sala do Prof. Moody, onde acho que encontrará lá um elfo doméstico chamado Winky em grande sofrimento? Faça o que puder por ela e leve-a de volta à cozinha. Acho que Dobby cuidará dela para nós.

— Claro... claro que sim — respondeu a enfermeira, parecendo espantada, e ela também saiu.

Dumbledore certificou-se de que a porta estava trancada e que o ruído dos passos de Madame Pomfrey tinha morrido na distância, antes de tornar a falar.

— E agora — disse ele — está na hora de duas pessoas deste grupo se reconhecerem pelo que são. Sirius... se puder retomar sua forma habitual.

O cachorrão preto ergueu a cabeça para o diretor, depois, num segundo, voltou a ser homem.

A Sra. Weasley gritou e se afastou da cama.

— Sirius Black! — tornou a gritar ela com voz aguda, apontando para o bruxo.

— Mamãe, cala a boca! — berrou Rony. — Está tudo bem!

Snape não gritara nem saltara para trás, mas a expressão do seu rosto era uma mescla de fúria e horror.

— Ele! — rosnou o professor, arregalando os olhos para Sirius, cujo rosto exprimia igual desagrado. — Que é que ele está fazendo aqui?

— Está aqui a meu convite — disse Dumbledore, olhando para ambos — como você, Severo. Confio nos dois. Está na hora de porem de lado as velhas diferenças e confiarem um no outro.

Harry achou que Dumbledore estava pedindo quase um milagre. Sirius e Snape se entreolhavam com a maior repugnância.

— Aceitarei, a curto prazo — disse Dumbledore, com uma certa impaciência na voz —, que suspendam as hostilidades ostensivas. Os dois apertem as mãos. Estão do mesmo lado agora. O tempo é curto e, a não ser que os poucos de nós que conhecem a verdade se mantenham unidos, não haverá esperança para ninguém.

Muito devagar — mas ainda se olhando feio como se não desejassem um ao outro se não o mal — Sirius e Snape se aproximaram e apertaram as mãos. Mas as soltaram bem rápido.

— Já é o bastante para começar — disse o diretor se interpondo aos dois homens mais uma vez. — Agora tenho trabalho para cada um de vocês. A atitude de Fudge, embora não seja inesperada, muda tudo, Sirius. Preciso que você comece imediatamente. Alerte Remo Lupin, Arabella Figg, Mundungo Fletcher, a turma antiga. Fique escondido com Lupin por enquanto, entrarei em contato com você lá.

— Mas... — começou Harry.

O garoto queria que Sirius ficasse. Não queria dizer adeus novamente tão depressa.

— Você voltará a me ver em breve, Harry — disse Sirius, virando-se para o afilhado. — Prometo. Mas preciso fazer o que posso, você compreende, não?

— Claro. Claro... que sim.

Sirius apertou a mão de Harry brevemente, se despediu de Dumbledore com um aceno da cabeça, voltou a se transformar em cachorro preto e correu para a porta, cuja maçaneta abriu com a pata. Então desapareceu.

— Severo — disse Dumbledore, voltando-se para Snape —, você sabe o que preciso lhe pedir para fazer. Se estiver disposto... se estiver preparado...

— Estou — disse Snape.

O professor parecia um pouco mais pálido do que o habitual, e seus olhos frios e pretos brilharam estranhamente.

— Então, boa sorte — e o diretor acompanhou, com certa apreensão no rosto, Snape partir em seguida a Sirius sem dizer palavra.

Passaram-se vários minutos até Dumbledore tornar a falar.

— Preciso ir lá embaixo — disse finalmente. — Preciso ver os Diggory. Harry, tome o resto da sua poção. Verei todos vocês mais tarde.

Harry se deixou cair nos travesseiros enquanto Dumbledore desaparecia. Hermione, Rony e a Sra. Weasley ficaram olhando para o garoto. Nenhum deles falou durante muito tempo.

— Você tem que tomar o resto da sua poção, Harry — disse finalmente a Sra. Weasley. Ao apanhar o frasco e a taça, ela bateu com a mão no saco de ouro à mesa de cabeceira. — Durma bastante. Tente pensar em outra coisa por um tempo... pense no que vai comprar com o seu prêmio!

— Não quero esse ouro — falou Harry com a voz sem emoção. — Pode ficar com ele. Qualquer um pode ficar com ele. Eu não deveria ter ganhado Deveria ter sido de Cedrico.

A coisa contra a qual ele estivera lutando intermitentemente, desde que saíra do labirinto, ameaçava engolfá-lo. Sentiu uma ardência, um formigamento nos cantos internos dos olhos. Ele piscou e ficou encarando o teto.

— Não foi sua culpa, Harry — sussurrou a Sra. Weasley.

— Eu disse a ele que apanhasse a Taça comigo.

Agora a sensação de ardência passara à garganta, também. Ele desejou que Rony olhasse para outro lado.

A Sra. Weasley deixou a poção em cima da mesinha, abaixou-se e passou os braços em volta de Harry. O garoto não tinha lembrança de jamais ter sido abraçado assim, como faria uma mãe. Todo o peso do que vira aquela noite pareceu desabar sobre ele quando a Sra. Weasley o apertou contra o peito. O rosto de sua mãe, a voz de seu pai, a visão de Cedrico morto no chão, tudo começou a girar em sua cabeça até ele não conseguir mais aguentar, até seu rosto se contrair todo para conter o uivo de infelicidade que lutava para escapar de dentro dele.

Ouviu-se uma pancada e a Sra. Weasley e Harry se separaram. Hermione estava parada junto à janela. Apertava alguma coisa com força na mão.

– Desculpem – sussurrou.

– Sua poção, Harry – disse a Sra. Weasley depressa, enxugando os olhos com as costas da mão.

Harry bebeu a poção de um só gole. O efeito foi instantâneo. Ondas pesadas e irresistíveis de sono sem sonhos o envolveram, ele tombou sobre os travesseiros e não pensou mais.

37

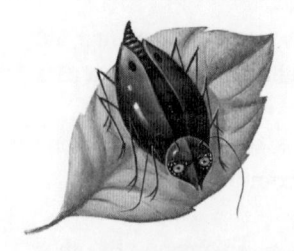

O COMEÇO

Quando relembrou os acontecimentos, mesmo um mês depois, Harry descobriu que havia pouco a se lembrar dos dias que se sucederam. Era como se ele tivesse passado por coisas em excesso para poder absorver mais alguma. As lembranças que guardara eram muito dolorosas. A pior talvez tivesse sido o encontro com os Diggory, que ocorreu na manhã seguinte.

Eles não o culparam pelo que acontecera; pelo contrário, ambos lhe agradeceram por ter trazido o corpo do filho de volta. O Sr. Diggory soluçou a maior parte da entrevista. A dor da Sra. Diggory parecia ter ultrapassado o consolo das lágrimas.

— Ele sofreu pouco, então — disse ela, depois que Harry lhe contou como Cedrico havia morrido. — Afinal, Amos... ele morreu no momento em que venceu o torneio. Devia estar muito feliz.

Ao se levantarem, ela olhou para Harry e disse:

— Cuide-se bem.

Harry apanhou o saco de ouro na mesa de cabeceira.

— Podem levar — murmurou para a senhora. — Deveria ter sido de Cedrico, ele chegou à Taça primeiro, levem...

Mas ela se afastou dele.

— Ah, não, é seu, querido, não poderíamos... fique para você.

Harry voltou à Torre da Grifinória na noite seguinte. Pelo que Hermione e Rony lhe contaram, Dumbledore se dirigira à escola naquela manhã, ao café. Pedira apenas que deixassem Harry em paz, que ninguém lhe fizesse perguntas nem o aborrecesse pedindo que contasse o que acontecera no labirinto. A maioria dos colegas, reparou Harry, estava lhe dando distância nos corredores, evitando olhá-lo. Alguns cochichavam tampando a boca com as mãos quando o garoto passava. Ele imaginou que muitos teriam acreditado no artigo de Rita Skeeter sobre sua perturbação mental e a possibilidade de ser perigoso. Talvez estivessem formulando as próprias teorias sobre a morte de Cedrico. Ele descobriu que não fazia muita diferença. Gostava mais quando estava com Rony e Hermione e conversavam de outras coisas ou então eles o deixavam ficar calado enquanto jogavam xadrez. Sentia que os três haviam chegado a um entendimento que não precisava ser expresso com palavras; que cada um estava à espera de um sinal, uma palavra, sobre o que estava acontecendo fora dos muros de Hogwarts – e que era inútil especular até que soubessem de alguma coisa ao certo. A única vez em que tocaram no assunto foi quando Rony contou a Harry sobre o encontro que a Sra. Weasley tivera com Dumbledore antes de voltar para casa.

– Ela foi perguntar ao diretor se você poderia ir direto para nossa casa no verão. Mas o diretor quer que você vá para a casa dos Dursley, pelo menos no começo.

– Por quê? – perguntou Harry.

– Ela disse que Dumbledore tem lá as razões dele – explicou Rony, balançando a cabeça sombriamente. – Suponho que temos de confiar nele, não é?

A única pessoa além de Rony e Hermione com quem Harry se sentia capaz de falar era Hagrid. E como não havia mais professor de Defesa Contra as Artes das Trevas, tinham o tempo dessa aula livre. Usaram o da tarde de quinta-feira para visitar Hagrid em casa. Fazia um dia claro e ensolarado; Canino saltou pela porta aberta quando eles se aproximaram, latindo e abanando o rabo feito louco.

– Quem está aí? – perguntou Hagrid chegando até a porta. – *Harry!*

E saiu ao encontro dos garotos, puxando Harry para um abraço com uma das mãos e despenteando os cabelos dele com a outra disse:

– Que bom ver você, companheiro. Que bom ver você.

Os três viram duas xícaras do tamanho de baldes sobre a mesa de madeira diante da lareira quando entraram na cabana.

– Tomando uma xícara de chá com Olímpia – disse Hagrid –, ela acabou de sair.

– Quem? – perguntou Rony, curioso.

– Madame Maxime, é claro! – explicou Hagrid.

– Vocês dois fizeram as pazes, então? – perguntou Rony.

– Não sei do que você está falando – disse Hagrid com displicência, indo buscar mais xícaras na cômoda. Depois de preparar o chá e oferecer um prato de biscoitos massudos, ele se sentou e examinou Harry mais de perto com aqueles seus olhos de besouros pretos.

"Você está bem?", perguntou, rouco.

— Tô.

— Não, não está. Claro que não está. Mas vai ficar.

Harry não respondeu nada.

— Eu sabia que ele ia voltar — disse Hagrid, e Harry, Rony e Hermione olharam para ele chocados. — Sei há anos, Harry. Sabia que estava lá fora, esperando a hora. Tinha que acontecer. Bom, agora aconteceu, e vamos ter de conviver com isso. Vamos lutar. Talvez a gente consiga deter o homem antes que ele se firme. Pelo menos esse é o plano de Dumbledore. Grande homem. Dumbledore. Enquanto contarmos com ele, não estou muito preocupado.

Hagrid ergueu as sobrancelhas espessas ao ver a expressão de incredulidade nos rostos dos garotos.

— Não adianta a gente ficar sentado se preocupando. O que tiver que ser será, e nós o enfrentaremos quando vier. Dumbledore me contou o que você fez, Harry.

O peito de Hagrid inchou ao fitar Harry.

— Você fez tanto quanto o seu pai teria feito e não posso lhe fazer elogio maior.

Harry retribuiu o sorriso do amigo. Era a primeira vez que sorria em dias.

— Que foi que Dumbledore lhe pediu para fazer, Hagrid? — perguntou o garoto. — Ele mandou a Profª Minerva convidar você e Madame Maxime para irem à sala dele... naquela noite.

— Tem um trabalhinho para mim durante o verão — disse Hagrid. — Mas é segredo. Não tenho licença para falar, nem para vocês. Olímpia, Madame Maxime para vocês, talvez vá comigo. Acho que irá. Acho que a convenci.

— Tem ligação com Voldemort?

Hagrid fez uma careta ao ouvir aquele nome.

— Talvez — respondeu evasivamente. — Agora... quem gostaria de visitar o último explosivim comigo? Brincadeirinha, brincadeirinha! — acrescentou ele depressa, ao ver a cara dos garotos.

Foi com uma opressão no peito que Harry arrumou seu malão no dormitório, na véspera do seu regresso à rua dos Alfeneiros. Estava com medo da Festa de Despedida, que normalmente era motivo de comemoração, pois nela anunciavam o vencedor do campeonato entre as Casas. Ele andava evitando o Salão Principal quando estava cheio, desde que deixara a ala hospitalar, dando preferência a comer quando ficava quase vazio, para evitar os olhares dos colegas.

Quando ele, Rony e Hermione entraram no salão, notaram imediatamente que não havia as decorações de costume. O Salão Principal em geral era enfeitado com as cores da Casa vencedora na Festa de Despedida. Esta noite, no entanto, havia panos pretos na parede ao fundo onde ficava a mesa dos professores. Harry percebeu instantaneamente que eram um sinal de respeito por Cedrico.

O verdadeiro Olho-Tonto Moody estava à mesa, a perna de pau e o olho mágico nos lugares. Mostrava-se extremamente inquieto e assustadiço todas as vezes que alguém lhe falava. Harry não pôde culpá-lo; o medo que Moody tinha de ser atacado com certeza havia crescido depois de ficar preso no seu próprio malão durante dez meses. O lugar do Prof. Karkaroff estava vazio. Harry se perguntou, ao sentar-se com os colegas da Grifinória, onde andaria o bruxo; se Voldemort já o teria alcançado.

Madame Maxime continuava em Hogwarts. Estava sentada ao lado de Hagrid. Falavam entre si baixinho. Mais adiante na mesa, ao lado da Prof.ª McGonagall, estava Snape. Seus olhos se demoraram em Harry por um momento quando o garoto olhou em sua direção. Sua expressão era difícil de traduzir. Parecia tão amargurado e desagradável como sempre. Harry continuou a observá-lo muito depois do professor ter desviado o olhar.

Que será que Snape fizera por ordem de Dumbledore, na noite em que Voldemort ressurgira? E por que... *por que*... Dumbledore tinha tanta convicção de que Snape estava realmente do lado deles? Espionara para eles, dissera Dumbledore na Penseira. "Snape espionara Voldemort correndo grandes riscos pessoais." Seria essa a tarefa que retomara? Teria feito contato com os Comensais da Morte, talvez? Fingira que jamais se passara realmente para o lado de Dumbledore, que estivera, a exemplo do próprio Voldemort, aguardando sua hora?

As indagações de Harry foram interrompidas pelo Prof. Dumbledore, que se levantou à mesa dos professores. O Salão Principal, que por sinal tinha estado menos barulhento do que costumava ser em uma Festa de Despedida, ficou muito silencioso.

– O fim – disse Dumbledore olhando para todos – de mais um ano.

Ele fez uma pausa e seu olhar pousou na mesa da Lufa-Lufa. A mais silenciosa de todas antes do diretor se levantar, e continuava a ser a mais triste e de rostos mais pálidos do salão.

– Há muita coisa que eu gostaria de dizer a todos vocês esta noite, mas, primeiro, quero lembrar a perda de uma excelente pessoa, que deveria estar sentado aqui – ele fez um gesto em direção à mesa da Lufa-Lufa –, festejando conosco. Eu gostaria que todos os presentes, por favor, se levantassem e fizessem um brinde a Cedrico Diggory.

Todos obedeceram; os bancos se arrastaram e os alunos no salão se levantaram e ergueram seus cálices e ouviu-se um eco uníssono, alto, grave e ressonante: Cedrico Diggory.

De relance, Harry viu Cho entre os colegas. Havia lágrimas silenciosas correndo pelo seu rosto. Ele baixou os olhos para a própria mesa quando todos tornaram a se sentar.

— Cedrico era o aluno que exemplificava muitas das qualidades que distinguem a Casa da Lufa-Lufa — continuou Dumbledore. — Era um amigo bom e leal, uma pessoa aplicada, valorizava o jogo limpo. Sua morte afetou a todos, quer vocês o conhecessem bem ou não. Portanto, creio que vocês têm o direito de saber exatamente como aconteceu.

Harry ergueu a cabeça e encarou Dumbledore.

— Cedrico Diggory foi morto por Lorde Voldemort.

Um murmúrio de pânico varreu o Salão Principal. As pessoas olharam para Dumbledore incrédulas, horrorizadas. Ele parecia perfeitamente calmo ao observar os presentes até pararem de murmurar.

— O ministro da Magia — continuou Dumbledore — não quer que eu lhes diga isto. É possível que alguns pais se horrorizem com o que acabo de fazer, ou porque não acreditam que Lorde Voldemort tenha ressurgido ou porque acham que eu não deva lhes informar isto por serem demasiado jovens. Creio, no entanto, que a verdade é, em geral, preferível às mentiras, e qualquer tentativa de fingir que Cedrico Diggory morreu em consequência de um acidente ou de algum erro que cometeu é um insulto à sua memória.

Atordoados e temerosos, cada rosto no salão voltava-se para Dumbledore agora... ou quase todos. Na mesa da Sonserina, Harry viu Draco Malfoy cochichar alguma coisa para Crabbe e Goyle. O garoto sentiu no estômago um espasmo nauseante e quente de raiva. Forçou-se a olhar para Dumbledore.

— Há mais alguém que deve ser mencionado com relação à morte de Cedrico — continuou Dumbledore. — Estou me referindo, naturalmente, a Harry Potter.

Um murmúrio atravessou o salão e algumas cabeças se viraram em direção ao garoto antes de tornarem a fitar Dumbledore.

— Harry Potter conseguiu escapar de Lorde Voldemort. E arriscou a própria vida para trazer o corpo de Cedrico de volta a Hogwarts. Ele demonstrou, sob todos os aspectos, uma bravura que poucos bruxos jamais demonstraram diante de Lorde Voldemort e, por isso, eu o homenageio.

Dumbledore virou-se solenemente para Harry e ergueu sua taça mais uma vez. Quase todos os presentes no Salão Principal seguiram seu exemplo. E murmuraram seu nome, conforme tinham murmurado o de Cedrico, e beberam em sua homenagem. Mas, por uma brecha entre os que estavam de pé, Harry viu que Malfoy, Crabbe, Goyle e muitos alunos da Sonserina, num gesto de desafio, tinham permanecido sentados, os cálices intocados. Dumbledore, que afinal de contas não possuía olhos mágicos, não os viu.

Quando todos se sentaram mais uma vez, o diretor continuou:

– O objetivo do Torneio Tribruxo era aprofundar e promover o entendimento no mundo mágico. À luz do que aconteceu, o ressurgimento de Lorde Voldemort, esses laços se tornam mais importantes do que nunca.

O olhar do diretor foi de Madame Maxime e Hagrid a Fleur Delacour e seus colegas de Beauxbatons, daí para Krum e os alunos de Durmstrang à mesa da Sonserina. Krum, Harry observou, parecia preocupado, quase temeroso, como se esperasse Dumbledore dizer alguma coisa desagradável.

– Cada convidado neste salão – disse o diretor e seu olhar se demorou nos alunos de Durmstrang – será bem-vindo se algum dia quiser voltar para cá. Repito a todos, à luz do ressurgimento de Lorde Voldemort, seremos tão fortes quanto formos unidos e tão fracos quanto formos desunidos.

"O talento de Lorde Voldemort para disseminar a desarmonia e a inimizade é muito grande. Só podemos combatê-lo mostrando uma ligação igualmente forte de amizade e confiança. As diferenças de costumes e língua não significam nada se os nossos objetivos forem os mesmos e os nossos corações forem receptivos.

"Creio – e nunca tive tanta esperança de estar enganado – que estamos diante de tempos sombrios e difíceis. Alguns de vocês, neste salão, já sofreram diretamente nas mãos de Lorde Voldemort. As famílias de muitos já foram despedaçadas. Há apenas uma semana, um aluno foi levado do nosso meio.

"Lembrem-se de Cedrico Diggory. Lembrem-se, se chegar a hora de terem de escolher entre o que é certo e o que é fácil, lembrem-se do que aconteceu com um rapaz que era bom, generoso e corajoso, porque ele cruzou o caminho de Lorde Voldemort. Lembrem-se de Cedrico Diggory."

O malão de Harry estava pronto; Edwiges, presa na gaiola em cima do malão. Harry, Rony e Hermione aguardavam no saguão de entrada lotado, com os demais alunos do quarto ano, as carruagens que deviam levá-los à estação de Hogsmeade. Fazia mais um belo dia de verão. Harry supôs que a rua dos Alfeneiros estaria quente e cheia de folhas, os canteiros de flores em uma profusão de cores, quando ele chegasse lá à noite. O pensamento não lhe trouxe prazer algum.

— Arry!

Ele olhou. Fleur Delacour vinha entrando no castelo correndo. Para além da garota, lá longe no jardim, Harry viu Hagrid ajudando Madame Maxime a atrelar os cavalos à carruagem. A carruagem de Beauxbatons estava prestes a partir.

— Nos verremes utrra vez, esperro — disse Fleur, que estendeu a mão quando o alcançou. — Estou querrendo arranjar um emprrego aqui para melhorrar o meu inglês.

— Já é bastante bom — disse Rony com a voz meio estrangulada. Fleur sorriu para ele; Hermione amarrou a cara para o amigo.

— Adeus, Arry — disse Fleur, virando-se para ir embora. — Foi um prrazer conhecerr você!

O estado de ânimo de Harry não pôde deixar de melhorar um pouquinho ao observar Fleur correr pelos gramados de volta a Madame Maxime, seus cabelos prateados ondeando ao sol.

— Como será que os alunos de Durmstrang vão voltar para casa? — indagou Rony. — Vocês acham que eles são capazes de comandar aquele navio sem o Karkaroff?

— Karkaroff non comandou — disse uma voz ríspida. — Ficou na cabine e deixou o trrabalho conosco. — Krum viera se despedir de Hermione. — Posso lhe darr uma palavrrinha? — pediu ele.

— Ah... claro... tudo bem — respondeu a garota, e parecendo ligeiramente afobada acompanhou Krum pela aglomeração de alunos até desaparecer de vista.

— É melhor você se apressar! — gritou Rony para ela. — As carruagens vão chegar a qualquer momento!

Mas ele deixou com Harry a tarefa de vigiar a chegada das carruagens e passou os minutos seguintes esticando o pescoço por cima dos colegas para tentar ver o que Krum e Hermione poderiam estar fazendo. Os dois voltaram bem depressa, mas o rosto da garota estava impassível.

— Eu gostava de Diggory — disse Krum abruptamente a Harry. — Erra semprre educado comigo. Semprre. Mesmo eu sendo de Durrmstrrang, com Karkaroff — acrescentou ele, fechando a cara.

— Vocês já têm um novo diretor? — perguntou Harry.

Krum sacudiu os ombros. Depois estendeu a mão, como fizera Fleur, apertou a de Harry e em seguida a de Rony.

Rony parecia estar sofrendo um doloroso conflito interior. Krum já começara a se afastar quando ele falou de supetão.

— Pode me dar seu autógrafo?

Hermione se virou rindo para as carruagens sem cavalos, que agora vinham sacolejando pelo caminho, quando Krum, com ar de surpresa, mas muito satisfeito, assinou um pedaço de pergaminho para Rony.

O tempo não poderia estar mais diferente na viagem de volta a King's Cross do que estivera na vinda para Hogwarts, em setembro. Não havia uma única nuvem no céu. Harry, Rony e Hermione tinham conseguido uma cabine só para eles. Pichitinho mais uma vez viajava escondida sob as vestes a rigor de Rony para não ficar piando continuamente. Edwiges cochilava, a cabeça debaixo de uma asa, e Bichento se enroscara em um lugar vazio como uma grande almofada peluda cor de gengibre. Harry, Rony e Hermione conversaram mais longa e livremente do que haviam feito durante toda a semana, enquanto o trem os levava para o sul. Harry teve a impressão de que o discurso de Dumbledore na Festa de Despedida de alguma forma o desbloqueara. Tornara-se menos doloroso para ele falar sobre o que acontecera. Os amigos somente interromperam a conversa sobre as medidas que Dumbledore poderia estar tomando naquele instante para deter Voldemort quando o carrinho de comida chegou.

Ao voltar do carrinho, Hermione guardou o troco na mochila e apanhou um exemplar do *Profeta Diário* que levava ali.

Harry olhou para o jornal, pouco seguro se realmente gostaria de saber o que dizia, mas Hermione, vendo-o olhar, disse calmamente:

— Não tem nada aqui. Pode ver por você mesmo, não tem nada aqui. Estive verificando todos os dias. Só uma pequena notícia no dia seguinte à terceira tarefa, dizendo que você ganhou o torneio. O jornal sequer mencionou Cedrico. Nenhum comentário sobre nada. Se vocês me perguntarem, acho que Fudge está obrigando o jornal a se calar.

— Ele jamais faria Rita se calar — disse Harry. — Não sobre uma história dessas.

— Ah, Rita não tem escrito nada desde a terceira tarefa — disse Hermione, com uma voz estranhamente contida. — Aliás — acrescentou, agora com a voz ligeiramente trêmula —, Rita Skeeter não vai escrever nadinha por algum tempo. A não ser que queira que eu ponha a boca no trombone sobre *ela*.

— Do que é que você está falando? — perguntou Rony.

— Descobri como é que ela fazia para escutar conversas particulares, já que estava proibida de entrar nos terrenos da escola — explicou a garota depressa.

Harry teve a impressão de que Hermione andava há dias doidinha para contar a eles, mas se contivera por conta de tudo o mais que havia acontecido.

— Como é que ela fazia? — perguntou Harry na mesma hora.

— Como foi que você descobriu? — perguntou Rony, olhando admirado para a amiga.

— Bom, na realidade foi você, Harry, quem me deu a ideia.

— Eu? — exclamou Harry, perplexo. — Como?

— *Grampo* — disse a garota, satisfeita.

— Mas você disse que não funcionava...

— Ah, não um grampo *eletrônico*. Não, sabe... Rita Skeeter — a voz de Hermione tremeu de silencioso triunfo — é um animago clandestino. Ela pode se transformar...

Hermione tirou um frasco lacrado de dentro da mochila.

— ... em besouro.

— Você está brincando — exclamou Rony. — Você não... ela não está...

— Ah, está — respondeu Hermione com ar de felicidade, mostrando o frasco para os amigos.

Dentro havia uns gravetos e folhas e um grande e gordo besouro.

— Nunca... você está brincando... — sussurrou Rony, erguendo o frasco à altura dos olhos.

— Não, não estou — disse Hermione, com um largo sorriso. — Apanhei-a no peitoril da janela da enfermaria. Olhe com atenção e você vai notar as marcas em volta das antenas exatamente iguais às daqueles óculos horrorosos que ela usa.

Harry olhou e viu que a garota tinha razão. E ele também se lembrou de uma coisa.

— Havia um besouro em cima da estátua na noite em que ouvimos Hagrid falando com Madame Maxime sobre a mãe dele!

— Exatamente — confirmou Hermione. — E Vítor tirou um besouro dos meus cabelos quando estávamos conversando na beira do lago. E, a não ser que eu esteja muito enganada, Rita estava encarapitada no peitoril da janela da classe de Adivinhação no dia em que sua cicatriz doeu. Ela andou besourando pela escola o ano inteiro.

— Quando vimos Malfoy debaixo daquela árvore... — lembrou Rony lentamente.

— Ele estava falando com a Rita segura na mão — disse Hermione. — Ele sabia, é claro. Foi assim que ela fez aquelas entrevistinhas simpáticas com os alunos da Sonserina. Aqueles garotos não ligariam se ela estivesse fazendo uma coisa ilegal, desde que pudessem contar barbaridades sobre Hagrid e nós.

Hermione apanhou o frasco da mão de Rony e sorriu para o besouro, que zuniu irritado contra o vidro.

— Já avisei a ela que só vou soltá-la quando chegarmos a Londres. Lancei um Feitiço Antiquebra no frasco, entendem, para ela não poder se transformar. E avisei, também, que vai ter que guardar a pena só para ela durante um ano. Vamos ver se ela perde o hábito de escrever mentiras horríveis sobre as pessoas.

Sorrindo serenamente, Hermione tornou a guardar o besouro na mochila.

A porta da cabine se abriu.

— Muito esperta, Granger — exclamou Draco Malfoy.

Crabbe e Goyle vinham atrás dele. Os três pareciam mais satisfeitos com eles mesmos, mais arrogantes e mais ameaçadores do que Harry jamais os vira.

— Então — disse Malfoy, entrando lentamente na cabine e olhando para os três, um sorrisinho brincando em seus lábios. — Vocês apanharam uma repórter patética, e Potter voltou a ser o aluno favorito de Dumbledore. Grande coisa.

Seu sorriso se alargou. Crabbe e Goyle fizeram cara de desdém.

— Estamos tentando não pensar naquilo, é? — disse ele calmamente, continuando a se dirigir aos três. — Tentando fingir que não aconteceu?

— Dá o fora — disse Harry.

Ele não chegava perto de Malfoy desde que o vira cochichando com Crabbe e Goyle durante o discurso de Dumbledore sobre Cedrico. Sentiu uma espécie de zumbido nos ouvidos. Sua mão agarrou a varinha sob as vestes.

— Você escolheu o lado perdedor, Potter! Eu lhe avisei! Eu lhe disse que devia escolher com quem anda com mais cuidado, lembra? Quando nos encontramos no trem, no primeiro dia de Hogwarts? Eu lhe disse para não andar com ralé desse tipo! — Ele indicou Rony e Hermione com a cabeça. — Tarde demais agora, Potter! Eles serão os primeiros a ir, agora que o Lorde das Trevas voltou! Sangues ruins e amantes de trouxas primeiro! Bom, em segundo lugar, Diggory foi o pr...

Foi como se alguém tivesse explodido uma caixa de fogos na cabine. Cego pelo clarão dos feitiços que voaram em todas as direções, surdo pela série de estampidos, Harry piscou olhando para o chão.

Malfoy, Crabbe e Goyle estavam caídos inconscientes à porta. Ele, Rony e Hermione estavam de pé, depois de cada um ter usado um feitiço diferente. E não tinham sido os únicos a fazer isso.

— Achamos que devíamos dar uma olhada no que os três iam aprontar — disse Fred factualmente, pisando em cima de Goyle, no que foi imitado por Jorge, que teve o cuidado de pisar em Malfoy ao entrar com o irmão na cabine.

— Que efeito interessante! — exclamou Jorge, olhando para Crabbe. — Quem usou o Feitiço *Furnunculus*?

— Eu — respondeu Harry.

— Que estranho! — disse Jorge, descontraído. — Eu usei o das Pernas-Bambas. Parece que não se deve misturar os dois. Brotaram pequenos tentáculos pela cara dele toda. Bom, não vamos deixar os três aqui, eles não contribuem nada para a decoração.

Rony, Harry e Jorge chutaram, rolaram e empurraram os inconscientes Malfoy, Crabbe e Goyle — cada um com a aparência pior, dada a mistura de feitiços com que tinham sido atingidos — até o corredor, depois voltaram para a cabine e fecharam a porta.

— Alguém topa um Snap Explosivo? — convidou Jorge puxando um baralho.

Já estavam no meio da quinta partida quando Harry resolveu fazer a eles a pergunta.

— Então vão nos contar? — dirigiu-se ele a Jorge. — Quem é que vocês estavam chantageando?

— Ah — disse Jorge misteriosamente. — *Aquilo*.

— Vamos deixar pra lá — disse Fred, balançando a cabeça, impaciente. — Não foi nada importante. Pelo menos a essa altura.

— Desistimos — disse Jorge encolhendo os ombros.

Mas Harry, Rony e Hermione continuaram insistindo e finalmente Fred falou:

— Está bem, está bem, se vocês querem mesmo saber... era Ludo Bagman.

— Bagman? — disse Harry na mesma hora. — Vocês estão dizendo que ele estava envolvido...

— Nãão — disse Jorge, desanimado. — Nada a ver. Um idiota. Não teria cérebro para tanto.

— Então, quem?

Fred hesitou, depois disse:

— Vocês se lembram da aposta que fizemos com ele na Copa Mundial de Quadribol? Que a Irlanda ia ganhar, mas Krum capturaria o pomo?

— Lembro — disseram Harry e Rony lentamente.

— Bom, o babaca nos pagou com aquele ouro de leprechaun que os mascotes da Irlanda tinham jogado.

— E daí?

— E daí — disse Fred impaciente — desapareceu, não é? Na manhã seguinte, tinha desaparecido!

— Mas... deve ter sido sem querer, não? — perguntou Hermione.

Jorge riu muito amargurado.

— É, foi o que nós pensamos a princípio. Achamos que, se escrevêssemos a ele e disséssemos que tinha havido um engano, ele nos pagaria direito. Mas nada feito. Nem deu bola para a nossa carta. Continuamos tentando falar com ele sobre isso em Hogwarts, mas estava sempre arranjando uma desculpa para se afastar de nós.

— No fim ele começou a engrossar — comentou Fred. — Disse que éramos muito jovens para apostar em jogos de azar e que ele não ia nos dar nada.

— Então pedimos a ele que devolvesse o nosso dinheiro — disse Jorge amarrando a cara.

— Ele não teve a coragem de recusar! — exclamou Hermione.

— Acertou na primeira — disse Fred.

— Mas eram todas as economias de vocês! — disse Rony.

— Me conta uma novidade — disse Jorge. — Claro que acabamos descobrindo o que estava rolando. O pai de Lino Jordan também tinha tido um trabalho danado para receber algum dinheiro de Bagman. O caso é que ele estava encalacrado até o pescoço com os duendes. Tinha pedido emprestado a eles uma montanha de dinheiro. Uma turma encurralou Bagman na floresta depois da Copa Mundial e tirou todo o ouro que ele levava nos bolsos, mas ainda não era suficiente para cobrir as dívidas. Os duendes o seguiram até Hogwarts para ficar de olho nele. O cara tinha perdido tudo no jogo. Não tinha mais nem dois galeões para esfregar um no outro. E sabe como foi que o idiota tentou pagar aos duendes?

— Como? — perguntou Harry.

— Apostou em você, companheiro — disse Fred. — Fez uma aposta enorme que você ganharia o torneio. Apostou com os duendes.

— Então foi por isso que ele ficou tentando me ajudar a ganhar! — disse Harry. — Bom, e eu ganhei, não é mesmo? Então ele já pode pagar o ouro de vocês!

— Não — respondeu Jorge, balançando a cabeça. — Os duendes jogaram sujo com ele. Disseram que você ganhou com Diggory, e Bagman tinha apostado que você ganharia sozinho. Então Bagman teve que se mandar para salvar a pele. E foi o que fez logo depois da terceira tarefa.

Jorge deu um profundo suspiro e começou a dar as cartas outra vez.

O resto da viagem foi bem agradável; Harry na verdade desejou que ela pudesse ter continuado pelo verão afora, e que nunca chegassem a King's Cross... mas, como aprendera a duras penas aquele ano, o tempo não desacelerava quando alguma coisa desagradável estava à espera da gente, e logo, logo, o Expresso de Hogwarts estaria entrando na plataforma nove e meia. O barulho e a confusão de sempre encheram os corredores do trem quando os alunos começaram a desembarcar. Rony e Hermione lutaram para passar com as malas ao largo de Malfoy, Crabbe e Goyle.

Harry, no entanto, ficou parado.

— Fred, Jorge, esperem aí.

Os gêmeos se viraram. Harry abriu o malão e tirou a bolsa com o prêmio do Torneio Tribruxo.

— Para vocês — disse ele, e enfiou a bolsa nas mãos de Jorge.

— Quê? — exclamou Fred, aparvalhado.

— Para vocês — repetiu Harry com firmeza. — Eu não quero.

— Você pirou — disse Jorge, tentando empurrar a bolsa de volta para o garoto.

— Não, não pirei. Fiquem com ele e continuem inventando. É para a loja de logros.

— Ele pirou — disse Jorge, com assombro na voz.

— Escutem — disse Harry, decidido. — Se vocês não aceitarem, eu vou jogar fora. Não quero o ouro e não preciso dele. Mas dar umas boas gargalhadas bem que ajudaria. Tenho a impressão de que vamos precisar delas mais do que de costume e não vai demorar muito.

— Harry — disse Jorge, sem muita convicção, pesando a bolsa de dinheiro nas mãos —, deve ter uns mil galeões aqui.

— Tem — disse Harry sorrindo. — Pensem quantos Cremes de Canário vão poder fabricar.

Os gêmeos ficaram olhando para ele.

— Só não contem à sua mãe onde arranjaram o ouro... embora, pensando bem, ela talvez não esteja mais querendo tanto que vocês entrem para o Ministério...

— Harry — começou Fred, mas o garoto empunhou a varinha.

— Olhem — disse em tom de quem não admite contestação —, ou levam ou azaro vocês. Conheço umas boas azarações agora. Mas me façam um favor, OK? Comprem umas roupas a rigor diferentes para Rony e digam que é presente de vocês.

Harry deixou a cabine antes que os gêmeos pudessem dizer mais alguma coisa, pulando por cima de Malfoy, Crabbe e Goyle, que continuavam caídos no chão, cobertos de feitiços.

Tio Válter estava aguardando do outro lado da barreira. A Sra. Weasley muito próxima dele. Ela deu um abraço apertado em Harry quando o viu e cochichou em seu ouvido:

— Acho que Dumbledore vai deixar você ficar conosco mais para o fim do verão. Fique em contato, Harry.

— A gente se vê, Harry — disse Rony lhe dando uma palmadinha nas costas.

— Tchau, Harry! — disse Hermione, e fez uma coisa que nunca fizera antes, deu-lhe um beijo na bochecha.

— Harry, obrigado — murmurou Jorge, enquanto Fred concordava animado acenando com a cabeça, ao lado do irmão.

Harry piscou para os dois, virou-se para o tio Válter e o acompanhou silenciosamente para fora da estação. Não adiantava começar a se preocupar, disse a si mesmo, quando embarcou no banco traseiro do carro dos Dursley.

Conforme dissera Hagrid, o que tiver de ser será... e ele teria que enfrentar o que fosse quando viesse.

MARY GRANDPRÉ ilustrou mais de vinte livros para crianças, incluindo as capas das edições brasileiras dos livros da série Harry Potter. Os trabalhos da ilustradora norte-americana estamparam as páginas da revista New Yorker e do Wall Street Journal, e seus quadros foram exibidos em galerias de todo os Estados Unidos. GrandPré vive com a família em Sarasota, na Flórida.

KAZU KIBUISHI é o criador da série Amulet, bestseller do New York Times, e Copper, uma compilação de seus populares quadrinhos digitais. Ele também é fundador e editor da aclamada antologia Flight. As obras de Kibuishi receberam alguns dos principais prêmios dedicados à literatura para jovens adultos nos Estados Unidos, inclusive os concedidos pela prestigiosa Associação dos Bibliotecários da América (ALA). Ele vive e trabalha em Alhambra, na Califórnia, com a mulher Amy Kim, que também é cartunista, e os dois filhos do casal. Visite Kibuishi no site www.boltcity.com.